KB209830

마루야마 쿠가네 지음 김완 옮김

Kugane Maruyama | illustration by so-bin

OVERLORD [14] The witch of the Falling kingdom

멸국의 마녀

14

오버로드

Contents **목차**

나자릭 지하대분묘, 제9계층에 있는 아인즈의 방.

여러 방 중에서도 가장 복도에 가까우며, 집무실로 개조된 그 방에 주인의 모습은 없다. 그럼에도 실내에는 서류를 넘기는 소리가 조용히 울려 퍼졌다.

그곳에 있던 것은 지하대분묘 수호자 총괄책임자인 알베도였다.

아인즈가 평소에 사용하는 중후한 책상 옆에, 그보다는 작지만 기품 있는 책상과 의자가 놓여 있었으며, 그곳에 앉은 알베도가 탁상의 서류를 살핀다.

물론 알베도의 집무실은 따로 있다.

아인즈와 동등한 ──신규 길드 멤버용 예비실── 방이 주어졌으며, 그곳을 자유로이 이용해도 좋다고 허가가 내려졌다. 그녀는 그곳을 자신의 방으로 삼아 집무를 보았다.

하지만 어느 순간, 마침내 참을 수 없게 되어 자신의 주인에게 탄원했던 것이다.

같은 방에서 일하고 싶다고.

처음에는 그리 긍정적인 대답을 얻지 못했으나, 실무 면에서 많은 이점이 있다고 성심성의껏 호소하고 끈덕지게 설득한 결과 겨우 허가를 받은 경위가 있다.

알베도는 빈자리를 쳐다보고, 살짝 고개를 숙이더니 약간 입술을 비죽거렸다. 오늘 아인즈의 집무실 당번 메이드——아인즈 당번 메이드와는 별개다——는 알베도의 뒤에 서 있었으므로 이런 알베도의 희귀한 표정은 아무도 볼 수 없었다.

알베도의 유일한 주인은 자리를 비운 상태였으며, 나자릭 지하대분묘에도 그의 모습은 없다.

주인은 현재 에 란텔에서, 지금은 정례행사가 된 일을 하는 중이다.

허락된다면 주인과 함께 일하는 멋진 시간을 빼앗은 자들——오늘 주인과 면회하는 어리석은 존재들을 모조리 처분하고 싶었다.

물론 그러한 행위가 용납될 리는 없겠지만, 머릿속으로 에 란텔을 초토화시키는 망상을 펼치며 조금 화를 풀었다. 그러나 그것도 한때뿐. 뱃속에 응어리진 짜증이 언어가 되어 새 나오고 말았다.

"불쾌해……. 버러지들이……."

술렁. 천장에서 공포의 기적이 흘러나왔지만 알베도는 이를 일부러 무시했다. 그때 자신을 방해했던 것은 잊지 않고 있다.

앞으로 몇 번쯤 더 겁을 주어도 상관은 없을 것이다. 참고로 마레는 양보해주었으므로 이미 용서했다.

조금 기분이 풀린 알베도는 후우 한숨을 토해내고는, 어깨를 가볍게 돌리더니 다음 서류를 살폈다.

나자릭── 아니, 마도국은 순조롭게 확대를 거듭해 업무량은 나날이 방대해졌다.

외교──

각국과 외교를 펼치는 한편, 물밑에서는 첩보전이 활발해지고 있다.

법국, 왕국, 도시국가연합의 첩보원이 에 란텔에 잠입했음은 이미 확인했으나 묵인하고 있다. 이 건은 현재 데미우르고스의 담당이며, 알베도는 올라오는 정보를 머릿속에 넣어두는 정도였다.

내정──

에 란텔에서 다양한 종족을 포섭한 영향으로 일어나는 문제는 거의 없다. 완전히 없다고 단언할 수는 없지만 타국에 비하면 놀랄 정도로 적다.

딱히 위협을 했던 것은 아니다. 자주적으로── 마도왕과 부하 언데드의 무서움을 잘 알기에 모든 이가 예의 바르게 생활한다. 범죄발생률은 매우 낮고, 경범죄 정도는 있을지언정 중범죄는 일어나지 않는다. 여성이 밤에도 안심하고 밖을 돌아다닐 수 있을 만큼 안전한 도시로 바뀌어버렸다. 요즘은 죄인이라는 이름의 실험동물이 부족해져 제국에 요청할 정도였다.

그렇게 치안이 좋은 도시에서도 일어나는 범죄. 알베도는 여기에 주목한다. 하인리히의 법칙에 따르면 1건의 중대한 사고 뒤에는 29건의 경미한 사고가 있으며 그 이면에는 300건의 이상이 있다고 하지만, 한 건의 이상이라도 놓치지 않고 대처해야 한다.

손에 든 바인더에 끼워진 종이 다발은 에 란텔 내에서 일어난 지난 한 달의 재판 기록을 담은 것이었다.

내용이 자세해 바인더 한 다발을 살펴보는 데에도 꽤 많은 시간이 필요하지만 알베도의 처리속도는 일반인과는 비교가 되지 않을 정도로 빠르다. 거의 보지 않는 것처럼 여겨지는 속도로 착착 페이지를 넘긴다.

그와 동시에 펜을 든 손이 재빠르게 움직여, 마음에 걸리는 점을 백지에 옮겨 적는다.

재판은 적절했는가.

이 범죄자는 왜 이러한 죄를 저질렀는가. 그리고 여기에서 추측되는 에 란텔의 현재 치안과 민심에는 문제가 없는가.

새로운 법안을 작성해야 하는가.

산더미 같은 서류를 일일이 참고해야 하는, 혹은 각 부서의 많은 관료가 모여야 할 만한 일을, 알베도는 혼자서 아무것도 보지 않으며 분석하고 판단하고 처리해나갔다. 내정을 하나에서 열까지 모두 숙지하지 않고서는 불가능한, 그야말로 괴물처럼 명석한 두뇌였다.

한 무더기를 다 읽고, 그와 동시에 펜을 멈춘다.

그리고 키워드만이 열거된 서류를 원래대로 깨끗하게 옮겨 적어나갔다.

주인이 읽을 테니 글씨가 지저분해서는 안 된다. 조금 전의 서류를 읽을 때보다도 더욱 시간을 들여서, 요점과 제안사항 같은 것을 적은 서류의 작성을 마쳤다.

다 쓴 서류를 위에서 아래로 살펴보고, 알베도는 조그만 미소를 머금었다.

일을 하나 마쳐서가 아니었다. 이번에도 주인에게 도움을 줄 수 있었다는 만족감에서 오는 표정이었다.

바인더에 서류를 끼워 넣고 이를 살짝 들었다. 그러자 뒤에서 대기하던 메이드가 이를 받아 주인의 책상 위에 놓았다.

벌써 오늘의 다섯 번째 서류였다.

알베도의 표정이 살짝 흐려졌다.

이것은 좋지 않은 상황이다.

마도국은 직접적으로도, 간접적으로도 영토를 확대했다. 이로 인해 발생한 문제는 다채로워서, 예전보다 주인에게 올려야만 하는 서류의 양이 늘어나고 말았다. 이처럼 통치자가 대량의 서류를 처리해야만 한다는 것은 조직에 결함이 있다는 증거다.

원래 같으면 남의 위에 선 자는 방침을 결정하기만 하면——큰 목표를 설정해주기만 하면 된다. 그 후에는 그저 옥좌에 앉아, 조물주가 창조한 이들이 필사적으로 일하는 모습을 바라보기만 하면 그만이다.

그렇게 되지 못하는 것이 물론 주인의 책임은 아니다. 지고의 주군이 바라는 수준에 미치는 자가 적어서—— 요컨대 인재가 부족하기 때문이다. 내정과 함께 나자릭의 인원관리를 맡은 알베도에게는 비지땀이 솟아날 만한 상황이었으며, 수를 써두기는 했지만 아직도 앞길은 밝지 못했다.

'그분을 번거롭게 해드리는 것은 애초에 말도 안 되는 일. 하지만…… 인종 융화 방침, 국법 시안, 경제정책, 그 외에도 판단해주셔야만 할 일들이 많아……. 게다가 각 계층수호자에게 배정된 업무의 상황 확인을 내 단계에서 끝내버리면 다들 모몬가 님을 만나지 못하게 되어 불만을 품을 테고…….'

알베도는 주인에게서 모든 권한을 위임받았으며, 그녀가 옳다고 생각하면 그것으로 상관이 없다는 말을 들었다. 그래도 혹시 몰라 확인을 받고는 있다. 알베도도 실수하는 경우가 있기 때문이다.

자신의 주인을 모욕한 ──모욕했다고 알베도나 다른 이들이 판단한── 자는 일족을 모조리 빙결뇌옥에 보낸다는 형벌을 제정했을 때, 이를 모욕죄라고 불러야 할지 아니면 우둔죄라 불러야 할지에 대한 고견을 청하자, 형벌 그 자체를 반대해 경악했던 일이 있었다.

주인의 관대한 마음에 대한 이해가 부족했다고, 지금도 떠올릴 때마다 반성한다.

'모몬가 님이 자비로우시다는 것을 잘 알면서도…….'

부루퉁 아랫입술을 내밀었다. 이것 또한 알베도에게서는 보기 힘든 표정이다. 다만 주인이 없기에 가능한 그런 표정을 지은 것도 한순간이었다.

이내 원래의 표정으로 돌아온 알베도는 다음 서류다발을 ──이것도 바인더 급이다── 손에 들었다.

내용을 머릿속으로 면밀히 판단하면서 동시에 다른 생각을 했다.

가장 경계하는 계층수호자—— 데미우르고스에 대해서였다.

성왕국에서 펼친 일련의 작전을 마친 데미우르고스는 정보기관을 설립하기 위해 나자릭을 중심으로 바쁘게 날아다니는 중이다. 알베도의 입장에서는 귀찮은 조직이 설립되는 셈이다. 물론 수호자 총괄책임자인 알베도가 그 위에 오르는 것은 타당하지만 데미우르고스가 조직의 수장을 맡을 가능성도 낮지 않으며, 그럴 경우 성가신 일이 벌어지리란 것은 자명했다.

가능하다면 권한을 박탈하고 다루기 쉬운 다른 인물을 앉히고 싶었다.

몇몇 사람의 얼굴이 뇌리를 스쳤지만 누구 하나 결정적인 면이 부족했다.

'내가 되지 못할 경우, 열 번쯤 양보해서 판도라즈 액터 정도가 가능하지 않을까. 하지만 데미우르고스에게서 권한을 박탈하기는 까다로울 텐데…….'

그렇게 움직인 결과, 그가 알베도의 진의를 깨닫지 못하리라는 법이 없다.

그래선 곤란하므로, 공연히 손을 대지 않는 편이 안전하리라.

자신의 언니 정도면 괜찮을지도 모르지만, 그자는 언니이기는 해도 절대적인 아군은 아니다. 알베도의 진의를 알면 적으로 돌아설 수도 있다.

나자릭 최강의 개체인 여동생은 신용할 수 있으며 알베도의 진의를 알아도 편을 들어줄 것이다. 다만 이는 자신의 주인이 알베도를 따르라고 말했기 때문이다.

'나 원.'

손이 부족했다.

아니, 인원만이 아니다. 온갖 것들이 부족하다. 예를 들면 알
베도 개인이 자유로이 움직일 수 있는 금전도. 그렇다면——
주인이 나자릭 밖에 조직을 확장해주는 것은 그녀에게 이익이
된다.

'새로 재편한 모험자 조합에 내 부하를……. 마레의 움직임
을……. 아우라는 경계할 필요가……. 코퀴토스의 지휘하에…….
빅팀에게서 정보를……. 샤르티아의 교통망은 가치가……. 상회
를 경유해 비자금을 조성하고……. 인원은……. 남은 건 데미우
스고스와 그 계집애인데…….'

짧은 시간 사이에, 일반인에게는 불가능할 정도로 다종다양
한 내용을 숙고한 알베도는 살짝 눈살을 찌푸렸다.

'안 되겠어. 데미우르고스는 주의해야 하고, 그 계집애를 포
섭하는 건 너무 위험성이 커. 잘못하면 데미우르고스보다 경계
해야 할 상대가 될지도 몰라…….'

머릿속에서 온갖 책모를 짜내며, 그녀는 다시 한 가지 일을 마
쳤다.

그리고 다음 바인더를 손에 들었다.

여기에 낀 자료는 매우 적었다. 새로운 문제가 거론되었거나,
아니면 샤르티아처럼 서류 작성에 익숙하지 않은 사람이 만든
것이거나 둘 중 하나다.

알베도는 표지를 살폈다.

그곳에는 '성왕국 식량지원부대에서 일어난 문제' 라고 적혀

있었다.

보아하니 전자였던 모양이다. 알베도의 기억 속에 이런 문제는 없었다.

무슨 일이 있었는지 읽기 시작한 알베도는 눈을 몇 차례 깜빡이다 이내 휘둥그렇게 떴다. 그리고 서두부터 다시 읽어보았으나, 내용이 모종의 은유나 위장이 아님을 알자 어이없어하는 것처럼 입을 살짝 벌렸다.

"엥?"

이해할 수 없다는 듯, 고운 얼굴에 곤혹의 표정을 지었다.

나자릭 최고의 지략가 중 하나인 알베도는 어지간해서는 이런 표정을 짓지 않는다.

그만한 사태였지만, 알베도의 명석한 두뇌는 회전을 개시해 서류에 적힌 문제가 발생한 이유와 가능성을 생각했다.

'가장 그럴듯한 것은 그 계집애가 배신했다는 건데…… 다른 조직에서 더 이익이 큰 제안을 받았나? 내 예상으로는 그 이상의 제안은 없을 줄 알았는데……. 아니지, 어쨌거나 확신할 수는 없어. 단순히 정보가 부족해.'

보고서를 올린 자에게 자세한 내용을 묻는 것과 동시에, 이 문제와 깊은 관계가 있을 법한 동료── 데미우르고스와 상담을 해보아야 할 것이다.

주인에게 보고하는 것은 그 다음이다.

나머지 두 개의 보고서도 살펴보고, 별로 중요하지 않다는 사실을 확인하자 뒤에 선 메이드에게 말했다.

"긴급히 회의를 열어야 해. 일단 데미우르고스와 상담하기 위해 제7계층으로 가겠어. 나를 찾는 사람이 있으면 한동안 자리를 비울 거라고 전해줘."

명령을 내린 알베도는 왼손 약지에 낀 링 오브 아인즈 울 고운을 기동시켰다.

수호자 총괄책임자로서 각 계층수호자가 어디에 있는지는 항상 파악하고 있다.

데미우르고스는 성왕국에서 일을 마치고 평의국, 법국, 도시국가연합에 관한 책모를 계획하기 위해 제7계층의 자기 주거지로 돌아왔을 것이다.

없다면 엔토마를 붙잡아다 〈전언Message〉을 부탁하거나 자신의 언니에게 위치를 알아봐달라고 하면 된다.

알베도는 전이를 시전했다.

*

리 에스티제 왕국의 왕도, 리 에스티제.

로 렌테 성 발란시아 궁전 집무실.

역대 왕이 집무했던 방에 원래의 주인인 란포사 3세의 모습은 없었으며, 대신 제2왕자인 자낙 바를레온 이가나 라일 바이셀프가 있었다.

자낙은 올라온 서류를 훑어보고 어두운 표정으로 무거운 한숨을 쉬었다. 이 서류를 보고 밝은 표정을 지을 수 있는 사람은 별로 없을 것이다.

서류에 적힌 것은 왕국의 현재 상황이었다.

카체 평야 전투——아니면 학살이라고 해야 할까——에서 수많은 백성이 사망했다. 그렇다고는 해도 왕국이 치명상을 입을 정도는 아니다. 왕국의 백성은 약 900만. 전사자는 그중 18만 정도. 2퍼센트의 피해밖에 나오지 않았다고 할 수 있다. 게다가 농민의 차남, 삼남 등 예비라고 할 만한 자들이나 아직 머리에 피가 마르지 않은 도제들도 많아, 좋은 표현은 아니지만 죽었다고 곤란하지는 않았다.

그래도 죽은 것은 남자의 4퍼센트. 그것도 한창 일할 때인 장정들이다. 그 폐해가 천천히 나타나고 있다는 것이 보고서에서 드러났다.

"흥."

자낙은 콧김을 거칠게 내뿜으며 서류를 책상 위에 내팽개치고는, 실내에 있던 또 다른 인물에게 시선을 돌렸다.

"동생아. 너라면 어떻게 하겠냐?"

그 질문에 조금 떨어진 곳의 긴 의자에 앉아있던 동생—— 라나 티엘 샬드론 라일 바이셀프가 고개를 들었다.

다른 서류를 보던 라나가 난처한 표정으로 웃었다.

"어떻게 하겠냐고만 물어보시면……. 오라버니, 질문의 내용을 조금 자세히 해주셔야 정확한 대답을 드리지요."

"이거 말이다."

자낙은 설명도 없이, 내팽개쳤던 서류를 다시 들어 팔랑팔랑 흔들었다. 라나는 자리에서 일어나 자낙에게 다가와 서류를 받았다.

"……이것 말인가요."

서류를 위에서 아래로 훑어본 라나는 가벼운 어조로 말했다.

"음…… 어떻게 할 방법이 없지 않을까요?"

"이봐아……."

자낙은 천장을 우러러보았다.

자신보다도 우수한 여동생이 이렇게 말해버리면 정말로 어떻게 할 방법이 없다. 하지만 여기서 자포자기했다간 위정자로서는 실격이다.

"그렇게 난감해 하실 일인가요? 일시적으로 국력이 저하되겠지만 어디까지나 일시적인걸요. 저는 그렇게까지 무언가 해야만 할 거라는 생각은 안 드는걸요?"

"국력이 저하되면 굶어 죽는 사람이 나오기도 할 텐데?"

제국과의 거듭되는 전쟁으로 식량을 많이 비축하지 못한 상황이 이어졌다. 그런 가운데 왕의 직할령이자 식량생산량이 뛰어났던 에 란텔 근교를 마도국에게 분할해주었다. 그리고 전사자의 수만큼 일손은 줄었다.

아직은 괜찮을지도 모른다. 하지만 몇 년 후에는 식량생산량이 감소해 가격이 폭등하고, 결과적으로 빈곤층에 식량이 돌아가지 않을 가능성이 매우 높다. 아니, 확실히 일어날 미래일 것이다.

"그렇군요."

"이봐이봐, 동생아. 그렇군요, 하고 가볍게 말했다만 여기에 가뭄이나 냉해 때문에 흉작까지 겹치면 어떻게 될지 알 수 없어."

"고위 드루이드는 날씨 조작도 가능하다니 일조량은 어떻게든 될 거예요. 모험자를 고용하면 될 테니 비용 대비 효과는 높지 않을까요. 그렇다고는 해도 그만한 고위 드루이드 모험자가 있을지 어떨지는 일찌감치 조사해보는 편이 좋겠네요. 옛날 같으면 유사시에는 제국의 모험자들에게까지 협조를 청했을 텐데, 지금은 마도국의 속국이라 어려울 수도 있으니까요."

"그래, 가뭄이라면 그 정도로도 괜찮겠지. 그럼 동생아, 냉해는 어떻게 하려고?"

"역시 드루이드에게 부탁해야죠."

자낙은 라나의 얼굴을 빤히 바라보았다. 눈에 익은 여동생의 얼굴이다.

'뭘 모르나?'

자낙은 생각했다.

라나의 말마따나 고위 드루이드의 마법으로 잠시 비를 내리게 하는 정도는 가능하므로 가뭄에는 효과가 있다. 하지만 냉해에는 드루이드의 마법이 무력하다. 자신의 심복이었던 레에븐 후작에게 들은 적이 있다.

냉해는 그 계절을 넘길 만한 기상조건을 유지해야만 하기 때문이다. 그러려면 고위 드루이드를 마을 하나에 한 사람씩 배치해야 한다. 수가 많지 않은 고위 드루이드를 수백 명이나 모은다는 것은 너무나 비현실적이다.

이러한 마법의 지식은 일반적인 교양에는 포함되지 않으므로 귀족가에서도 가르치지 않으며, 왕가에서도 상황은 마찬가지다.

자낙이 알고 있는 이유는 개인적으로 배웠기 때문이다.

이것은 왕국에는 높은 지위까지 오른 매직 캐스터가 별로 없는 데서 온 폐해라 할 수 있다. 제국의 '삼중마법영창자Triad'

플루더 팔라다인처럼 위대한 인물이 있다면 이야기가 달랐을지도 모른다. 하지만 왕국은 마법에 대한 몰이해와 함께 용감한 기병을 동경하는 문화가 뿌리 깊었으며, 이를 뒤집을 만한 매직 캐스터는 나타나지 않았다.

결과적으로 '전쟁에서 마법은 나약한 것'이라는 정신적 토대를 가진 귀족이 대대로 자식에게도 그렇게 가르쳤으며, 마법에 대한 무지로 인해 마법을 경시하는 악순환에 빠졌다.

자낙의 입장에서 보자면, 마법은 가공할 힘을 가진 기술이다.

시시한 인습 때문에 이 기술을 멀리한 채 돌아보질 않는다면, 언젠가 왕국은 이웃나라와의 경쟁에 패배해 싸우지도 못하고 질식사할 것이다. 그러므로 자낙은 장래 자신의 아이에게는 마법지식을 가르칠 교사를 붙이고자 생각한다. 왕족이 마법 공부를 시작한다는 것을 알면 이를 모방하려는 귀족들도 나올 것이다.

아니, 그러지 않더라도 마도왕이라는 강대한 마법을 사용하는 존재가 나타났으니 귀족들을 포함한 국민 전체의 의식개혁이 이루어져, 모두가 마법을 배우려는 시대가 올지도 모른다.

외적 요인이 계기가 되다니 조금 한심한 기분도 들지만, 왕국에는 좋은 일이니 눈을 감아야 할 것이다.

그런 왕국의 현재 상황을 고려하면, 라나가 모르는 것은 당연하다고 할 수 있다.

가령 천재적인 두뇌의 소유자라 해도 모르는 분야에서는 잘못된 답을 도출해버릴 것이다. 그렇게 되면 동생에게 전폭적인 신뢰를 기울이는 것은 위험하다.

그러나 라나는 아다만타이트 클래스 모험자 '청장미'와 친분이 있다. 궁금한 마법에 대해 자세히 알기란 어렵지 않을 것이다. 자낙도 아는 지식을, 지능의 특이점이라고 할 만한 여동생이 떠올리고 확인하지 않았다니, 그런 일이 있을 수 있을까?

그렇다고는 해도 라나가 이런 작은 일에 거짓말을 할 이유도 없다. 단순히 그녀가 어지간해서는 보이지 않는 인간미를 드러낸── 다시 말해 어쩌다 보니 조금 얼빠진 모습을 드러낸 것일지도 모른다.

라나가 옥좌에 관심이 없다는 사실은 잘 안다.

라나의 목표는, 자낙에게는 매우 작은 일이었다. 아니, 라나의 바람은 옥좌에 앉아버리면 절대 이루지 못하는 것이다. 자낙을 함정에 빠뜨려 이익이 생길 리도 없다.

"──동생아. 드루이드의 힘으로도 냉해는 해결하기 어렵다."

"그런가요? 그렇다면 큰일이네요. 아! 하지만 문제는 식량이 잖아요? 그거라면 충분히 있으니까 문제는 되지 않겠네요. 다행이에요, 오라버니."

자낙은 미소를 띤 라나와는 완전히 반대의 표정을 지었다.

"네가 말하는 식량이란 건 그거 아니냐? 거기에는 손을 대고 싶지 않다. ……많이 먹으면 언데드가 되는 건 아닐까?"

현재 왕국에 잉여식량이 '있느냐 없느냐'는 질문을 받는다면, 답은 '있다'였다.

상인들의 창고에는 충분하고도 남을 만한 식량이 잠자고 있다. 다만 그것을 기대하고 계획을 세울 수는 없다. 왜냐하면 그 식량은 엄밀히 말해 왕국의 것이 아니기 때문이다.

그 무시무시한 언데드 왕—— 마도왕이 지배하는 마도국이 왕국 상인들에게서 창고를 빌린다는 계약으로 놓아둔 식량인 것이다. 이런 일은 이제까지 들어본 적이 없었다. 왕국의 역사를 살펴봐도 없던 형태였다.

이 식량은 상인의 재량으로 판매해도 상관이 없다지만, 가격은 관세가 붙는 만큼 일반적으로 유통되는 것보다 비싸다. 이 가격은 마도국에서 지정했으며 값을 떨어뜨려서는 안 된다고 한다. 그렇기에 백성들이 구입할 수는 없고, 그저 창고에 쌓아두고만 있다고 한다.

따라서 현재는 왕국의 재산이 마도국으로 흘러나갈 리도 없고, 노골적으로 말해 왕국에 불이익은 없다.

지금으로서는 아무 문제도 없는 것처럼 보였다.

하지만 자낙은——라나의 의견도 그렇지만—— 이것을 마도국의 책모 중 하나라고 보았다.

"하지만 성왕국에서는 그 식량을 먹었다고 하니, 그 자체는 무해하겠지요."

"아니, 그렇게 생각하게 만드는 게 목적이고, 함정을 파놓은 식량만 우리 왕도에 남겨놨을지도 몰라."

라나가 쓴웃음을 지었다.

"진심으로 그렇게 생각하시는 건 아니겠죠?"

"그야 그렇지. 내용물은 이미 체크했으니."

왕도의 창고를 이용하는 데 마도국에서 밝힌 명분은, 성왕국을 지원할 물자를 저장하기 위해서라고 한다.

이곳에서 성왕국까지 식량을 수송한다는 것이다.

수송에 대한 안전보장을 맺거나 하지는 않았으므로, 산적이나 몬스터에게 습격을 당해도 마도국의 자기책임이 된다. 용병을 고용하는 것은 당연하고, 여기에 마도국은 자위책으로 '수송용 마차에 마도국의 것임을 한눈에 알아볼 수 있도록 깃발을 달았으면 한다'고 제안했다. 쓸데없는 문제를 피하고 싶었던 왕국 측에서도 통행세를 비롯해 마도국의 언데드를 왕국 내에 들이지 않는다는 등 몇 가지 조건과 맞바꾸어 받아들였으나, 이것이 잘못이었다.

마도국의 깃발을 높이 내건 마차가 대열을 지어 왕도 한복판을 이동하게 된 것이다. 수송대의 마차는 그대로 가도를 당당하게 나아갔으며, 이는 성왕국으로 가는 항로를 가진 항구에 이르기까지 계속되었다. 마도국보다 약한 입장임을 안팎으로 어필하게 된 꼴이다. 게다가 마도국은 훌륭하게도 치원에 열심이었으므로 이 수송은 빈번히 이루어졌다.

이렇게 존엄을 하나씩 박탈당한다면 언젠가 왕국은 주먹을 들지, 무릎을 꿇을지의 양자택일에 몰리게 된다. 아마도 제국은 이러한 공격을 당하다 못해 후자를 택하게 되었으리라. 참으로 효과적이고도 음습한 수법이다.

더욱 악질적인 것은, 표면적으로는 인도적인 지원이기 때문에 왕국에서도 그만두라고 할 수가 없다는 점이다.

마도왕에게 퇴치되었으며, 한때는 왕국의 왕도에서도 행패를 부렸던 대악마 얄다바오트. 그에게 지배당한 아인들의 습격을 받아 성왕국 북부는 엉망진창이 되었다. 자낙이 듣기로 이는 왕국과 비교도 되지 않을 수준의 피해라고 한다.

다만 성왕국 북부는 궤멸적이어도 남부는 피해가 거의 없다.

게다가 성왕녀의 서거, 그 뒤를 이은 성왕 즉위, 북부의 유력 귀족들이 죽어서 발생한 북부의 혼란, 남부 유력 귀족의 내부대립 등등 수많은 문제.

이러한 것들이 겹겹이 쌓여 성왕국을 남북으로 양분하는 이권과 권력다툼이 발생했다.

그 결과 북부의 백성에 대한 지원은 늦어지고, 하루하루 먹고 살 식량조차 마련할 수 없는 상황이라고 한다.

이를 구제해준 것이 왕국 왕도의 창고에서 육로와 해로를 이용해 성왕국으로 운반되는, 마도국이 제공하는 식량이다.

좋은 수법이다. 자낙은 그렇게 생각했다.

이 최악의 상황에 식량을 지원해준다면 언데드라는 점도 마음에 둘 수가 없을 것이다.

"우리가 식량을 지원할 수 있었다면 마도국이 따간 점수를 모조리 긁어모았겠지. 하지만…… 그 상황에서는 무리였어."

만약 그 전투가 없었다면.

아니, 하다못해 왕도에서 얄다바오트가 날뛰며 온갖 물자를 수탈해가지만 않았더라도 상황은 조금 더 나아졌을지 모른다. 성왕국에 식량을 지원해준 덕에 그 언데드의 평가가 그렇게까지 올라가지도 않았을 것이다.

그러한 일을 전혀 할 수 없게 되면서, 새로운 성왕이 즉위했을 때 보낸 사자는 참으로 쌀쌀맞은 대접을 받았다는 보고를 받았다.

'먼 곳과는 교류하고 가까운 곳은 공격한다'는 전통적인 외교사상에서 오는 냉전 상태도 아니었다. 선대 성왕── 성왕녀 칼카 베사레스의 시대에는 왕국과 성왕국의 관계도 그렇게까지 나쁘지 않았다.

다만 식량지원이 불가능했다는 점 이전에, 얄다바오트가 성왕국을 어지럽혔을 때 지원 요청을 거절했던 것이 우호관계를 치명적으로 악화시켰으리라.

물론 그때는 도저히 손을 내밀어줄 수 없었다.

마도왕 아인즈 울 고운의 강대한 마법으로 수많은 사상자가 나와 지금보다도 혼란이 컸을 때였다. 게다가 왕국 최강이라 명성이 자자했던 전사장── 가제프 스트로노프를 비롯한 이름난 전사들이 죽었다. 그렇게나 강대한 악마를 퇴치하기 위한 지원을 할 수 있었겠는가.

하지만 무슨 말을 한들 박정한 왕국의 궁색한 변명으로 들릴 것이다. 아니, 원조 요청을 받은 어느 나라나 왕국과 같은 반응을 보이지 않았을까. 오직 마도국만이 검과 빵을 보내주었다. 그리고 비교 대상이 된 왕국이 멸시를 받게 되었다.

실제로 외무 관계자들은 성왕국 북부에서 친(親) 마도국의 풍조가 매우 강해졌다고 보고했다.

"개별적인 문제에 대처할 수 없었던 후환이……."

나중에 더 큰 문제가 되어 돌아왔다.

우연의 누적이겠지만, 이 모든 상황이 하나로 이어진 것만 같다는 생각마저 들었다.

"아니, 어쩌면──."

"오라버니!"

"으악! ……이봐, 동생아. 그렇게 소리 지르지 않아도 들린다. 난 아직 젊어."

"……눈앞에 있는 동생을 무시하고 자기 세계에 빠지려 하셨으니 오라버니도 조금 언짢은 기분을 느껴보세요. 그런데 무슨 생각을 하셨나요?"

"아니…… 좀…… 과민한 생각이었다."

라나가 불쌍한 상대를 보는 듯한 눈빛을 보였다.

"잘은 모르겠지만 분명 그럴 거예요. 어두운 화제밖에 없으니 자꾸만 나쁜 방향으로 생각이 지나치게 쏠린 것뿐 아닐까요?"

듣고 보니 정말 그런 것도 같다.

"그럴지도 모르겠다."

"네. 그럴 거예요, 분명. ……성왕국 하니 생각이 났는데, 북부 성왕국과 남부 성왕국으로 분열되어 내전이 발발할지도 모른다는 상황이라지요. 어느 쪽이 이길 것 같나요? 피폐해진 북부 성왕국 측이 승산은 낮을 것 같지만요……."

"뭐, 그렇게 되겠지. 특히 북부의 이름난 강자들이 죽어버린 점이 큰 영향을 미칠 거다. 게다가 그 여자 성기사까지 죽었다고 하니……."

"잘 모르겠는데, 유명한 분인가요?"

"그럼. 우리로 치면 전사장님에 필적한다는 인물이었어. 왕국에 왔다는 말은 들었는데, 유감스럽게도 만나보진 못했지."

정식 사절도 아닌데 면회 순서를 건너뛰고 쉽게 만나주었다간 안팎으로 모범이 서질 않는다, 일찍 만나주면 왕가의 체통을 보일 수 없다── 외무 관계자들이 그런 식으로 판단하는 사이에 왕도를 떠나버린 것이다.

이럴 줄 알았다면 한 번쯤 만나 이야기 정도는 들었더라면 무언가 포석이 되었을지도 모른다.

"그때 네가 외무 쪽의 판단이 옳았다고 내게 강경하게 말하지 않았다면 만날 수도 있었을 텐데. 왕이 곧바로 만나는 건 별로 안 좋지만 왕자라면 문제가 없었을지도 모르잖냐."

"판단을 내리신 건 오라버니잖아요……."

라나가 부루퉁 뺨을 부풀렸다. 남자라면 매료되고도 남을 만큼 귀엽다. 속는 자가 많은 것도 이해가 간다.

"오라버니는 차기 왕이세요. 하지만 모든 사람이 지지하는 건 아니죠. 조금이라도 꼬투리를 잡힐 일은 피해서 확실하게 왕이 되어주셔야 해요. 그랬다가 금방 반란이라도 일어나면 어떡하나요. 저하고 했던 약속을 지켜주실 수가 없게 되잖아요."

"그래, 그랬지……."

자신의 욕망을 감추지 않는 발언이기는 했지만, 수긍할 수 있는 대답이기도 했다.

"으음, 평범하게 생각하면 그렇다만…… 이대로 두면 북부 성왕국을 지원하는 마도국이 그대로 자기네에게 유리한 나라를 만들어버릴지도 모르겠는걸. 남부와 접촉해볼까?"

북부 성왕국이 마도국과 우호적인 관계라면 남부에게 마도국은 가상 적국인 셈이다. 왕국이 남부와 손을 잡아두면 마도국을 견제할 수 있을 것이다.

"그렇겠네요. 그것도 나쁘지 않겠어요. 대립의 요인 중 하나가 된 '페이스리스'인지 하는 여교주의 가르침은 왕국에 별로 좋은 것이 아니기도 하고요."

"아, 그거……."

페이스리스.

얄다바오트가 날뛴 후 성왕국에 출현한 교주의 별명이다. 본명이 있다지만 그보다는 '페이스리스'라는 별명이 더 널리 퍼졌다.

많은 신도를 거느린 그녀의 가르침은 '약자인 채 노력하지 않는 자는 악이며, 모두가 강자가 되기 위해 노력해야 한다'는, 이해하지 못할 만한 것은 아니었다.

이것은 북부에서는 널리 지지를 받지만 남부에서는 인기가 없는 정도가 아니라 배척당하는 상황이라고 한다. 그것도 당연하다. 이 사상에는 지배자층의 입장을 뒤흔들 만한 위험성이 있기 때문이다.

이러한 부분도 귀족들이 아직 힘을 가진 남부와 약해진 북부의 대립 요인이 되고 있을 것이다.

그런 페이스리스에게 이끌린 자들은 종교라기보다는 일종의 공동체처럼, 사대신 또한 예전처럼 섬기기 때문에 종교논쟁으로 발전하지도 않고, 새로이 성왕으로 즉위한 인물이 묵인하는 것 또한 남북의 고랑을 깊게 하고 있다나.

"……상식적으로 생각해, 얼굴을 숨기는 점이 수상하지 않나?"

페이스리스는 남들 앞에 나설 때는 가면을 쓴다고 한다.

왕국이 보낸 사절단 사람들은 자낙과 같은 의문을 가졌는지 페이스리스의 교단 구성원에게 그런 질문을 건넨 적이 있다. 하지만 다들 말을 흐리며, 마치 금기를 건드리는 듯한 태도를 보였다고 한다.

너무나도 수상쩍다.

얼굴을 숨긴다는 것은 켕기는 구석이 있다고 말하는 것이나 다름없지 않은가.

"부모는 상당히 고명한 전사였다는데, 그렇다면 얼굴을 드러 내고 당당히 가르침을 설파하는 편이 지명도를 높인다는 관점에 서도 좋을 것을. 혹시 그게 거짓말이라 얼굴을 보일 수 없나?"

"그런 시시한 거짓말을 할까요? 속여서 생기는 이익과 불이 익이 수지가 맞지 않는걸요?"

"그건 그래……. 혹시 인간이 아니라 언데드라서 그런 건 아 닐까?"

"——마도왕 폐하의 부하라고요?"

"그렇게 생각하면 여러모로 수긍이 갈 것 같지 않아?"

"수긍은 가지만, 얼굴을 가면으로 숨기는—— 척 보기에도 수 상하게 여겨달라는 모습을 할까요?"

"그렇지……? 하지만 그것 말고 얼굴을 숨길 이유가 있나? 얄다바오트 습격 당시 다쳐서 그렇다면 이해도 가지만, 마법으 로 치유할 수 있잖아. 얄다바오트 정도 되는 악마에게 입은 흉 터는 치유하지 못한다거나, 그런 건 아닐까?"

"그건 조금 전에 하신 말씀보다도 수긍이 가네요. 여성이라면 특히."

흉터가 있다면 이를 드러내는 편이 동정을 사 유리해질 것도 같지만, 흉터의 정도에 따라 다를 것이다.

"아무튼 언제든 남부에 원조할 수 있도록, 성왕국 내부의 자세한 정보를 모아오라고 지시해둬야겠어."

"그게 좋을 것 같아요."

"남쪽의 성왕국은 절반이 친마도국. 동쪽의 제국은 마도국의 속국. 성가시게 됐어."

"그러게요."

대수롭지 않게 대답하는 라나.

자낙은 그녀를 노려보았다.

"……그게 다냐?"

"네? 하지만 그것 말고 무슨 말을 해야 하나요? 실제로 주변 국가의 상황을 생각해보면 상당히 위험한걸요. 지금 오라버니가 말씀하신 내용도 그렇고, 왕국 내의 범죄조직도 여전히 남아있고요."

"여덟손가락 말이냐. 요즘 마약 금단증상 때문에 날뛰는 자들이 나오고 있다지. 놈들도 활발하게 움직인다는 뜻일까? 그놈의 대악마만 나오지 않았어도 여덟손가락의 힘을 확 줄여놓을 수 있었을 텐데."

자낙은 한숨을 쉬었다.

가제프 스트로노프 같은 왕국 최강의 무인이 사라졌으니, 여덟손가락과 본격적으로 싸우는 것만은 피하고 싶었다. 단순히 무력이 강한 인물이 부족하기 때문이다.

오직 유일하게.

라나가 포섭한 브레인 앙글라우스라면, 하는 기대감은 있었다. 다만 그는 라나이기에 섬긴다는 태도였으며 자낙을 섬길 마음은 없는 듯했다. 지금도 그에게 빚을 지을 만한 행동을 하고는 있지만 별로 효과는 없어 보였다.

'……자신은 왕국 전사장이 될 마음은 없다, 우수한 재능을 가진 사람을 찾아 차기 왕국전사장이 되도록 단련시켜주겠다…… 그렇게 말했지. 하다못해 국보인 그 검을 그 친구에게 빌려주면 좋겠는데, 아버지가 참.'

부왕에게 가제프 스트로노프는 지나치게 큰 존재였다.

옥좌는 고독하다고들 말한다.

자신이 그 자리에 앉을 날이 다가오면서 자낙도 조금씩 이해하고 있었다.

가제프 스트로노프라는 인물은 그런 고독한 아버지에게 화톳불 같은 자였는지도 모른다. 나이 차이는 많이 났지만 친구──어쩌면 더 강한 유대감──라 할 만한 존재였을 것이다.

그런 존재가 있던 아버지가 조금 부러웠다.

제2왕자였던 자낙에게는 그런 존재가 없다. 다들 형이 왕위를 계승할 거라 생각했기 때문이다. 예비에 불과한 자낙과 그렇게까지 깊은 관계를 가지려 하는 이는 없었다. 대공이 될 인물과의 연줄을 얻는 것보다도 보우롤로프 후작에게 견제당하는 쪽의 불이익이 더 크다고 판단했던 것이다.

관계를 가지려 했던 사람은 왕국의 장래를 근심하던 레에븐 후작 정도였지만, 협력자일 뿐 친구는 되지 못했다. 그렇기에 자낙은 조금 암담한 기분을 품었다.

계속 고독하게 살아가야 하는 걸까, 하고.

자낙은 고개를 가로저어 어두운 기분을 몰아냈다. 눈앞에 있던 라나가 이상한 생물처럼 쳐다보지만 무시했다.

브레인 하니 생각이 났는데, 자신이 왕이 되었을 때 처음 할 일은 아버지에게서 네 개의 국보를 회수하는 것이 될지도 모른다.

고분고분 받아들여 줄지 어떨지는 알 수 없다. 하지만 브레인에게 넘겨주기 위해서다. 그 정도가 아니고서는 그의 노력에 보답할 수 없다.

왕국 전사장이 아니라 라나의 부하일 뿐이며 충성심은 거의 없는 평민에게 대여한다면 귀족들의 반감을 살지도 모른다.

그래도 해야 한다.

"마도국의 속국이 되겠다고 맹세하는 건 어떨까요?"

라나의 목적은 조그만 장원에서 클라임과 함께 사는 것이다. 그것은 마도국의 속국이 된 후에도 이루어질 수 있다. 아니, 오히려 왕족의 가치가 떨어지는 편이 자신의 안전으로 이어질 테니 라나는 그편이 좋다고 생각하는지도 모른다.

"흥!"

자낙은 라나의 제안에 콧방귀로 대답했다.

"제국과 우리는 상황이 다르단 말이다. 그렇게 했다간 제일 먼저 내란이 일어날걸."

제국은 선혈제 밑에서 거의 반석처럼 단결했다. 반대할 만한 귀족들은 이미 숙청된 후였으므로 속국이 되겠다고 결정해도 저항은 거의 없었다. 무엇보다 제국은 마도국에 얻어맞은 적이 없다. 꺼림칙하게 여기기는 해도 원한이나 증오는 품지 않으며, 그저 마도국의 두려움만을 잘 안다. 하지만 왕국은 다르다.

현재 왕국의 파벌은 국왕파, 귀족파, 무소속파, 그리고 전쟁 이후에 생겨난 신흥파벌 넷으로 갈라졌다. 비율은 3:3:2:2 정도였다.

이 중에서 가장 성가신 것이 신흥파벌이다.

신흥파벌의 어떤 점이 성가신가 하면, 이 파벌은 당수나 차기 당수 등을 잃어버린 자들, 우연히 굴러들어온 권력을 얻은 자들 등, 귀족사회의 상식이나 암묵적인 규칙에 우둔한 자들로 이루어졌다는 점이다. 그렇기에 품성이나 교양이 부족한 자가 많아, 내밀히 살펴본 결과 권력의 맛에 빠져든 자들이 다수 확인되었다.

국가의 고름이다.

하지만 영내에서는 자치권이 있으므로 그들이 왕국법을 어기지 않는 한 손을 대기는 힘들다. 가령 어겼다 해도 왕권을 행사하면 그때는 다른 파벌에서 견제가 들어올 것이다. 전쟁 전처럼 국왕파가 힘을 가졌던 시대와는 다른 것이다.

다만―― 속국이라는 라나의 아이디어는 나쁘다고 단언할 수는 없다. 상황이 크게 바뀌면 생각해봐야 할지도 모른다.

"아니에요. 내란은 일어나지 않아요, 오라버니."

'거짓말하고 앉았네.'

태연히 부정하는 라나에게 자낙은 마음속으로 생각했다.

진심은 아니겠지만, 자낙이 어리석게도 여기에 넘어와버리면 그건 그거대로 상관없다는 진의가 뻔히 보였던 것이다.

그런 여자이기에 도저히 신뢰할 수가 없다.

'엘리아스가 돌아와주면 좋으련만.'

자낙의 마음속에서 갑자기 적막한 감정이 솟아났다. 레에븐 후작은 친구라고까지는 할 수 없지만, 같은 우국지사로서 신뢰했다. 그러나 그와 어깨를 나란히 하고 걷는 일은 이제 두 번 다시는 없을 것이다. 대신 그의 손에 남은 것은 무섭도록 유능하면서도 제어가 불가능한 악마의 카드였다.

자낙은 근심을 떨쳐버리려는 듯 애써 너스레를 떨며 라나를 보았다.

"근데 제국은 용케도 마도국에게서 그런 걸 사들였지?"

"……좀 억지로 화제를 바꾸시네요. 상관은 없지만……. 음, 속국인 제국의 입장이라면 그렇게까지 손해 보는 장사는 아니었을 것 같아요."

마도국이 제국에 수출하는 품목 중 가장 많은 돈이 움직이는 것은 언데드다. 단순노동용, 병사용, 짐 운반용 등 여러 종류가 있다고 한다.

"야, 야. 언데드란 말이다. 살아있는 모든 자들의 적이라고."

"하지만 식량도 필요 없고 지치지도 않는걸요. 최고의 노동력이잖아요. 그야 마도왕이 지배하는 언데드를 국내에 들여 운용하는 건 위험하다고 할 수 있죠. 자국의 영내에 타국의 군대를 들여놓는 셈이니까요. 하지만 반대로 속국이라면 마도국에 아무것도 감추지 않는다고 과시하는── 목에 채워진 목줄의 끈을 보여주는 행위와 같아요."

라나가 천장을 살짝 올려다보았다.

"이건 어떤 의미에서는 본받아야 할 태도라 할 수 있겠네요. 자신의 약점을 일부러 드러내서, 언제든 위협할 수 있다고 상대에게 알려주는 좋은 수예요."

"그렇지. 남의 위에 선 자로서 신뢰할 수 없는 상대와 마주한다면, 상대에게 약점이 없는 것보다는 있는 편이 마음이 놓이니까. 그런 관점에서 본다면 제국의 행동이 이해가 간다. 뭐, 게다가 에 란텔에서는 아제를리시아 산맥의 드워프 나라와도 교역을 시작했다고 하고, 언데드 광부를 빌려주거나 신선한 식량을 판매하는 대신 광석과 질 좋은 드워프제 농기구를 구입한다잖냐."

에 란텔에 파견한 부하가 드워프들을 만나 들은 이야기라고 한다.

"아제를리시아 산맥까지 물건을 수송하는 데에도 언데드를 쓰면 되겠네요. 운송에 드는 비용이나 노력도 무시할 수 없으니 왕국에서 사는 것보다도 싸겠어요. ……언데드 노동력을 받아들였다는 건, 드워프 나라도 마도국의 속국이라고 보는 편이 좋겠죠."

"그렇겠지."

"——평의국과 동맹을 맺지는 않나요?"

"음. 이미 움직이고는 있는데—— 영 어려워. 바람직한 대답을 해주는 용왕도 있다만, 다른 종족 대표들을 설득하는 데 시간이 필요하다는걸. 다만, 어쩌면 설득하지 못한 채 팔짱만 끼고 있는지도 모른다는 얘기도 들려와서."

일부는 거짓말이었다.

대 마도국 동맹은 소걸음처럼 느리기는 해도 순조롭게 진행되고 있다. 다만 선의와 우정에 기대했던 원군 협정을 어떻게든 체결할 수 있을까 하는 정도일 뿐, 지금 단계에서는 명문화되지 않은 불확실한 관계에 그치고 있었다. 이래서는 동맹이라고 가슴을 펴고 선언할 수가 없다.

역시 확실하게 동맹이 되려면 여러모로 손을 많이 써야 하고, 나아가 몇 달의 시간은 필요할 것이다.

"그렇군요……. 빨리 군사적인 동맹을 맺으면 좋겠어요. 그럼 오라버니가 왕위를 계승하는 건 언제쯤이 될까요? 저는 슬슬 약속을 지켜주셨으면 해서요."

약속이란, 라나를 자낙의 곁에서 일하게 하는 대신 장원을 주어 클라임과 함께 틀어박혀 사는 허가를 말하는 것이다.

"좀 기다려라. 얼마 안 남았으니까. 내부에선 거의 처리가 끝났다는 건 너도 알지? 아바마마하고도 상담하고 있다만, 아바마마께서 마지막으로 큰 정책 하나를 발표하면 그때가 될 거다."

국가운영을 지휘하고, 치명적인 실수가 있다면 국왕이 책임을 져 퇴위한다.

실패하지 않는다면, 많은 귀족의 불만이 쌓일 만한 정책을 제시해 반감을 산 다음 왕자가 그보다는 느슨한 정책을 내세워 불만을 해소해준 후 퇴위하는 형식을 밟아 귀족들의 호의를 산다는 노림수다. 부왕의 말년을 더럽히는 것처럼 보일 수도 있지만 그 이상으로 왕가에 돌아오는 이익이 크다.

"그러고 보니 너의 그, 뭐였지, 고아원 쪽은 어떠냐? 음식을 해주러 가곤 한다며? 금전적인 지원 같은 건 필요하냐?"

"괜찮아요. 제 세비만으로도 운영에는 문제가 없으니까요."

이야기에 따르면 이미 50명 가까이 된다고 한다.

이것은 상당한 숫자이며, 아마 왕국 내의 모든 고아원 중에서도 가장 많을 것이다. 그럼에도 라나는 고아원의 운영을 누구에게도 원조받지 않고 자신의 세비만으로 꾸려나간다. 제3왕녀의 세비라고 해봤자 얼마 되지도 않겠지만, 결혼을 해 왕가를 떠난 위의 두 언니 몫이 일부 내려오기에 가능할 것이다. 물론 그녀를 보필하는 메이드의 수를 최대한 줄이는 등 절약을 해서이기도 하리라.

그러고 보니── 동생은 같은 옷을 자주 입는다는 생각이 들었다.

왕족이 귀족들에게 멸시를 살 만한 짓을 하지 말라는 짜증에 가까운 감정과 어디에 돈을 들여야 할지 잘 안다는 자랑스러운 마음이 함께 솟아났다.

"아니, 내 세비에서도 지원해줄 수 있다만? 네 고아원은 눈에 보이는 형태로 훌륭한 행위라고 생각하고."

"안 돼요."

웬일로 강한 어조로 부정한다.

"고아원에서 우수한 아이가 나오면 그 아이는 제가 장원에 데려갈 거니까요. 제 우수한 노동력을 빼앗아가지 마세요."

"아, 그런 생각도 있었구나……."

"그래요. 브레인 씨에게 부탁해 검술을 지도해달라고 하거나, 공부를 가르치거나…… 지금부터 확실하게 육성하고 있답니다."

"우수하지 않은 아이는 어쩌고?"

"간단한 계산이나 읽고 쓰기만 할 수 있어도 일할 곳은 얼마든지 생기니 괜찮아요."

"그럼 내가 데려가도 상관없겠지?"

"그렇게 해주시면 기쁘죠. 남은 애들을 걱정할 것도 없이──."

쾅쾅, 문 두드리는 소리가 거칠게 울려 라나의 말을 가로막았다.

"——대체 뭐냐, 시끄럽게!"

자낙이 고함을 지르자 문이 벌컥 열렸다.

"전하! 긴급사태입니다!"

눈에 익은 법복 차림의 귀족이 방으로 뛰어들었다. 내무관 중한 사람이다. 그의 손에는 양피지 한 장이 들려 있었다.

"무슨 일이냐?!"

자낙은 그에게서 양피지를 받아 살펴보고 경악한 표정을 지었다. 이해할 수 없었다. 아니, 뇌가 이해를 거부했다.

"왜 그러세요?"

대답할 기력도 없어, 자낙은 잠자코 양피지를 라나에게 내밀었다. 그리고——

"허에?"

여동생답지 않은, 너무나도 얼빠진 목소리가 흘러나왔다.

거 봐, 또 인간미를 보였지.

자낙은 자포자기한 것처럼 미소를 지었다.

1장 계산하지 못한 한 수

Chapter 1 | An unexpected move

1

찰랑찰랑 담긴 에일을 꿀꺽 들이켠다.

영지에서는 결코 마실 수 없는—— 그러나 이제는 자주 마셔 익숙해진 일류의 맛이 목구멍을 따라 흘러내린다.

"푸하아."

홉 향기가 감도는 입김을 토해내고, 아직 반 정도 찬 파인트 잔을 테이블에 내려놓는다. 만약 이것이 손에 익은 목제 잔이었 다면 힘차게 내리치듯 놓았겠지만 도자기로 만든 것이니 그럴 생각은 들지 않았다.

물론 이 잔을 깨뜨린다 해도 변상할 필요는 없다. 이곳은 그의 후원자인 힐마 슈그네우스가 마련한 술집이며, 그의 파벌에 속 한 귀족이라면 ——혹은 귀족이 데려온 자라면—— 전부 무료 였다.

왜냐하면 이것은 장래의 대귀족인 그에 대한—— 필립 디든

리일 모차라스 남작에 대한 선행투자이기 때문이다.

그렇기에 여기서 입은 은혜에 대한 감사는 미래에 갚으면 되고, 그때까지는 그저 쌓아두면 그만이다.

현재 힐마는 필립이 도저히 감당할 수 없을 만한 재산을 가졌다지만 어차피 평민일 뿐이다. 권력 앞에서는 고개를 조아릴 수밖에 없다. 그렇기에 귀족인 필립에게 아첨하려는 것이고, 파벌을 세우는 데에 전면적으로 협조하는 것이 틀림없다.

이거야말로 이 세상에서 가장 강력한 격차.

──신분의 차이다.

다만, 그렇게 해 많은 빚을 지고 말았다.

은혜를 저버리지 않는 사나이라 자부하는 필립은 어서 높은 지위에 오르고 싶었다. 힐마도 남작의 권력으로 할 수 있는 일보다는 더 높은 작위에서 할 수 있는 일을 바랄 것이다.

그렇게 해서 얼른 빚을 갚아나가고 싶었다.

그러지 않는다면, 지금도 자꾸만 빚을 지고 있는 힐마에게 어느 정도는 양보해야만 하며, 자신이 하고 싶은 일에도 허가를 구하거나 해야만 하기 때문이다.

좀 더 자유롭게 여러 가지 일을 하고 싶다. 권력을 더 많이 행사해보고 싶다.

그것이 필립의 바람이었다.

하지만──.

"왜 내 생각대로 안 되는 거야!"

자기도 모르게 목소리가 입을 타고 흘러나오는 바람에 주위를 둘러보았다.

서민의 주점과는 달리, 이곳은 힐마가 보유한 저택 중 하나를 개조해 주점처럼 구조를 바꾼 공간으로, 천박한 소음과는 거리가 멀다. 그렇기에 큰 목소리를 내지는 않았지만, 주위에 누군가가 있다면 들렸을 것이다.

　이쪽에 주의를 기울이는 자가 없음을 확인하고 안도했다.

　자신이 실패했다는 정보를 대다수에게 알려서 좋을 것이 있겠는가.

　그렇다── 자신은 실패했다.

　'죽어버려, 무능한 놈들!'

　짜증이라는 감정의 불길을 끄려는 듯 필립은 잔을 기울였다.

　기세가 너무 강해 입가에서 살짝 흘러내린 에일이 목을 따라 흘러내려 옷을 적셨다.

　피부와 옷이 달라붙는 축축한 감촉이 불쾌해 기분이 더욱 언짢아졌다.

　잘되는 일이 하나도 없었다.

　필립은 얼굴을 분노로 일그러뜨렸다.

　필립의 당초 계획으로는 지금쯤 영내의 생산량이 몇 배로 불어나, 자신이 새로운 영주가 되었다는 데에 감사하는 자들로 넘쳐나야 한다. 나아가 주변 귀족들도 그 결과를 칭송하고 명군이라는 소문이 돌아야 한다. 예정은 그랬다.

　하지만 그것이 어찌 된 노릇인지.

　서서히 영내의 식량생산량이 떨어질 뿐만 아니라, 마을 내를 돌아다니면 마을 사람들이 자신을 멸시하는 눈으로 쳐다보는 기분마저 들었다.

'무례한 것들!'

마을 주민 주제에, 유서 깊은 모차라스 가문을 계승한 자신에게 예의를 지키지 않는다니 용서할 수 없었다. 어쩌면 마을 주민들이 필립을 실각시키려고 성실하게 일하지 않는 것은 아닐까.

충분히 있을 수 있다.

세상에는 재능을 시기하는 어리석은 자가 많다. 자신의 그릇을 파악하지도 못하는 주제에 재능 있는 자를 질투하고, 매도하고, 그렇게 해 자신이 커진 듯한 망상에 사로잡히는 것이다.

아니, 그런 자만 있지는 않을 것이다. 주민은 수가 많다. 그렇다면 또 다른 요인── 예를 들면 인근 영지의 영주에게서 이익을 나눠받으면서 필립의 정책을 방해하는 것은 아닐까.

없다고 단언할 수는 없다.

애초에 이익에만 집중해 생산했다면 이익은 파격적으로 불어났을 것이다. 자명한 이치다. 누구나 알 수 있는 간단한 논리가 아닌가. 밭을 그쪽에 할애하고 일반적인 식량은 상인에게서 사 오면 된다.

그런데도 이러쿵저러쿵 반대하는 사람이 끊이질 않는 것이다.

'쓰레기들! 힐마에게 말해 놈들에게 벌을 주면 어떨까? 그러면 나를 위해 열심히 일하려 들겠지! 그리고 영주인 나를 배신하지는 않았는지도 조사해야겠어! ……아니, 잠깐만. 벌을 주는 정도는 나 혼자서도 가능하려나?'

채찍으로 때리는 것이다. 소나 말처럼.

'그래, 힐마에게 말할 필요도 없지. 이 이상 힐마에게 빚을 지는 것도······. 으음, 생각해보니 힐마에게는 여러모로 신세를 졌고, 이쯤 해서 은혜를 조금 갚는 것도 좋겠는데······.'

대귀족이 되어 마땅한 자신이, 서민인 힐마에게 진 빚을 떼어먹고 착취하기는 쉬운 일이다. 하지만 그런 방식은 도적이나 다를 바 없으며, 자신처럼 고결한 귀족은 기피해야 할 행동이다. 그렇다면 지금 갚을 수 있는 만큼은 갚아야 할 것이다.

장래에, 은혜의 크기에서 느껴지는 부담감 때문에 그녀의 말을 내치지 못해도 곤란하다.

'문제는 어떤 형태로 갚아야 하는가인데······.'

당초의 예정대로 마을의 수익이 단숨에 올랐다면 금전으로 갚을 수 있었겠지만 지금은 그것이 무리── 아니, 꽤 힘들다.

그렇다면 필립이 두각을 드러내고 있는, 이 신흥 파벌에서 힐마에게 이익이 나오도록 행동하면 되지 않을까.

'하지만 아직은 내가 이 파벌을 완전히 장악한 것도 아니고······.'

이 신흥 파벌에 속해 여러모로 연줄을 강화해왔다.

그렇게 해서 필립이 이 파벌의 기수가 되는 데에 찬동하는 사람을 늘려왔으나, 아직 모든 귀족이 수긍해주는 것은 아니었다.

힐마도 지원해주고는 있지만 나이나 지위 등의 벽은 아무래도 두껍다. 스스로 반대의 입장에 서서 생각해보면 다른 귀족들의 마음도 확실히 이해는 간다.

나이가 지긋한 백작과 어린 남작이라면 같은 말을 해도 설득력이 다르게 느껴질 것이다. 다만 그래서는 이제까지 있었던── 구태의연한 다른 파벌과 전혀 다를 바가 없지 않은가. 필립은 그렇게 생각했다.

일부러 신흥 파벌에 몸을 담은 이상 낡아빠진 조직처럼 행동할 게 아니라 이제까지와는 다른 바람을 일으켜야 한다. 그렇기에 필립처럼 새로운 것에 도전하는 사람이 기수로서 어울리는 것이다.

'정말 이놈이고 저놈이고 다 뭘 몰라.'

필립이 짜증과 함께 기울인 잔은 어느샌가 비어버렸다.

"이봐! 한 잔 더 가져와!"

"예, 알겠습니다."

마침 이 주점에서 일하는 메이드 같은 여자가 지나갔으므로 그녀에게 명령했다.

깊이 고개를 숙여 인사하더니 허리를 흔드는―― 눈길을 붙잡아놓는 듯한 걸음걸이로 떠나갔다. 옷이 별로 두껍지 않은지 엉덩이의 형태를 알아볼 수 있었다.

"므흣."

매력적인 엉덩이도 훌륭했지만 즉시 자신에게 고개를 숙이고 일하는 모습이 지배자와 피지배자의 관계가 단적으로 드러나는 듯해 매우 기분이 좋았다.

필립은 이런 메이드를 두 사람 정도 빌려놓았다.

뭘 해도 상관없었으며, 급료도 지불할 필요가 없는 훌륭한 여자들이다. 지금은 집안일 전반을 완전히 맡겨버렸다. 그 외에도 집사나 어용상인까지 전부 힐마에게 신세를 졌다.

가능하다면 옛날부터 집에서 일하던 자들을 해고하고 자기 부하들만으로 채우고 싶었지만 아버지가 잔소리를 해 포기했다.

아버지의 이기심을 용납해주는 것도 힐마가 돈을 대주기에 가능한 것이지, 만약 자신의 지갑에서 나가는 돈이었다면 쓸데없는 인건비를 삭감하기 위해 무조건 해고해버렸으리라.

필립이 멀거니 그런 생각을 하고 있을 때, 누군가가 말을 걸었다.

"아니, 모차라스 남작님. 대체 무슨 일이십니까? 기분이 별로 안 좋으신 듯합니다만."

목소리가 들린 쪽을 보니, 그곳에 있던 것은 두 명의 귀족이었다.

두 사람 모두 같은 시기에 작위와 영지를 물려받은, 같은 파벌에 속한 동료였다. 한 손에는 커다란 술잔이, 반대쪽 손에는 마른안주가 든 작은 접시가 있었다.

"오! 델비 남작님, 로킬렌 남작님!"

델비 남작은 미덥지 못한 인상의 여리여리한 남자로, 귀족다운 품격이나 위엄이 매우 떨어졌다. 옷만이 그의 신분을 나타내주었으며, 만일 이것이 평민의 옷이었다면 그가 귀족사회에 속한 사람임을 아무도 알아차리지 못했을 것이 틀림없다. 지금 이 상황에서도 '우스꽝스러운 희극에서 귀족을 연기하는 배우'라고 소개를 받았다면 믿어버렸을 것이다.

반면 로킬렌 남작의 체구는 훌륭했다. 근골이 다부졌으며 가로로도 세로로도 앞뒤로도 두께가 있다. 상당히 위압감이 드는 외견을 가진 사내지만, 생긴 것과 달리 자기주장이 약해 이용하기보다는 이용당하는 쪽의 사람이라는 것이 필립이 품은 솔직한 인상이었다.

이 두 사람은 영지가 인접했는지 함께 행동하는 모습을 빈번히 보았다. 자신처럼 혼자 행동하면 좋을 것을…… 하고 생각한 적이 있었으므로 기억이 났다.

"앉아도 되겠습니까?"

"물론입니다, 앉으시지요."

델비 남작에 이어 로킬렌 남작도 가볍게 고개를 숙이고 자리에 앉았다. 그 타이밍을 잰 것처럼 메이드가 술을 가지고 나타났다.

"자, 건배하죠!"

"그럽시다!"

건배는 서로의 잔을 강하게 부딪쳐 술을 섞어서 독이 들어있지 않음을 증명하는 행위라고 한다. 필립은 이를 알기에 다소 강하게 두 사람과 잔을 맞부딪쳤다.

넘쳐난 술이 테이블에 살짝 쏟아졌다.

"어허!"

델비 남작의 옷에도 조금 튀어버린 모양이었다.

생긴 것과 딱 어울린다고 하면 실례겠지만, 귀족풍이기는 해도 별로 새롭지는 않은 옷이었다. 아니, 역사가 있다고 해야 하려나. 옛날의 필립이나 입었을 만한, 누군가에게 물려받은 옷처럼 보였다.

필립의 가슴속에 연민이 솟아났다.

지금 필립이 입은 옷은 힐마가 제안해 새로 맞춘 고급품이다. 다시 말해 이 두 사람은 힐마가 보기에 별로 투자할 가치가 없었다는 뜻이리라.

인간의 장래성 때문에 이만한 차이가 생겼다는 데 대해 세상의 무상함을 느끼며, 필립은 두 사람에게 질문했다.

"그런데 두 분도 술을 드시러 오셨습니까?"

"──예, 맞습니다. 한잔하러 와봤더니 우리의 모차라스 남작님이 계시기에 요즘 어떻게 지내시나 인사를 드려야겠다고 생각해서 말이지요! 그렇지?!"

"그렇고말고요, 모차라스 남작님."

"아닙니다, 인사는 무슨요. 우리는 같은 처지에서 서로 협력하는 동료가 아닙니까."

"오오! 모차라스 남작님 같은 분께서 그런 말씀을 해주시다니! 이거 기쁘군요! 그렇지?!"

"그렇고말고요. 괜찮으시다면 이것 좀 드십시오."

마른안주가 든 접시를 내민다.

"고맙습니다, 로킬렌 남작님."

"아~! 모차라스 남작님, 그렇게 서먹서먹하게 대하지 말아주십시오. 저는 그냥 비아네, 이쪽은 이그라고 불러주시겠습니까?"

"알겠습니다. 그럼 저도 필립이라고 불러주십시오!"

세 사람은 기분 좋게 웃으며 에일을 마셨다.

"그런데── 필립 님. 대체 무슨 일이십니까? 조금 전부터 어쩐지 기분이 언짢으신 것 같았습니다만."

"조금 전이라고요?"

알코올 때문에 약간── 그렇다, 아주 약간 회전이 둔해진 머리로 조금 전의 분노를 떠올려보았다.

"아, 네. 무능한 놈들 때문에 골치가 아파서 말입니다. 아, 여기서 무능한 놈들이란 제 영지의 평민들을 말하는 겁니다."

"그렇군요, 그렇군요. 이해합니다! 필립 님처럼 현명하신 분이라면 자신의 생각을 이해하지 못하는 자들에게 화를 내시는 것도 당연하지요. 저희와는 비교도 되지 않을 겁니다! 그렇지?"

"그렇고말고요. 필립 님처럼 현명하신 분이라면 당연한 분노지요."

필립은 두 사람이 찬동해주어 감동했다.

역시 같은 귀족인 만큼 이해해주는구나, 하고. 그들 또한 평민의 어리석음에 골머리를 앓는 것이 틀림없다.

"이해해주시는 겁니까!"

"네, 이해하죠! 이해하고말고요! 저도, 그야 필립 님만큼은 아니겠습니다만 같은 생각을 한 적이 있으니까요. 그렇지?"

"그렇고말고요. ──이거 잔이 비었나 보군요. ──이봐, 얼른 필립 님께 마실 것을 드리지 못할까!"

고함을 지르자 금세 여자가 필립에게 에일을 가져왔다. 음료가 찰랑거리는 잔을 필립이 들었다.

"자, 다시 한번 건배하죠!"

다시 잔을 맞부딪쳤다.

필립은 에일을 들이켰다.

맛있다.

이제까지 마신 것 중에서 가장 맛있게 느껴졌다. 이것도 자신의 고생을 이해해주는 동료들과 마시기 때문이리라.

이 파벌의 리더격인 존재이기도 하므로 다들 필립을 조심스러워하다 보니 우호를 맺을 상대가 없었다. 그렇기에 친근하게 대해주는 두 사람이 기뻤다. 자기도 모르게 어깨를 안아버렸을 정도였다.

"오오, 필립 님! 어깨를 안아주시다니 이렇게 기쁠 데가. 하지만 이러다 흘리시겠습니다. 얼른 드시는 것이 좋겠── 어이쿠."

또 조금 쏟아버린 모양이다. 공짜라고는 하지만 함부로 낭비하면 힐마에게 미안하다.

필립은 어깨를 안았던 팔을 풀고 에일을 소리 내어 꿀꺽꿀꺽 마셨다.

"오오! 역시 술도 세신 모양이군요! 그렇지?!"

"그렇고말고요. 과연 필립 님이시군요."

"푸하아! 아닙니다, 그렇지도 않아요. 다만 두 분처럼 훌륭한 분들과 마시는 술은 더 맛있게 느껴질 뿐이죠!"

"세상에! 세상에! 그렇게 기쁜 말씀을 해 주시다니. 술이 약한 저희로서는 이렇게 호쾌하게 드시는 모습은 그저 칭송밖에 나오지 않습니다!"

"아니, 두 분은 술이 약하신가요?"

실제로 두 사람은 아직 첫 번째 잔인 데다 별로 마시지도 않은 듯했다.

"아~ 사실은 그렇습니다. 부끄러운 말이지만 솔직히 술이 왜 맛있는지 잘 모르고 마시는지라…… 그렇지?"

"그렇고말고요. 하지만 이런 자리에서는 술을 마시지 않으면 분위기를 해치니까요. 그래서 입만 대는 정도로 마시고 있을 뿐입니다.”

“그 점에서 필립 님처럼 술이 센 남자는 정말 부럽지요. 자자, 저희 몫까지 드십시오. 쭉쭉!”

두 사람이 권하는 대로 필립은 잔을 거듭 기울였다.

그러는 사이에 머리가 조금 어지러워지고 얼굴이 붉게 달아올랐다.

“맞아맞아. 그런데 조금 전에 필립 님은 영지의 무능한 자들 때문에 골치가 아프다고 하셨지요. 대체 어떤 어려움을 겪고 계신 겁니까?”

“음? 아, 뭐였더라? 그런 이야기를 했던가요?”

“네, 그런 말씀을 하셨습니다. ……조금 과음하신 모양이군요. 도수가 없는 음료라도 가져다 드릴까요? 그렇지?”

“그렇고말고요. 필립 님, 물이라도 드시면 어떻겠습니까? 이곳의 물은 이끼 냄새도 나지 않더군요.”

“아~ 아니, 괜찮습니다. 괜찮아요.”

얼굴이 시뻘겋게 달아오른 것은 거울을 보지 않아도 열기로 알 수 있었다.

“……맞아, 골치가 아프다고 했지요. 돈이 없습니다, 돈이.”

두 사람이 얼굴을 마주 보았다.

“그건 저희도 마찬가지입니다. 그렇지?”

“그렇고말고요. 저희의 영지도 그렇게 윤택하지는 않아서요.”

“아뇨, 아닙니다, 아니에요! 제 말대로 잘 따르기만 했다면 어마어마한 돈이 굴러 들어왔을 겁니다. 그런데 놈들이 게을러서 일을 하지 않는 게, 제 지시를 이리저리 반대하는 게 잘못이죠! 이놈이고 저놈이고 죄다 무능해서는!"

"오오! 필립 님 말씀이 옳습니다! 무능한 자들이 많아서 고생하시는 것도 잘 이해하지요! 그런데 참고삼아 여쭙는 겁니다만 —— 필립 님의 영내에서 나는 명산품은 무엇인가요?"

"지금은 농작물뿐입니다. 나 원."

여러 가지로 손을 대고는 있지만 그쪽은 아직 결과가 나오지 않았다.

"농작물이라……. 특산품이 있다면 몰라도 그렇지 않다면……."

"일반적인 농작물은 그리 비싸게 팔리지 않으니까요. 당연한 일이지요."

두 귀족은 절절한 태도로 말했다.

그렇다. 그렇기에 가치가 있는 것을 만들어야 한다. 당장은 수확하지 못할 수도 있고, 잘 육성할 수 있을지도 조사해야만 한다. 그래도 장래를 위한 투자는 필요하다. 그렇게 명령했는데도 지금은 그쪽에 돌릴 여력이 없다느니 변명을 한다.

"이대로 가다간, 왕국에 흉작이라도 나 농작물 가격이 폭등하길 기대하는 수밖에 없는 상황입니다!"

"자기 영지에서——."

이그가 무언가를 말하려 했을 때 비아네가 그를 팔꿈치로 쿡 찔렀다. 비아네는 필립에게 얼굴을 가까이 하더니 목소리를 낮추어 말했다.

"그렇군요. 다만 흉작이 나도 값이 폭등하리란 법은 없지 않습니까? 필립 님도 아시죠? 요즘 왕국에 마도국의 식량이 상당히 싼값에 들어오고 있다고 하니까요. 그러니 앞으로 일반 농작물의 시가가 크게 변동할 일은 없을 겁니다. 특별한—— 부가가치가 없으면 비싸게 팔리지 않을 거예요."

"뭐라고?!"

"어이쿠, 필립 님. 목소리가 크십니다."

필립은 황급히 주위를 둘러보고는, 비아네에게 작은 목소리로 물었다.

"정말로?"

"네. 신뢰할 수 있는 정보통——이라기보다 이곳 왕도에서는 일부 상인들 사이에서 화제가 된 이야기지요. 왕도의 상인들이 보유한 창고에 많은 식량을 맡겨놓았다는 겁니다. 그걸 판매해도 상관없다나? 뭐, 마도국의 뜻이 우선시되겠지만요."

"응? 상인이 마도국에서 식량을 사서 왕국 내에 파는 게 아니라, 마도국이 맡겼다고?"

"예. 자세히는 모르겠지만, 식량은 어디까지나 맡겨놓은 것뿐이고 상인은 맡는 비용…… 아니면 창고사용료라고 해야 할까요? 그런 명목으로 조금씩이지만 돈을 받고 있다는군요."

"……창고란 걸 그렇게 쉽게 빌릴 수 있나?"

"네, 보통은 그리 쉽지 않지만, 그 왜, 예의 그 악마가 쳐들어왔을 때 창고거리가 습격당하지 않았습니까? 그 때문에 비어버린 창고가 많아서, 창고의 소유자들이 기꺼이 빌려주었다는군요. 그러니 그것들을 다 팔아치우지 않는 한 상인들이 농작물 가격을 올려주지는 않을 겁니다. 이쪽에서 비싸게 팔려고 해도

『이보다 비싸질 거라면 마도국의 농작물이 낫겠다』는 소리를 들을 거라 예상할 수 있지요. ……맞아맞아, 에 란텔의 거대 식량저장고에 대해서는 아십니까?"

"아, 아니, 모르는데……?"

"〈보존〉이 부여된 거대한 식량저장고인데, 넣어두면 식량이 상하거나 하지 않는 장소── 매직 아이템이 있습니다. 이제까지는 매년 제국과 전쟁을 하면서, 10만이 넘는 병사에게 나눠줄 식량은 이웃 지역에서 시간을 들여 모아왔죠. 다만 시간을 들여 모으면 식량이 상하기 시작하고, 시기에 따라서는 모으는 것부터 힘들 때도 있지 않겠습니까. 그걸 피하기 위해 만든 겁니다. 운반할 수 있는 매직 아이템은 아닌지, 마도국에 그대로 양도하는 형태가 되었다는군요. 다시 말해── 마도국은 소비되지 않았던 농작물을 거기에 몇 년이나 보존할 수 있는 거죠."

"몇 년씩 보존할 수 있다고 해도, 마도국은 에 란텔 말고는 없는 나라인데. 그렇게까지 식량을 생산할 힘이 있을 리가."

그것이 왕국으로 흘러든다 해도, 인구를 고려하면 다소 값이 떨어지는 정도의 효과밖에는 없을 것이다.

"아닙니다, 그게, 말이죠. 신빙성 높은 소문입니다만, 마도국은 언데드를 부려서 광대한 농지를 경영하고 있다는 겁니다. 그래서 식량 생산량이 상당히 많아서, 영토는 작지만 왕국 전체에 필적한다나요? 하기야 생각해보면 언데드는 피로도 뭣도 상관이 없으니까요. 뭐, 언데드가 만든 식량이라고 생각하면 꺼림칙하긴 하지만요."

"그게 뭐야?! 치사하게!"

필립은 참지 못하고 고함을 질렀다. 자신이 노력해서 영민들에게 시키려 해봤자 무리였던 일을 마도왕이라는 작자가 너무나 쉽게 해내고 있다는 사실을 용납할 수 없었다. 자신이 고생하는 것처럼 마도왕도 고생을 하면 좋을 것을.

아니면—— 자신도 언데드를 이용한 농법을 도입해야 할까?

"그렇긴 하지만 수상한 점도 있습니다. 아무리 언데드가 쉬지 않고 일한다고 해도 왕국 전체의 생산량에 필적할 만한 양을 만들 수 있다니……. 그래도 식량 생산량이 많은 건 사실이라, 지금 마도국은 성왕국에 식량을 지원하고 있죠."

"식량을 지원해?"

"예. 성왕국에서 얄다바오트라는 악마—— 그 왜, 왕도를 습격했던 그놈 말입니다. 그놈이 날뛰는 바람에 식량이 부족해졌다는 겁니다. 그래서 마도국이 왕국 상인에게 맡겼던 식량을 써서 지원을 해주고 있다는 거예요. 식량을 대량으로 실은 짐마차의 행렬이 지나다니는 걸 보면 이건 확실한 정보입니다."

"성왕국을 지원하는 데 쓰고 있다면, 상인들의 창고에는 별로 안 남은 것 아닐지."

"그렇겠죠. 하지만 흉작에 대비해 어느 정도의 비축량은 유지해야 하고, 게다가 마도국도 수확한 식량을 전부 지원에 쓰지는 않을 테니까요."

그것도 그렇다. 필립이 마도왕의 입장이었다면 오래되거나 쓰고 남는 식량을 보내주는 정도였을 것이다.

"그렇고말고요. 뭐, 너무 쉽게 흉작이 찾아와도, 으——."

"——그렇다 보니 기후를 기대하는 건 위험하지 않겠습니까?

더 좋은 방법이—— 마도국의 식량이 사라질 만한 일이 있다면, 필립 님의 영내에서 수확하는 작물도 비싼 값에 팔릴 기회가 오겠지요. 그렇다 한들 마도국의 식량을 없애기 위해서라고는 해도 전쟁을 벌일 수는 없겠지만요."

문득 필립의 머릿속에 번뜩이는 생각이 있었다.

우선, 흉작이 일어나봤자 농작물을 일정한 금액으로—— 싼 가격으로밖에 팔 수 없다는 것은 마도국에서 생산한 식량이 있다는 전제조건 때문이다. 그렇다면 그것이 사라질 경우 어떻게 될까.

답은 하나뿐이다.

농작물의 가격이 올라간다.

그렇다면 다음 문제. 어떻게 하면 마도국이 보유한 농작물이 사라질까.

힌트는 비아네가 주지 않았는가.

마도국의 농업생산량이 저하되면 그만이다. 하지만 그것은 간단한 이야기가 아니다. 아무리 그래도 필립 혼자 마도국의 영토로 잠입해 밭에 불을 지르거나 할 수는 없다.

그렇다면—— 그 농작물을 가로채면 되지 않겠는가.

그 답에 도달한 순간 필립은 벼락을 맞은 것 같은 충격에 휩싸였다.

타국의 물자를 빼앗는다. 상식적으로 생각하면 위험천만한 행위다. 장래에는 몰라도 지금의 필립이 한 나라를 상대해 이길 리 만무하다. 하지만 왕국은 마도국을 적대국가로 간주하고 있을 것이다. 전쟁에서 많은 자국민이 살해당했기 때문이다.

적으로 간주하지 않는 것이 더 이상하다. 그렇다면, 그런 적국에게서 식량을 가로챌 수 있다면, 그것은 훌륭한 활약이 아니겠는가.

그런 일이라면 왕국의 상층부도 필립의 편을 들어줄 것이다. 어쩌면 활약에 어울리는 지위로 올려줄지도 모른다.

'……나쁘지 않아. 이건 상당히 좋은 아이디어 같은데?'

마도국의 식량을 가로채면 상인들도 모차라스령에서 생산한 농작물을 앞다투어 사들일지 모른다. 게다가 빼앗은 마도국의 농작물까지도 팔 수 있다면——.

'일석삼조 정도가 아니군. 멋들어질 정도로 완벽한 계획이야. ……하지만 어떻게 빼앗지? 힐마에게 의논해 용병을 고용할까? 아니, 그건 위험해. 돈으로 고용한 병사를 어떻게 신용해. 협박당할 건수를 만드는 건 바보들이나 하는 짓이야.'

이럴 때는 역시 영내의 병사로 해야 한다. 병사라 해봤자 주민들이지만, 필립은 동시에 옛날부터 구상하던 전업병사를 생각했다. 밭이나 일구던 주민보다는 훈련된 병사들로 부대를 만들고 싶다고 예전부터 생각했던 것이다. 빼앗은 농작물은 병사들의 급료로 주는 것도 나쁘지 않다.

'하지만 그래도 마도국 영내로 들어가는 건 위험해.'

필립의 영지에서 마도국은 상당히 멀다. 행군에 걸리는 비용 같은 것을 생각해봐도 상당히 무리였다.

'아니지, 잠깐만? ……아까 그런 말이 나오지 않았어? 마도국의 짐마차가 영내를 지나간다고. 그걸 습격하면 어떨까?'

하지만 혼자서 짐마차를 습격할 수 있을까? 주민들을 동원해도 한계가 있다. 상대가 저항할 마음이 사라질 정도로 압도적인 숫자가 필요하다.

"두 분 잠시 시간 괜찮으십니까? 좋은 이야기가 있는데."

"좋은── 이야기라고요?"

"예, 좋은 이야기입니다."

필립은 두 사람에게 얼굴을 가까이 가져가, 자신의 좋은 아이디어를 득의양양하게 들려주었다.

*

"──쳇. 사과라도 하란 말야."

필립과 헤어진 비아네가 내뱉듯 말했다.

필립이 술을 쏟았던 이 옷은 아버지가 입던 것이라 원단도 디자인도 매우 오래 된 것이다. 이것은 보기 드문 일이다. 옷이란 사교계에 본격적으로 데뷔할 때 새로 맞춰야 하는 것이기도 하다.

왜냐하면 귀족이란 겉치레를 중시하는 생물이기 때문이다. 복장도 당연히 그중 하나이며, 이래서는 당연히 남에게 얕잡히게 돼 있다. 하지만 실제로 비아네의 입장은 귀족 사회의 밑바닥이다. 살짝 발돋움을 해봤자 효과가 얼마나 있을까.

반대로, 더 큰 힘의 비호를 받을 때는 자신이 왜소한 존재임을 말없이 알려주는 이 옷이 오히려 유용하다고 할 수 있다. 말하자면 이 옷은 살롱이라는 무대에서 약소 귀족이라는 배역을 연기하기 위해 필요한 의상인 것이다. 다음 배역을 받을 때까지 신세를 져야 한다.

그렇기에 더럽혀지면 참을 수 없다.

"그렇고말고."

옆에서 맞장구가 들려와, 비아네는 발언자를 흘겨보며 말했다.

"······그거 이제 그만 해도 돼."

어두운 목소리였다. 조금 전까지 함께 있던 필립이 들었다면 눈을 크게 뜰 만큼 분위기가 명백히 달랐다.

비아네는 결코 활달하지도 않거니와, 남과 이야기하는 것을 좋아하는 사람도 아니었다. 낯가죽을 몇 겹으로 뒤집어써 그처럼 활달하고 수다스러운 자신을 열심히 연기할 뿐이었다.

그런 비아네의 민낯을 아는 친구 이그는 쓴웃음을 지었다.

"아, 거 미안하다니깐. 난 아부가 서툴러서 결국 너한테 맡길 수밖에 없잖냐."

한편 이그 또한 조금 전과는 달리 귀족답지 않은 거친 말투가 되었다.

"아니, 진짜로 미안하면 아부하는 연습을 좀 해. 우리 같은 하급귀족은 윗사람들 눈에 들어야 먹고 살 수 있으니까."

"세상 참 살기 빡빡하구만. 작위 물려받아 화려하게 귀족사회에 들어갈 수 있을 줄 알았더니······ 아첨, 손바닥 비비기. 그딴 것뿐이라 신물이 나."

"쳇, 무슨 소릴 한담······. 평민도 똑같아. 누가 더 힘든지는 모르겠지만, 원래 아첨을 잘 떨어야 어엿한 어른이라 할 수 있는 거라고."

"그럼 차라리 어른이 안 되는 게 나았을 텐데. ······나무 작대기 붕붕 휘두르면서 드래곤 슬레이어 영웅이 되던 그 무렵으로 돌아가고 싶구만."

"못 돌아가니까 포기해라. 아무튼 너도 아첨 떠는 연습을 좀 해. 머리가 그 정도밖에 안 되는 상대라면 딱이잖아? 실패해도 별로 피해 볼 거 없고."

만약 상대가 상위 귀족이거나 인생 경험이 풍부한 자—— 즉 아첨에 익숙한 상대라면 어지간히 능숙하지 않고서는 효과가 없다. 그렇기에 경험을 쌓을 수 있을 때 연습을 해야 한다.

"그렇군……. 그럼 다음에 만났을 때는 할 수 있는 데까지 노력해봐야겠네."

"그래그래, 그래야지 그래야지. 아첨을 싫어하는 놈은 없어. 만약 상대가 불쾌해하는 것 같으면 그건 아직 아첨이 서툴다는 증거야. ……이그, 힘들다는 건 알아. 네가 어려워하는 부분은 내가 도와주고, 내가 어려워하는 분야는 네가 도와주는 거야. 그러기로 약속했잖아. 하지만 그렇다고 해서 약점을 극복하지 않는 건 위험해. 언제나 함께 다닐 수 있으리란 법이 없으니까."

비아네는 남들보다 머리가 잘 돌아가도 운동신경이 전혀 없었다. 이그는 그 반대였다.

서로 같은 타입이었다면 라이벌 의식을 느꼈을지도 모르지만, 그러지 않았던 것은 서로에게 행운이었다. 보통 인접한 영지의 영주와는 그리 쉽게 친해질 수 없을 텐데도, 그들은 원래 삼남이나 사남 정도의 입장이다 보니 과거에 있었던 분쟁에 대해 배우지도 않고 편안한 분위기로 교제할 수 있었다.

그리고 무엇보다, 이상하게도 마음이 잘 맞았다.

"그렇게 할까. ……근데 그거하고 얘기해보니 어땠어?"

"최악이던데."

비아네는 친구의 질문에 망설임 없이 대답했다.

그딴 자가 파벌의 수장이 되어가고 있다는 현재의 상황은 지나치게 위험했다.

"뭐, 하지만 그런 놈이니 잘 유인할 수 있었던 거지."

"그건 그래."

이 파벌은 솔직히 말해 쓰레기통이다.

영지 경영에는 관심이 없고 그저 귀족으로서 얻는 이익만을 탐내는 자. 진검을 든 어린아이처럼 갑자기 손에 들어온 권능의 무게에 휘둘리는 자. 아직 아무것도 이루지 못했으면서 모든 것을 실현할 수 있다고 과신하는 자. 그런 구제할 길 없는 족속——자신은 평범하고 흔해 빠진 귀족일 뿐임을 이해하는 비아네조차 아는 사실을 모르는 자들이 많았다.

그렇기에 필연적이라고 해야 할까. 파벌 전체에 커다란 문제가 하나 있었다.

"마도국의 식량이 왕도에 비축되는 상황은 좋지 않아. 판매가격은 마도국이 마음대로 정할 수 있을 테니까. 왕국에 흉작이 들자마자 가격을 올릴 게 뻔해. 최악인 건, 그런 뻔한 함정을 낙관시해서 단가 높은 작물을 재배하는 체제로 농경지를 전환하는 영주가 적지 않다는 거야. 여차하면 조금 비싸더라도 마도국에서 사면 당분간 굶지는 않을 거라면서."

이 파벌에는 그런 생각을 하는 영주가 다수 있었다. 그것이 얼마나 위험한 짓인지 에둘러 설득해보기는 했지만, 자기 하나 정도라면 괜찮다는 태도가 뻔히 보였다. 분명 그들은 실행에 옮길 것이다.

"……그놈의 전쟁에서 일손을 잃었어. 줄어든 인력을 어디에 할애할지를 생각해보면 눈앞의 이익을 추구하려는 마음도 이해는 가."

얼마 안 되는 이익보다는 큰 이익을 추구하는 것은 인간으로서── 남의 위에 선 자로서 당연하다.

"그렇다고 해서 마도국이 수송 중인 농작물을 빼앗으려고 하다니 머리가 이상하잖아. 어떤 바보든 잘 알 텐데? 마도국 깃발을 내건 짐마차를 습격하면 그건 그 나라에 대한 선전 포고가 되고 심각한 보복이 돌아온다는 걸. 그런데도 그놈은── 잠깐만? 이거 함정에 빠진 거 아냐?"

그에게 이용당했을 가능성도 있을지 모른다. 하지만 그자에게 무슨 속셈이 있었는지를 알 수 없었다. 그렇다면 역시 상대의 제안을 받아들였던 것은 잘못이 아니었을까.

"에이, 그건 생각이 좀 지나친 거 아냐? 그냥 그놈이 바보여서 아무 생각도 없이 제안했던 거겠지."

"이봐, 이봐이봐."

비아네는 쓴웃음을 지으며 말을 이었다.

"짐마차를 습격한 다음을 고려하지도 않는── 그런 바보가 진짜로 있을 것 같아?"

"하긴…… 듣고 보니……."

아무리 그래도 귀족으로서 갖추어야 할 기본조차 이해하지 못하는, 그런 바보가 귀족가를 계승할 리가 없다. 그렇다면 필립은 무언가를 노리고 있을 것이다. 그 노림수는 어디에 있을까.

"슈그네우스에게 말해두는 편이 좋지 않을까?"

"――아냐, 말하지 마."

――힐마 슈그네우스.

이 파벌을 만드는 데에 힘을 쏟은 여성. 어떤 백작의 정부니 뭐니 하는 소문은 전부터 돌았지만, 소문의 백작에게는 이 파벌을 만들 만한 이유가 없었다. 그렇게 되면 이만큼 윤택한 자금이나 커넥션은 대체 어디서 나왔는가 하는 의문이 남는다.

그 여자의 뒤에 숨은 것은 개인이 아닌 조직일 것이다. 이 왕국 내에서 그만한 힘을 가진 조직이라고 하면, 소거법으로 모습이 드러나게 된다.

여덟손가락.

이 왕국의 암흑가를 지배하는 범죄결사.

그렇다면 힐마는 소모품으로 내세운 인형일까?

아니, 그렇지는 않을 것이다.

비아네는 그렇게 생각했다.

몇 번인가 말을 나누어본 적이 있지만, 결코 소모품처럼 여겨지지는 않았다.

이것은 짐작이지만 상위에 속한 인물일 것이다. 그런 인물이 파벌에 뿌리를 내렸다는 상황에 큰 불안감이 들었다. 물론 귀족 중에는 뒤가 구린 조직을 통해 힘을 얻은 자도 있지만, 비아네는 불법적인 조직과 깊은 관계를 가지고 싶지는 않았다.

그런 조직을 잘 이용해 약삭빠르게 헤쳐나갈 수 있겠는가. 두 사람은 스스로를 그렇게까지 과대평가하지는 않았다.

"왜? ……또 뭔가 복잡한 생각을 하는 모양인데, 나한테도 좀 가르쳐줘봐. 그놈 이야기에 넘어가면 위험하다는 건 나도 알겠어. 너희 영지에서 마도국 마차를 습격하는 거잖아? 뼈다 귀 자식들이 가만있겠냐고. 그놈 목은 물론이고 네 목도 내놔 야겠지."

맞다. 이그의 말이 전면적으로 옳다. 하지만 한 가지 생각이 있기에 그런 위험성을 이해하면서도 동의했던 것이다.

"그게 그 바보의 노림수일지도 몰라. 우리한테만 죄를 뒤집어 씌우고, 자기는 혼란을 틈타 물자를 챙길 속셈이 아닐까? 그러 니까 그걸 역이용하면 어때? 우리가 영내를 둘러보고 있을 때 도적떼를—— 그것도 마도국의 짐마차를 습격하던 놈들을 발 견해서, 격퇴한 거지. 우리 손으로 해치운다는 게 중요해."

자기 수하의 짐마차가 습격을 당했는데, 습격자들은 처치했 으니 봐달라고 한들 그것으로 넘어가줄 귀족은 별로 없을 것이 다. 그것이 귀족이 아니라 한 나라라면 말할 필요도 없다. 가혹 한 보복행위에 나서도 이상하지 않다. 그렇기에 자신들이 이에 가담했다는 증거를 남겨서는 안 되고, 자신의 영지에서 일어난 사건을 해결하고자 했다는 면죄부는 반드시 필요했다.

"어때? 마도국에 빚을 만들 좋은 방법이지? 관여를 의심받더 라도 우리는 수송대를 구하는 데 협조했다고 변명할 수 있잖아. 실행범을 확실하게 해치워버리면—— 죽은 사람은 아무 말도 못 하는 법이고."

"그건 그다음에 이렇게 이어지겠지. 하지만 신을 섬기는 신관 은 죽은 사람을 되살려낼 수 있다, 그렇기에 신관에게는 숨겨봤 자 소용없다."

"……죽은 사람을 되살려낼 만한 신관이 마도국에 있겠어? 언데드가 시내에서 활개를 치고, 생명이 있는 백성을 괴롭힌다는 소문이 있는 나라에?"

"없겠지."

이그의 말에 비아네도 같은 의견이라며 웃었다.

"그 작자의 의도는 별개로 치더라도, 마도국의 마차를 습격한다는 아이디어 자체는 이용할 수 있어. 습격에 성공하든 실패하든—— 성공할 거라 생각하진 않지만, 실패해도 다시 습격당할지 모른다는 경계심을 심어줘서 마도국이 왕국의 상인에게 더 이상 농작물을 맡기지 않게 될지도 몰라. 그때는 우리 파벌 내의 바보들도 정신을 좀 차리고 건실한 계획을 세우지 않을까? 게다가——."

비아네는 냉혹한 웃음을 지었다.

"어떻게 되더라도 그 작자는 해치워버릴 수 있고."

"그 작자에게 그럴 만한 가치가 있냐? 우리가 위험을 무릅써야 할 만큼?"

"그놈 자체에게는 없지. 하지만 그놈 뒤에 있는 슈그네우스의 팔을 하나라도 없애버릴 필요는 있어. 슈그네우스의 목적은 틀림없이 그 바보를 내세워서 이 파벌을 이용하는 거야. 배후에 있는 조직이 지상으로 나갈 수 있도록. 그게 아니라면 이렇게까지 돈을 들일 이유가 뭐겠어."

국왕파도 귀족파도 이제 예전만한 힘은 없다. 그렇다면 이 제3의 파벌을 자유로이 부리게 되는 날에는 왕국에서 가공할 권력을 얻을 수 있을 것이다. 다시 말해 여덟손가락은 왕국을 지하와 지상 양면에서 지배하게 된다.

"여기는 스쳐지나가는 자리 정도로밖에 생각하지 않는다면서, 넌 진짜 생각이 잘 돌아간다."

이그의 말이 맞다. 이런 일은 일개 귀족, 그것도 최하위의 남작 따위가 생각할 일이 아닐 것이다. 물론 남작에도 여러 종류가 있어, 상위의 귀족에 필적할 만큼 큰 영지를 가진 자도 존재한다. 하지만 유감스럽게도 두 사람은 작위에 걸맞은 정도의 영지밖에 없는, 왕국에 흔해 빠진 남작 중 하나일 뿐이었다.

이렇게 국왕파에도 귀족파에도 연줄이 없는 일개 귀족이 애쓰는 것도 자신의 영지를 더욱 좋은 곳으로 만들고 싶기 때문이다. 그러려면 역시 왕국이 조금이라도 좋은 나라가 되어주어야 한다.

이것은 이 나라의 귀족으로서 가진 생각일 뿐만 아니라, 개인적인 목적도 있었다.

지금보다도 유복해지고 싶다. 행복해지고 싶다.

그렇기에 조금이라도 유리해지도록 행동하는 것이다.

"이 파벌보다 더 좋은 파벌에 가려 해도 실적이나 연줄 같은 건 만들어놔야 하니까. 내 말이 틀렸어?"

"틀렸을 리가."

이미 완성된 파벌에는 없는 기회를 얻고자 이곳에 왔다. 하지만 그딴 바보를 수장으로 앉히려 하는 여덟손가락의 모습이 어른거리는 파벌에 온 것은 실수였는지도 모른다.

"근데 말야, 이게 계기가 돼서 마도국이 전쟁이라도 시작하면 어쩌지?"

비아네는 조금 생각하고 고개를 가로저었다.

"그럴 일은 없어. 그딴 바보의 계획이 성공할 리도 없고, 전면
전쟁이 그렇게 쉽게 벌어지지도 않을 거야. 마도국은 도시 하나
뿐인 나라잖아. 왕국 전체를 지배할 만한 인적자원이 없어. 언
데드를 부린다지만 그거야 단순한 육체노동이지. 국가 관리는
무리라고. 만에 하나 전쟁이 벌어지면 마도국에 가까운 왕국령
을 분할해주는 이야기는 나올지도 모르지만…… 우리처럼 영
지도 먼 귀족에게는 별 영향도 없을걸. ——아무튼."

주먹을 쥐고 내밀자, 이그도 주먹을 부딪쳤다.

"해보자!"

"좋았어!"

2

델비 남작령의 가도. 어제부터 병사를 데리고 이동을 개시했
던 필립은 이 영내에서 하룻밤 야영한 후 겨우 목적지—— 습격
지점까지 왔다. 사전정보에 따르면 오늘 점심 무렵에는 마도국
의 수송대가 이 근처를 지나간다고 한다.

필립은 자기 앞에 줄지어 선 병사들을 말 위에서 내려다보았다.

자신이 지휘하는 병사—— 마을 주민들.

동원할 수 있었던 것은 모두 50명.

영내 곳곳에서 노역을 요구했지만 사람은 별로 모이지 않았다.

여러 마을에서 돌아온 답은, 이미 노역이 끝났다는 말이었다.

솔직히 말해 불쾌했다.

앞으로의 영지를 위해—— 영내의 모든 이들이 행복해지기 위해 이번 계획을 세웠다. 얻을 수 있는 전리품도 방대할 테니 이를 거의 다 나눠줘도 된다고 생각했고, 제안도 해보았다. 그럼에도 협조하지 않겠다는 것이다.

너무나도 어리석다.

뭐가 이익이 되는지도 모르는, 지혜가 없는 자들. 아니, 그렇기에 지혜가 있는 자신이 지배하고 이끌어나가야만 한다.

그렇게 스스로 수긍하고자 애써 봐도 역시 몰이해한 자들에 대한 분노가 더 컸다. 강제로 노역을 시킬까도 생각했지만 반송장 같은 아버지가 격노할 것이 틀림없다.

그러므로 힐마에게 빌려온 돈으로 비용은 선불 지급했다.

그렇게 해 간신히 50명을 모으기는 했지만, 한창 일할 때가 옛날에 지나버린 자나, 누가 보기에도 체구가 빈약한 자, 술에 취해 다른 주민에게 싸움을 거는 협조성 없는 자가 대부분인 것 같았다.

솔직히 말하자면 마을 내에서도 짐만 되는 자들뿐이라 돈값을 할 만한 인재로는 보이지 않았다. 그래도 병사들의 시선을 받으니 뭐라 말할 수 없는 고양감에 마음이 떨렸다.

자신의—— 칭송받아 마땅한 영웅담이 여기에서 시작될 거라는 예감이 들었다.

아니, 실제로 시작되는 것이다.

영지는 넓어지고, 지위는 올라가고, 영광이 쏟아지는 세계로 약동한다.

왕국 내에서 아무도 이루지 못했던 첫 일격을 마도국에게 입히는 것이다. 마도국에 대한 견제의 한 수를 높이 평가한 왕족은 합당한 지위를 내려주어 필립에게 보답할 것이다. 어쩌면 그 아름다운 왕녀를 아내로 맞이할 수도——.

"——그런데 도련님. 정말 덮쳐도 되는 겁니까요?"

몽상하던 필립은 고양감에 찬물을 뒤집어쓴 기분이 들어, 입을 연 병사를 울컥하는 심정으로 보았다.

30세 정도의 평범한 사내였다. 지저분한 옷을 입고, 어째서인지 나무 괭이를 들었다. 괭이를 들 거라면 곤봉이라도—— 없다면 근처에 있는 작대기라도 들라고 하고 싶지만 무기를 들고 집합하라는 지시에 따른 결과일 것이다.

솔직히 곤봉조차 없는 마을 주민이 많이 보여 골치가 아팠다. 하지만 이를 제외하면 전체적인 평가로는 남루한 도적과도 같았으며, 그렇기에 상대를 잘 속일 수 있겠다 싶었다.

사내의 발언이 주위의 동의를 얻었는지 시야 내의 병사들이 '나도 그렇게 생각한다'는 양 고개를 끄덕였다.

"문제없다. 이것은 왕국을 구하기 위한 첫걸음이다."

"아뇨, 도련님. 왕국이니 뭐니 그런 거창한 얘기는 말구요. 우리 교수형 당하는 건 아니겠죠?"

다른 이가 말하자 주위 사람들도 맞아맞아 입을 모아 떠들어 댔다.

너무나도 대의를 보지 못하는 발언이었다. 필립은 어이가 없었다. 아니——.

'——이런 자가 많으니까 나처럼 재능을 가진 자가 이끌어야 하는 거지. 애초에 이 정도 생각밖에 없는 자가 많아서 내 개간 계획에 따르지 않는 거고…….'

"문제없다고 했을 텐데. 내 말이 들리지 않았나?"

"……아니, 그런 건 아니지만요."

불평불만이 있는 것이 뻔히 보였다.

본보기로 한 명쯤 베어버려 정신을 뜯어고쳐 줘야 할지도 모르지만, 그래서는 자신에게 전혀 카리스마성이 없는—— 위험을 무릅쓰고 싸우도록 만들 능력이 없는 것 같아 부끄러웠다.

그렇다면 어떻게 해야 좋을까.

망설이고 있을 때 말발굽 소리가 힘차게 지면을 박차는 소리가 들려왔다. 돌아보니 2기의 기병이 이쪽으로 달려오는 것이 보였다. 기수는 모두 복면을 해 눈밖에 보이지 않았다. 그래도 누구인지는 알 수 있었다.

두 사람 모두 조금 떨어진 곳에서 말을 세우더니 손짓을 했다.

왜 여기까지 오지 않는 걸까, 저쪽이 이쪽으로 와야 하지 않나 싶었지만, 어쩌면 주위 사람이 들으면 안 될 이야기가 있는지도 모른다는 생각이 떠올랐다.

"흥, 하는 수 없지."

자못 그럴듯하게 중얼거리자 왠지 멋있게 느껴져 필립의 얼굴이 헤실헤실 풀어졌다.

말을 탄 필립이 그대로 두 사람에게 다가갔다. 일단 연습은 해 두었으므로 말을 걷게 하는 정도라면 어떻게든 가능했다.

"남작님, 준비는 어떻습니까?"

얼굴을 가렸으므로 알 수 없었지만 목소리와 체격으로 보건대 이쪽이 델비 남작—— 비아네인 모양이었다.

하지만 남작이라고는 생각할 수 없을 정도로 초라한 몰골이었다.

지저분한 가죽갑옷을 입고 검을 찼다. 말의 몸에는 탄력이 없어 밭을 가는 말처럼 보이기까지 했다. 게다가 그것은 로킬렌 남작—— 이그도 마찬가지였다. 완전히 똑같은 꼴이었으며 말도 비슷했다.

후원자가 있는 필립과는 달리 두 남작 모두 돈이 없어서 그랬을 것이다. 그때도 남루한 옷을 입은 모습을 보지 않았던가. 그렇게 생각한 필립은 동시에 얼굴에 드러나려 하는 우월감을 필사적으로 숨겼다.

'이렇게 되면 이 불쌍한 친구들 앞에서 병사들의 사기가 낮다고 짜증을 낼 수는 없잖아. 그래선 꼴사납지. 난처한걸.'

윗사람인 자신은 아랫사람보다도 뛰어난 면을 보여야만 한다. 필립은 사회의 모범이 되어야 한다. 그리고 아랫사람은 그러한 필립을 따라야 한다. 그러면 세상이 잘 돌아가는 것이다.

"두 분만 오신 겁니까? 병사 준비는요?"

"물론 다 되었습니다. 그렇지?"

"그렇고말고요. 저희의 병사는 필립 님의 진영 좌우에 전개하고 있습니다. 학익진이지요."

"오호! 학익진이군요!"

필립도 그 정도 진형은 안다. 그런 유명한 진형을 펼칠 수 있다는 것이 너무 기뻤다. 어쩐지 이야기 속의 주인공이 된 기분이었다.

"그러니 위험해지면 즉시 좌우로 갈라져 도망치십시오. 모두 한쪽으로만 도망치면 적이 분산되질 않을 테니까, 도망칠 때는 무조건 갈라져야 합니다."

"알겠습니다. 그렇게까지 집요하게 강조하지 않아도 괜찮——."

"——누가 어느 쪽으로 도망칠지 처음에 결정해두는 게 좋지 않겠습니까? 전투의 공포 속에서는 잘 도망치는 것도 힘드니까요. 필립 님도 마찬가지입니다. 어느 쪽으로 도망치시겠습니까?"

틀림없이 질 것처럼 집요하게 다짐을 받으려는 모습에 조금 울컥했다.

"그렇게나 제가 질 것 같습니까?"

"아뇨아뇨, 그렇지 않습니다, 필립 님. 물러나는 척하면서 쫓아오는 놈들을 섬멸하는 계략을 들어보신 적 없습니까?"

"——아, 아아. 들어본 적이 있지요."

그렇구나. 필립은 수긍했다. 다만 몰랐다고 솔직하게 인정하는 것도 아니꼬웠으므로 아는 척했다.

"역시 아셨군요. 그런 겁니다. 계략이죠. 도망치는 것도 계략의 일부입니다."

그렇다면야…… 하며 어느 쪽으로 도망치는 것이 좋을지를 검토하려던 필립은 중요한 정보가 없다는 사실을 깨달았다.

"말씀드리기 전에 한 가지 물어볼 것이 있습니다만, 그쪽의 병력을 듣지 못했군요. 몇 명 정도 됩니까?"

"각각 75명씩입니다."

같은 수라면 어느 쪽으로 도망쳐도 마찬가지라고 생각하기 전에, 필립은 자신보다 많은 병력을 모아왔다는 점에 놀랐다. 하지만 이곳이 그들의 영지라는 점을 떠올리고 그렇게 대단한 숫자는 아니라고 생각을 바꾸었다. 병력을 모으는 것뿐이라면 쉽다. 문제는 그 이전에 있다. 만약 이곳이 자신의 영지였다면 필립도 지금의 두 배는 동원했을 것이다.

"······그만한 숫자라면 모두 한꺼번에 공격하는 편이 좋지 않겠습니까? 전부 200명이나 되니까요."

"그것도 한 가지 방법일 겁니다. 하지만 필립 님의 병력으로 선두를 붙들어놓고 좌우에서 밀어붙여야지요. 그게 학익진 아닙니까?"

"아, 네. 그랬죠!"

그랬다. 그걸 완전히 잊어버렸다.

비아네가 후우 숨을 토해냈다. 어떤 표정을 지었는지는 복면 때문에 보이지 않는다.

"이해해주셔서 다행입니다. 그런데 어느 쪽으로—— 후퇴하시겠습니까?"

"어디 보자. 그럼 이그 님 쪽으로 도망치도록 하죠."

"그러면 좌익으로 도망치신다는 거군요. 알겠습니다. 나머지는 지난번에 짠 작전대로 부탁드립니다. 그리고 부디 궁병을 경계하십시오. 눈먼 화살에 맞아 낙마했다가 말에 밟혀 죽는 경우도 전장에서는 흔하니까요."

"이 갑옷이라면 말에 밟혀도 죽지는 않습니다. 이건 유명한 기술자가 만든 데다, 마술사 조합에서 마법을 부여한 명품이니까요."

필립이 입은 풀 플레이트 아머는 힐마가 선물한 것이다. 게다가 이 갑옷에는 방어력을 높이는 마법이 담겨 있어, 필립의 집에 있던 가보 갑옷보다도 훨씬 뛰어난 능력을 가졌다. 받기는 했어도 입을 기회가 없었는데, 마침내 첫선을 보인 것이다.

어지간한 남작은 이만한 물건을 가지지 못했을 것이다. 필립은 그런 우월감이 목소리에 드러나지 않도록 애썼다.

"그래도 주의하십시오. 필립 님이 상대에게 죽기라도 하면 끝장이니까요."

"그렇고말고요. 필립 님이 대장이니까요."

"이렇게 훌륭한 갑옷을 착용하시기는 했지만 안 좋은 곳을 찔리기라도 하면 위험합니다. 게다가 금속 갑옷이 아무리 튼튼해도 마법에는 무력한 경우가 많죠. 부디, 부디 주의하고 또 주의하십시오. 필립 님이 대장이니까요."

집요할 정도로 강조한다. 하지만 그들의 심정도 이해가 간다. 대장이 죽으면 모든 것이 끝나는 것도 사실이다.

필립은 이 두 사람이 자신을 수장으로 인정해줬다는 데에 웃음이 절로 나왔다.

"물론 알고 있습니다."

"……그리고 필립 님은 어디쯤에 진을 치실 생각이신지요? 역시 선두에 서시면 위험하니 후방에 대기하실 거라고는 생각하는데, 퇴각할 시간이 없을 것 같으면―― 당장 달려갈 수 있도록 장소를 알려주시면 좋겠습니다."

음, 음.

필립은 마음속으로 동의했다.

대장이 위험에 빠졌을 경우 즉시 달려오는 것이 부하의 역할. 당연한 질문이었으며, 그런 지시를 내리지 않았던 자신에게 기가 막히기도 했다.

'그 정도쯤은 평소의 나라면 분명 알아차렸을 텐데. ……나도 흥분했던 거겠지. 이만한 규모의 전투는 처음이니까.'

필립은 잠깐 침을 삼키고는 심호흡을 되풀이했다.

"왜, 왜 그러십니까?"

"어, 아니. 잠깐 전투에 대한 열기를 식히려고요."

"……아～ 그렇군요. 그런 거였군요. ……어, 그러면 필립 님은 처음에, 어디에서 대기하실 예정이신지요?"

"일단은——."

필립은 좌우를 둘러보았다.

포장된 가도는 상당히 넓어 마차 두 대가 엇갈려 지나갈 수 있을 정도였다. 델비 남작령에서 이 가도는 중요한 수입원 중 하나라고 한다.

가도 좌우에는 울창한 숲이 펼쳐져 있다. 다만 산적 같은 자들이 매복하지 못하도록, 길에서 조금 떨어진 곳까지는 덤불이나 있는 정도였다. 몸을 숨길 만한 장소는 모두 벌채된 후였다.

이곳은 관리된 숲이며, 돼지 같은 가축을 풀어놓고 도토리나 나무열매를 먹기 위해 만든 곳이라고 들었다. 숲에서 몬스터나 들짐승이 나타날까 봐 경계할 필요는 없다.

그렇다면——.

"숲에 매복하는 것이 타당하겠지요."

"그렇지요. 그렇다면 마침 좋은 장소가 있습니다. 말을 타고 도망칠 수 있도록 덤불이나 튀어나온 가지를 쳐놓은 길입니다. 그곳은 어떻겠습니까?"

"그런 곳이 있나요?"

"예. 필립 님께서 이곳을 선택하셨을 때, 이런 일도 있을까 해서 준비해두었습니다."

몇 곳의 후보지 중에서 이곳을 습격장소로 선택한 사람은 필립이었다. 비아네와 이그에게 의견을 청했지만 두 사람 모두 필립에게 맡기겠다고 하며 의견을 제시하지는 않았다. 그 후에 준비했다면 고생이 많았을 것이다.

"이거 고맙군요."

"아닙니다. 선봉이라는 위험한 일을 맡겨드려야 하니 피차일반이지요. 그렇지?"

"그렇고말고요!"

두 사람에게 안내받아 널찍한 공터로 향했다. 정말 비아네가 말한 대로였다. 이 정도라면 말을 타고 달려도 문제가 없을 것이다.

그 후로도 의견을 주고받은 후, 두 사람과 헤어진 필립은 그대로 걸어서 부하들이 있는 곳까지 돌아왔다.

그가 입은 풀 플레이트 아머는 매우 무거워서 땀이 솟아났다. 게다가 이런 곳이다 보니 투구를 쓴 채로는 넘어질 것 같았다.

"후욱, 후욱."

거친 숨을 몰아쉬며 투구를 벗어 옆구리에 끼었다. 품에서 손수건을 꺼내 거칠게 이마를 닦았다.

필립은 실수했다고 생각했다. 갑옷의 방어력을 높이는 것도 중요하지만 마찬가지로 기동성도 중요하다. 갑옷의 경량화 같은 마법도 있다고 들었다. 다음에는 그런 것을 부탁해야겠다. 그리고 이런 갑옷을 입고 운동해도 땀을 흘리지 않을 만한 무언가가 필요했다.

왕도에 돌아가면 힐마에게 말해둬야겠어.

그렇게 마음속의 메모장에 적어놓으며 진영으로 돌아오니 병사들이 무료하게 서 있었다.

"기다리게 해서 미안하다."

"──도련님, 그 복면 쓴 자들은 누굽니까요? 꼭 산적 같은 꼬락서니던데. 속으신 거 아뇨?"

"그렇지 않아. 어엿한 이 나라의 귀족들이다. 그리고 차림으로 매사를 판단하지 마라. 귀족이라고 전부 풀 플레이트 아머 같은 물건을 가진 건 아니니까."

게다가 카체 평야 전투에서 당주를 잃었던 가문은 이와 함께 선조 대대로 전해져 내려오는 무구까지 잃어버린 경우가 많았다. 필립의 가문처럼 풀 플레이트 아머를 잃어버렸다면 새로 구입하는 것도 큰일이다.

병사들은 별로 수긍하지 못하는 기색이었지만, 딱히 억지로 이해시킬 필요는 없었다.

"좋아! 짐마차가 올 때까지 대기! 오면 습격한다!"

대답이 없었다. 그러므로 필립은 더 목소리를 높였다.

"알았나!!"

"알겠습니다……."

마지못해서긴 하지만 몇 명은 대답했다.

만족할 수는 없어도 일단은 이 정도로 넘어가 주자. 그들도 첫 출전이니까. 처음부터 이것저것 다 요구해서도 안 되지.

그런 그들이 훌륭한 병사가 될 수 있도록 길을 제시해주면 되는 것이다.

필립은 그렇게 생각하고, 피곤한 몸이 원하는 대로 땅바닥에 주저앉았다.

＊

리 에스티제 왕국의 어둠 속에 도사린 거대 범죄조직 '여덟손가락'.

여기에는 8개 부문이 존재한다. 그중 하나인 밀수부문에 속한 크리스토펠 올슨은 어엿한 상인의 얼굴도 가졌으며, 왕도에서 왕국 서쪽에 걸쳐 어느 정도의 판로와 실력을 가진 남자였다. 그렇기에 얄다바오트의 재앙 때 자신이 가진 창고에서 수많은 물자를 빼앗긴 경험도 있다.

그때 입은 막대한 손실은 그의 상회에 치명타를 줄 정도까지는 아니었지만, 회복에는 상당한 시간과 노력이 필요할 만했다. 그렇기에 자금의 일부를 여덟손가락에서 빌릴 필요가 있었다.

사업을 하려면 더 많은 돈으로 거래하는 편이 이익도 커진다. 당연히 손실도 커질 가능성이 있지만 똑똑하게 사고팔면 그리 걱정할 필요는 없다.

다만 여덟손가락 같은 곳에서 자금을 빌리면 먹잇감이 되고 만다. 여덟손가락은 손실을 입은 상인에게 범죄를 ——밀수나 마약 판매 및 운반—— 강요하기도 하는 것이다.

이러한 상인이 이따금 추락하곤 한다.

그러면 이미 추락한 크리스토펠의 경우는 어떨까.

크리스토펠은 이번에 돈을 빌리면서 여덟손가락의 최고 간부진과 대면하게 되었다. 이것은 매우 놀랄 만한 일이었다. 크리스토펠 자신은 밀수부문에 속했으므로 돈을 빌릴 곳은 상부—— 밀수부문의 간부지, 원래 다른 부문의 간부를 만날 이유는 없다.

그럼에도 최고 간부들과 면회하게 된 것은 그의 업무능력을 높이 평가해주어서였을까, 아니면 그가 알지 못하는 이유 때문이었을까. 그것은 간부들과의 이야기가 끝난 후에도 결국 알 수 없었다. 다만 암흑가에서 두려움의 대상이 되는 여덟손가락의 최고 간부진이 이상할 정도로 부드럽고 친근했던 것이 의문이었다.

물론 암흑가의 중진이 보이는 호의란 겉보기뿐일 가능성이 높지만.

그리고 또 한 가지 느꼈던 점은, 역시 조직의 톱클래스쯤 되면 건강에는 충분한 주의를 기울인다는 것이었다. 조금 지나치게 마르지 않았나 걱정도 들었지만 자신처럼 뚱뚱한 것보다는 건강하지 않겠는가.

그런 그들이, 그 자리에서 한 가지 일을 맡겼다.

이런 일이란 빚의 액수, 인간으로서의 가치, 앞으로도 여덟손가락에게 이익을 가져다줄 존재인지 등등을 두루 고려해 맡기는 법이다. 평가가 높은 자에게는 안전한 일을, 그렇지 않은 자에게는 위험이 수반되는 일을.

그리고 그런 그에게 돌아온 일은——.

"——마도국의 식량 운반이라. 안전한지 어떤지 의문이 남지만."

"응? 뭐? 뭐라고 그랬어, 나리?"

"아, 신경 쓰지 말게. 그냥 혼잣말이었어."

곁에 앉아있던 용병대장에게 대답했다.

굴강한 사내였다.

40세가 되어 허리둘레에 충분한 지방이 낀 크리스토펠과는 달리, 젊음과 정한함을 겸비한 사내였다.

나이는 20대 중반이라고 들었다.

강철제 브레스트 플레이트를 착용하고 그 안에는 체인 셔츠를 입었다. 바로 옆에는 얼굴 전체를 보호하는 투구를 놓아두었다. 오랫동안 쓴 세월의 흔적이 새겨진 검도 함께.

그가 바로 짐마차 7대로 이루어진, 마도국의 식량을 운반하는 수송대의 경호팀 리더였다.

경호병의 수는 24명. 모두가 여덟손가락의 구성원으로서 월급을 받는 몸으로, 크리스토펠과 같이 밀수부문에 속한 자들이었다.

여덟손가락의 병사를 쓸 경우, 원래는 같은 부문에 속한 병사라 해도 급료를 지불해야만 한다. 그것도 같은 역량을 가진 용병보다 비싸게. 그 대신 발설할 수 없는 내용의 일이라 해도 입막음을 할 필요가 없고, 무엇보다 임무에 충실했다.

감당할 수 없는 위험과 맞닥뜨렸을 때, 단순한 용병이라면 의뢰주를 내팽개치고 도망칠 수도 있겠지만, 그들은 죽을 각오로 마지막까지 남아 싸워준다. 물론 이것은 일을 내팽개쳤다간 윗사람들의 체면에 먹칠하게 되니, 도망쳐봤자 언젠가 붙잡혀 목숨을 잃기 때문이다.

그러므로 크리스토펠처럼 신뢰할 만한 용병 인맥이 없을 경우 여덟손가락의 사람을 쓰는 것은 최적의 선택일 수도 있다. 다만 이번에는 그들을 선택하는 것 외에는 선택의 여지가 없었다.

그들을 쓰라는 것이 상부의 명령이었기 때문이다.

자유도가 없는 대신 무료라는 혜택이 있었으므로, 그만큼 남은 돈으로 용병을 더 고용할 수도 있었다. 다만 그렇게 했다간 이 병사들을 신용하지 않는다고 여겨질 수도 있다. 게다가 그들은 지명을 받았다. 그들 이외의 용병을 고용한다는 것은, 어쩌면 상부의 뜻을 저버리는 결과가 될 수도 있다.

그렇게 생각한 크리스토펠은 용병을 추가로 고용하지는 않았다.

게다가 크리스토펠에게 임대된 용병들은 상당히 든든한 자들이라고 한다. 물론 능력이 어느 정도인지까지는 전사가 아닌 크리스토펠도 알 수 없다. 다만―― 윗선에서 우수하다고 보장을 해주었기에, 그걸로 충분했다. 이유 여하를 막론하고 상급자에게 거역하는 것은 위험하므로.

그렇다고는 하지만 이 정도 인원으로 하는 여행이 안전할지 어떨지를 생각해보면, 원래는 더 실력이 있는 자들을 보내줬으면 하는 것도 사실이었다.

여덟손가락의 폭력을 담당하는 경비부문의 톱, 그 유명한 여섯팔 클래스를 한 명이라도 빌려주었더라면 최고였을 텐데. 물론 그것이 이루어질 수 없는 바람이란 것도 잘 안다.

과거 여덟손가락 내에서 전투능력 최강이라 일컬어지던 부문장——제로를 포함한 여섯팔은, 얄다바오트 재앙 직전에 치러진 왕족과의 항쟁에서 죽어버렸다는 것이다.

신뢰도가 높은 정보에 따르면, 황금공주를 섬기는 브레인 앙글라우스라는 전사에게 패배했다고 한다.

그들 여섯을 혼자 쓰러뜨렸다는 건 아무리 그래도 거짓말 같지만, 아다만타이트 클래스 모험자 팀 '청장미'도 움직였다고 하니, 크리스토펠은 6대 6의 전투로 승부가 났을 거라고 생각했다.

경비부문 구성원의 대다수도 항쟁 속에서 목숨을 잃어, 지금은 여덟손가락의 각 부문이 알아서 병력을 모아 줄어든 전력을 보완하려는 상태였으며, 암살부문에 속했던 자들까지도 수면 위로 올라오는 상황이라고 한다.

하지만 이에 따라 여덟손가락 내부의 분위기는 얄다바오트가 출현하기 전보다도 훨씬 좋아졌다.

옛날에는 조직 내에서도 아무렇지도 않게 서로 대립했으므로 이상한 데서 견제가 들어오는 일이 있었다. 개중에는 밀수품을 운반하다가 다른 부문의 밀고로 적발당한 상인까지 있을 정도였다.

하지만 이제는 각 부문의 상층부가 징그러울 만큼 뛰어난 협조성을 보인다.

그렇기에 사업의 폭이 넓어져 한 번에 얻을 수 있는——불법적인—— 이익도 커졌다고 한다.

"흐아암."

용병대장의 하품과 함께 뿌웅 하는 방귀 소리가 들렸다. 생리 현상이니 어쩔 수 없다지만 사과 한 마디 없다.

천박한 행동이다.

크리스토펠은 눈살을 찌푸렸다. 자신만의 세계에서 돌아오게 만든 소리 중에서 치면 최악의 부류에 속했다.

투덜거리고 싶지만 왕국 서쪽에 있는 항만 대도시 리 로벨까지 왕복하는 동안 함께 지내야 하니, 원만하게 다녀오고 싶은 크리스토펠은 그 생각을 억눌렀다.

덧붙이자면 리 로벨에서 성왕국까지는 배를 이용하므로 그 후로는 해운상인이 맡는다. 크리스토펠도 잘 아는 사람이며 상당한 거물이다. 그런 사람도 여덟손가락의 일원이라니 놀랄 일이다. 물론 본인은 서로 이익이 있기에 협조하는 것일 뿐이라고 변명하지만.

아무튼 조금 걱정이 드는 것은 사실이었다.

"여유만만한걸. 습격당하지 않을 자신이 있나?"

"음? 아~ 뭐, 찌릿찌릿한 느낌도 없으니 문제는── 아, 감각은 믿을 게 못 된다는 표정이시네. 뭐, 마음은 이해하지만 나리도 장사를 하다 보면 이건 뜬다, 하는 생각이 들 때가 있지 않아? 반대로 어쩐지 불길해서 피해갔더니 정말 그렇기도 하고."

"……하긴, 있지."

"그것 보슈. 오랜 경험이 직감처럼 작용하는 거라니깐."

용병대장은 외견과는 어울리지 않는 유유자적한 말투로 그렇게 말했다.

"그런 건가?"

"그런 거지. 뭐, 마도국 깃발까지 내걸었는데 이 수송대를 덮치려는 놈은 그것도 모르는 바보 천치들—— 기껏해야 농부 출신 도적 정도일 거야. 그딴 것들은 백 명이 와도 금방 전멸시킬 수 있어."

"농부 출신이 아니라면?"

"퇴물 용병이라도 걱정하셔? 대전제로, 그렇게나 소문이 자자한 마도국 깃발을 모르는 놈이 있겠냐고."

사내는 어깨를 으쓱하며 말을 이었다.

"경험 많은 용병은 의외로 세상 물정을 잘 아는 법이야. 그렇지 않은—— 주변 나라 국기조차 모르는 놈들이라면 하나도 무서울 거 없어. ……못 믿겠다는 표정이시네. 거 좀 차분하게 생각해보슈. 어느 귀족에게 싸움을 거는지도 모르면 위험한 일에 말려들 수도 있지 않겠어?"

"하긴, 그건 그렇군……. 이건 그냥 궁금해서 묻는 건데, 어떤 귀족에게 싸움을 걸면 위험하겠나?"

"그야—— 유명한 데로는 레에븐이나 보우롤로프 아닐까? 그쪽은 강한 사병집단을 가지고 있으니까 붙었다간 위험하지. 뭐, 양쪽 다 그놈의 전쟁에서 엄청 피해를 보았다고 하니 지금은 옛날만큼 위협적이진 않을 수도 있지만…… 방심은 못하는 거야. 블룸라슈도 급료는 잘 준다니까 가능하면 적으로 돌리고 싶지 않고…… 암튼 어디가 됐든 높으신 귀족 양반들의 원한은 사고 싶지 않아."

"자네의 뒷배는 그 범죄조직인데도? 그래도 말인가?"

"거야 나리도 마찬가지 아뇨? 내가 그런 데랑 싸움이 붙었다면—— 윗분들은 아무렇지도 않게 날 잘라버릴걸. 나리도 그렇지 않아?"

"그렇겠지."

두 사람은 입을 다물고 약간 어두운 분위기에 사로잡혔다.

윗사람들의 비정함을 떠올렸기 때문이다. 그야 이익을 추구해 그런 조직에 속했으니 어쩔 수 없는 노릇이다. 어쩌면 이런 조직과는 관계를 맺지 않고 살아가는 길도 있었을지 모르지만, 그랬으면 이렇게까지 큰 상인이 되지는 못하고 아직까지도 조그만 장사나 되풀이하지 않았을까.

'만약'의 가능성은 무수히 많지만 그때로 되돌아갈 방법은 없으니 지금의 상황에 만족할 수밖에 없을 것이다.

"……아무튼 마음 푹 놓으라는 거지? 이해했네. 그럼 어떤 때가 위험하겠나?"

"상대가 불화살 같은 걸 쏘면서 이 수송대를 태워버리려 할 때겠지. 빼앗는 게 아니라 태워버리려 한다는 건 더 규모가 큰 음모에—— 국가 수준의 문제에 말려들었다고 생각해도 될 거야. 아니면 대립조직의 음모거나."

"여덟손가락의 대립조직…… 가능성이 있나?"

"모르지. 대립조직이라도 마도국의 물자를 태울 것 같지는 않지만, 어지간히 증거를 남기지 않을 자신이 있다면 가능성이 있을지도. 개인적으로는 그것보다도 왕국, 아니면 주변 나라의 국가적인 음모라든가 계획에 걸려들어 습격당할 가능성이 더 높을 것 같은데……."

"거기까지 가면 걱정해봤자 무슨 소용이겠나."

"내 말이 그거야. 아무튼 아직까지 여행은 순조롭잖아? 걱정 말고 마음 푹 놓으셔."

마차는 숲으로 접어든 모양이었다.

그것으로 현재의 대체적인 위치를 알 수 있었다.

크리스토펠은 머릿속에 지도를 펼치고 확인해, 예정대로 진행되고 있다는 데 안도했다. 마도국과 관련된 일에서 실수가 있었다간 매우 무서운 일이 벌어질 것이다.

지금은 정오쯤이고, 이대로 숲을 빠져나간 다음 휴식을 취할 예정이다. 원생림과는 달리 이곳은 사람의 손길이 닿은 숲이다. 빠져나갈 때까지 시간은 얼마 걸리지 않을 것이다.

덜컹덜컹 흔들리는 마차 소리 속에서 이쪽으로 달려오는 말발굽 소리가 들렸다. 그와 동시에 짐마차가 천천히 속도를 줄였다.

용병대장을 흘끔 쳐다보니 조금 전과는 달리 험악한 분위기를 띠고 있었다.

"미안해. 일을 좀 해야 할 거 같네."

포장마차로 두 명의 사내가 얼굴을 내밀었다. 모두 용병대장의 부하였다.

"죄송합니다, 보스! 이 녀석이 그러는데, 숲속에 마을 사람들이 잔뜩 모여 있는 걸 발견했다네요."

용병대장은 크리스토펠에게 설명해주었다. '이 녀석'이라고 불린 사내를 척후로 먼저 보냈다는 것이었다.

"……도적이 있었던 게 아니라 마을 사람? 뭘 보고 알았냐?"

"네, 일단은 무장이 말이죠. 무기도 없는 데다 갑옷도 안 입었더라고요. 무기 대신 괭이나 들고 있는 사람이 대부분이고…….
곤봉도 아니고 괭이라니깐요?"

"돌이라도 무기가 되긴 하겠다만…… 괭이라고? 그건 말이
안 되잖아. 아니지, 철제 괭이였냐?"

"자세히 보진 못해서 자신 있게 말씀드릴 순 없지만, 아마 나
무였을 것 같네요."

옆에서 이야기를 듣던 크리스토펠의 입장에서는, 그건 밭일
을 하고 돌아가는 길이라고밖에 여겨지지 않았다. 그렇다기보
다 그 외에 뭐가 있을까.

"엥? 진짜 괭이라고? 위장……인가?"

"그렇게 보이지도 않던데요……."

"그럼 몇 명쯤 보내서 쫓아내면 될까? 지나치게 경계하는 걸
지도 모르지만……."

용병대장이 중얼거렸다.

일단 떠오른 생각은 말해둬야겠다고, 크리스토펠에게도 들리
도록 혼잣말을 중얼거렸을 것이다. 아마도.

"그쪽 일에 간섭해서 미안하지만, 내 의견을 말해도 되겠나?"

"그러슈. 상관없지. 건설적인 의견이라면 얼마든지 필요하니."

"고맙네. 일단 이 숲은 사람 손이 닿은── 인공적으로 나무
를 심어 만든 숲이고, 돼지 같은 가축을 방목하기도 한다네. 그
러니까 돼지를 데리러 온 게 아닐까? 그렇다면 쫓아내버릴 경
우 돼지 도둑이라고 생각할지도 몰라. 우리는 마도국의 깃발을
걸고 있잖나. 마도국이 돼지 도둑질을 한다고 오해를 사서 소문
이 퍼지기라도 하면…… 그 나라에 알려졌을 때 문제가 생기지

않을까?"

용병대장이 혀를 찼다.

이제까지는 이 깃발을 내세운 덕에 안전이 보장되었다. 경로상의 도시를 지나칠 때도 우선적으로, 그것도 매우 정중한 대응을 받았다. 그것이 혜택이었다면, 이것은 제약이다. 마도국의 체면을 깎아 먹는 행동을 할 경우 그들에게 재앙이 닥칠 것이다.

그렇기에 크리스토펠은 이번 여행에 불법적인—— '추가 물품'을 싣고 와 장사를 할 마음은 먹지 않았다.

"너 아까 잔뜩이라고 했지? 잔뜩이면 몇 명 정도였냐?"

"대충이지만, 한 50명 정도는 되는 것 같았어요."

"돼지 데리러 온 것치고는 좀 많다 싶은데, 나리는 어떻게 생각해?"

그런 말을 들어도 크리스토펠은 부모 대부터 상인이었으므로 돼지 사육에 대해서는 알지 못했다.

"아, 아니, 나도 그게 많은지 적은지는 모르겠네. 아무리 그래도 돼지 모으는 데 몇 명이 필요한지까지는 지식이 없어. 어쩌면 나무를 심거나 베려고 왔는지도 모르지. 그리고 이건 어디서 들은 얘기지만 돼지를 이용한 채집 같은 것도 있다나 뭐라나……."

괭이를 들었다고 하니 그쪽의 가능성이 높지 않을까.

"그럼 이 동네 귀족은 평판이 어때? 생계가 막막해진 사람이 대량발생할 만한 짓을 하는지 어떤지, 들어본 적 있어?"

용병대장의 물음에 크리스토펠은 출렁거리는 목살을 집으며 대꾸했다.

"아닐세. 우연히 만난 적이 있지만 젊은데도 야무진 영주였어. 영지 경영은 건실하고, 귀족사회의 상식이나 정치적인 밀당 같은 것만 배우면 장래가 유망한 사람이라는 생각이 들던걸."

왕도에 있는, 여덟손가락의 영향이 미치는 주점에 주류를 납품하던 때 슬쩍 이야기를 나눈 적이 있다.

어용상인도 아니므로 그때까지 이 가도를 통과해 영내를 빠져나갈 동안 거래를 하지는 않았는데, 그것이 조금 후회될 만큼 장래성이 있다고 여겨졌다. 결코 이 수송대를 습격하기 위해 주민을 동원하거나 할 타입은 아니다. 그리고 그때의 인상으로 보자면, 50명이나 되는 주민이 굶주림 때문에 상단을 습격할 만한 영지 운영을 했으리라고는 여겨지지 않았다.

여덟손가락의 간부인 힐마 슈그네우스에게 소개받았던 그 사내와는 비교할 수도 없을 만한 수준이었다. 아니, 그 사내보다 못난 자를 찾기가 힘들 것이다.

그때 받았던 굴욕을 떠올린 크리스토펠은 관자놀이를 실룩거렸다.

"보스. 습격당한다고 쳐도, 무기도 없는 마을 주민 50명 정도라면 가볍게 해치울 수 있는데요."

"그게 미끼고, 주위에 병사를 매복시켜 놨을 가능성은 없겠냐?"

용병대장의 말에 두 명의 부하가 얼굴을 마주 보았다.

"그럴듯하네요. 주위를 살펴볼까요? 그러려면 조금 시간이 필요한데요."

"혹시 모르니 그렇게 하자."

"시간이 너무 걸려서 예정이 대폭 늦어지는 건 사양하고 싶네. 나중에 만회한다 해도 강행군은 피했으면 좋겠군."

"알았수, 나리. 얘들아, 그럼 가볍게 보고 와라. 서둘러서."

척후는 고개를 끄덕이고 곧바로 달려나갔다.

그로부터 10분 정도가 지나 돌아온 척후는 50명 이외에 매복한 기미는 없었다고 보고했다.

역시 무언가 농사일이라도 하던 중이었을 거라고 결론을 내리고 이동을 개시했으나, 5분도 지나지 않아 다시 마차를 세워야 했다.

"……나리. 미안한데 잠깐 따라와 줄 수 있을까? 마을 주민들이 길을 가로막고 있어서. 살기를 풍기면 돌진해서 뚫고 갈 수도 있겠지만, 어째 저 친구들도 주춤거리는 게 의욕이 없어 보인달까. 그러니까…… 분위기가 이상하단 거야. 그러니까 잠깐 같이 와줬으면 좋겠는데. 물론 안전에는 충분히 주의를 기울일게. 방패병을 배치할 테니 그 뒤에서 얘기를 좀 해주겠어?"

용병대장의 부탁은 솔직히 거절하고 싶었다. 무력에 자신이 있는 것도 아니고, 이제까지 살아오면서 직접적인 폭력사태와는 인연이 없었다.

다만 이 상황에서는 가지 않을 수 없을 것이다. 여기서 무언가 다툼이 일어나 이 가도를 쓸 수 없게 되기라도 하면 장래의 자신만이 아니라 상회를 계승할 아이들에게까지 피해가 간다.

"……그렇겠군. 같이 가세."

크리스토펠은 용병대장과 함께 짐마차에서 내려 대열 선두로 향했다. 타워 실드라 불리는 커다란 방패를 든 용병이 함께 따라왔으므로, 그 방패에 반쯤 몸을 숨기고 교섭에 참가해달라는 것이었다.

그 외에도 위협용으로 할버드를 여봐란듯이 든 용병, 나아가서는 숲에 몸을 숨기고 활을 든 용병들도 따라왔다. 물론 용병대장도 바로 옆에 있다. 무슨 일이 생기면 자기의 지시에 따르라고 하면서.

양옆이 숲에 에워싸인 가도 저편에, 조금 전에 들은 것과 같이 마을 주민들의 모습이 있었다.

아무리 봐도 들일을 하다 돌아가는 주민들 같았다.

하지만 그러면 왜 여기 멈춰 서서 길을 가로막는단 말인가.

그런 의문이 얼굴에 드러났는지, 용병대장이 소곤소곤 말했다.

"그치, 나리도 잘 모르겠지? 혹시나 습격할 생각이라면 좌우로 갈라져서 숲에 매복하든가, 여러모로 방법이 있었을 거 아냐. 굳이 당당하게 가도에 서 있을 필요가 없는데. 얼마나 바보 같은 놈이 지휘하면 그렇게 되겠냐고."

"시위행위는 아닐까?"

"시위? 저 꼬락서니로? 저 인원으로? 아무리 그래도 그건 우리를 바보 취급한다는 생각밖에 안 드는데? 나리는 겨우 그 정도 용병을 고용하셨수?"

그것도 그렇다.

대꾸하지 못하고 크리스토펠은 주민들과 대치했다. 그렇다고는 해도 충분한 거리를 두었으며, 앞에는 용병들이 서 있다.

"나는 수송 의뢰를 받은 단순한 상인이오. 귀족에게 탄원하기 위해서인지, 혹은 다른 이유가 있어서 길을 막는 거라면 우리와는 무관한 일이오. 길을 열어주시오. 이대로 있겠다면 우리도 방위를 위해 검을 뽑을 수밖에 없소."

주민들에게 말을 걸자 숲에서 한 남자가 모습을 나타냈다.

훌륭한 풀 플레이트 아머를 입은 사내였다. 투구를 벗고 있었으므로 얼굴은 똑똑히 보였다.

크리스토펠이 기억하는 얼굴이었다.

"왕국의 장래를 위해서라도, 유감이지만 보낼 수는 없다!"

"……뭐?"

크리스토펠은 자기도 모르게 중얼거렸다. 그만이 아니라 주위의 용병들도 마찬가지였다.

"……그렇군. 뭔가 착각하고 계시는 듯합니다만, 우리는 성왕국에 식량을 지원한다는 마도국의 방침에 따라 식량을 운반하는 것뿐입니다."

"알고 있다! 흠! 알고 있다! 그렇기에 이러는 것이다!"

이놈이 대체 무슨 소릴 하는 거야. 아니, 대체 무슨 생각을 하면 얘기가 그렇게 되는 거야.

크리스토펠은 진심으로 당혹감을 느꼈다.

아니──.

'이 불쾌한 놈이 무슨 생각을 하든 내 알 바 아니야. 그보다 이놈의 영지는 이 근처가 아니잖아? 왜 여기 있어? 한패인가? 하지만 이곳 영주가 이런 놈과 손을 잡을까?'

뭐, 상관없겠지.

크리스토펠은 생각했다. 언질은 잡았으니 상대가 마도국을 방해했다는 구실이 생겼다. 죽여버려도 왕국과 마도국의 문제로 발전하지는 않을 것이다. 옆에 선 용병대장에게 죽이라고 지시를 내리고자 했을 때, 강한 위화감이 들었다.

저 필립이라는 사내는 다른 이도 아닌 힐마 슈그네우스를 뒷배로 둔 귀족이다. 크리스토펠이 필립에게 모욕을 당해 웃음 밑으로 분노를 감추고 있을 때, 그녀는 '저자는 어리석기는 해도 이용 가치가 있으니 모욕은 흘려들으라'고 가르쳐주기도 했다.

여덟손가락의 끄나풀로서 이용가치가 있는 자를 죽여도 괜찮을까?

상식적으로 생각해보면, 마도국의 깃발을 내건 무리를 일개 지방귀족이 습격할 리가 없다. 그런 짓을 했다간 마도국이 격노해 국가 사이의 갈등으로 발전하리라는 것은 누구나 알 수 있다. 아무리 바보 같은 귀족이라 해도 이렇게까지 생각 없이 행동하겠는가.

그렇다면—— 이자가 이런 행동에 나선 데에는 모종의 이유가 있을 것이다.

'무엇보다, 도적떼가 되어 짐을 노렸다면 저자가 얼굴을 감추지 않을 이유가 없지.'

아무리 바보라고 해도 들키지 않도록 얼굴을 가릴 것이다. 풀 플레이트 아머를 착용한 이상 얼굴을 완전히 가리는 투구도 가져왔을 것이다. 그렇다고 한다면——.

'우리에게 얼굴을, 필립이라는 사내의 얼굴을 보여주는 게 목적인가? 그런 짓을 왜—— 아!'

그 순간 크리스토펠은 환술이라는 마법이 존재한다는 사실을 떠올렸다.

'그래! 환술이야! 필립이라는 사내에게 죄를 뒤집어씌우기 위해 환술로 얼굴을 꾸며서 드러낸 거야. 어쩌면 저 마을 주민들도 주민이 아닐지 몰라…….'

한 치의 허점도 없는 완벽한 추측이다.

그렇다면——

"다, 다시 말해, 마도국에게 의뢰받은 이 식량이 필요해, 탈취해가시겠다는 뜻입니까?"

"이, 이봐? 왜 그래, 나리?"

옆의 용병대장이 곤혹스러운 목소리로 자신에게 묻는다. 당연한 일이다. 이놈들을 죽이라는 지시가 내려올 거라 생각했던 그의 입장에서는 마치 의뢰인이 미친 사람처럼 여겨졌을 것이다.

"바로 그거다! 그 식량은 우리가 잘 이용해주마!"

가칭 필립이 자랑스럽게 대답했다.

'멍청하게도 말하는군. ……말하는 본인도 왜 이런 멍청한 소리를 해야 하나 생각하고 있겠지. 하지만…….'

이것은 누가 쓴 각본일까? 우선 생각할 수 있는 것은 조금 전 용병대장과 이야기할 때 나왔던 여덟손가락의 적대조직. 다음으로 생각할 수 있는 것이 여덟손가락의 간부들.

전자라면 젖 먹던 힘까지 짜내 이곳을 돌파해야 한다. 여덟손가락이 가장 가혹한 벌을 내리는 것은 배신자이며, 그다음이 실패한 자다. 하지만 그렇게 되면 상대도 크리스토펠 일행을 격파할 만한 전력을 갖추고 왔어야 한다. 위장이 됐든 뭐가 됐든, 쟁기를 든 농민을 데려왔다는 것은 이치에 맞지 않는다.

따라서 후자라고 생각하는 편이 자연스럽겠지만, 그렇게 되면 성가신 경우와 정말로 성가신 경우를 생각할 수 있다. 다시 말해 여덟손가락의 간부는 역시 단결이 되지 않아 평소대로 견제를 가했거나, 아니면 간부 전원의 한뜻이거나 둘 중 하나라는 소리다.

'——내가 버림받은 건가? 아니면 필립이라는 왕국 귀족을 죽였다는 사실만을 내게 떠넘기려고? ……이미 본인은 목숨을 잃은 후라는 소리겠군.'

그렇다고 하면 최선의 행동은 무엇일까.

"이봐, 나리. 대체 왜 그래? 겁먹었수? 저런 놈은 쉽게 밟아버릴 수 있어. 저 귀족 같은 놈도, 그야 갑옷은 근사하지만, 실력은 별거 아닐 것 같은데."

용병대장이 목소리를 낮춰 속삭였다. 하지만 지금은 그럴 때가 아니었다. 방해하지 말아주었으면 했다.

"——기다려 보게. 잠깐만 기다려봐."

필립을 죽이는 역할을 떠맡았다고 한다면, 왜 그것을 미리 알려주지 않았는가 하는 의문이 남는다. 미리 알려주었더라면 이렇게 골머리를 썩이지 않고 도적으로 간주해 문제없이 당장 처분했을 텐데.

그렇다면 마도국의 의뢰를 받은 수송대가 왕국 귀족을 죽였다는 사실로 왕국과 마도국을 전쟁상태에 빠뜨리려는 책략일까? 하는 생각도 들었지만 이내 고개를 갸웃했다.

지금 상황에서는 왕국의 상인이 자위책으로 왕국 귀족을 죽였다는 것밖에 되지 않는다.

이래서야 전쟁을 일으키기란 조금 무리가 있다. 물론 싸움을 걸 이유만 만들면 그것으로 상관없다는 사람도 있기야 있다. 크리스토펠도 암흑가와 연고가 있다 보니 그 정도는 잘 안다. 별것 아닌 일로 사람을 죽이려 하는 자도 있으니까. 하지만 한 나라가 그런 행동에 나서리라고는 생각하기 힘들었다.

'……그렇다면 또 한 가지 가능성. 윗선에서는 무언가 이야기가 되었지만 나에게까지는 내려오지 않았거나, 어디서 착오가 있었거나? 여기 있는 전원을 몰살시켜서 정보가 새나가지 않도록 할 자신이 있었다는 패턴은, 아무리 그래도 아니겠지.'

부주의에서 오는 실수는 언제나 있게 마련이다. 그러므로 없으리라고 단언하지는 못하는 법이다. 그렇다면 어떤 선택지가 최선일까.

제멋대로 굴었다가는 처분당할지도 모른다. 이를 피하기 위해서는 최악의 경우에도 모종의 변명을 할 수 있도록—— 책임을 전가할 수 있도록 행동해야 한다.

'저 필립이라는 자를 죽이는 건 최악의 방법이지. 죽였다간 아무것도 되지 않아. 슈그네우스 님의 진노를 살지도 모르고, 그렇게 되면…….'

"……짐을 내려놓고…… 떠나가겠습니다. 그러면 우리를 쫓지 않을 겁니까?"

"엥?"

옆에서 용병대장이 곤혹스러운 목소리를 냈지만 크리스토펠은 애써 무시했다.

"물론이지! 왕국의 상인을 해칠 의도는 없다!"

직접적으로는 아니어도 간접적으로는 해친 셈이다만.

크리스토펠은 마음속으로만 가증스럽게 생각할 뿐 얼굴로는 드러내지 않았다.

"이봐, 이봐 이봐? 진심이우? 정말 진심이야? 왜 그래, 무슨 일 있어? 마법에라도 당한 거야? 아니면 나한테는 안 보이는 군대가 나리에게는 보이기라도 해?"

"고용주의 명령일세. 당장 도망칠 준비를 해주게."

용병대장이 눈을 껌뻑거리며 한동안 입을 다물었다. 아마 마법에 당했을 가능성이나 자신의 처지, 장래 등을 생각하고 있겠지. 이윽고 전혀 수긍하지 못했음을 표명하듯 알았다고 한 마디만을 중얼거렸다.

크리스토펠은 용병대장과 용병들의 호위를 받으며 후퇴했다.

이로써 식량은 빼앗겼다. 하지만 무엇을 얼마나 싣고 있었는지는 안다. 최악의 경우 식량은 재구입해서 성왕국에 보내면 문제는 없을 것이다. 이곳에 있던 식량이어야만 한다는 법은 없을 테니까.

기다리고 있을 해운상인에게는 사죄해야겠지만, 일단은 왕도로 돌아가 슈그네우스 님에게 캐묻는 것이 먼저다.

크리스토펠은 정말로 귀찮아졌다고 마음속으로 투덜거렸다.

*

상인들은 어느 쪽이 옳은지를 이해했는지 검을 뽑지 않고 물러났다.

그리고 전리품으로 짐마차가 여러 대.

안을 들여다보니 나무통이며 궤짝이 잔뜩 쌓여 있고, 모두 식량으로 가득했다. 오래 보존할 수 있는 품목들뿐이라 신선도는 별로 기대하지 못하겠지만 먹는 데에는 전혀 문제가 없었다.

다만 유감스러운 것은, 이렇게나 전리품이 많은데도 모두 식량뿐이라는 점이었다.

필립이 자신이 이룬 위업의 기념으로 무언가를 가져가고 싶어도, 역시 농작물을 가져갈 수는 없었다.

'갑옷이나 검이 있으면 그걸 기념품으로 챙기겠는데……. 역시 그자들이 가진 무기도 요구해야 했나?'

필립은 그나마 전리품으로 남길 만한 짐마차를 관찰했다.

말은 상인들이 가지고 가버렸다. 마차를 움직일 수가 없게 되니 당연히 말도 두고 가라고 명령했으나, 용병대장으로 보이는 사람이 거절하고 나섰던 것이다.

게다가 그 타이밍에 필립 근처의 나무에 화살이 날아와 박혔다.

분했지만 물러날 수밖에 없었다.

'풀 플레이트 아머를 입은 나는 안전할지도 모르지만 병사들은 아니니까. 후후, 부하를 배려해서 얻을 수 있는 이익까지 버리다니, 정말 자비롭잖아? 뭐, 이 정도로 완벽하게―― 누구 하나 다치지 않고 피도 흘리지 않고 깔끔하게 끝냈으니까. 그렇다면 마지막까지 그렇게 됐으면 좋겠군.'

필립은 전리품을 둘러보다가 방치된 마도국 깃발에 시선을 돌렸다.

'이건 기념이 되겠어. 카체 평야 전투에서 왕국 군대 20만을 격퇴한 마도국의 깃발을 빼앗은 사람은 내가 처음일걸!'

필립은 음음 고개를 끄덕였다.

마음속에서 솟아나는 환희를 억누르려 해도 자꾸만 얼굴에 웃음이 피어났다.

완벽한 결과가 자신에게 걸맞게 나타났다. 자신이 자신의 생각대로 뛰어난 능력을 가졌다는 사실이 기뻤다.

자신이 우수하다는 증거가 여기에 있다.

몇 개나 되니 하나쯤은 괜찮겠지 생각해, 깃발을 땅바닥에 버리고 짓밟았다.

마도국 국기가 흙으로 더럽혀져가는 모습에 강한 흥분을 느꼈다. 이런 일은 왕국의 그 누구도 하지 못했을 것이다.

그렇다. 아무도 하지 못했던 일을 필립이 해낸 것이다.

'봐라! 역시 난 못난이가 아니었어! 형보다도, 아버지보다도 —— 왕국의 그 누구보다도! 내가 더 잘났다고!'

"저, 저기, 도련님. 이거 정말 가져가도 되는 겁니까요? 게다가 여기 남아있어도 괜찮을깝쇼?"

짐마차를 둘러보던 주민 중 하나가 쭈뼛쭈뼛 물었다. 기쁨에 찬물을 뒤집어써서 언짢음을 조금도 감추지 않은 채 필립이 되물었다.

"……무슨 소리야?"

"아뇨, 그 왜, 뭐냐, 도망쳤던 사람들이 병사들을 데리고 돌아오진 않을까요?"

"그럼 뭔데. 그 상인들을 죽여야 했다는 소릴 하려고?"

"아, 아뇨! 그런 게 아니굽쇼! 죽이다니 말도 안 되죠."

"그럼 뭔데?"

"저기~ 도련님. 이거, 어떻게 할깝쇼? 가지고 돌아갈 거면, 어떻게 가지고 가죠?"

다른 주민이 말을 걸었다. 그것은 필립도 고민 중이었다.

"어떻게 할까······."

50명 전원에게 억지로 짊어지게 해도 여기 있는 많은 전리품을 옮기기에는 턱없이 부족했다. 게다가 짐마차 자체도 훌륭한 천막이 덮인 좋은 물건이었으므로 팔면 그럭저럭 값이 나갈 것이다. 필립이 그대로 쓰기에도 부족함이 없었다.

다만 이것을 인력으로 끌고 가는 것은 꽤나—— 아니, 엄청난 중노동이 될 것이다.

필립이 망설이고 고민할 때 잔디를 밟으며 달려오는 소리가 들렸다. 쳐다보니 복면을 쓴 두 사람의 모습이 보였다.

"필립 님!"

목소리는 비아네의 것이었지만, 장비는 아까 왔을 때와는 상당히 달랐다. 그 지저분하던 가죽갑옷 대신 든든한 브레스트 플레이트를 입고 허리에는 검을 찼다. 왜 장비를 바꾸었는지 조금 의문이 들었지만, 그 이상으로 전과를 보여주고 싶은 마음이 앞섰다.

"오오! 두 분! 자, 이쪽으로 오셔서—— 제가 얻은 것을 보십시오!"

"이건······ 대체, 무슨 일이 있었던 겁니까······?"

그 자리에 멈춰선 채 주위를 둘러보던 비아네가 이상한 질문을 했다. 짐마차가 놓여있다는 데에 무언가 의문이 든 걸까. 평범하게 싸워서 탈취한 것 말고는—— 그렇게 생각했을 때, 그가 무엇에 의문을 품었는지 이해할 것 같았다.

필립의 생각을 긍정하듯 이그가 입을 열었다.

"……그렇고말고요. 보아하니 필립 님의 병사는 아무도 부상을 입지 않은 듯하군요. 지면에도—— 공기에도 피 냄새가 없고. 대체 어떤 전술을 펼치신 겁니까? 무언가 특별한 매직 아이템이라도 보유하셨습니까?"

마법적인 수완이라는 의미에서 보자면 맞는 말이지만, 이그가 하고 싶은 말은 그것이 아닐 것이다.

"그런 짓은 하지 않았습니다. 아무리 그래도 이만한 인원이 모였으니 상대도 죽을 각오로 싸울 마음은 들지 않았던 것이겠지요. ……아니지, 어쩌면 그 상인들도 마도국의 심부름꾼 노릇을 하는 것이 싫었는지도 모르겠습니다."

두 사람은 얼굴을 마주 보고 있었다. 그들의 얼굴은 복면으로 가려져 어떤 표정을 짓는지는 알 수 없었다.

"자, 그러면—— 이걸 어떻게 분배할까요."

솔직히 말하자면 이 성과는 모두 필립의 수완으로 얻은 것이니 뒤에서 보기만 했던 두 사람에게도 나눠준다는 것은 지나치게 관대하다. 하지만 전부 독점하면 역시 그들도 불쾌할 것이다. 그들도 자기 영토의 주민들을 동원했으니까. 8할을 필립이, 나머지를 둘이 가져가는 정도가 타당하지 않을까.

'주민을 동원한 것만으로도 1할씩이나 가져가니 싫다고는 못하겠지.'

"아, 그러실 필요는 없습니다. 저희는 아무것도 하지 않았으니 전리품을 받는 것도 송구스럽지요. 전부 필립 님께서 가져가십시오. 이의는 없겠지?"

"그렇고말고요. 필립 님께서 전부 가져가십시오. 짐마차도 물론."

필립도 상대가 이렇게까지 사양하면 죄책감이 들었다. 마을이 작아서 무리라며 재워주지는 않았지만, 이 숲 근처에 천막을 치고 식량을 준비해준 은혜가 있다. 여기서 갚아야 할 것이다.

"아닙니다. 우리는 힘을 합친 사이잖습니까. 적으나마 두고 갈 테니 나중에 쓰십시오."

"아닙니다, 정말로 괜찮습니다, 필립 님."

비아네가 강하게 잘라 말했다. 망설임 따위 털끝만큼도 느껴지지 않는 대답이었다.

"이건 모두 전부 필립 님께서 이루신 업적입니다. 저희에게도 귀족의 긍지가 있습니다. 이걸 받을 수는 없습니다."

"그런가요?"

"예."

두 사람이 동시에 대답했다. 확고한 의지를 뒤집기란 어려울 것 같았다. 그렇다면 어쩔 수 없다. 전부 차지하게 된 필립은 마음속으로 환희의 춤을 추었다.

"그렇게까지 말씀하신다면 제가 전부 맡겠습니다. 그러면── 부끄럽지만 한 가지 청이 있는데, 짐마차를 끌 말을 좀 빌려주실 수 없겠습니까?"

"말이라고요……."

"……어쩌지?"

"둘이서 잠시 의논을 해볼 테니 기다려 주십시오."

그 자리에서 조금 떨어진 두 사람은 의견을 나누기 시작하는 듯했다. 듯했다, 고 말한 이유는 거리가 멀어 두 사람이 정말로 의논을 하는지 어떤지조차 알아볼 수 없었기 때문이다. 이윽고 두 사람 사이에서 의견이 정리되었는지 이쪽으로 돌아왔다.

"말은 조속히 빌려드리겠습니다. 군용이 아니라 밭을 가는 말이므로 즉시 돌려주실 수 있겠습니까?"

"감사드립니다."

"아, 그리고 매우 중요한 일입니다만, 마도국 깃발은 내리시는 편이 좋겠습니다. 그리고 말을 가져올 때까지 이 가도를 이용하는 여행자들에게 보이지 않도록, 힘드시겠지만 짐마차를 숲속으로 이동시켜주실 수 있을까요?"

"알겠습니다. 그렇게 하지요."

두 사람은 그 말만을 남기고 빠르게 멀어져갔다.

이내 뒷모습이 숲 저편으로 사라졌다. 필립은 다시 짐마차를 쳐다보았다.

자신이 거둔 승리의 증거.

마치 자신의 미래가 찬란하게 빛나는 듯했다.

그리고 필립의 발자국이 남은, 흙에 더럽혀진 깃발이야말로 마도국의 미래를 암시하는 것만 같았다.

3

아인즈는 에 란텔의 대로를 당당히 걸어나갔다.

옆에는 모몬.

물론 그의 정체는 판도라즈 액터다.

모몬의 차림을 하고 있으므로 풀 플레이트 아머를 입었고, 등에는 두 자루의 대검을 짊어졌다.

당당한 걸음걸이는 칭송받아 마땅한 위엄으로 가득해, 아인즈가 모몬 행세를 할 때보다 훨씬 영웅다웠다. 솔직히 자신이 모몬이 되었을 때와의 갭을 시민들이 의아하게 생각할 것 같았으므로 조금 한심하게 걸었으면 하는 바람도 없잖아 있었다.

물론 그런 소리를 입에 담을 수는 없었으므로, 하다못해 그의 걸음걸이를 훔쳐주겠노라 이따금 곁눈질로 관찰했다. 다행히 판도라즈 액터가 그 사실을 알아차린 기색은 없었다.

그런 두 사람의 뒤에서 주위를 경계하며 조용히 따라오는 것은 나베── 나베랄 감마였다. 세 사람의 주위에는 경호하는 자가 없는 것처럼 보이지만 사실은 여러 마리의 한조가 몸을 숨긴 채 따라오고 있으므로 그들보다 레벨이 낮은 나베랄의 노력은 무의미했다.

하지만 생각해보면 그녀는 아인즈가 모몬으로서 에 란텔에 있을 때도 이랬으므로, 딱히 그만두라는 지시는 내리지 않았다.

참고로 세 사람은 모종의 목적이 있어서 시내를 걸어다니는 것은 아니었다.

이것은 정례행사다.

모몬, 그리고 나베를 데리고 돌아다니며 주위에 여러모로 어필을 하는 것이다. 아인즈 당번 메이드가 이 자리에 없는 것도 이와 관계가 있다.

노림수는 몇 가지가 있는데, 그중에서도 가장 중요한 것은 지금도 아인즈와 모몬이 서로 협력하는 관계라는 사실을 알리는 것.

그렇기에 나베랄도 있어야만 한다. 모몬은 언제나 풀 플레이트 아머 모습이며 그 안의 맨얼굴은 아무도 모른다. 따라서 나베랄을 데리고 다니지 않으면, '사실 모몬은 마도왕에게 살해당했고 저 갑옷을 입은 건 언데드' 라는 소문이 퍼질 수 있다── 실제로 퍼졌다. 그러므로 이를 막기 위해서다.

세 사람의 모습을 보면 모든 보행자가 길가로 물러난다. 마치 무인의 대지를 걷는 듯하다.

물론 이는 마도왕이 함께 있기 때문이다. 아인즈가 모몬의 차림을 하고 걸을 때에도 이렇지는 않다. 마도국이 된 지 꽤 오랜 시간이 지났음에도 아직까지 아인즈는 두려움의 대상인 것이다.

그런 반응을 보이는 것은 인간만이 아니다. 인간만큼은 아니지만 아인들 중에서도 그러한 모습을 보이는 자들이 있다.

그렇다. 에 란텔은 현재 인간만의 도시가 아니며, 인간들 사이에 섞여 아인의 모습도 드문드문 보인다.

시선을 돌려보면 대로에 늘어선 상점 중 몇 곳──수는 매우 적지만──에는 인간 이외의 종족이 보인다. 이것은 점원, 손님 양쪽을 가리킨다. 그중에는 ──단 한 곳이지만── 주인이 아인인 곳도 있다.

아인즈는 과거에 슬럼이라 불리던 일대를 아인들이 살 수 있는 구역으로 재개발했다. 그곳에서라면 보기 드문 광경이 아니다. 그러나 지금 아인즈 일행이 있는 곳은 에 란텔의 대로 중 한 곳이며 옛 슬럼가와는 나름 거리가 있다.

다시 말해 그만큼 아인들이 에 란텔 내에 진출했다는 뜻이다.

딱히 무언가를 했던 것은 아니지만 ——고생한 사람은 알베도다—— 이것은 아인즈에게는 자랑스러워할 만한 일이었다. 종족 간의 융화가 이루어지고 있다는 뜻이므로.

'그렇다면 더 융화가 이루어질 만한 무언가를 하고 싶은 데…….'

사실 딱 한 가지 아이디어가 있기는 했다. 원래부터 아인즈는 에 란텔에서 무언가 큰 이벤트를 개최하고 싶다는 생각을 했다.

관광객을 끌어들여 외화를 벌겠다는 노림수도 있다. 다만 그 이전에 이 세계에는 생각보다 축제—— 이벤트가 없었다. 그렇기에 조금 재미가 없다고 예전부터 생각했던 것이다.

제국의 투기장 같은 것도 나쁘지는 않지만, 이미 있는 것이 아니라 좀 더 색다른 무언가를 하고 싶었다.

그렇게 모두가 열중할 만한 새로운 이벤트를 개최해, 그 속에서 다른 종족과의 혼합 팀이 활약하면 종족 간의 융화가 더욱 활발해질 것이다. 게다가 같은 취미—— 화제를 가지면 이야기를 나누기도 쉬워진다.

'야구나 축구 같은 구기종목이 좋을까? 아니면 뭔가 다른 게 나으려나…….'

무언가 참고할 만한 것이 있다면 좋겠다고 생각하면서, 아인즈는 아인 가게의 주인인 오크의 모습을 관찰했다.

가게 안에서 손님으로 보이는 인간과 무언가를 진지한 ——

아마도——— 표정으로 이야기한다.

아마도 저것은 아인즈가 성왕국에서 만났던 오크, 혹은 분노의 마장에게 패배한 척하고 갔던 황야에서 거둔 무리 속의 오크일 것이다. 그 이외의 오크를 에 란텔에 들인 기억은 없다.

하지만 저 오크가 누구냐고 물으면 아인즈도 전혀 알 수 없었다.

지배하게 된 오크가 워낙 많기 때문이기도 하지만, 그보다도, 인간적인 감성을 가진 아인즈는 오크의 외견을 구별할 수가 없었다.

다른 종족도 마찬가지라, 제룬의 암컷처럼 윤기의 차이——너희의 시각은 어떻게 돼먹은 거냐고 지적하고 싶었다——로 개체를 식별할 수 있느냐고 물어봐도 아인즈에게는 똑같이 보이기만 했다.

하지만 구분이 가지 않는 것은 서로 마찬가지인 듯했다.

오크가 보면 인간의 용모도 분간하기가 영 어렵다고 한다.

그렇기에 머리카락의 길이나 눈동자 색 같은 것으로 특징을 파악한다는데, 몇 번인가 작은 문제가 일어나기도 했다. 비슷한 인물——아인즈가 보기에는 별로 닮지도 않았지만——과 착각해 엉뚱한 사람에게 약속했던 물건을 줘버리는 식이었다.

하지만 마도국은 매우 치안이 좋은 도시라, 경범죄의 건수도 적고 중범죄는 거의 일어나지 않는다. 법률이 엄격해서가 아니라, 죽은 후에 자신의 시체가 언데드가 되어 사역당하는 것이 싫어서라나.

그렇게 되어, 실수가 있고 난 뒤에도 금세 쌍방이 서로 화해하기 때문에 큰 문제로 발전하지는 않았다. 그렇기에 오크도 인간을 상대로 장사가 가능한 것이리라.

"아인이 모험자 조합에도 가입할 수 있게 됐고, 앞으로도 다양한 분야에서 활약하겠지."

문득 중얼거리자 판도라즈 액터가 말을 받았다.

"아인즈 님의 말씀대로일 것입니다. 아인들은 아인즈 님께서 창조하신 언데드 병사를 보고 병사로서 일하기는 힘들다는 사실을 깨달았기에, 자신의 능력을 문화, 생산, 연구 등 다양한 분야에 살리려는 모양입니다."

현재는 마도국에서 '네 종족은 이런 일에 적성이 있으니 이런 계통의 일을 해봐라' 하는 식으로 일을 배정해준다. 그러나 다양한 종족과 문화를 접하면서 견문을 넓힌 후, 조그만 떡잎 같은 상태나마 자신은 이러한 일을 해보고 싶다는 욕구가 생겨나는 듯했다.

단순노동력을 언데드로 충당하는 것도 이러한 변화의 요인이 된 듯했다.

"그런 부분은 알베도가 야무지게 관리하겠지. 우리가 감당하지 못할 기술발전은 저지하지 않으면 위험하니까."

나자릭의 멤버들은 '성장할 수 없는 최강'이다. 그렇기에 '성장할 수 있는 약자'에게 뒤지지 않기 위한 대비가 필요하다고 할 수 있다.

그중 한 가지는 말할 것도 없이 기술을 지나치게 발전시키지 않는── 약자를 약자인 채로 남겨두는 것이다. 그런 반면 주변 국가의 기술력에 뒤처져서는 안 된다는 제약도 있으니, 이처럼 귀찮은 관리가 가능한 자는 알베도 말고는 별로 없을 것이다.

'그러려면 주변의 정보, 특히 기밀을 모을 수 있는 첩보원이 필요한데…… 그런 면이 좀 약하지.'

나자릭 내에서 리젠되지 않는 몬스터를 만들어내려면 두 가지가 필요하다. 그 서번트의 데이터와 레벨에 걸맞은 위그드라실 금화다.

나자릭 내에 있는 도서관에는 다양한 몬스터의 데이터가 책의 형태로 존재하지만, 위그드라실에 있던 다양한 몬스터의 모든 데이터가 있는 것은 아니며, 보유한 몬스터의 데이터도 수에 한계가 있다. 예를 들면 한조의 데이터는 거의 다 써버렸고, 팔지도 암살충의 데이터는 도서관 내에는 없다.

게다가 고위 서번트를 만드는 데에는 막대한 금화가 필요하다.

그럼 약한 서번트를 만들면 되지 않겠느냐고 할 수도 있지만, 그러면 잠입할 때 발각될 가능성이 높아진다.

이 주변의 국가에서 몬스터를 이용하는 나라라면 마도국이라고 단정해도 이상할 것이 없다 보니, 국가의 규모가 작은 지금은 가능한 한 발각되지 않을 만한 고레벨 몬스터를 부리고 싶었다. 혹은——.

"——인간 밀정을 이용하거나."

자신도 모르게 생각이 입 밖으로 흘러나와, 이를 들은 나베랄이 뒤에서 말을 걸었다.

"아인즈 님. 그러고 보니 첩보원 육성은 어떻게 되고 있습니까? 저희 쪽에서 미리 점찍어놓을까요?"

아인즈는 목소리를 낮춰 대답했다.

"……나베, 너는 지금 인간의 편인 영웅 모몬의 동료 나베다. 너의 위치를 잊지 마라."

모몬과 나베는 이 도시의 주민을 인질로 잡혀 어쩔 수 없이 아인즈 울 고운에게 협조하는 처지다. 다만 이제는 충분히 시간이 흘렀으므로 마도왕에게 감복한다는 롤플레잉으로 넘어가도 괜찮을 만한 때가 아닐까. 그렇다고는 해도 그런 부분은 알베도 같은 이들과 상의해 시나리오를 짠 다음에 시도하는 편이 안전하리라. 그때까지는 아인즈에게 먼저 제안하는 듯한 발언은, 나자릭 내에서라면 모를까, 밖에서는 피해야 한다.

"——죄송합니다."

용서한다고 말하면 안 되겠지.

그렇게 생각하면서 주위를 슬쩍 훔쳐보았다.

이쪽을 주목하는 자들은 많다. 그리고 그들의 표정에는 공포가 있다. 이것이 나베랄의 발언을 들었기 때문은 아니기를 기도할 뿐이었다. 그렇다고 들켰을지 모른다는 이유만으로 주민들을 말살하기라도 했다간 이제까지 쌓아온 '의외로 말이 통하는 언데드'라는 평판이 어디론가 날아가버릴 것이다.

하지만—— 나베랄의 질문에 대답하지 않아 그녀가 침울해하기만 해도 가엾고, 이로 인해 스스로 제안할 줄 모르는 아이가 되면 곤란하다. 그러므로 아인즈는 주위에 들리지 않도록 소곤소곤 대답했다.

"……한조를 빌려주어, 티라를 필두로 육성시키는 중이다. 솔직히 말하면 팔지도 암살충 한 마리가 훨씬 우수하다만……

뭐, 투자니까."

노력이나 금전, 시간에 걸맞은 이익을 회수하지 못할 가능성이 높다. 하지만 어쩌면—— 만 분의 일 이하의 확률로 회수할 수 있을지도 모른다. 그런 면에서는 룬도 그렇고, 그 이외의 마법기술도 그렇다.

무엇이 허사로 돌아가고 무엇이 허사가 되지 않을지 알 수 없는 이상 최소한도의 투자는 해두는 편이 좋다.

이야기는 거기서 끊어져버렸다.

세 사람은 그대로 한동안 묵묵히 대로를 걸었다.

이따금 죽음의 기사, 죽음의 마법사, 죽음의 전사, 죽음의 사제, 죽음의 암살자 각각 1마리씩 합계 5마리로 이루어진 시내 순찰 팀과 엇갈려 지나가곤 했다. 시내인데도 대열을 짜고, 죽음의 암살자가 약간 앞서나가는 형태로 경계태세를 취한다. 이것은 딱히 시내가 위험해서라기보다는 언데드이기 때문에 처음에 내린 명령에 따라 대열을 유지하고 있을 뿐이다.

참고로 죽음의 암살자는 은밀행동 능력은 떨어지고 치명적 일격 능력이 높은 어태커다. 별로 대단한 공격력은 아니라고 방심하면 놀랄 만한 대미지를 입히기도 한다. 그런 언데드이므로 첩보원에는 적합하지 않다.

이렇게 많은 수로 대열을 짜게 한 이유는, 단순히 남아돌아서였다.

'언데드를 수출하긴 하지만, 스켈레튼처럼 약한 녀석들뿐이니……'

약한 언데드와 강한 언데드는 당연히 대여 비용도 다른데, 가장 인기 있는 것은 단순노동용이다. 그러므로 염가의 약한 언데 드만 나가곤 한다. 까놓고 말해 '아인즈 사(社)'의 판매대수 제 1위는 스켈레튼이다.

따라서 죽음의 기사 수준의 언데드는 잔뜩 남아돌았다.

그렇다고 언데드 작성을 사용하지 않고 하루를 마치는 것은 아까웠으므로 매일 다 써버리려 했다. 이 때문에 아인즈가 어떻 게 할까 고민할 정도로 언데드가 남아도는 것은 비밀이었다.

'대여비를 싸게 했다간, 앞으로는 그 금액이 아니면 빌려가지 않을 것 같으니까 쉽게 가격을 낮춰주고 싶진 않고……. 포인트 카드를 만들까? 제국에는 죽음의 기병이 꽤 많이 나가니까 앞으 로는 국가 중추에 영업을 뛰는 방침으로…… 그건 그렇고…….'

아인즈는 옆에서 걷는 판도라즈 액터를 흘끔 훔쳐보았다.

'말없이 시내를 걷는 것도 민망하잖아. 그런데 묻고 싶은 것 도 딱히 없고 말야.'

다만 서로 사이가 나쁜 것처럼 여겨지면 이렇게 함께 걷는 의 미가 없다.

"아, 나베 양."

판도라즈 액터에게 말을 거는 것은 아무래도 거시기했으므로 나베랄을 선택했다.

"예!"

아니, 그렇게 기합 팍 넣어서 대답하지 않아도 되는데.

그렇게 생각하면서도 아인즈는 딱히 지적하진 않았다. 그녀 의 행동이 그렇게까지 이상하지는 않다. 일단 모몬은 아인즈의 부하 비슷한 위치이므로.

"그, 뭐냐. 유리의 고아원은 어떻게 되고 있는지, 보러 가기도 하고 그러나?"

"아니오, 가지 않습니다."

딱 잘라 말해버렸다.

유리와 사이가 나빠서가 아니라 단순히 관심이 없는 것이리라. 아니——

'——가족 같은 존재가 일하는 작업장에 관심이 없나? 하지만 나베랄이라면 그런 반응이 맞는 것도 같고.'

시즈나 엔토마가 일하는 장소였다면 또 달랐을까.

그런 생각을 하며 아인즈는 어깨를 움츠렸다.

"그럼 보러 가볼까?"

유리에게 모든 것을 맡겼으므로 아인즈도 고아원의 내정 같은 것은 잘 모른다. 물론 계획서는 아인즈에게까지 올라오며, 이를 훑어보기도 하지만, 뇌가 없는 머릿속에는 한 조각도 남지 않았다.

고아원에 나가는 비용 같은 것도 정기적으로 보고되기는 하지만 알베도에게 모두 맡겨버리는 방침이다 보니 보고서는 읽는 척만 할 뿐이다.

영재교육을 주창하면서도 마도국에서는 평민 전체에게 교육을 시행한다는 유별난 생각은 가지고 있지 않다. 교육을 하면 기술과 문화가 발전한다. 하지만 그것은 역시 약자를 강화하는 결과로 이어진다. 재능 있는 인물을 놓쳐 농민으로 평생을 썩게 만들 수도 있지만, 나자릭의 평화가 최우선이었다.

"나쁘지 않다고 생각합니다."

판도라즈 액터의 찬성을 얻어, 세 사람은 나베랄을 선두로 진로를 변경했다.

그러나 2분도 지나지 않아 아인즈에게 〈전언〉이 도착했다.

『——아인즈 님.』

"——엔토마구나. 무슨 일이냐."

걸으면서 아인즈가 대답하고, 동시에 매우 불길한 예감을 받았다.

지난 1년 동안 이렇게 〈전언〉으로 호출을 받았던 기억은 없었다. 다시 말해 이것은 긴급사태가 일어났을 가능성이 있다는 뜻이다.

하지만—— 아인즈는 대담하게 웃었다.

성왕국에서 벌어진 엄청난 계획에 대응하며 위장이 따끔거리는 경험을 했던 아인즈에게는 틀림없이 별것 아닌 문제이리라 판단했기 때문이다.

'그 지옥을 넘어선 내가 넘어서지 못할 일이 어디 있겠어!'

나자릭으로 속히 귀환해달라는, 상상했던 그대로의 요청을 받들어 당장 가겠다고 대답한 후 나베랄에게 메이드를 나자릭까지 데려가 달라고 부탁했다. 그 후 아인즈는 두 사람에게 작별을 고하고 〈전이문Gate〉을 발동시켰다. 이것은 아인즈의 주위를 경계하던 한조를 회수하기 위해서다.

그리고 나자릭으로 귀환했다.

이곳에서 뒤를 따라 〈전이문〉을 빠져나온 한조들과 헤어져, 마중을 나온 솔류션에게서 링 오브 아인즈 울 고운을 받고, 그 힘을 써서 제10계층으로 전이했다. 그 후에는 걸어서 목적지까지 이동했다.

 나자릭 내의, 중요하거나 특별한 방에는 태그가 배정되어 반지의 힘으로 직접—— 바로 앞까지 전이하는 것이 가능하다. 하지만 그렇지 않은 방—— 원래 단순한 방이었던 곳에는 태그가 배정되지 않으므로 직통으로는 갈 수 없다.

 이것이 나자릭 내를 자유로이 전이할 수 있는 반지의 유일한 약점이라고 할 수 있으리라. 그렇다고는 해도 이 기능을 바꾸는 것은 이제 불가능하다. 혹시나 위그드라실의 크리에이트 툴이 있다면 가능할지도 모르지만, 아인즈는 가지고 있지 않고, 나자릭 어디에도 존재하지 않았다.

 목적지인 그 방 앞에는 알베도가 서 있었다. 보아하니 아인즈를 기다리는 모양이었다. 언제부터 기다렸는지 묻지는 않았다. 그녀의 노고를 치하할 뿐이다.

 "——수고했다."

 "예!"

 알베도가 깊이 고개를 숙이는 것을 보며, 아인즈는 마음속으로 한숨을 쉬었다.

 바로 온다고는 했지만 몇 분 후에 간다고까지는 말하지 않았다. 그렇기에 그녀를 무의미하게 기다리게 만들었으리라 생각하면 미안한 기분이 들었다. 그러나 그런 마음을 겉으로 드러내지는 않는다. 아니, 드러낼 수 없다.

 예전에도 비슷한 일이 몇 번 있었으며, 그때마다 알베도가 마중을 나올 필요는 없다고 말했으나, 그녀는 한사코 양보하려 들지 않았다. 종복이 주인의 귀환을 마중하는 것은 당연한 일이라면서.

실제로 비슷한 말을 각 계층수호자만이 아니라 영역수호자, 나아가서는 메이드에게까지 가볍게 건네본 적이 있으나 모두가 알베도와 똑같은 대답을 했다. 심지어 메이드들은 눈을 광기로 빛내며 대답해, 자기도 모르게 뒷걸음질치며 사과할 뻔했을 정도였다. 그만큼 패기가 있었다.

모두가 그렇게 생각한다면 지배자 아인즈 울 고운은 자신만의 의견을 삼켜버릴 수밖에 없었다.

알베도가 문을 열고 아인즈를 안으로 맞이했다.

그렇게 훌륭한 사람은 아닌데…… 하는 죄책감을 살짝 품으면서도 아인즈는 당연하다는 태도로 방에 들어갔다.

샤르티아.

코퀴토스.

아우라와 마레.

그리고 데미우르고스.

방 안에는 이미 각 계층수호자가 모여, 모두 한쪽 무릎을 꿇은 채 실내 안쪽에 있는 흑철색 광택의 옥좌를 향해 고개를 조아리고 있었다.

그 뒤에는 아인즈 울 고운 마도국의 국기가 걸려 있다.

이 방에 모일 인원은 이것이 전부인 듯했다. 이러한 모임에서는 반드시 아인즈가 마지막에 오도록 준비가 되어 있었다. 어지간한 일이 아닌 한 아인즈보다 나중에 오는 자는 없다.

아인즈는 다망한 수호자들을 흘끔 보았다.

현재 각 계층수호자는 이제까지의 업무에 더해, 최근에는 또 다른 일까지 담당하고 있다.

샤르티아는 용 위주의 비행계 몬스터를 이용한 공중수송편으로 마도국과 제국, 드워프 나라, 성왕국 동부의 아인이 사는 황야 등을 잇는 네트워크를 관리한다. 이 노하우를 살려 지금은 육송 관계 교통망을 확립하는 작업에도 힘쓰고 있다.

마레는 지배한 각 지역의 날씨 조작 및 에 란텔 근교에 지은 던전의 관리를 맡았다. 새로이 설립한 모험자 조합과도 조금 관계를 가지고 있다.

코퀴토스는 주로 언데드로 구성되고 거기에 다양한 아인종과 인간을 ——소수지만—— 더한 마도국군의 운영 관리 및 훈련에 힘쓴다.

아우라는 처음엔 자신이 지배하는 마수들만을 사역했지만 그래서는 확대되어 광대해진 마도국의 지배영역에 대응할 수가 없었으므로 초광역경계망 운영관리를 실시하기 위한 기관을 조직하는 중이다.

데미우르고스는 첩보 및 정보기관을 만들고자 나자릭 제7계층에서 업무에 매진한다.

이처럼 전체적으로 각 계층수호자의 업무량이 방대해졌다.

그렇기 때문에, 이제까지 나자릭 내의 경비를 맡기만 했던 영역수호자나 서번트 등에게 이러한 업무를 할당할 준비도 시작했다. 그리고 당연한 말이지만 그러한 일들을 체크하고, 요청이 들어오면 아이디어를 내주면서 마도국의 다양한 업무도 확인해야 하는 수호자 총괄책임자 알베도는 상당히 바쁘다.

까놓고 말해, 가장 한가한 사람이 아인즈였다.

날마다 훌륭한 지배자처럼 행세하는 연기의 연습을 되풀이하는 것이 일처럼 되었다. 솔직히 면목이 없었다.

이처럼 바쁜 계층수호자들이 모두 모일 만큼 중요한 안건에 불려나온 것이다.

아인즈는 방을 당당하게 일직선으로 나아갔다. 문을 닫은 알베도가 바짝 뒤를 따라왔다.

그리고 아인즈가 방에 유일하게 놓인 의자에 앉자, 그 앞에서 한쪽 무릎을 꿇은 알베도가 입을 열었다.

"아인즈 님. 각 계층수호자, 모두 모였나이다."

모인 게 아니라 처음부터 있었잖아……라는 말은 하지 않는다. 그런 말을 어떻게 하겠는가.

"──음. 각 계층수호자들, 노고가 많다. 고개를 들라."

"예!"

또박또박 대답하면서 고개를 드는 수호자들. 일사불란하게 통솔된 움직임이다.

사실은 중간에 알베도가 허가를 내리는 과정까지 추가하려고 하기에 그것만은 막았다. 알베도는 남의 위에 선 자가 아랫것들에게 경솔히 목소리를 들려주어서는 안 된다며 고집을 부렸지만, 그렇게까지 거리를 두고 싶지는 않았다.

절대적인 충성심이 줄줄 흘러나오는 모두의 시선이 아인즈에게 쏠렸다. 옛날 아인즈 같으면 견디지 못했겠지만 요즘 들어 뻔뻔해진 아인즈에게는 아무 문제도 없었다.

'근데…… 어째서일까. 기분 탓일지도 모르지만 옛날보다도 충성심이 더 강해진 것 같아……. 아니…… 기분 탓……이겠지?'

충성심이 강해질 만한 일을 했던 기억이 없는 아인즈는, 견딜 수 없어서는 아니었지만, 모두에게서 모이는 뜨거운 시선을 피해 실내를 슬쩍 둘러보았다.

좌우에는 들어온 곳과는 다른 문이 각각 하나씩 있는데, 이 방 자체는 그리 크지 않다. 하지만 훌륭한 장식이 가미되어 장엄한 분위기가 풍겼다.

이곳은 나자릭 지하대분묘에 마련된 알현실이다. 참고로 에란텔에도 같은 것을 만들었다.

나자릭 내에는 어엿한 옥좌의 방이 있지만, 그곳은 조금 지나치게 넓어 인원을 많이 모으지 않고서는 상당히 허전하다. 많이 모으면 모은 대로, 나자릭의 최고 보물 중 하나인 세계급 아이템을 쉽사리 보여서는 안 되는 이유도 있고 해서 지하대분묘에 새로운 알현실을 만든 것이다.

이 나자릭 지하대분묘에 있는 시설은 모두 옛 길드 멤버들이 만들어놓은 것이다. 하지만 이 알현실은 그렇지 않아서, 아인즈의 명령에 따라 각 수호자들이 고민해 ──정말로 고민했는지는 모르겠지만── 빈방을 개장했던 것이다.

그것이 왠지 기뻤다.

길드 멤버들이 만든 NPC가 NPC의 역할에서 벗어나, 그야말로 한 명의 플레이어가 되고 있는 것은 아닐까.

'아이들이란 언젠가 부모의 품을 떠나 독립하는 법이라지.'

아인즈는 마음속으로 미소를 지었다.

한 사람 한 사람이 자랑스러웠다.

스즈키 사토루에게는 자식이 없었다. 길드 멤버 중에도 자식을 가진 사람은 많지 않았다. 그러므로 자신 있게 말할 수는 없지만── 이것이 바로 부성 아닐까. 일단 모성은 아니라고 생각하고 싶다.

잠깐 감상에 잠겨버렸는데, 이 자리에서는 아인즈가 입을 열기 전까지는 아무것도 시작되지 않는다. 사회 진행을 맡은 것은 아니지만 아인즈가 말했다.

"그러면 알베도. 이곳에 전원을 모은 이유를 들어볼까. 나자릭── 아니, 마도국에 있어 중요한 안건이렷다?"

"예. 단도직입적으로 말씀드리겠사옵니다. 나흘쯤 전, 성왕국으로 운반 중이던 저희의 식량이 왕국 내에서 탈취당했나이다."

"호오. ……누구에게?"

"왕국의 귀족이옵니다."

아인즈는 눈 속의 불빛을 깜빡였다. 알베도가 하는 말치고는 명확하지 못했다. 평소의 그녀라면 그 귀족의 이름이나 병력, 노림수까지도 그 자리에서 들려주었을 것이다. 무언가 이유가 있으리라 생각하며 아인즈는 다른 질문을 건넸다.

"운반을 맡겼던, 여덟손가락의 영향이 미친 상인에게는 경호병을 붙여주지 않았더냐? 게다가 우리나라의 깃발까지 내걸도록 했을 텐데? 다시 말해── 왕국은 마도국과 맞서 싸우기로 했다는 그런 말이냐?"

왕국의 태도로 보았을 때 마도국과 싸우고 싶어 하지 않는 줄 알았는데, 그것이 착각이었을까. 아니면 그 자체가 모종의 모략일까. 그때 아인즈는 한 가지 생각을 떠올렸다.

"여덟손가락이 배반했을 가능성도 있느냐?"

"아니옵니다, 그것이……."

말을 흐리면서 알베도가 눈을 내리깔았다. 그리고 흘끔흘끔 아인즈를 훔쳐보듯 시선을 보낸다.

뭐라고 해야 할까, 그녀가 이런 태도를 보이는 것은 매우 드문 일이다. 아니, 어쩌면 처음인지도 모른다. 마치 어디에나 있는, 꾸지람을 들을까 두려워하는 소녀 같았다. 이제까지 보여주었던 나자릭 지하대분묘 수호자 총괄책임자의 모습이 아니었다.

"왜 그러느냐, 알베도. 무슨 일이 있었느냐?"

당당한 태도를 무너뜨리지 않고자 주의하면서도 아인즈의 등은 비지땀으로 젖었다. 물론 아인즈는 땀을 흘릴 수 없지만.

어쩌면 이것은 아인즈가 무언가 실수를 저지른 결과가 아닐까. 그렇게 생각하자 알베도의 반응도 이해가 갔다.

이건 분명 그거다. 사장이 저지른 터무니없이 경솔한 실수를 지적해야만 하는 사원의 태도다.

'왕국 귀족 중에 짐작 가는 놈은 하나도 없는데…… 내가 뭔가 했던가? 지난 몇 달 동안 이상한 짓은 안 했지? 아니, 했나?'

몇 주 전에 도장을 찍었던 서류조차 기억하지 못하는 아인즈가 설마설마 생각하면 생각할수록 자신 탓일지도 모른다는 불안이 강해졌다.

'아니―― 잠깐만! 맞아! 그랬지! 성왕국 때 알베도랑 데미우르고스에게 그랬잖아! 거기서 귀환했을 때에도 이런저런 사람들을 모아다 말했잖아. 일부러 실수를 저지를 테니까, 하고! 과거의 나 정말 잘했다! ――아니지. 이제는 슬슬…… 그런 걸로 해둬야겠다!'

절대지배자라는 간판을 끝까지 내세우기는 무리일 거라고 늘 생각했던 것이다. 마침내 그 간판을 내릴 때가 온 모양이다.

아인즈가 부드럽게 미소를 지었다.

"자, 알베도. 사양할 것 없다. 내게 말해보거라."

"예…… 아인즈 님. 왕국을 지배하기 위해 어리석은 귀족을 이용하려던 계획을 기억하시리라 생각하옵니다……."

응?

아인즈는 생각했다. 자신이 상상했던 이야기와 무언가 다른 듯하다. 하지만 여기까지 들으면 아인즈도 이야기의 흐름을 짐작할 수 있었다.

"그 어리석은 자와 관련이 있는 일이렷다?"

알베도가 고개를 끄덕였다.

"예. 그 어리석은 자가 이번 사건을 일으켰나이다. 다만 아인즈 님께서도 가능성의 하나로 염두에 두셨으리라 짐작하오나, 이 자체가 왕국 수뇌부가 사주한 모략일 수도 있나이다."

"흐음."

또 뭔가 착각하고 있구나, 생각하면서도 아인즈는 그렇게 중얼거리고 잠시 머리를 굴렸다. 깊은 부분까지 이해하진 못하겠지만 나자릭이 포섭한 귀족을 범인으로 내세우면 왕국에게는 이익이 될 것이다. 내부의 배신자를 제거하는 셈이니까.

"이해했다만…… 헌데 정말 그 어리석은 자가 관계가 있느냐? 역시 왕국의 기만작전은 아니었을까? ……아니지, 알베도라면 그 정보의 진위까지 확인했을 터. 시시한 질문을 했구나. 미안하다."

"아니옵니다, 당연하신 질문이옵니다, 아인즈 님. 그러므로 증인을 대령했나이다. ──샤르티아."

"알겠사와요."

샤르티아가 고개를 숙이고 일어나선 왼쪽 문을 통해 나갔다.

그리고 이내 죽음의 기사 두 마리에게 좌우를 붙들린 여자 하나를 끌고 돌아왔다.

병자처럼 깡말랐으며 눈 밑이 새까맣게 죽어버린 여자였다. 화장기는 없고 머리는 부석부석했다. 눈은 충혈되었으며 뺨에 눈물자국이 남아 있다. 겁먹은 소동물처럼 눈을 이리저리 두리번거린다.

어디선가 만난 기억이 있다. 하지만 이름이나 역직 같은 중요한 정보는 떠오르질 않았다.

아인즈가 필사적으로 기억을 더듬고 있으려니, 여자를 좌우에서 붙들었던 손이 풀렸다.

그러자 물 흐르는 듯한 움직임으로 여자가 무릎을 꿇고 고개를 조아렸다.

너무나도── 멋들어진 동작이었다.

그 매끄러운 동작은 아름답기까지 했다.

어지간히 훈련하지 않고서는 이 경지에는 도달할 수 없으리라고, 아인즈는 조금이나마 존경심까지 품었을 정도였다.

"마, 마, 마도오앙……."

음정이 엇나간 목소리였다. 여자는 한순간 침묵하더니 다시 목소리를 냈다.

"마도왕 폐하, 그간 기체후 일향만강하셨나이까!"

침묵이 실내를 지배했다. 다음이 자신의 차례인 것 같다고 깨달은 아인즈는 당연히 중후하게 물었다.

"——여인이여. 이름을 밝히도록 허하노라."

"예! 힐마 슈그네우스라고 하옵니다, 마도왕 폐하!"

고구마 줄기 엮듯 기억이 되살아났다.

왕국에 존재하는 범죄결사, 여덟손가락의 최고 간부였다.

"그랬지."

자기도 모르게 흘러나온 아인즈의 목소리를 어떻게 받아들였는지, 이제까지 한 번도 고개를 들지 않았던 힐마는 바닥에 이마를 비벼대며 외쳤다.

"소, 소인은 아무것도 모르옵나이다! 진정으로! 결코 여러분의 의향에 반하는 짓을 저지르고자 하는 생각은 없나이다! 식량을 탈취당한 건과는 전혀 무관하옵니다!"

아인즈는 곁눈질로 알베도의 뒷모습을 살폈다.

이 여자의 말이 참인지 혹은 거짓인지 알아보기는 쉽다. 그렇기에 알베도가 확인하지 않았을 리가 없다. 그러면 왜 그것을 스스로 밝히지 않는가.

알베도의 진의가 어디에 있는지 이해할 수 없었지만, 아무튼 아인즈를 함정에 빠뜨리기 위한 행동은 아니며, 완전히 그 반대. 평가가 지나치게 높다는 이해할 수 없는 착각이 원인일 것이다. 그렇다면 저 말이 사실이냐고 묻는다면 조금 폼이 나지 않는다.

'하지만 그런 짓을 되풀이하다 지금 같은 사태에 빠진 거 아닐까……. 이쯤 해서 알베도에게 나도 모르겠다고 말해볼까?

하지만 알베도만이 아니라 다른 멤버들도 있으니…….'

아인즈는 아우라와 마레를 보았다.

'응. 다음 기회에 하자.'

"——흐음. 일단 슈그네우스의 말이 진실인지 나도 확인해보겠다. 〈지배Dominate〉."

슈그네우스에게 마법이 걸리자, 아인즈는 질문을 건넸다.

"귀족이 우리의 짐을 **빼앗은** 일에 너는 관계가 있느냐?"

"없사옵니다!"

피지배자는 지배자에게 거짓말을 할 수 없다. 다시 말해 슈그네우스는 직접적으로는 관련되지 않았다는 뜻이다. 어쩌면 간접적으로 관계가 있을지도 모르지만, 아무리 그래도 거기까지 가면 책임이 없다고 해야 한다. 만약 거짓말을 하고 있다면 기억을 조작당했을 경우를 생각할 수 있겠지만—— 일단은 불가능한 일이다.

그렇지 않다고 한다면——

"——다중인격이라는 소리를 들은 적이 있느냐?"

"없사옵니다!"

"흠…… 그렇다면 우리에게 적대할 마음은 있느냐?"

"전혀!! 털끝만큼도!! 없사옵니다!!"

이제까지 들은 것 중 가장 확실한, 엄청나게 힘이 담긴 단언이었다. 그렇다면 됐다고 아인즈는 〈지배〉를 해제했다.

"가령 이자의 해의 없는 행동이 간접적으로 관여했다 치더라도, 그것으로 죄를 묻는다면 조금 가혹한 처사가 되겠구나. 슈그네우스는 무죄다."

슈그네우스가 살짝 고개를 들고 초롱초롱한 눈으로 아인즈를 바라보았다. 조금 무서울 정도의 열기가 있었다.

"하오나 아인즈 님. 부하의 추태는 상급자의 책임이 아니오니까? 그 바보는 이자에게 관리를 맡겨놓았나이다."

알베도의 말도 지당했다.

"아, 아뢰옵기 황송하오나! 그렇게까지 제멋대로 행동할 줄은 몰랐나이다! 몇 번이나 주의를 주기는 했나이다! 행동을 일으키기 전에는 저에게도 연락을 하라고! 그렇기에 제 영향력이 미치는 자를 감시요원으로 곁에 붙여두기도 했사옵니다!"

그녀의 절규에 알베도가 이의를 제기하지는 않았다. 그렇다면 그 말도 진실일 것이다. 그녀는 그녀 나름대로 노력했다. 그러니 모든 책임을 묻는 것은 잔인한 처사다.

인사부가 채용한 신인이 배치받은 부서에서 큰 실수를 저질렀다. 배치된 부서에도 문제가 있겠지만 인사부에 책임을 묻고 싶어지는 마음은 아인즈도 잘 안다.

이 순간 회사원은 슈그네우스의 편이었다.

알베도나 다른 수호자들에게 맡기면 매우 혹독한 벌이 내려지리란 것은 자명하다. 그렇다면———.

"부하의 추태가 상급자의 책임이라는 말. 여기에는 나도 동의한다."

슈그네우스의 얼굴에서 모든 감정이 사라져버렸다. 이를 보며 아인즈는 말을 이었다.

"하지만 그것은 상급자가 부하를 대신해 책임을 질 때 쓰는 말이지, 책임을 떠넘기기 위한 말이 아니다. 무엇보다 이를 어디까지 적용하는가 하는 문제도 있다. 알베도, 한 가지 묻자꾸나. 바보 귀족의 관리가 슈그네우스의 역할이라면, 슈그네우스의 관리는 누가 맡고 있느냐?"

"그것은—— 소녀가 되리라, 생각하옵니다."

"흐음. 그리고 알베도의 주인은 나다. 그렇다면 이 문제의 최종적인 책임은 내가 져야 하겠느냐?"

"다, 다, 당치도 않사옵니다. 아인즈 님께 책임이 있다고는 결코!"

알베도가 웬일로 허둥대며 부정했다.

조금 전에는 죽은 듯한 표정이었던 슈그네우스가 다시 눈을 초롱초롱 빛내며 아인즈를 올려다보고 있었다. 정말 표정이 잘 바뀌는 사람이다.

"직접 관리하던 슈그네우스에게도 문제는 있었을지 모른다. 그러나 그녀는 그녀대로 노력했던 기미가 보이는구나. 그렇다면 한 번쯤은 그 실수를 용서해주어야 할 것이다. 첫 번째 실수는 누구나 하는 실수. 두 번째 실수는 부주의에서 오는 실수. 세 번째 실수는 개선을 노력해야 하는 실수. 네 번째 실수는 무능에서 오는 실수다. ——슈그네우스."

"예엣!!"

슈그네우스가 깊이 고개를 조아렸다. 이마가 바닥에 쿵 부딪히는 소리가 들렸다. 솔직히 아플 것 같다.

"앞으로는 이러한 일이 일어나지 않도록 재발 방지를 위해 힘쓰거라. 네가 생각할 수 있는 방책을 두 겹 세 겹으로 마련해 알베도에게 전하고 어찌 채택할지 의견을 물어라. 그것을 너의 벌로 삼겠다."

"예에엣!!"

슈그네우스가 바닥에 이마를 비벼댔다. 머리를 어디까지 낮출 수 있는지 한계에 도전하는 듯했다.

그렇게까지 안 해도 되는데…… 하고 진심으로 생각했지만 아인즈는 이를 태도로 드러내지 않은 채 수호자들을 둘러보았다.

"나의 판단은 이상이다. ——무언가 의견을 제시할 자가 있느냐? 결코 화를 내거나 하지 않을 테니 생각한 바를 말하거라."

이의를 제기하려는 기색은 없었다. 하지만 '아인즈 님의 판단은 모두 옳다'고 태연하게 말하는 자들이니 생각이 있어도 말을 하지 않는 것뿐인지도 모른다. 일단은 확인을 해두어야 할 것이다.

"——알베도."

"없사옵니다."

"——데미우르고스."

"알베도와 마찬가지로 없나이다."

"——아우라."

"없습니다."

"——마레."

"아, 네, 넷. 저도 하나도 없어요."

"——코퀴토스."

"없.습니다."

"——샤르티아."

"없습니다."

정말 괜찮은 걸까, 아니면 그냥 받아들인 걸까. 아인즈는 알 수 없었지만 언질은 받아두었다.

아인즈는 크게 고개를 끄덕이고, 판결을 내렸다.

"⋯⋯좋다. 그러면 슈그네우스. 방책은 이른 시일 내로, 그래⋯⋯ 이틀 내로 준비하도록."

슈그네우스가 힘차게 고개를 들었다.

"분부에 따르겠나이다!! 관대하신 판결!! 진심으로, 진심으로 감사드리옵니다!! 마도왕 폐하!! 앞으로도 소인 힐마 슈그네우스는 성심성의를 다하여 모시겠나이다!!"

"그래⋯⋯."

전에 만났던 눈이 무서운 소녀가 떠오르는, 조금 징그러울 정도의 열렬함이 슈그네우스에게서 느껴졌다.

"너의 충성심을 기대하마. 그러면 샤르티아, 슈그네우스를 돌려보내거라."

"분부 받들겠습니다."

샤르티아가 힐마를 데리고 반지의 힘을 기동시켰다. 저것으로 지표까지 전이한 후 〈전이문〉을 쓸 것이다. 그렇다면 그렇게까지 시간이 걸리지는 않을 거라 생각하고 기다리자, 정말로 혼자서 돌아왔다.

"그래── 나를 부른 이유가 단지 그자의 책임을 묻기 위해서는 아니렷다?"

그런 일로 불러주었다면 고마울 지경이다. 약간의 선망을 담은 질문은 알베도에게 즉시 박살이 나버렸다.

"예. 추측하신 대로이옵니다."

아인즈는 알베도에게 조금 원망스러운 시선을 보냈다. 잠시
라도 희망을 품게 해주었으면 싶었다.

"아, 무언가 하실 말씀이 있나이까? 혹시 조금 전의 건으
로……."

"아니, 아무것도 아니다. 그러면 나를 부른── 이곳에 각 계
층수호자를 모은 진짜 이유를 들려주겠느냐?"

질문을 받은 알베도가 데미우르고스와 시선을 나누는 것이 보
였다.

"우선 그 바보가 대체 어떤 목적으로 움직였는가에 관해서이
옵니다. 또한 그 바보를 이용한 어느 누구의 음모인지 하는 점
도 있나이다. 이에 따라서는 향후 마도국의 대 왕국 전략을 크
게 변경할 필요가 있으리라 사료되는 바, 아인즈 님의 고견을
여쭙고자 감히 판단하여 이렇게 모시게 되었나이다."

"흐음…… 현재 추진 중인 왕국 지배 작전은 『당근과 채찍』이
었지. 아우라, 마레, 코퀴토스, 샤르티아에게도 설명은 해두었
느냐?"

"그 건은 소녀와 데미우르고스가 추진하고 있사온지라, 자세
한 내용까지는 말하지 않았나이다."

"그렇구나. 그렇다면 알베도, 정보를 공유하거라. 모두의 감
상과 아이디어가 도움이 될 것이다."

"분부 받들겠나이다."

알베도가 네 사람에게 설명을 시작했다.

왕국을 지배하는 당근과 채찍 작전──아인즈가 명명하자 이
해하기 쉽다고 절찬을 받았던──은 결국 왕국 내부에서 내란

등을 일으키고, 여기에 일부 민중이 바란다는 명분을 내세워 마도국이 평화적으로 개입한다는 것이었다.

데미우르고스가 관여했기 때문인지, 성왕국 때와 마찬가지로 내부에 혼란을 일으켜 초기에 많은 인간이 사망하게 되어 있다. 물리적으로 침략하는 직접적인 작전이 아니라 내부에 혼란을 일으키는 작전을 선호하는 것은 그가 악마이기 때문일까. 코퀴토스나 샤르티아였다면 직접적인 수단—— 침략전쟁을 작전으로 입안했을지도 모른다.

다만 이것은 원래 왕국의 어떤 인물이 했던 제안이며, 알베도나 데미우르고스는 이를 살짝 수정한 정도라고 한다.

그런 작전의 핵심인물로 그 바보 귀족이 존재한다.

기치가 되어 모반을 일으킨다. 식량부족 때문에 내란을 일으킨다. 마도국에 지원을 요청한다. 이처럼 용도는 여러 가지가 있지만 목적은 같다. 마도국이 개입할 원인을 일으키는 것이다.

다시 말해 아인즈의 입장에서 보자면 현재 상황은 계획대로 풀리고 있었다. 그 바보 귀족이 일으킨 문제는 마도국이 개입하기에 충분했다.

하지만 알베도와 데미우르고스의 입장에서는 약간 난처해하는 눈치였다. 그렇다면 여기에는 분명 아인즈가 깨닫지 못한 문제가 있다는 뜻이다.

아인즈는 알베도의 설명이 끝난 타이밍을 노려 당연한 질문을 건넸다.

"그러면 알베도. 근본적인 질문을 하고 싶다만…… 실제로 그 귀족이 문제를 일으켰다는 확실한 증거는 있느냐? 왕국 측의 모략일 가능성은 없을까? 분명…… 알베도가 그 귀족을 농락하기 위해 편지를 보냈지?"

알베도가 아인즈에게 몇 번이나 몇 번이나 '불쾌한 귀족에게 편지를 보내야만 한다', '인간 따위에게'라는 말을 하면서 아인즈에게 검열을 요청했으므로 예의 편지는 몇 번이나 읽었다.

비즈니스 문서라면 다소 지식이 있지만 검열이나 첨삭능력에는 자신이 없었으므로 사양하고 싶었다. 그러나 알베도의 요청이었으므로 읽지 않을 수는 없었다.

참고로 이 세계에 온 후 꽤 시간이 많이 지났음에도 아인즈는 아직도 문자를 읽지 못한다. 기껏해야 자신과 모몬의 이름을 쓸 수 있고 숫자를 기억하는 정도다. 여러 나라의 문자를 읽고 해독할 수 있는 알베도나 데미우르고스——그리고 판도라즈 액터——와는 머리의 알맹이가 다르다. 그렇기에 매직 아이템을 써가며 읽었다.

솔직히 말해 수정할 필요가 없다고 느껴지는 문장이었으므로, 그대로 알베도에게 돌려주었다.

"귀족에게서 온 답장도 보았다만, 완전히 네게 매료된 듯했지. 놈이 마도국을 적대시하다니, 도저히 상상이 안 간다만?"

다만 귀여운 상대에게 배신당하면 큰 증오로 바뀐다는 이야기를 들은 적이 있다. 응원하던 여성 성우에게 남자친구가 있다는 사실이 발각되었을 때 피눈물을 흘리던 동료의 모습이 샤르티아 너머에서 어른거렸다.

덧붙이자면 아우라와 마레 너머에서는 그런 동료를 놀리던 누이의 모습이 어른거렸다.

"예. 그 부분은 자세히 알아보았사오나, 기치가 되어 식량을 탈취한 것은 틀림이 없었나이다. 다만…… 매료나 세뇌 같은 수단으로 조종을 당했을 가능성도 없지는 않사오나…… 실행했던 것은 사실이옵니다."

"하지만 우리 측보다 뛰어난 지략가의 모략이 있었을 가능성도 배제할 수는 없습니다. 이 경우 함부로 움직였다가는 상대에게 이용당하기만 하고 끝날 수도 있고……."

알베도가 씁쓸한 표정으로 대답하고 데미우르고스도 같은 표정으로 말을 이었다. 하지만 아인즈는 의아했다. 이 두 사람에게 필적하는 지략가가 뜬금없이 나타났단 말인가. 그보다는――.

"――그저 그 귀족이 아무 생각 없이 행동했던 것 아닐까?"

그렇게 생각하는 편이 아인즈에게는 이해하기 쉬웠다.

"아인즈 님, 아무리 그래도 그렇지는 않으리라고, 생각하옵니다만……."

알베도가 송구스러워하며 말했다. 어쩌면 이런 태도를 보인 것이 처음일는지도 모른다. 아인즈에게는 조금 신선한 기분이었다.

"아닙니다. 기다려 보십시오, 알베도. 우리는 지략가의 책략을 미리 앞서나가는 정도밖에는 할 수 없지만, 아인즈 님은 어리석은 자의 폭발까지도 읽으실 수 있지요. 어쩌면 그럴 가능성도 있지 않겠습니까? 아니, 그 가능성이 가장 높지 않을지요."

"하, 하지만…… 그렇게까지 바보였다니…… 그럴 수도 있어……? 하지만 아인즈 님께서……."

"바로 그 아인즈 님께서 그렇게 말씀하시잖아. 그게 정답 아닐까, 알베도?"

"저, 저도 그렇지 않을까, 생각해요……."

어째서인지 아우라와 마레에게서도 지원사격이 날아왔다. 슬쩍 잡담이나 건네는 기분으로 말했던 아인즈는 놀랄 지경이었다.

"그렇다고 한다면——."

"예, 그렇다고 한다면——."

알베도와 데미우르고스가 미간에 주름을 지으며 검토하기 시작했다.

"자, 잠시 기다려 보거라. 이번 작전에 관해서는 각 계층수호자들의 의견도 묻고 싶구나. 의문이 있을 테니 일단은 질문 시간을 가져보자꾸나. 의문이 있는 자는 손을 들고 알베도나 데미우르고스에게 물어보거라."

절대 저한테는 질문하지 마세요. 아인즈는 마음속으로 백기를 흔들었다.

"어~ 저요."

아우라가 손을 들고 질문했다.

"왜 처음부터 귀족들을 많이 포섭하는 작전으로 가지 않았어? 그랬으면 이번에도 그 귀족의 목을 베기만 하면 작전은 그대로 문제없이 지속될 수 있었을 텐데."

대답한 사람은 데미우르고스였다.

"처음에는 그런 예정도 있었지. 하지만 우리가 검토해보고, 그 안은 기각했어. 왜냐하면 우수한 귀족을 포섭한다면 모를까, 바보 같은 귀족이잖나? 그렇게 되면 인원을 늘릴수록 예상하지 못한 데서 정보가 새나갈 거라고 생각했지. 그래서 한 명으로 좁히고, 그가 파벌을 만들게 하는 형태로 관리해야겠다고 봤다."

바로 그 기수가 폭주하리라고는 생각도 못했다는 뜻이다.

다음으로 손을 든 자는 코퀴토스였다.

"우수한. 귀족을. 포섭해선. 안. 됐나?"

이번에는 알베도가 대답했다.

"안 될 건 없었어. 실제로 그런 인간도 포섭해놓았고. ……자식 사랑이란 건 협박에 좋은 재료가 되더라고. 하지만 어느 수준 이상의 능력을 가진 귀족은 나중을 위해 아껴놓고 싶었으니까 처분해도 되는 귀족을 고른 거야. 아인즈 님께서 다스리시기에 적합한 나라를 만들려면 어리석은 자는 될 수 있는 한 청소해놔야 하잖아? 그러니까 무능한 것들만 모아 파벌을 만들었어. 말하자면 나중에 버리기 위한 쓰레기통을 마련했다고나 할까. 물론 인재의 정보는 다양한 소스를 통해 얻고 있지만, 우리 손으로도 직접 정보수집을 해두고 싶었어."

"얼마 안 되는 우수한 귀족, 욕심 없고 가축처럼 일을 잘 하는 귀족 외에는 마도국에 필요가 없으니 말이다."

"저요."

샤르티아가 높이 손을 들었다.

"이해가 안 가는 것이 하나 있사와요. 그 바보 귀족이 누군가에게 조종을 당했다 쳐도, 어쨌든 마도국을 공격했사와요. 그렇다면 마도국의 깃발을 들고 왕국에 쳐들어가면 되는 것 아니겠사와요? 누군가의 함정이라면 그것도 박살을 내버리면 그만이지 않겠사와요?"

"그 말이 맞아, 샤르티아. 배후가 없다면 더더욱. ……하지만…… 말이지."

알베도가 데미우르고스를 흘끔 쳐다보자 데미우르고스는 고개를 끄덕였다.

"그렇습니다."

그리고 데미우르고스는 아인즈에게 시선을 돌렸다가 다시 수호자들을 보았다.

"이번 건은 절충점을 찾기가 어려워. 아인즈 님의 혜안대로 그 귀족은 아무 생각도 없이 행동했겠지만, 너무 가볍게 넘어가 버리면 마도국이 경시당하는 결과가 되겠지. 다들 마도국의 깃발── 다시 말해 아인즈 님을 나타내는 상징을 내건 마차를 습격한 자에게, 아인즈 님의 체면을 짓밟은 자에게 어떤 벌이 어울린다고 생각하나?"

"죽여야지."

"응. 누나 말이 옳다고 생각해요."

"그래, 맞다. 그럼 여기서 질문. 일을 저지른 하수인을 해치우면 끝일까?"

"아니사와요. 주인도 같은 공범이사와요."

알베도의 말에 샤르티아가 대답하고, 코퀴토스는 말없이 고개를 끄덕였다.

아인즈는 놀랐다.

다들 과격한 생각을 하는 것도 분명 놀랍지만, 수호자들의 성격상 있을 법한 생각이라 할 수 있다. 아인즈가 경악했던 것은 그 귀족이 아무 생각 없이 행동했을 거라고 대수롭지 않게 말했던 자신의 발언이 확정되었다는 점이었다.

솔직히 말하자. 너무 무섭다.

"그렇지? 나도 샤르티아의 판단에 찬성이야. 아인즈 님을 우롱했으니 그에 맞는 벌을 왕국 전체에 내려야만 해! 하지만 말야……."

"아인즈 님은 한때 이렇게 말씀하셨습니다. 폐허가 된 나라여서는 고명(高名)에 흠이 갈 것이라고. 그리고 잿더미 위에 서고 싶지는 않으시다는 말씀도 들었습니다. 그러기 위해 저희는 될 수 있는 한 그런 일이 생기지 않도록 노력해왔습니다."

데미우르고스의 말에 알베도가 고개를 끄덕였다.

여기서 아인즈는 두 가지 의문을 느꼈다.

하나는 '내가 그런 말을 했던가'였다.

만약 '아인즈와 데미우르고스가 한 말 중 어느 쪽이 옳을까'하고 나자릭 주민 100명에게 질문한다면 대다수가, 아니, 99명이 단언할 것이다. 아인즈가 옳다고. 하지만 단 한 명──그 의견에 반대하는 아인즈 울 고운이라는 존재 또한 단언한다.

일주일 전 일도 제대로 기억하지 못하는 자신을 믿을 수는 없다고.

그렇기에 아인즈는 기억에 없지만, 데미우르고스가 그렇다고 한다면 자신이 그런 말을 했으리라고 생각한다. 그렇기에 올바른 행동은 한 가지뿐.

"용케도 내가 한 말을 기억해주었구나, 데미우르고스. 나는 기쁘다."

"저, 저도 기억해요!"

"저도요, 아인즈 님."

"음, 음. 샤르티아, 아우라. 너희에게도 감사한다."

진짜로 다들 기억하는 건지, 아니면 아인즈처럼 기억에는 없지만 데미우르고스에게 장단을 맞춘 건지는 알 수 없다.

아니 그보다, 왜 자신이 무능하다는 사실을 이렇게까지 이해해주지 못하는 걸까. 아인즈는 고민했다. 자신의 연기 스킬이 그렇게나 높았던 걸까.

이 세계에 나자릭 지하대분묘의 지배자로서 나타난 지 꽤 많은 시간이 흘렀다. 그동안 줄곧 지배자로서 행동해왔다. 이제 슬슬 지배자라는 도금이 벗겨지고 무능한 스즈키 사토루의 모습이 드러나도 될 때가 아닐까.

그렇게 아인즈가 고뇌하는 동안에도 이야기는 진행되었다.

"그러니 아인즈 님의 말씀을 존중하기 위해서라도 왕국 전체에 벌을 내리는 것은 피해야 합니다. 그러나 가벼운 벌로 그칠 수도 없지요. 계획을 잠시 중단하거나 파기하고, 최소한도로 그치더라도 대폭 수정이 필요할 겁니다."

자신의 한마디에 다들 이렇게까지 깊이 생각하게 되었다는 데에 아인즈는 상당한 죄책감을 느꼈다.

"……그렇구나. 하지만 데미우르고스. 정말로 이번 계획이 실패했느냐?"

데미우르고스와 알베도, 그리고 왕국의 협력자. 아인즈는 이해할 수도 없을 만한 천재들이 입안한 계획이어도 실패하는 일이 있을까. 만약 그렇다면 자신은 지금까지보다도 더욱 발언에 주의를 기울여야 한다. 어쩌면 앞으로는 입도 뻥긋하지 못할 수도 있다. 그러므로 신중을 기하는 의미에서 물어보기로 했다.

"정말로 이번 계획을 파기하겠느냐? 당근과 채찍이라는 계획을."

"……."

데미우르고스가 의아하다는 표정으로 아인즈를 바라보았다. 몇 번이나 본 기억이 있다. 자신보다 까마득히 위에 선 존재가 던진 완곡한 말의 이면에 숨겨진 진의를 찾아내려 하는 표정이다.

아니야, 데미우르고스. 그냥 확인해본 거야. 깊은 의미는 없었어. 천천히 목욕이라도 하면서 잠깐 진정해야 하지 않을까?

아인즈의 흉중에서 그런 말이 떠올랐다가는 목구멍 바로 앞에서 사라져간다.

불길한 예감이 스멀스멀 밀려오던 그때, 아니나 다를까, 데미우르고스가 무언가를 깨달은 것처럼 경악한 표정을 지었다.

"……아니, 설마…… 아인즈 님. 혹시나 해서 여쭙습니다만, 제국을 그처럼 깨끗한 형태로 지배하신 데에는 그러한 의도가 있으셨습니까?"

예감이 대적중했다.

애가 지금 무슨 소릴 하는 거야.

아인즈는 즉시 마음속으로 데미우르고스에게 딴죽을 걸었다. 넌 대체 어떻게 해서 그런 결론에 이른 거냐고.

아뇨, 그런 건 아니었어요.

그렇게 대답하는 게 최선이리라. 하지만 그렇게 대답해도 될까.

"―――――――――그렇다."

상당히 망설인 끝에 단언한 순간, 어째서인지 데미우르고스가 아니라 알베도가 눈을 크게 뜨고 있었다.

조금, 아니, 엄청나게 무서웠다.

"그렇군요……. 거듭 되물어보셨던 것이…… 그러한 뜻이셨다니……. 즉시 깨닫지 못하고 실망을 안겨드렸습니다. 용서하여 주십시오."

"아냐, 데미우르고스. 너나 우리 따위가 아인즈 님의 지모를 감히 어떻게 다 읽어내겠어. 아인즈 님의 한 수는 수많은 의도를 담은 한 수라는 걸 잊어버렸다는 추태는 너무나도 큰 죄일지 모르지만."

"──네, 동감입니다. 국가 수준의 당근과 채찍이었다니. 과연 아인즈 님이십니다. 역시 지고의 존재를 통솔하셨던 분……."

훗.

아인즈는 웃음을 지었다.

이제는 둘이 무슨 말을 하는지 전혀 알아들을 수 없었다.

그 순간 아인즈의 머릿속에 광채가 번뜩였다. 어쩌면 이 둘은 아인즈가 무능하다는 걸 알면서도 그걸 잘 커버하기 위해 움직이는 것 아닐까?

'애들은 지략가잖아. 나는 이해하지 못할 만큼 똑똑한 게 사실이지. 그런 애들이 언제까지고 내가 유능하다고 착각할까? 아냐, 그럴 리가 없잖아!'

"역시. 아인즈. 님이야말로. 우리. 나자릭의. 가장. 위대한. 지략가……."

"예. 그렇고말고요, 코퀴토스. 천 년, 만 년 규모로 지모를 펼치시는 아인즈 님께서 보기에 몇 년 규모의 계획 따위는 지극히 초보의 수준이었던 겁니다."

"네? 그, 그렇군요…… 역시 아인즈 님이세요."

"천 년이라니, 엄청나요…… 아인즈 님."

데미우르고스 너 지금 무슨 소리 하냐.

누가 언제 그런 미래까지 생각했다는 건데. 맘대로 날조하지 마.

그렇게 외치고 싶은 마음이 가득했다. 특히 순수한 두 아이가 믿는 것이 좋지 못했다.

하지만 평소 데미우르고스의 의견에 편승했으므로 어떻게 반응하는 것이 최선일지 알 수 없었다. 부정했다간 향후 지장이 생길지도 모른다.

이럴 때는 역시 여느 때처럼 굴어야 할까.

아인즈에게도 표정근이 있었다면 애매한 웃음을 지으며 데미우르고스의 의견에 긍정도 부정도 하지 않을 만한, 어느 쪽으로도 해석할 수 있는 말을 고심해서 짜냈을 것이다.

"그, 그렇지는 않다."

"겸손해하실 필요는 없사와요. 위대하신 아인즈 님."

"그렇게. 먼. 일까지. 생각하시.다니……. 아니, 그래야. 지고의. 존재들을. 통솔하실. 수. 있었던. 것이겠.군요……."

안 되겠다. 포기하자.

아인즈는 그렇게 결심했다.

"그렇다면 아인즈 님께 허가도 받았으니, 왕국에 내릴 벌은 더 처참하게 가야겠지."

"잉?"

이제까지 했던 얘기에서 어떻게 처참이라는 단어가 나왔는지 이해할 수 없었다.

하지만 알베도는 손을 귀엽게 마주하며 만면의 미소와 함께 선언했다.

"아인즈 님께 즉시 항복한 제국이라는 당근과, 즉시 항복하지 않았던 왕국이라는 채찍. 이 두 가지 사실을 만들어냄으로써 모든 이들에 대한 포고로 삼자. 당근과 채찍, 어느 쪽을 원하느냐고 이 세계의 모든 자에게 묻는 거야. 쿠훗, 정말로 재미있어졌사옵니다, 아인즈 님."

"⋯⋯⋯⋯응."

*

힐마는 난폭하게 튕겨 나왔다. 돌아보니 힐마를 이곳까지 옮겨주었던 〈전이문〉이라는 마법이 사라지고 있었다.

튕겨져 나왔을 때 부딪힌 팔을 문지르며 주위를 둘러보니 눈에 익은 홀 구조의 넓은 방이었다.

원래 이 장소는 도박부문장이었던 노아 지덴이 불법도박장을 열기 위해 구입한 왕도 내의 넓은 부지였다. 그리고 토지의 넓이에 걸맞은 대저택을 세운 것까지는 좋았으나, 중간에 여러 가지 문제가 생겨 계획이 좌절되고 말았다.

아무튼 그러한 이유로 이 저택에는 게임을 하기 위한 큰 방이 몇 곳이나 있었으며, 그중에서도 이곳은 가장 넓었다.

힐마는 크게 안도의 한숨을 내쉬었다.

그녀의 몸은 환희에 지배당했으며 부들부들 떨려오기까지 했다.

"힐마!"

동료들이 달려왔다. 방에 있던 것은 세 명. 그중에서 오스캐스가 책상 위에 놓여있던 벨을 흔들었다.

모두 눈에 눈물을 머금고 있었다.

분명 자신을 걱정해주었는지 낯빛은 별로 좋지 못했다.

"무사해?! 괜찮아?! 배 속은 어때?!"

"과일주 있어! 입가심 필요해?!"

"다른 녀석들도 금방 올 거야!"

"노아, 엔디오. 그리고 오스캐스——."

힐마의 목소리에 세 사람이 조용해졌다.

"——걱정 끼쳐서 미안해."

"그런 건 신경 쓰지 마, 힐마! 괴로운 일도 있었을지 모르니, 얼른 푹 쉬도록 해."

노아가 눈시울을 닦으며 말해주었다. 분명 '그것' 혹은 그것 이상의 가혹한 짓을 당했으리라 생각하겠지. 그렇다면 말해주어야만 한다.

"나 그거 당하지 않았어. 아무것도 안 당했어."

술렁, 공기가 흔들렸다. 주위의 동료들이 경악한 표정을 지었다. 그런 일이 있을 수 있느냐고.

"폐하를 만나고 왔어. 마도왕 폐하."

젖어들던 힐마의 눈은 힘을 잃고 결국 눈물을 펑펑 쏟아냈다.

"마도왕 폐하······."

그 이름을 되풀이할 때마다 상상을 초월하는 공포가 엄습하는 것처럼, 중얼거린 엔디오는 믿지도 않는 신의 인장을 맺었다. 다른 두 사람은 겁에 질린 것처럼 주위를 둘러보았다.

아마 어딘가에 틀림없이 존재할 감시자를 찾는 것이리라. 하지만 힐마 일행은 감시자를 한 번도 본 적이 없다. 그래도 없을 리 없다는 것이 공통된 인식이었다.

"만나고—— 아니, 배알하고, 용케 무사히 돌아왔구나."

"후후······."

눈물을 흘리던 힐마는 그 질문에 웃고 말았다.

마도왕은 다들 한 번씩 만난 적이 있지만, 거의 고개를 숙이고만 있었으므로 얼굴은 제대로 보지 못했다.

다만, 모여든 정보나 언뜻 본 모습, 그러한 것들로부터 판단했던 힐마를 비롯한 여덟손가락 멤버들에게는 사악의 화신 그 자체였다. 아니, 그처럼 잔혹한 고문을 하고 왕국 병사들을 잔인하게 유린했던 매직 캐스터가 아닌가. 게다가 모든 살아있는 자의 적인 언데드라면 당연한 상상이다.

"폐하는······ 폐하는 정말 이지적인 분이셨어. 관대하고, 자비로운 분이기도 하셨어."

한순간 세상의 시간이 정지해버린 것 같았다.

노아는 흠칫 놀라더니 애처로운 사람을 보는 것처럼 얼굴을 일그러뜨리며 눈을 내리깔았다.

실제로, 다른 누군가가 그런 소리를 했다면 몇 분 전의 힐마도 이렇게 생각했을 것이다. '그렇구나, 얘가 마침내 망가져버렸구나' 하고.

뒤에 있던 두 사람도 눈을 붉게 물들이며 "힐마…… 나는 네가 좀 부럽다."라느니 "응, 나도 그쪽으로 갈 수 있다면 얼마나 좋을까……." 하는 소리를 중얼거렸다.

"아니야, 기다려봐. 정신조작 마법에 걸렸을지도 몰라. 힐마, 그렇지?"

노아가 애원하는 듯한 표정으로 물었다. 물론 그런 마법은 걸리지 않았다고 단언할 수 있지만, 그들이 믿을 만한 증거가 없는 것 또한 사실이다. 그러므로 모르는 척하고 해야 할 말만 하면 된다. 그 속에서 무엇을 진실로 받아들일지는 그들 자신의 문제다.

"나도 돌아올 수 있을 거라고는 생각도 못했어. 하지만 아무것도 안 당하고 돌아온 건 그분이 계셨던 덕이야. 마도왕 폐하 —— 정말 왕이라고 불릴 만한 분이셨어. 만약 그분이 안 계셨다면……."

아마 책임을 져야만 했을 것이다. 어쩌면—— 아니, 어쩌면이 아니라 틀림없이 그 어리석은 자와 함께 지옥을 맛보았을 것이다. 마도국 재상 알베도는 아무리 생각해도 그럴 작정이었다.

자신이라면 어떻게 했을까 생각해보니, 역시 책임을 져야 할 자는 필요하므로, 죽이지는 않더라도 고통을 주었을지 모른다. 그렇게 생각하면 마도왕의 판결은 그야말로 관대하다.

"……힐마. 마도왕 폐하의 자비에 감격의 눈물을 흘리는데 미안하지만, 그건 당근과 채찍이야."

"그럴까……? 응, 그럴지도 모르겠네."

입으로는 그렇게 말했지만, 힐마는 그렇지 않다고 생각했다.

힐마는 상대의 심리를 목소리의 억양이나 표정, 버릇 등으로 읽어낼 수 있다.

이것은 특별한 능력은 아니며 이제까지 쌓아온 인생경험이 가져다준 것이지만, 상당한 정확도를 자랑한다. 그 감각을 믿는다면 마도왕이 당근 역할인 것도, 알베도가 채찍 역할인 것도 아닌 듯했다.

다만 표정이 전혀 없는 마도왕은 상당히 읽기 힘든 상대였으므로 자신의 판단이 절대적으로 옳다고 단언할 수는 없었다. 어쩌면 동료들의 말이 옳을지도 모른다.

"그러게. 나도 이제까지 해온 짓이 있으니 그런 방식은 잘 알아. 하지만…… 아아, 채찍의 아픔을 아는 자에게 당근이 이렇게나 달콤한 것인 줄은 생각도 못해봤어. 속고 있는지도 몰라. 마도왕 폐하는 사람의 마음을 이해하지 못하는 공포의 존재고, 측근들이 제어하고 있는지도 몰라. 그래도 나는 신뢰할 수 있다고 느꼈어. 아니…… 믿고 싶어져 버렸어."

그런 남자에게 빠지는 바람에 파멸했던 밤나비를 몇 명이나 보지 않았던가. 지금의 자신이 그런 창부 업계의 밑바닥에 가라앉은 여자들과 같은 몰골인 것은 자각했다. 하지만 마도왕이 가진 강렬한 구심력에 저항할 수는 없었다.

"……힐마. 넌 수많은 남자를 봤을 거 아냐. 우리 중에서도 너의, 특히 남자에 대한 인간관찰은 상당하지. 솔직히 말해서 마도왕 폐하는 어떤 분이었어?"

고급 창부로서 수많은 남자를 만났다. 특히 지위가 높은 사내는 진저리가 날 정도로.

　그들과 비교해 분석한다면——.

　"한마디로 말해 도량이 큰 분이야. 뚜렷한 자신의 생각과 판단을 가지셨는데, 부하의 의견도 좋다고 생각하면 받아들여 수정하는 유연성도 있다고 느꼈어. 그리고 남을 괴롭히며 기뻐하는 성벽……이라고 하면 안 되겠지, 이 경우에는. 뭐라고 해야 할까…… 그래, 그런 기호는 없는 것 같았어. 물론—— 벌을 내린다면 한없이 냉혹하게 내리시겠지만."

　"상당히 고평가인걸."

　힐마는 눈물자국이 남은 얼굴을 살짝 환하게 피우며 후후 웃었다.

　"그러게. 그분은 언데드이긴 해도 공정함과 관용을 겸비하셨어. 냉혹하기는 하지만 잔학하지는 않은 것 같아. 실수한 내게 벌을 줘서 너희를 단속할 수도 있었을 텐데, 그러지는 않았어."

　누군가가 꼴깍 침을 삼키는 소리가 넓디넓은 실내에 울려 퍼졌다.

　"난 마도왕 폐하께서 언제까지고 계셔주셨으면 좋겠어. 그분이라면, 분명……."

　가슴이 괴로워질 정도의 침묵이었다.

　"오오……."

　누군가의 입에서 한숨이 새나왔다. 신탁을 들은 신도처럼, 기적의 현현에 탄식한 것이다.

　언제 또 그 지옥이 다시 자신들에게 떨어질지 모른다고 두려워하던 멤버들에게, 그것은 모종의 구원이었다.

"그렇구나……. 더 큰 충성심을 보여드려야겠어."

"맞아, 노아. 그렇게 해야 해. ……그리고, 알고는 있었지만, 마도국 재상 알베도 님은 무서운 분이셔. 마도왕 폐하를 대신해 그 말씀을 하실 줄은 몰랐으니까……."

마지막 부분은 혼잣말처럼 되고 말았지만 충분히 들었던 동료들이 의아하다는 표정을 지었다.

알베도라는 악마도 심리를 읽기 어려운 상대지만, 그 순간만은 기이할 정도로 직감이 작용했다.

극한상황에 처하면서 뇌의 작용이 일시적으로 급격히 상승했던 것인지도 모른다.

그 직감이 속삭였다.

마도왕은 그나마 온화하지만, 알베도는 인간을 장난감으로밖에 보지 않는다고.

힐마는 자신들이 어떻게든 마도왕의 직할이 되기를 바랐다. 그분이라면 활약에 걸맞은 상을 내려주실 거야. 부조리하게 대하지는 않으실 거야.

"다들, 마도왕 폐하를 위해 더 노력하자."

힐마는 그곳에 있던 세 사람에게 말했다. 자신의 지금 생각을 공유하기 위해. 그다음에는 마도왕에게서 받은 과제에 협조를 청했다.

2장 **멸망의 시작**

Chapter 2 | Countdown to Extinction

1

리 에스티제 왕국 수도, 발란시아 궁전.

그곳의 한 공간은 현재 사람의 모임이 만들어내는 특유의 열기로 충만했다. 인원은 별로 많지 않지만 방 자체가 그리 넓지 않았으며, 무엇보다 그들의 진지함이 실내의 온도를 상승시키고 있다.

방의 중앙에는 직사각형의 테이블이 놓이고, 가장 상석에 앉은 것은 란포사 3세였다. 그 바로 오른쪽에는 제2왕자 자낙이 있었다.

그 외에 착석한 사람은 왕국의 각 부서를 담당한 상서(尙書, 장관) 등 중신들이었으며, 대부분이 고령이라 멋들어진 백발이나 흰 수염, 또는 빛을 반사하는 머리가 늘어섰다.

원래 같으면 왕을 제외한 전원이 자리에서 일어나 경의를 표하는 형식으로 회의를 시작해야 하지만 ——그것이 예의다——

그렇지는 않았으며, 나아가 전원의 앞에 놓인 컵에는 음료가 담겨 있었다. 이것은 이 회의가 오랫동안 이어지리라는 예측 때문이었다.

전원을 둘러보고, 준비된 것이 모두에게 배포되었음을 확인한 자낙은 목소리를 높였다.

"그러면 궁정회의를 시작하겠다. 이번 의제는 마도국의 선전포고에 관해서다."

'선전 포고'라는 강한 표현을 쓴 것은 모두가 긴장감을 가지고 이 회의에 임했으면 해서였다.

실제로 백발의 ──아버지와 비슷한 나이의── 내무상서는 누구보다도 떨떠름한 표정이라, 긴박한 상황에 깊은 의구심을 품은 것처럼 보였다.

자낙은 아버지의 옆얼굴을 흘끔 훔쳐보았다. 가장 걱정되는 것은 아버지의 판단이다. 과연 이 사태가 얼마나 위험한지를 충분히 이해하고 최적의 행동을 취해줄 것인가.

'그를 죽인 마도왕을 곱게 보지 않으실 테니…….'

전사장 가제프 스트로노프가 죽었음을 알았을 때, 아버지는 이성을 잃고 동요했다고 한다. 소생이 불가능하다는 설명을 들었을 때는 자낙도 함께 있었는데, 그때의 아버지는 전에 본 적이 없을 정도로 분노해 날뛰었다.

그 후 아버지는 단숨에 늙어버린 것처럼 보였다. 생기가 사라지고, 정말로 뼈와 가죽만 남은 인형이 된 것 같았다.

그만한 충격을 받았던 아버지가 불구대천의 원수인 마도국을 상대로 냉정한 판단이 가능할지.

'그럴 경우에는 내가━━━━━.'

자낙은 불안을 삼키며 각 상서들을 둘러보았다.

이번 의제는 며칠 전 마도국에서 사자가 찾아와 왕국 측에 마도국의 국새가 찍힌 정식 문서를 전달한 데에서 비롯되었다. 내용은 '마도국이 성왕국에 대한 지원의 일환으로 수송하던 식량을 왕국 사람이 무력으로 강탈했다. 이를 마도국에 대한 적대행위로 간주하고 선전 포고도 불사한다'는 것이었다.

게다가 여기에는━━ 마도국의 판단이 잘못되지 않았다고 찬동하는 나라의 국새까지도 찍혀 있었다.

사자에게는 왕국 측의 답신을 전달할 때까지 왕도 내에서 체류해 달라고 부탁했다. 보통 국가의 정식 문서로 답변을 한다면 1, 2주일 정도는 기다려주기도 한다. 하지만 이쪽의 뜻을 하나로 통일해 답변하려면 물밑 공작이나 조사 등을 위해 상당히 바쁘게 움직여도 시간이 부족할지 모른다.

"사자가 가져온 서면에 찍힌 여섯 개의 인장 중 두 개의 조사가 오래 걸린 점을 사죄드립니다."

고개를 숙인 것은 외무상서였다. 그는 국새상서도 겸해, 마도국의 판단에 찬성하는 나라의 국새를 조사하고 있었다.

"이미 알고 있던 것은 마도국, 제국, 용왕국, 성왕국 네 곳이었지요?"

재무상서의 질문에 외무상서가 고개를 끄덕였다.

"그렇습니다. 나머지 둘 중 하나는 드워프 나라의 것이었습니다. 드워프 풍의 도안이 가미되어 있어서 알아봤지만 200년 전의 서류에 찍힌 것과는 다소의 차이가 있었습니다. 그래서 리

블룸라슈 후작의 협조를 얻어 조사한 바, 역시 비슷한 인장이 확인되었으므로 아마 어느 시기에 국새를 다시 만들었다 보아도 틀림이 없을 듯합니다. 그리고 마지막 하나. 성왕국의 옆에 찍혀있던 인장입니다만, 이것은 '페이스리스'라는 별명을 가진 인물의 것이 틀림없을 것입니다."

"개인의 인장을 국새와 나란히 찍었단 말입니까?"

군무상서가 의아하다는 듯 물었다.

상서 중에서도 가장 젊은 자다. 자낙과 함께 평균연령을 낮추는 데 공헌했다고 해도 과언이 아닐 정도로 젊다. 그래도 40은 넘었다.

그런 그는 군무상서라는 지위에 오르기에는 너무나도 빈궁한 체구였으며, 신경질적인 얼굴은 굳이 따지자면 재무 방면에서 일하는 사람처럼 보였다.

원래는 가제프와 별로 사이가 좋지 않았던 ──정확하게 말하자면 그가 가제프를 싫어하는 기색을 보였던── 탓에 란포사에게 중용되지 않았던 인물이다. 그렇기에 궁정회의 같은 자리에는 결석이 잦았으며, 자주 접촉하지 않았기에 어느 정도의 능력을 가졌는지는 자세히 알 수 없었다.

다만 란포사의 협력자였던 레에븐 후작이 높이 평가하고 보장했을 정도였으니, 처세술은 둘째 치더라도 일은 잘할 것이다. 아니, 그렇지 않다면 상서가 될 리 만무했다.

"군무상서께서는 모르시는 듯합니다만, 원래 성왕국은 국새를 찍을 때 신관장── 신전의 인장도 찍는 경우가 많았습니다. 이와 같다고 보아야겠지요."

"……그렇다면 이제는 '페이스리스'가 신전 세력을 집어삼켰다, 혹은 신전 세력 이상의 권력을 가졌다고 암암리에 공표한 셈이로군."

"그렇지 않을까 하옵니다, 전하. 현재의 성왕이 즉위했을 때는 신전의 것이 찍혀 있었으니 그 이후에—— 그것도 급격히 힘을 키웠다는 뜻이옵니다. 그리고 '페이스리스'의 인장은 이제까지 본 적이 없었으므로 확증을 가질 수가 없었사오나, 성왕국의 국새 옆에 있었으니 틀림없다고 보아도 좋으리라 사료되옵니다."

"평의국과 법국 이외의 나라가 마도국에 찬동해 왕국을 비난했다면, 이것이 마도국의 모략이 아니라 사실이란 뜻이렷다."

"예, 폐하."

부왕이 피곤한 듯 한숨을 쉬었다.

"용왕국도 마도국에 굴복했는가."

"그렇다고 단언할 수는 없사옵니다, 폐하. 용왕국에서 무슨 일이 일어났는가 하는 정보는 들어오지 않았사온지라, 아마도 속았거나, 혹은 왕국의 편을 드는 것보다는 마도국에 붙는 편이 이익이 크다고 내다보았기 때문이리라 여겨지옵니다."

용왕국은 어디까지나 마도국에 찬동했을 뿐이며, 그 나라 자체가 어떻게 움직였다는 기척은 없다는 뜻이리라.

"그렇군. 알았네, 외무상서. 노고가 많았네. 그러면…… 내무상서. 왕국 내의 얼마나 많은 이가 이 내용을 믿는가?"

"예. 왕국 전체로 보자면 알 수 없사오나 궁정 내에서는 7할이 마도국의 음모라 판단하고 있사옵니다. 1할은 도적—— 일

2장 멸망의 시작 155

부 아무것도 모르는 평민들이 이처럼 어리석은 짓을 저지르지 않았겠느냐고 생각했나이다. 마지막 2할이 제삼국의 모략이 아닐까 보았습니다."

"흐음, 모략이라고 하면 왕국이 마도국의 힘을 깎아주기를, 혹은 마도국과 왕국이 사이가 틀어지기를 바랐다는 것이겠지. 그 경우에는 평의국이나 법국이 될 텐데."

"전하, 그것은 속단이 아닐는지요. 속국의 입장에서 벗어나고 싶은 제국의 모략일 가능성도 있나이다. 제국기사라면 수송대를 습격하는 정도는 아무것도 아닐 테니 말이옵니다."

그것도 그렇겠군. 자낙은 입 속에서 말을 굴렸다. 그렇다고는 하지만 그것이 만약 진실이라면 왕국은 이미 궁지에 몰린 셈이었다.

"──그건 불가능합니다. 사건 현장은 왕국 영내였고, 게다가 조서에 따르면 수십 명이 있었다지 않습니까. 제국이 됐든, 법국이나 평의국이 됐든 그만한 수의 병사를 은밀하게 끌고 올 수는 없습니다. 다만 이들을 안내한 자가 있거나, 혹은 왕국 내에서 도적 내지 용병을 고용했다면 가능하겠지요. ──어느 쪽이 됐든 왕국의 추태라 말하지 않을 수 없습니다."

군무상서는 타국의 병사가 왕국에서 모략을 펼치는 것은 불가능하다고 단언했다.

그 전투 이후 허술해진 국내의 치안 유지에 그가 노력을 기울였다는 것은 다들 안다. 이를 위해 상당히 신랄한 수완을 발휘했다는 것도. 그런 그이기에 자신 있게 단언할 수 있으리라.

"도적은 어렵다 쳐도 용병 정도는 잘 포섭해보고 싶습니다만,

금전적인 여유가 없으니 그럴 수도 없습니다."

"재무의 잘못이란 말씀입니까?"

"그런 말이 아니었습니다."

"그렇게밖에 들리지 않았다는 말씀을——"

"——재무상서, 군무상서. 말다툼을 삼가게. 지금은 그럴 시간이 없네."

왕의 말에 두 사람이 고개를 숙였다.

조용해진 실내에서 군무상서가 다시 말을 이었다.

"……하오나 누군가의 모략임에는 틀림없을 것입니다. 문지기들의 이야기를 종합해보았사오나, 수송대는 마도국의 깃발을 걸었고, 심지어 매우 실력이 뛰어난 용병의 호위를 받으며 왕도를 떠났다고 합니다."

마도국이 카체 평야에서 대학살을 저질렀던 사실은 왕국의 수많은 백성이 알고 있다. 그렇다면 그런 무시무시한 나라를 자극하는 짓을 할 사람이 왕국 내에 있을 리 없다.

그렇다면 어느 누가 그랬겠냐고 추측해봤을 때, 모든 가능성에 맞아 떨어지는 나라는 하나밖에 없다.

모두가 그 나라의 이름을 뇌리에 그렸을 것이다.

——마도국이다.

자작극으로 꾸민 책모라고 생각하면 모두 앞뒤가 맞는다.

수송대에 명령해 식량을 태우거나 폐기하게 만들고는 ——혹은 처음부터 아무것도 싣지 않고—— 있지도 않은 자들에게 습격당해 빼앗겼다고 생트집을 잡는 것이다. 그렇게밖에 생각할 수 없었다.

"자낙, 짧은 기간이기는 했다만 어디까지 조사가 되었느냐?"

"사실은…… 사건을 누가 일으켰는지까지는 알아냈습니다."

중신들이 놀란 표정을 지었다.

"……다만, 그렇기에 난감합니다. 너무 간단히 조사가 끝나 버렸기에, 이것이 무슨 음모가 아닐까 하는 망설임이 생겼습니다. 한층 자세히 알아보고자 하니 조금만 더 말미를 주실 수 있겠습니까?"

"물론 자세히 알아보아야겠지. 하지만 지금은 약간이라도 정보가 필요하다. 지금까지 알아낸—— 확실한 부분만이라도 가르쳐 주겠느냐?"

"예, 아바마마. 이제까지 알아낸 바에 따르면, 아무래도 필립 디든 리일 모차라스 남작이라는 인물과 그의 영민들이 범인인 듯합니다."

"모차라스?" "들어본 적 있나?" "남작과 영민이 습격을 해?" "그 전쟁에서 죽은 자들의 복수라도?" "그렇게까지 생각이 없을까?" "인간의 감정은 때로 놀랄 만한 폭발력을 낳는 법이잖나."

온갖 목소리가 중신들 사이에서 들려왔다.

그런 가운데, 대표로 입을 연 것은 사법상서였다. 매우 불쾌한 표정이었다.

"폐하…… 이것은 역시 마도국의 모략이 아닐는지요? 아무리 그래도 왕국의 귀족이 주체가 되어 그러한 짓을 저질렀으리라고는 생각할 수 없사옵니다."

"하기야. 마도국은 재판장에서도 〈인간종 매료Charm Person〉를 아무렇지 않게 사용하는 나라라지 않던가. 그렇다면 국가간의 관계에서는 있을 수 없는 지저분한 행위도 태연히 저지를 가능성이 있을 것이다. 예를 들면—— 그 남작에게 〈인간종 매료〉를 걸어 조종한 것은 아니겠느냐?"

과연, 그럴지도 모르겠다는 목소리가 여기저기서 들렸다. 그 뒤에 이어진 지적은 자낙도 자신의 실수를 후회할 만한 것이었다.

"그렇다면 서둘러 그 남작의 신병을 확보하는 편이 좋지 않겠느냐. 나도 자세히는 모른다만 〈인간종 매료〉라는 마법은 풀린 후에도 마법에 걸린 동안에 일어난 일을 기억한다지. 그렇다면 그 남작이 입막음을 당할 수도 있다."

자낙이 가진 마법에 관한 지식은 그렇게까지 풍부하지 않다. 그러므로 이런 초보적인 실수를 저지르고 만 것이다.

"그 남작을 속히 소환해 신병의 안전을 확보하는 것과 동시에 무슨 일이 있었는지를 조사해야만 한다."

"——아바마마."

자낙은 말하고 싶지 않았지만 말하지 않을 수 없겠다고 각오하고 입을 열었다.

"진상이 해명된 날에는 그 남작의 머리를 선물로 삼아 마도국과 교섭하시겠습니까?"

"무슨 소리를 하느냐."

아버지의 날카로운 눈빛이 자신을 꿰뚫어본다. 이렇게까지 말라비틀어진 노인이 되어서도 왕이라는 중책을 오랫동안 짊어졌던 사내는 다르다고, 솔직하게 칭송하고 싶어질 만한 기백이 넘쳐났다.

자신은 이만한 위엄을 갖출 수 있을까? 하지만 물러날 수는 없었다.

만일 이것이 마도국의 음모였다 해도 상대가 마련한 전장에서 싸우는 데에 과연 이점이 있을까? 결국은 '음모다', '음모가 아니다'의 말다툼이 되어 전면전쟁에 돌입할 우려가 있다. 그러느니 발단이 된 귀족의 머리를 바치고 사태의 진정을 꾀하는 편이 현명하다.

지난 전투에서 그만한 힘을 보여주었던 상대와 싸우다니 너무나도 어리석은 짓이다. 전쟁이 벌어질 경우, 당시의 참극을 아는 봉건귀족들이 협조적으로 병사를 제공하리라고는 도저히 생각할 수 없었다.

만일 병사를 제공한다면, 그것은 그들에게도 위험이 닥쳐왔을 때일 것이다.

"아바마마, 저는 마도국과 싸워서는 안 된다고 생각합니다."

"그러기 위해서라면 죄 없는 귀족을 제물로 바쳐도 상관없고? ——그것이 차기 국왕으로서 할 말이겠느냐, 아들아? 잘 생각해서 대답하거라."

자낙은 입술을 핥고 대답했다.

"어떤 말씀을 하시더라도 저의 대답은 변함이 없습니다. 많은 희생을 치르기 전에 소수의 희생으로 그치도록 하는 것도 중요하다고 생각합니다."

"그래서는 앞으로 마도국이 우리에게 무슨 짓을 저지를 때마다 충신의 머리를 바쳐야만 한다. 알고서 하는 말이더냐?"

"알고 있습니다. ……그래도 저와 달리 아바마마는 카체 평야의 참극을 직접 보셨을 겁니다. 그러면서도 마도국과 싸울 수밖에 없는 길을 걸으시겠다는 겁니까?"

"음."

부왕은 단 한 마디의 신음을 흘리고 입술을 굳게 다물었다. 자낙은 더 밀어붙이겠다는 양 말을 이었다.

"저는 반대합니다. 되풀이하겠습니다만, 그런 나라와 싸우는 것은 피해야 한다고 생각합니다. 죄 없는 귀족을 바쳐서라도."

차기 국왕으로서 한심한 모습을 보이는 행위인지도 모른다. 나약하다고 손가락질을 당하고 신하의 충성심을 잃는 수도 있다. 그러나 자낙은 이 방법이야말로 왕국의 존속으로 이어진다고 믿었다.

"……폐하. 저는 전하의 생각을 지지하옵니다."

찬동해준 이는 내무상서였다. 다만 그는 조금 더 파고들었다.

"전하. 많은 백성을 지키고 싶으시다는 마음은 뼈아플 정도로 이해하옵니다. 그렇다면 차라리—— 마도국의 속국이 되는 것은 어떻겠나이까?"

내무상서의 말에 "무슨 소리요!" "부끄러운 줄 아시오!" 하는 목소리가 중신들 사이에서 솟아났다. 그들에게는 눈길조차 주지 않고 내무상서는 똑바로 부왕을 바라보았다.

매국 발언이라 간주할 수도 있는 의견에 부왕은 조용히 웃었다.

"그것은 더욱 불가능한 의견이라네. 과거에 왕국을 섬겼던, 그리고 죽어갔던 자들의 충성을 배신하는 행위일세. 그들에게 어떻게 고개를 들겠는가. 미안하네, 백작. 충언에 감사하네."

"당치도 않사옵니다."

자낙이 보기에 두 사람은 눈빛으로 그 이상의 대화를 나누는 듯했다.

자신에게 이만한 충신이 생길 수 있을까.

아버지는 자비롭지만 그뿐이다. 하지만── 아니, 그렇기에 보좌하는 인재가 풍부하다. 자신보다도 뛰어난 자를 모으는 데에 탁월한 것이다. 예를 들면 그 사람, 전사장── 가제프 스트로노프처럼.

형보다도 자신이 왕이 되는 편이 낫다고 생각했다. 형은 여덟 손가락, 그리고 귀족파의 꼭두각시가 되어 왕국을 통치하고 돼먹지 못한 짓을 저지를 것 같다는 걱정이 있었다. 그러므로 레에븐 후작과 힘을 합쳐 왕좌를 차지하거나, 혹은 힘 있는 대공이 되어 장래에 대비할 생각이었다.

하지만 지금은── 여동생 같은 지혜도 없고, 아버지 같은 카리스마도 없는 자신이 왕이 되어봤자 더 나은 왕국을 만들 수 있을 거라는 생각이 들지 않기 시작했다.

그렇다면 자신이 바뀔 수밖에 없겠지만, 이 나이가 되어서 그리 쉽게 성격을 바꿀 수도 없고, 바뀔 것 같지도 않았다. 아마도 죽을 때까지 이 성격 그대로겠지.

"──군무상서. 어디까지나 참고삼아 묻고 싶은데, 어떻게 하면 마도국과 싸워서 이길 수 있겠나?"

"그 전에 어느 나라와 동맹을 맺으시겠습니까? 우리 나라 혼자 싸우는 겁니까?"

자낙, 란포사 3세, 외무상서가 시선을 나누고 자낙이 대표로 대답했다.

"평의국과의 동맹은 별로 진척이 없네. 예전부터—— 그 전쟁이 끝난 후로 교섭은 해왔지만 좋은 형태로 동맹을 맺지는 못했어. 마도국과의 사이가 더 험악해진 걸 알면 거절당할 확률이 높아지겠지."

"그렇습니까……. 그러면 전하, 다음은 매우 실례되는 질문이오나, 이긴다고 하는 것은 어떤 상태를 말씀하시는 것인지요? 한번 부딪쳐서, 상대를 격퇴하면 충분한 것입니까? 아니면 마도왕을 죽이는——이 아니라 멸하는 데까지입니까? 만약 후자라면 전혀 감도 오지 않습니다."

"……군무상서. 그것이 아니라 상대가 병사를 퇴각시키는 정도로 충분하다면?"

"그렇군요……."

신음하며 생각에 잠긴 군무상서가 고개를 꼬며 말했다.

"우선 엄청난 행운이 우리의 편을 들어준다 치고, 예를 들면 마도국이 에 란텔에서 왕도로 진군할 동안 군세를 크게 우회시켜 에 란텔로 쳐들어가 그대로 점거해버리면, 무언가 달라질 수 있을지도 모릅니다."

"그 삼중성벽을 뚫으라고……?"

"예, 전하. 그럴 만한 대병력이 마도국의 감시망을 뚫고 진군하는 것입니다. 그야말로 행운이 우리의 편을 들어주지 않는 한 무리입니다. 물론 모든 것이 잘 풀린다 한들, 그 가공할 마법을 태연히 구사하는 마도왕이 에 란텔에 남아있기만 해도 이 작전은 실패합니다."

반대로 그 이외의, 행운이 편을 들어주지 않는 상황에서는 이길 수 없다는 뜻이리라. 아버지에게도 그런 의도가 전해졌을까.

"그렇다면 마도국이 확실하게 선전 포고를 해주지 않을 경우에는 끝장이군. 기습을 당하거나, 병력을 모을 시간이 없으면 그것조차 불가능해."

선전 포고란 국가 사이의 관습이며, 신사협정 같은 면이 있다. 말하자면 하나의 예의다.

이것은 선전 포고를 해 주변 국가에게 '우리 나라는 예의를 존중하는 나라'라고 선전하는 의미가 있기 때문이다. 이를 하지 않으면 야만적인 나라로 간주되어, 장래의 외교에서 큰 마이너스가 된다.

그렇기에 이 예의라는 것은 종족이 다르면 무시되는 것이 일반적이다. 단, 종족이 서로 다른 국가라 해도 그 나라가 생겨난 이후의 역사나 주변 국가와의 관계 ——다시 말해 그동안 쌓아 온 것들—— 등에 따라 달라진다.

그러면 이 경우, 산 자를 증오하는 언데드에게 지배당하는 나라는 어떻게 될까. 선전 포고를 해줄 가능성은 있을까.

"——아바마마. 보다시피 전쟁이 벌어지면 승산은 희박할 것입니다. 그렇다면 적은 희생으로 벗어날 노력을 해야만 하지 않겠습니까?"

"적은 희생이라……."

"예, 아바마마. 당장 남작을 소환해 전후사정을 들어야 합니다. 그 후 가차 없이 모든 책임을 전가해 목을 베어버리시지요."

"……그만두어라, 자낙. 남작을 불러 사정을 듣는 것은 좋다. 그러나 그가 무고하거나, 혹은 그에 준하는 무언가가 있을 경우 그런 짓을 해서는 안 된다. 내게 좋은 생각이 있다."

"좋은 생각……이라고요? 그것이 대체 뭡니까?"

부왕은 잠자코 고개를 가로저었다.

그 모습을 본 자낙은 좋은 생각이란 거짓말일 것이라고 판단했다. 만약 정말로 있다면 말하면 그만이다. 남작을 살려 둘 가치를 설명하지 못하기에 거짓말로 얼버무리는 것뿐이리라.

자낙은 실망과 함께 자신이 해야 할 일을 생각했다.

'역시 아무리 생각해도 이대로는 왕국의 미래가 어두워. ……
강경책을 쓸 수밖에.'

일단 문제의 남작에게 모든 책임을 떠넘겨야 한다.

애초에, 확률만 낮을 뿐. 그 남작이 모든── 제약의 근원일지도 모르는 노릇 아닌가. 어쨌거나 그런 사실만 있으면 문제는 해결된다.

하지만 범인으로 내세울 방법이 떠오르질 않았다. 왕도에 오기 전까지 살해하고 모든 것을 그의 책임으로 만들어버리는 것은 어떨까. 그렇게 하면 아버지도 수긍할 수밖에 없지 않을까.

'아니면── 그거지.'

부왕이 반대해도 자신의 뜻이 관철되도록 만들면 그만이다. 이 사건을 들었을 때 이미 이런 사태가 일어나지 않을까 예상했다. 그렇기에 어떻게 하면 좋을지를 생각하고 내린 답이 하나 있다.

찬탈이라는 이름의 대죄.

조금만 더 있으면 아무것도 하지 않아도 손에 넣을 수 있는 왕위를 그러한 수단으로 얻을 경우 많은 불이익이 따른다. 이점이라고는 기껏해야 이번 문제에 대한 것뿐.

그렇다면 찬탈은 어리석기 그지없는 행위다. 하지만 이대로 두면 왕국에는 미래가 없다.

최소한 이곳에 있는 중신들의 찬성만이라도 얻어야 한다. 그리고 여동생에게 부탁해 그 남자── 브레인 앙글라우스만이라도 빌려와야만 한다. 브레인만 있다면 무력 면에서는 꿀릴 리가 없다.

'──아~ 속 터지네! 내가 왜 이런 꿍꿍이를 꾸며야 하냐고! 마도국만 없었더라면! 그런 괴물 같은 힘을 가진 언데드가 없었다면!'

마도국이 없었다면, 제국과의 전쟁에서 나대지 않았으면 지금쯤 형이 왕이 되었을지도 모르지만, 왕국이 이렇게까지 낭떠러지에 몰리지는 않았을 것이다.

자낙은 마음속으로 불평불만을 쏟아냈다.

그때 문을 두드리는 소리가 들렸다.

자낙은 불길한 예감이 들었다.

중요한 회의장에 황급히 찾아왔다는 것은 어지간히 급한 볼일이라는 뜻이다. 실제로 노크 소리도 거칠었다.

이런 용건은 대개── 아니, 틀림없이 좋지 못한 일이다. 그런 예감이 들었다.

자낙이 대표로 입실을 허가하자, 아니나 다를까, 한 기사가 허둥지둥 들어왔다.

"마도국에서 전령이 도착했습니다. 마도국 재상 알베도 님이, 앞으로 2시간 내로 왕도에 도착할 것이라고 합니다!"

예전에 만났을 때는 수호자 총괄책임자라는 뭔지 모를 직책을 가졌다고 들었는데, 지금은 재상이라는 알기 쉬운 지위에 오른 모양이다. 그런 인물이 왔다는 것은, 예감이 맞았다는 뜻일까.

——아니, 그게 아니다.

역시 예감은 빗나갔다. 좋지 않은 일이 아니라—— 최악의 사태다.

'그런데—— 무슨 볼일로 왔지?'

국새가 찍힌 정식 문서를 가져왔던 마도국 사자는 이미 이 궁전에 없다. 하다못해 성 내의 한곳에 머물러주었으면 했지만 아무리 그래도 언데드를 체류시킬 용기는 없었다. 그러므로 귀족 거리에 있는 한 저택을 내주었다.

사자의 안전을 확보한다는 명목으로 저택 주위에는 병사를 배치하고 슬라임 새 나올 틈도 없는 경계망을 펼쳤으나, 마도국과 연락을 취하는 기미는 없었다.

그렇다면 마법적인 연락을 취했거나, 아니면 사자가 돌아오지 않아도 내방할 예정이었거나 둘 중 하나.

게다가 마도국을 떠날 때가 아니라 이 근처에 도착해서야 전령을 보냈다는 기행은 무엇을 뜻하는가.

'그렇다고는 하지만—— 느닷없이 선전 포고를 하지는 않을 듯하군.'

만약 이것이 선전 포고였다면, 무슨 일이 일어날지 알 수 없는 적진까지 최고위에 버금가는 인물이 직접 찾아오지는 않았을 것이다.

왕국이 타국에서 온 사자인 그녀를 해치지는 않을 거라는 어수룩한 생각을 해서일지도 모르지만, 위험이 조금이라도 예측되는 장소에 찾아올 정도로 생각 없는 인물은 아니었던 것으로 기억한다.

"만나겠다. 즉시 옥좌의 방을 쓸 수 있도록 준비하라."

"예!"

부왕의 명령을 받들고 기사가 방을 나갔다.

타국의 중요인물이라고 해서 느닷없이 찾아와놓고 당일에 왕과 면회를 가질 수는 없다. 하지만 이 상황에서 마도국 재상에게 '회담은 며칠 후'라고 어떻게 말하겠는가.

"모두, 미안하네만 서둘러 정장으로 갈아입고 모여주겠나?"

왕의 말에 자낙을 포함한 중신 일동이 고개를 숙였다.

*

사자를 환영하기 위한 옥좌의 방——옥좌가 놓인 홀은 용도에 따라 여러 곳이 있다——은 그리 넓지는 않지만 그래도 환영 준비를 하려면 나름대로 시간이 필요하다. 하지만 천천히 안내를 시켜주면서 ——지연전술은 아니지만—— 마도국 재상인 알베도가 도착할 때까지 충분한 시간을 확보해, 옥좌의 방을 준비한 다음, 중신들은 식전용 의복을 착용하고 모일 수 있었다.

갓 따온 꽃의 향기가 방에 퍼졌다.

자낙에게는 풋내처럼 느껴질 뿐인데, 라나의 표현을 빌자면 '오라버니는 코가 막히셨나봐요'라고 한다.

각자가 뿌린 향수 같은 것이 있으니 꽃꽂이를 할 필요는 없으리라 생각하지만, 자낙도 활짝 핀 꽃의 아름다움 정도는 이해한다. 다만 조화여도 괜찮지 않았을까 싶기는 했다. 전례가 없었으므로 이렇게 하는 것뿐이다. 가짜 꽃으로 맞이했다는 행위를 사자가 오해해 환영하지 않은 것이라고 받아들이면 뒷감당이 안 된다.

이런 매너는 종족마다 달라 같은 행위여도 반응이 달라질 수 있다. 그렇다면 인간 이외의 종족이 다수 존재하는 평의국은 이런 문제에 어떻게 대처하고 있을까?

자낙이 멀거니 그런 생각을 했던 것도, 입실한 마도국 재상 알베도의 뿔과 날개를 보았기 때문이었다.

마도국 재상인 그녀의 어둠이 감도는 듯 요염한 미모는 그때로부터 조금도 쇠하지 않아, 가증스러운 마도국의 중진이라는 점을 잊어버리게 할 정도였다. 연인이 있는지 없는지는 모르겠지만 그녀 하나를 두고 국가가 분쟁을 벌일 만한 미녀.

그것이 마도국 재상 알베도다.

미모에 마음이 흔들린 감탄의 한숨이 곳곳에서 들려왔다. 목소리를 낸 것으로 여겨지는 몇몇 귀족이 찬미 어린 시선을 보내는 것을 알 수 있었다.

수많은 인간을 순식간에 포로로 만든 미모에 살짝 떠오른 미소는 마치 자애로운 어머니와도 같았다. 인간은 이토록 매력적인 미소를 지을 수는 없을 것이다.

자낙의 여동생인 라나도 아름답지만, 지금은 알베도의 아름다움이 그 이상이라는 생각이 들었다.

다만, 드레스만은 이질적이었다.

얇은 분홍색 드레스는 무도회였다면 더할 나위 없이 잘 어울릴지 몰라도 이러한 자리에는 맞지 않았다.

그렇다고 해서 잘못 입고 왔을 리는 없다. 의도적일 것이다. 그렇다면 여기에 담긴 의도는 무엇일까.

자낙은 여성의 드레스에 담긴 의미 따위 알지 못한다. 어쩌면 여동생은 무언가 알 수도 있겠지만, 그녀도 귀족 여성치고는 조금 이질적이다. 몸단장하는 데 관심이 없다는 것은 돈이 들지 않는다는 의미이므로 자낙의 입장에서는 호감도가 높지만.

자낙은 여동생을 흘끔 훔쳐보았다.

평소 늘 입는 드레스와는 다른 식전용 드레스를 착용했다. 다만 지난번 알베도를 환영했을 때에도 저것이 아니었던가.

경시당할 테니 제발 그러지 말라고 하고 싶었다. 그래도 알베도의 드레스보다는 나았다.

라나가 입은 것이 지난번과 같은 드레스라는 사실을 알아차린 중신 몇 명이 난처한 분이라는 반응을 언뜻언뜻 내비쳤지만, 그것이 전부였다.

"그간 격조했소, 알베도 경."

란포사의 목소리에 몇몇 귀족이 제정신을 차린 듯한 몸짓을 보였다. 알베도의 미모에 마음을 빼앗긴 자들이다.

"저희야말로 격조하였습니다, 폐하."

미모에 어울리는 아름다운 목소리로 대답한다. 등줄기는 똑바로 편 채, 머리 높이는 조금도 흔들리지 않았다. 그때와 똑같다. 부드러운 태도와는 달리 인간 따위에게는 고개를 숙이지 않겠다는 오만한 의사를 느꼈다.

"별고 없으셨던 듯하여 기쁘오."

"폐하께서도."

서로 웃음을 나누는 모습은 우호적으로밖에 보이지 않는다.

"별로 시간도 없으니 본론으로 들어가지. 이번에는 무슨 일로 왕림하셨소?"

"예. 지난 사건—— 우리 나라가 성왕국을 구제하기 위해 운반 중이던 식량을 귀국의 누군가가 탈취한 건 때문입니다."

웃음을 머금고 말할 만한 내용은 아니었음에도, 그녀의 표정은 조금 전부터 전혀 달라지지 않았다.

반면 부왕은 옥좌에서 일어나 입을 열었다.

"그렇구려. 그 건이라. 일단은 왕국 백성의 행위를 사죄하고 싶소."

아버지가 깊이 고개를 숙인다. 일국의 왕이 상대의 말을 그대로 인정해버렸다. 외교상 이것은 절대 좋지 않다. 눈 뜨고도 코를 베이는 외교의 세계에서 자국의 잘못을 인정하는 것은 큰 마이너스다.

게다가 일국의 왕이 사죄하는 것은 위험하다. 국가가 전면적으로 죄를 인정하는 것과 마찬가지.

이래서는 마도국의 요구를 전면적으로 받아들여야 할 것이다. 아니——.

'전면전쟁을 피한다는 의미에서는 좋을지도 모르지. 하지만 마도국이 남작의 목을 요구한다면 어쩔 수 없이 넘겨주실까?'

그러나 조금 전 아버지의 발언으로 보자면 그것은 생각할 수

없다. 만약 여기까지 와서 마도국의 요구를 거절하려면 이 사죄
는 아버지가 아니라 자낙이 해야 했다. 일국의 왕과 왕자는 말
의 무게에 큰 차이가 있다.

그런 생각을 하던 자낙은 이어지는 아버지의 말에 눈을 크게
떴다.

"그리고…… 내 목 하나로 용서해주실 수 있겠소?"

아버지가 그 말을 입에 담은 순간 실내의 분위기가 순식간에
얼어붙었다.

경악이 떠나가고, 자낙은 자신을 진심으로 부끄러워했다.

이것이야말로 아버지가 숨겨놓은 카드였던 것이다.

사건의 규모에 따라서도 다르겠지만, 이번 건의 경우, 사죄의
징표가 국왕의 목이라면 수긍할 수밖에 없다. 아니, 그 이상의
요구를 한다면 상대야말로 도량이 좁다고 비난을 받을 것이다.

그리고 아버지는 자신의 목숨으로 대가를 치르는 것을 고통으
로도 여기지 않는다. 죽고 싶어 해서가 아니다. 왕국을 위해서
라면 자신의 목숨조차 내놓을 수 있다는 왕의 긍지였다.

아버지야말로 진정한 왕이다.

무른 면이 있는 것도 사실이다. 그러나 자신은 그런 아버지를
과연 가볍게 보지 않았을까?

"물론 마도국이 잃은 식량은 왕국에서 배상할 것이며, 양을
두 배로 하여도 상관없소. 거기에 내 목을 더하면 어떻겠소, 알
베도 경?"

"쿠——"

알베도의 웃음이 짙어졌다. 미녀가 웃었을 뿐인데도 기이할

정도로 두려웠다.

"——후후후후. 내가 조금…… 아주 조금, 잘못 짚었던 것 같아, 란포사 3세."

알베도의 시선이 움직여 여동생을 본 듯했다.

"그 남자를 잃어서? 아니면 또 다른 이유로? 거기 있는……"

이어서 시선은 자낙을 향했다.

"자제분이 우수하다는 것을 알고 변한 걸까?"

"변하지 않았다고 생각하오만……."

"변했어. 이제까지의 당신이라면 그런 선택은 하지 않았을걸. ……여러 가지 요인이 있었기에 그랬을지도 모르지. 하지만 근본적인 부분은 크게 바뀌진 않은 걸까? 아무튼 상관없어. 뭘 어떻게 해도 우리의 대응은 달라지지 않으니."

알베도의 분위기 변화가 지나치게 이질적이라 깨닫는 것이 늦어졌지만, 그녀는 이미 일국의 왕에 대한 예의를 내팽개치고 있었다. 설령 남의 나라라 해도 국가의 정점인 왕을 대하는 태도가 아니었다. 하지만 자낙은 신기하게도 그 모습이 더 어울린다고 생각했다. 원래 왕국의 국왕과 마도국의 재상이라는 관계성 자체가 이질적인 것이다.

인간과 악마.

이 구도야말로 가장 자연스럽다.

그래서일까. 알베도는 아무도 불쾌감을 말로 드러내지 못하는 압력 같은 무언가를 뿜어내고 있었다.

그러나 그것도 한순간이었다. 악마는 다시 마도국의 사자라는 껍질을 뒤집어썼다.

알베도는 좌우에 도열한 중신들을 둘러보고 목소리를 높였다.

"마도국은 왕국에게 선전 포고를 하겠습니다. 병력을 움직이는 일시는 지금으로부터 정확히 1개월 후의 정오! 단, 그쪽이 먼저 에 란텔—— 마도국 영내에 병사를 진군시킬 경우에는 예외입니다."

"기다리시오!"

"기다릴 마음은 없습니다. 자, 이로써 제가 해야 할 일은 끝났군요. 마지막으로 폐하——"

"——이러려고 모략을 펼쳤던 거냐."

중신 중 한 사람의 노기 어린 목소리를 듣고 알베도는 눈을 가늘게 떴다. 여기에 깃든 감정은 분노였으리라.

"마도왕 폐하의 말씀을 전하려는 나의 말을 가로막다니——인간. 한 달 후를 못 참고 지금 죽겠어?"

목소리를 냈던 중신의 얼굴이 금세 새파랗게 질렸다. 알베도는 딱히 목소리를 높인 것도, 무언가를 했던 것도 아니었다. 그럼에도, 때로는 병사들을 대동한 봉건귀족의 위협을 받은 적도 있었을 사내가, 아름다운 여성 하나의 시선에 표정을 바꾸고 있었다.

"……후우. 마도왕 폐하의 나머지 말씀을 전하겠습니다. 『그때와 같은 대규모 마법을 사용할 마음은 없으니 차분히 즐겨보도록 하지』. 이상입니다."

이때 알베도는 처음으로 곤혹스러운 표정을 지었다.

"모략이라고 하셨으나, 솔직히 이번 건은 저희로서도 예상 밖

이었습니다. 어째서 이렇게 되었는지 저희가 알고 싶을 지경입
니다."

알베도의 표정이나 목소리는 너무나도 진지해서 거짓이 아닌
것처럼 여겨졌다. 물론 그 자체가 연기일 가능성도 매우 높지만.

"……우리 나라의 모략이라고 생각하시고 싶다면 그렇게 생
각하셔도 문제는 없습니다. 역사는 승자가 만드는 것. 여러분의
생트집 따위 모두 짓밟아버리면 그만이니까요."

마도국의 태도가 보였다.

전쟁을 피하겠다는 생각 자체가 헛수고였던 것이다.

마도국은 전쟁을 시작해 영토를 빼앗는 것이 목적이 아니라,
왕국을 완전히 멸망시켜버릴 심산이었다. 이제 전쟁은 피할 수
없다. 한 달 후, 마도국의 언데드 군단이 왕국으로 진격을 개시
할 것이다.

"배웅은 사양하겠습니다. 여러분에게 남은 소중한 시간을 빼
앗을 마음은 없습니다."

알베도는 하고 싶은 말을 모두 마쳤다는 태도로 우아하게 돌
아서더니 등을 보이고 걸어나갔다.

그녀를 이대로 무사히 돌려보내는 것이 왕국에 이익이 될까.

재상이라는 지위에 있는 여성을 죽이면 마도국의 정치가 일시
적으로 혼란에 빠져, 전쟁을 시작할 여유가 사라지지는 않을까.

하지만 너무나도 당당한 뒷모습에 망설임이 들었다.

자낙이 그러는 동안, 아무에게도 제지를 받지 않은 채 알베도
는 방을 나갔다.

문이 닫히고, 알베도의 모습이 그 너머로 사라진 후에야 자낙

은 아버지에게 말했다.

"어떻게 할까요? 쫓아가서…….."

"그런 짓은 하지 마라. 사자를 살해하는 일이 생긴다면 잘못은 완전히 우리 나라에 있는 것이 된다. 어느 나라도 도와주지 않을 것이다."

두통이 온 것처럼 이마에 손을 짚은 부왕이 힘없는 목소리로 대답했다. 자낙에게는 아버지가 조금 전보다도 더 늙어버린 것처럼 보였다.

"폐하, 폐하께서 목숨으로 사죄하시려 했다는 사실을 각국에 전하고자 하옵니다."

"……음. 부탁하네, 외무상서. 이로써…… 최악의 경우."

"최악의 경우라는 말씀은 하지 마시옵소서. 마도왕의 군세를 물리치면 그만일 뿐이옵니다."

"음, 과연. 그렇구나."

외무상서의 말에 아버지의 표정이 조금 밝아졌다. 다만 그가 지은 웃음은 슬픈 웃음이었다.

"자낙, 라나. 할 말이 있다. 나중에 내 방으로 와주지 않겠느냐? 그러면 모두, 미안하네만 1시간 후에 다시 모여 한 달 후를 대비한 의논을 시작하세."

중신들이 고개를 숙였다.

시종장과 함께 퇴실하는 아버지를 지켜본 후, 자낙은 라나와 함께 방을 나왔다.

밖으로 나가자 브레인과 클라임 같은 라나의 경호병이 기다리고 있었으나, 라나가 자기 방에서 기다리고 있어달라고 하자 그들은 자낙과 라나가 떠나가는 모습을 지켜보았다.

라나와 나란히 복도를 걸었다.

"그런데 동생아. 아버지가 대체 왜 우리를 부르셨을 것 같냐?"

"네. 오라버니가 하신 생각대로라고 봐요."

"그렇구나. 알베도 경이 가져온 맛있는 과자를 나눠주시려는 거구나."

"네! 역시 오라버니. 저도 분명 그럴 거라고 생각해요!"

째릿 노려보자 태연한 표정으로 웃음을 짓는다. 정말로 감당이 안 되는 여자다.

"너는 어쩔 거냐?"

"음~."

턱에 검지를 대고 고개를 갸웃한다. 자낙은 여봐란듯이 큰 한숨을 내쉬었다.

"오빠에게 그렇게 귀여운 척해봤자 아무 의미도 없다. 클라임에게나 해줘. 그놈이라면 쉽게 속을 테니."

"너무하시네요, 오라버니. 그건 다음 기회에 꼭 해보기로 하고—— 저는 그럴 생각은 없지만, 오라버니야말로 어떻게 하실 건가요?"

"나야 뭐, 도망치고 싶지. 하지만 도망칠 수도 없잖냐. 어차피 마도국에서 추적자가 올 거고."

"그건 저도 마찬가지일걸요?"

신분이 다른 남자와 맺어지기 위해 일부러 자낙과 손을 잡았던 여자 치고는 너무 포기가 빠르다 싶었다. 좀 더 삶에 집착하며, 내일이라도 왕궁을 나갈 예정이라고 대답할 줄 알았다. 마도국에서는 벗어날 수 없다는 체념이라도 있기 때문일까.

흘끔 훔쳐본 라나의 얼굴에서는 그러한 감정을 파악할 수 없었다.

둘이 함께 아버지의 방에 들어가자, 처음으로 날아온 말은 역시 예상했던 그대로였다.

"자낙, 라나. 너희는 모두 이곳에서 도망치거라. 너희는 아직 왕자와 왕녀다. 이 나라와 운명을 함께할 필요는 없다."

둘이 얼굴을 마주 본 다음, 대답했다.

그럴 마음은 없다고.

아버지는 기쁜 듯, 슬픈 듯한 표정을 지었다.

"그래……? 그러나 아직 시간은 있다. 너희의 마음이 바뀐다면 즉시 말해다오."

변하지 않으리라고 생각하지만, 사람의 마음은 바뀌기 쉽다.

자낙은 아버지에게 슬쩍 고개를 끄덕였다.

옆에서 라나 또한 마찬가지로 고개를 끄덕이고 있었다.

2

브레인이 집으로 돌아오자 그의 모습을 본 아이들이 달려왔다.

"아찌, 어서 와!"

"아찌, 아찌!"

열 명 정도의 아이가 브레인에게 우르르 달라붙는다. 사내아이가 아홉, 여자아이가 하나였다. 이 아이들은 원래 고아다. 소질이 있다고 여겨지는 아이들을 자택에서 먹이고 재우며 검을 가르쳐주고 있다.

괴로운 생활환경 탓인지 그들은 폭력의 중요성을 충분히 이해했으며 엄격한 수련도 잘 따라왔다. 그렇다고는 해도 아직 병아리였으며, 브레인이 바라는 영역에까지 도달할 수 있을지는 알 수 없다. 하지만 이대로 꾸준히 단련하면 클라임 수준까지는 갈 것이다.

아이들에게서는 모두 땀내가 났다. 하지만 불쾌하지는 않다. 브레인도 훈련을 하면 그렇게 되고, 이것은 그가 보기에는 노력했다는 증거였으므로.

"이 녀석들. 검술 연습은 끝났냐?"

"휴식——."

"엄청——."

"팔이——."

저마다 떠들어대는 바람에 그들이 무슨 말을 하는지 전부 다 파악하기는 상당히 어렵다. 하지만 연습이 끝났다는 것은 이해했다.

"그럼 잠깐 떨어져서 쉬고 있어. 쉬는 것도 다 수련이라고 그랬지?"

아이들이 입을 모아 동의했다.

"조금 이따가, 이번에는 내가 가르쳐주마. 그때 피곤해서 움직이지 못하겠다고 하지 말고."

다시 아이들이 입을 모아 알았다는 뜻을 보였다.

"좋아! 물도 충분히 마셔야 한다. 그리고 땀 흘렸으니 염분도 잊지 말고!"

일부 아이들이 다 알고 있다느니, 아찌는 잔소리가 많다느니 떠들었지만 대부분은 고분고분 대답했다.

"좋아, 그럼 다들 가봐. 아참, 그 전에 그 친구들은 지금 어디 있냐?"

"뒤뜰에."

가장 나이 많은 소년이 대표로 가르쳐주었다.

"그래."

브레인은 짧게 대답하고, 아이들과 헤어져 뒤뜰로 갔다.

아이들은 집으로 들어갔다. 안에서 준비를 하고 기다리는 노부부가 식사를 챙겨주면 그 후에는 한숨 잘 것이다.

잘 움직이고, 잘 먹고, 잘 잔다. 그렇게 해야 튼튼한 몸이 만들어진다.

브레인은 만족스럽게 고개를 끄덕였다.

"기다리고 있었습니다."

뒤뜰로 나간 브레인에게 여성이 말을 걸었다.

"응, 미안해. 공주님 따라다니면서 귀족이랑 상인들한테 사전 공작 하고 오느라 좀 많이 늦었어."

그곳에 있던 것은 두 명의 남녀였다. 아이들에게 검술을 지도해주고 있었던 것이다.

브레인에게 말을 건 여성은 머리카락을 틀어올려 경단 같은 모양으로 뭉쳐놓았다. 남방의 '마게' 라는 헤어스타일이라고 한다.

고운 얼굴은 미인이라기보다는 냉랭하다거나 예리하다는 인상이 강하게 들었다. 키는 그리 크지 않아 여성의 평균 신장을 밑돌 것이다.

또 한 사람은 입을 꾹 다문 남자였다.

무뚝뚝하며, 기분이 언짢아 보이지만 결코 그렇지는 않다. 브레인에게 한쪽 손을 들어 인사를 대신했으므로.

그는 단순히 말을 하는 것이 서툴 뿐이었다. 실제로 그가 말하는 목소리를 몇 번 들었는데, 모기 울음이라는 표현이 어울릴 정도로 작았다.

남자는 키가 크지 않고 다리가 짧았으며 체격은 다부졌다. 드워프의 피가 흐른다는 소문이 있는 것도 어쩔 수 없다는 생각이 든다.

두 사람 모두 베스처 클로프 디 로판이라는 검사가 연 도장의, 6대 고제(高弟)로 손꼽히는 자들이었다.

브레인은 개인적으로는 그들의 지도를 솔직히 받아들이기가 힘들었다. 이론적인 도장 검술보다는 실전검술이 낫다는 생각이었다. 휘두르기 연습을 수백 번 하느니 진검——모조검이어도 좋다——으로 대련을 해보라는 것이었다. 몸을 단련하는 이상으로 경험을 쌓는 편이 도움이 된다고 믿었다.

하지만 그들은 기술을 연습하고 충분한 밑바탕을 쌓은 후 실전에 임하는 편이 죽을 가능성이 줄어든다고 생각한다.

어느 쪽이 무조건 옳다고는 할 수 없다.

이것은 이제까지 어떤 방식으로 강해졌는가 하는, 각자의 삶에서 오는 차이 때문일 것이다.

다만 브레인도 아이들이 재능을 꽃피우지 못하고 죽는 것은 싫었으므로, 그들의 수련을 도입하면서 자신의 경험도 살릴 수 있도록 가르쳤다. 그렇기에 아이들의 단련이 한층 힘들어지기도 했지만.

"혹시 아이들을 받아줄 곳이 정해졌나요?"

"응, 간신히. 북서쪽—— 평의국 근처에 있는 도시로 떠나는 상단에 태워 보낼 예정이야."

여자가 눈살을 살짝 찌푸렸다.

"마도국이 선전 포고를 한 지 이미 2주가 지났잖아요. 그 나라의 군대가 움직였다는 이야기는 듣지 못했어요. 소문에 따르면 마도국은 어디까지나 위협을 가해서 왕국에게 양보를 이끌어내는 게 목적이고, 진짜로 전쟁을 할 마음은 없다던데요? 만약 그게 사실이라면 앙글라우스 씨의 행동은 무의미하지 않을까요?"

"그 마도왕이 과연 그런 짓을 할까."

브레인도 마도왕을 직접 보지 못했다면 외교상의 밀당이 아닐까 생각했을지도 모른다. 하지만 그 처참한 전쟁을 직접 봤으니, 마도왕에게 무언가 다른 노림수가 있는 것 아닐까 의심하지 않을 수 없었다. 어쩌면 그 마법을 쓰기 위한 준비를 하고 있는지도 모른다.

그런 브레인의 불안이 전해졌는지, 그녀가 목소리를 낮추어 물었다.

"……앙글라우스 씨는 마도왕을 직접 보셨다죠?"

"직접 본 정도가 아니야. 가제프와 일대일로 싸우는 걸 목격했다고. ……그야 뭐가 어떻게 돼서 가제프가 졌는지는 아직도 도통 모르겠지만."

그녀의 눈이 흘끔 브레인의 허리께로 움직였다.

브레인이 찬 보물, 체도칼날Razor Edge을 본 것이다.

개전과 동시에 이런저런 해프닝을 거쳐, 몇 번이고 사양한 끝에 떠맡아버렸다. 브레인 개인에게는 매우 무겁게 느껴져, 그저 맡아둔 것으로만 인식했다. 그러므로 이 검을 뽑을 마음은 전혀 없었다.

누군가에게 휙 떠넘기고 싶지만, 브레인도 가제프 스트로노프에 비견될 만한 자가 아니면 넘겨줄 마음이 없었다.

"스트로노프 씨와의 일대일 대결이라. 저도……"

그녀는 말을 삼켰다.

아마 '저도 보고 싶었습니다' 라고 말을 이으려던 것이리라. 이에 관해서는 브레인은 딱히 생각하는 바가 없었다. 전사로서, 가제프의 일대일 대결을 보고 싶다고 생각하는 것은 당연한 일일 테니까.

아니, 그 정도가 아니라 정말로 봤으면 얼마나 좋았을까 싶을 정도였다. 왜냐하면 아까도 말했듯 그 대결은 뭐가 어떻게 돼서 그런 결과가 나왔는지 아직도 알 수 없었으므로. 그러니 설명할 수 있는 누군가가 있어 주었으면 했다.

"나는 마도왕이 뭔가를 꾸미고 있다고 생각해. 그게 뭔지는 전혀 모르겠어. 근거 같은 건 없으니까. 단순한 감이 경종을 울려대는 것뿐이야. 하지만 난 그걸 믿어."

"앙글라우스 씨 정도 되는 전사의 감이라면 맞을지도 모르겠군요…….”

“그거야 어떨지 몰라도……. 아무튼 애들은 냉큼 어디로 피신시켜야 해. 만약 내가 죽더라도 내가 가르친 검——이라고 할 만큼 대단한 건 아니지만, 그건 살아남는 셈이니까.”

“……사실, 저희의 스승님도 앙글라우스 씨와 같은 말씀을 하셨습니다. 마도국이 무언가 암약하고 있는 것 아닐까 하고. 그러니 아이들이 이곳을 떠날 때——”

그녀는 조금 전부터 아무 말도 하지 않던 사내를 보았다.

“——저 친구도 동행시켜주실 수 없겠습니까?”

“뭐? 그래도 돼?”

흘끔 사내를 보자 무뚝뚝하게 고개를 끄덕인다. 상당히 언짢아 보이지만 아마 그렇지는 않을 것이다.

왜냐하면 사내는 아이들을 다루는 것이 매우 능숙했기 때문이다.

이곳에는 이제까지 여섯 명의 고제가 전부 다녀갔는데, 그중에서 가장 아이들이 잘 따르던 것이 그였다.

“예. 스승님도, 무슨 일이 있을 경우에도 그만 살아있으면 우리의 검은 남을 거라고 생각하시는 듯했습니다.”

다시 말해 브레인과 같은 마음이었다는 뜻이다.

그렇다면 거절해서는 안 된다.

“그쪽이 문제가 없다면 나도 상관없어. 아니, 오히려 감사할 지경이지. 데려가 주는 상인에게는 내가 전해둘게.”

매우 작은 목소리로 “부탁해.”라는 말이 ——아마도—— 들렸다.

브레인은 슬쩍 손을 들어 대답했다. 그러자 사내도 대답하듯 고개를 크게 주억거렸다.

"그러면, 애들이 좀 더 쉬면 내 연습 시간이군. 오늘도 나 없는 동안 여러모로 봐줘서 고마워."

순수한 감사의 마음을 말했다. 돈도 그리 많이 주지 못하는데 여기까지 와서 아이들을 지도해주고 있으므로.

그들의 스승인 베스처라면, 브레인의 검술 실력을 알기에 마음의 빚을 만들어놓고자 고제들을 소개해준 것이리라 생각하므로 그렇게까지 은혜를 느끼지는 않는다. 하지만 고제들은, 그들을 쉽게 때려눕혔던 브레인이 재능을 보고 가르치는 아이들에게 관심이 있거나, 고아가 이런 식으로 살아갈 방법을 얻는다는 데에 호감을 가지는 등, 자율적으로 협조해준 것이었다.

왕녀의 경호원 흉내를 내게 되면서부터 성가신 귀족들을 늘 보고 있는 만큼, 고제들의 올곧은 성품은 각별히 눈부시게 느껴졌다.

"……그건 그렇고 앙글라우스 씨의 다정함에는 고개가 숙여지는군요. 아이들을 맡아 검을 가르쳐 살아갈 수 있도록 해주시다니……."

브레인의 낯빛이 흐려졌다.

그렇게 빛나는 시선을 받을 만한 일은 하지 않았다.

"칭찬은 관둬. 난 절대 착한 놈이 아니야. 내가 그 아이들을 빈민가 같은 데에서 데려온 건 사실이지. 하지만 그건 내게도 목적이 있기 때문이야. ……쟤들 말고도 많은 애들을 봤지만, 재능이 없다고 생각한 애들에게는 말을 걸지 않았어. 개중에는

다 죽어가는 애들도 있었는데 난 아무것도 안 하고 지나쳤다고. 칭찬하려거든 선의로만 행동하는—— 그 왕녀님 같은 사람을 칭찬해줘."

여자의 눈동자 속에 신비한 빛이 어리는 것을 알 수 있었다. 다만 어떤 감정이 일으킨 빛인지는 알 수 없었다.

"라나 왕녀님 말씀이군요. 고아원을 후원하신다는 이야기였죠. 분명 왕녀님도 훌륭한 일을 하시지요. 하지만 앙글라우스 씨도, 아무도 하지 않은 일을 하신 거니 칭찬받아야 한다고 생각합니다만."

"그 이야기는 언제까지 가도 평행선일 거야. 당신들이 칭찬하는 건 당신들 마음이지만, 내 앞에서는 하지 말아줘. 죄책감에 가슴이 아파."

"그건 죄송합니다."

"……아니, 신경 쓰지 말고. 농담이야. 그런 일로 죄책감을 품기에는 난 너무 더러워졌으니까."

의아한 표정을 짓는 그녀에게서 눈을 돌린 브레인은, 한때 가제프가 썼으며 지금은 브레인의 것이 된 저택을 보았다.

그곳에서 식사를 하고 잠들었을 아이들의 모습을 떠올리며.

＊

개전으로부터 한 달 정도가 지난 나자릭 지하대분묘 제9계층의 어떤 방.

길드 멤버의 개인실로 마련되었던 예비실에 각 계층수호자와 아인즈가 모여 있었다. ㄷ자로 테이블을 놓고 의자에 앉은 전원이 회의 자료를 살펴본다.

덧붙이자면 이 방에 있는 것은 수호자들만이 아니었다. 각 수호자의 뒤에는 같은 수의 일반 메이드들이 대기하고 있다. 그리고 아인즈의 뒤에는 페스토냐가 있다. 그녀들은 잡무 담당으로 참가해 말은 한 마디도 하지 않았다.

이 침묵은, 아인즈에게는 이해가 가지 않지만, 도구처럼 행동하겠다는 의지의 표명이라고 한다. 그러므로 아인즈는 소망을 받아들여 그녀들을 없는 것처럼 취급했다.

"흐음……."

아인즈는 자료를 진지하게 읽었다. 뒤에 페스토냐가 있다고 생각하면 살짝 정신이 산만해졌지만 노력해서 집중했다.

이 자료를 읽으면 다 함께 의견을 교환해야 한다. 그때 자신만 뜬금없는 소리를 했다간 창피하다는 불안감은 당연히 있다.

하지만 평소 나자릭에서 알베도가 올려보내는 정치 및 경제, 법률 등 알아먹을 수 없는 서류와는 달리 이것은 아인즈도 이해할 수 있어서 다행이었다.

아인즈의 두뇌는 최대한 호의적으로 평가해도 일반인 수준이며, 국가 정치에 관한 소질을 기대해서는 안 된다. 하지만 이것은 나태해서가 아니다. 굳이 따지자면 여러 방면에서 노력하는 근면한 타입이다. 특히 NPC들은 나자릭의 정점에 선 아인즈를 두고 '자신들과는 비교가 되지 않을 정도로 명석한 분'이라고 착각하고 있으므로 노력을 게을리할 수가 없었다.

처음 무렵에는 NPC들의 충성심을 유지시키기 위해서였지만,

이제는 아이들에게 실망을 사는 부모가 되고 싶지 않다는 마음이었다.

그렇기에 자기계발서나 비즈니스 서적을 읽고 있을 정도였다. 그리고 비교적 특기분야에 속하는 전투기술 향상 등에도 힘썼다.

전부 알베도 같은 이에게 떠넘겨버리는 편이 안전하겠지만, 현재로서는 아인즈의 의견을 바라는 경우가 많다. 그러한 때에, 멍청한 소리를 해버렸는데도 '아인즈 님께서 하신 말씀이니까'라며 행동으로 옮겨버린다면 큰 피해를 볼지도 모른다. 이를 막기 위해서라도 아인즈의 성장은 반드시 필요했다.

그런 아인즈이기에 이 자료는 특히 흥미로웠으며 읽는 동안에도 더욱 진지해졌다.

한 차례 다 읽은 아인즈는 예정시간이 되었음을 확인한 다음 말했다.

"자, 자료는 다들 읽었느냐?"

"예, 아인즈 님."

대표로 모두를 둘러본 후 알베도가 입을 열었다.

"좋다. 그러면── 아, 그 전에. 왕국과의 전쟁이 시작된 지 벌써 1개월이 지났다만, 현재까지 왕국 측에 우리의 침공이 탄로 난 기색은 없다. 분명 우리가 에 란텔에 틀어박혀 움직이지 않고 있다고 생각하겠지. ──데미우르고스, 잘 해주었다. 정보가 새나가지 않도록 철저히 관리한 너의 수완은 훌륭하다."

"감사드립니다."

"그에 관해, 왕국의 일부 귀족들을 위협해 나자릭 측으로 돌아서게 했던 점. 이 또한 훌륭했다, 알베도."

"성은이 망극하옵니다, 아인즈 님."

알베도가 데미우르고스와 마찬가지로 깊이 고개를 숙였다.

"——음. 이 부분은 중요한 이야기니, 나중에 다시 한번 자세히 들려다오."

아인즈는 자료의 중간 페이지를 손가락으로 탁탁 두드렸다. 두 사람은 알았다는 뜻을 보였다. 그 후 지배자에게 어울리는 태도로 느긋하게 고개를 끄덕이고는 모든 수호자들을 돌아보았다. 마찬가지로 진지한 눈빛을 보내는 메이드들 또한 시야에 들어왔지만 애써 무시했다.

"좋다. 그러면 의견을 교환하기로 하자. 우선 이 방법으로도 도시를 문제없이 공략할 수 있었다는 데에 나는 깊은 만족감을 느낀다. 코퀴토스, 잘 해주었다."

"감사.드립니다. 하오나. 이것도. 병사.인. 언데드들.을. 빌려주신. 아인즈. 님이. 계셨기에. 가능했던. 바. 이는. 곧. 아인즈. 님의. 승리이며. 저는. 아무. 일도. 하지. 않은. 것과. 마찬가지라. 하여도. 과언이. 아닙.니다."

"코퀴토스의 말대로——"

무언가 발언하려던 알베도에게 아인즈는 손바닥을 내밀어 말을 가로막았다.

"——빈말은 됐다. 코퀴토스, 칭찬은 솔직하게 받아들이거라. 너의 활약이 훌륭했다고, 내가 그리 말하는 것이다."

"예! 성은이. 망극.하옵니다!"

"좋다. 그러면 이제까지 왕국의 각 도시는 문제 없이 함락되고 있군."

아인즈 울 고운 마도국은 왕국과의 전쟁이 시작되었을 때 왕국 동부를 침공하면서 북상하는 작전을 실행했다. 반대로 왕도가 있는 방향—— 서쪽으로는 전혀 진군하지 않았다.

이 작전의 주요 목적은 원군을 비롯한 타국의 개입을 피하기 위해 평의국과의 국경을 지배하고 폐쇄해버리는 데 있었다.

이것은 코퀴토스의 군략이었으며, 아인즈도 좋은 수라고 인정했다.

"이것은 매우 만족스러운 성과다만—— 그러면 데미우르고스와 알베도. 정보봉쇄 건에 관해 묻겠다. 이 부분은 앞으로도 상당히 높은 확률로 원활히 이루어지리라 예측된다고 적혀 있다만, 어떤 때에 실패하리라 예상하느냐? 대표로 데미우르고스가 대답하거라."

"예! 모든 가도의 감시는 충분히 이루어지고 있으며, 인접한 도시로 그림자 악마를 보내는 등 주의를 기울이고 있습니다. 다만 속세를 저버린 은자나 드루이드 등, 자연 속에서 고독하게 살아가는 자들은 감시가 어려우므로 이런 곳에서 정보가 새나갈 가능성이 있습니다."

"그렇다면 알베도와 의논하여 그러한 자들 또한 발견할 수 있도록 감시망을 강화해라."

"예!"

"그러면 다음으로 넘어가서……."

아인즈는 자료를 넘겼다. 그리고 또 넘겼다.

"으음…… 이제까지 많은 도시를 멸망시켰군."

그곳에서부터는 몇 페이지에 걸쳐, 어떤 전술로 누가 어느 도시를 완전히 궤멸시켰는가가 적혀 있었다. 최신 페이지에 적힌 도시를 멸망시킨 수호자가 바로 코퀴토스였다.

"……적은 수의 병력으로 공격한다는 어려운 과제를 내렸음에도 도시를 궤멸시키고 주민을 멋지게 몰살한 코퀴토스처럼, 이제까지 모두가 지혜를 짜 도시와 촌락을 함락시킨 점은 그야말로 훌륭하다고 생각한다."

마도국은 침공한 도시를 완전히 파괴하고 주민을 한 사람도 살려두지 않는 가혹한 전쟁을 전개하고 있었다. 조용히 쳐들어오는 마도국군이 지나간 후에는 무인의 폐허가, 혹은 잿더미가 남았다.

이때부터 아인즈는 뒤에서 날아드는 시선이 매우 마음에 걸리기 시작했다.

이 잔학무도한 행위는 좋아서가 아니라 목적이 있기에 자행하는 것이다. 그 점을 이해해달라고, 아인즈는 마음속으로 투덜거렸다.

"성은이 망극하옵니다, 아인즈 님."

알베도가 고개를 숙이고 각 계층 수호자가 그 뒤를 따라 감사를 표했다.

"앞으로도 아인즈 님의 기대에 부응하고자 전심전력을 다해 매진하겠나이다."

"——아, 응. 각 계층수호자의 결의와 충성을 고맙게 받아들이마. 그런데——."

슬슬 때가 됐다.

아인즈는 어흠 헛기침을 한 차례 하고는 말을 이었다.

"——하지만 실패가 없었다는 점이 마음에 걸리는구나."

수호자들이 의문의 빛을 띄우기도 전에 아인즈가 첨언했다.

"코퀴토스. 너는 리저드맨과의 전투에서 패배를 경험했다. 그때 많은 것을 배웠다고 생각한다만, 어떠냐?"

"말씀하신. 대로입니다. 그때. 배운. 것이. 컸다고. 생각.합니다."

"바로 그것이다. 패배에서 배우는 것이 많지. 아니, 나는 패배했기에 비로소 배우는 것이 있다고 생각한다."

위그드라실에서도 그랬다. 졌기에 어떻게 하면 좋을지를 생각할 수 있었다.

클래스를 재취득하고, 무장을 변경하고, 작전을 재구상한다. 반대로 이겼을 때는 이러면 되는 거라고 자만하고 실력을 갈고 닦지 않았던 것 같다.

'터치 미님 같은 예외는 있지만.'

패배 따위 전무했음에도 한층 더 강해졌으며, 직업 조합 같은 단순 성능을 추구하는 데에도 탐욕스러웠던 사내. 지금은 그런 사람은 일반인의 범주에 들어가지 않는 것으로 치자.

그런 예외는 둘째 치고, 아인즈는 패배에서밖에 배울 수 없는 것도 존재한다고 확신했다.

그렇기에 도시 공략에서도 실패를 했으면 싶었다.

여기서 패배해도 상관은 없었다. 왜냐하면 얼마든지 만회할 수 있기 때문이다. 하지만 언젠가, 어디선가, 반드시, 패배하면 모든 것이 끝장나는 싸움이 있을 것이다. 그런 중요한 순간에 패배하지 않도록 평소에 경험을 쌓아나가야만 한다.

목숨을 빼앗는 행위다. 그렇다면 이를 전부 나자릭을 위해 도움이 되도록 만들어야 한다. 그렇다. 그것도 가장 이익이 창출될 만한 형태로 써야 한다.

그리고 또 하나── 그녀들 두 사람의 부탁을 들었던 아인즈에게는 여기서 포석을 깔아두겠다는 노림수가 있었다.

'자, 여기서부터가 승부로군.'

"지혜로운 자는──"

그 다음 말이 떠오르질 않았다. 까먹어버렸다. 황급히 얼버무렸다.

"──둘째 치고. 어리석은 자는 경험에서 배운다. 너희를 어리석다고 생각하지는 않는다만, 어리석은 자라도 이해할 수 있도록 경험을 쌓아두는 것은 반드시 필요하다."

아인즈는 자신에게 조금 실망했다.

왜 이렇게 중요한 데서 격언이 떠오르질 않는단 말인가. 자신은 왜 이렇게 못났을까.

말을 교묘히 다루는 자는 어떻게 그렇게까지 임기응변에 강한 걸까. 그리고 어떻게 배운 말을 술술 늘어놓을 수 있는 걸까. 보통은 말을 떠올리지 못하면 말문이 막히고 그러지 않나?

결론은 역시 뇌의 구조가 다르다는 것 아닐까.

"……하아. ……이번에, 왕국의 도시를 궤멸시키고 주민을 학살한다는 전략은, 나자릭 지하대분묘의 역량을 동원하면 어려운 일이 아니다. 하지만 여기서 중요한 점은 경험을 쌓는다는 것이다. 장래에 더욱 난이도가 높은 사태와 맞닥뜨렸을 때, 여기서 얻은 것이 우리에게 양식이 되어줄 것이다."

아인즈는 길드전이 벌어지거나 했을 때 상대의 거점으로 쳐들어간 적이 있다. 때로는 공성전을 벌이기도 했다. 하지만 그것은 위그드라실의 이야기다. 게임에서 얻은 노하우를 현실에 잘 반영할 필요가 있다.

그런 의미에서도 다양한 도시를 다양한 방법으로 함락시킨다는 이번 경험은 반드시 장래에 도움이 될 것이다.

나자릭 지하대분묘는 강해져야만 한다. 이 세계에 있는 길드가 '아인즈 울 고운' 뿐이고 길드 거점이 나자릭 지하대분묘뿐이라고 생각하는 것은 지나친 방심이다. 아인즈의 사례가 있다. 반드시 다른 플레이어 길드도 있을 것이다. 어쩌면 앞으로 생겨날 수도 있다.

그렇다면 그때를 위해 조직을 강화해야만 한다.

경험을 쌓는다는 것은 역시 중요하다.

진지하게 이야기에 귀를 기울이는 수호자들을 둘러보며, 아인즈는 말을 이었다.

"현재 각 계층수호자에게 부담이 증대되고 있다는 것이 마음에 걸리는구나. 그러나 너희 이상으로 안심하고 일을 맡길 수 있는 자가 별로 없는 것 또한 사실이다."

계층수호자는 ──빅팀을 제외하고── 100레벨이라는, 아인즈에 필적하는 힘을 가졌다. 다른 NPC── 영역수호자 등은 이보다 약하다. 그러므로 영역수호자를 외부에── 강적과 맞설 수 있는 장소에 데리고 나가는 것은 불안이 크므로, 아무래도 계층수호자에게 맡기는 경우가 많아지고 말았다.

"하지만 여기에 안주해서는 여러모로 문제가 생긴다. 아인즈 울 고운 마도국이 광대한 영토를 지배하는 이상 장래에는 영역 수호자들에게도 다양한 일을 맡길 때가 올 것이다. 어쩌면 전쟁 도 누군가에게 맡길 때가 올지 모른다."

"——경험을 쌓지 않은 자들을 위해서라도 역사를 마련해두 어야겠군요."

데미우르고스가 또 뚱딴지같은 소리를 한다. 하지만 역사를 마련해둔다는 말은 이번 경우에는 의미가 맞는 것 같았으며, 제 법 멋있기도 했다.

"——그렇다. 바로 그거다, 데미우르고스."

전해지지는 않겠지만 씨익 웃어두고, 그와 동시에 훈련을 통 해 '훌륭한 지배자틱하다!' 고 여겨졌던 목소리로 말했다.

참고로 흔히들 녹음한 자신의 목소리를 들으면 부끄러워 미칠 것 같다고 하는데, 아인즈는 그 점에 대해선 생각하지 않는다. 자신이 지금 어떤 목소리를 내고 있는가를 생각하면 정신안정 화가 발동할 것 같은 예감이 들기 때문이다.

그건 그렇다 쳐도 데미우르고스가 말한 '역사' 란 좋은 아이디 어다.

이번에 왕국을 침략하면서 얻은 다양한 도시 공략 방법을 책 이나 다른 형태로 정리해, 영역수호자를 비롯한 나자릭 지하대 분묘 내에 있는 모든 존재에게 알린다면 모두의 경험으로 공유 할 수 있을 것이다.

물론 백문이 불여일견이라는 말도 있듯 실제로 경험해보는 편 이 얻을 수 있는 경험치가 많을 것이다. 하지만 이런 좋은 기회가 몇 번씩 있을 것 같지는 않았다.

"그러면, 계층수호자들이여. 앞으로도 이제까지 해보지 않았던 새로운 도시 공략 작전에 대해 입안하거라. 데미우르고스와 알베도. 너희는 지나치게 우수하다. 다른 이들의 작전을 잠자코 듣도록. 일단 나의 감상을 말한다면, 이제까지의 작전 중에서는 샤르티아가 세운 것이 재미있었다."

"호, 혹시 프로스트 드래곤을 이용한 투하작전 말씀이사와요?"

"그거다. 그것은 운송 부문을 맡고 있는 샤르티아이기에 생각할 수 있었던 작전이었겠지. 그 작전을 기본틀로 삼아, 음, 뭐였지? 공수부대라고 하던가? 그것을 조직으로 만들어내도 나쁘지 않겠구나."

용의 숨결로 일격이탈을 펼치는 것이 아니라, 500미터 상공에서 영혼포식수Soul Eater를 투하한다. 그 후 깨어난 영혼포식수가 오라를 전개해 대량학살을 펼치는 작전이었다.

아무리 영혼포식수라 해도 500미터 상공에서 떨어지면 나름대미지를 입는다. 이 세계에서는 낙하에 의한 가속도는 공기저항을 별로 받지 않기 때문인지 무한정 올라가는 듯했다. 물론 실제로는 그런 일은 없을지도 모르지만, 그런 실험에 시간과 노력을 들이지는 않았으므로 아인즈는 자세한 내용까지는 파악하지 못했다.

그런 영혼포식수도 오라를 전개해 영혼을 잡아먹으면 체력을 회복한다. 다시 말해 낙하의 대미지는 금방 사라진다는 계산이었다.

"그 계획은 어떤 의미에서는 실패했기에—— 향후의 과제가 있었던 점도 좋았다. 지붕에 부딪혔다는 부분 말이다."

서류로 올라온 결과보고를 읽은 아우라가 웃음을 터뜨렸고, 아인즈도 속으로는 웃고 있었다. 물론 샤르티아가 세운 작전을 우습게 여겨서가 아니라, 하기야 그렇게 되겠구나, 하는 소소한 재미가 느껴져 웃었던 것이다.

투하한 영혼포식수 중 뾰족한 지붕에 부딪쳐 이상한 방향으로 튕겨나가는 바람에 예상보다 큰 대미지를 입은 개체들이 있었던 것이다. 그것만이라면 그나마 다행이다. 개중에는 지붕을 뚫고 가옥에 다이내믹 엔트리를 감행해, 그곳에서 몸이 끼어버리는 바람에 한동안 움직이지 못하게 된 녀석까지 있었다.

팔다리를 늘어뜨린 채 움직이지 못하게 되었던 개체는 단 한 마리였지만, 실험횟수가 지나치게 적었으므로 퍼센티지로 따지면 높았다.

"이 실험은 앞으로 몇 번 더 되풀이하는 것이 좋겠구나. 공수부대의 좋은 실험 데이터를 얻을 수 있을 것이다. 샤르티아."

"네!"

"그 부분은 네게 맡기마. 몇몇 도시에서 실험해보거라."

"분부 받들겠사와요. 조속히 작전을 입안해 실행하겠사와요."

그 외에도 아인즈의 인상에 남았던 것으로는 엘더 리치 300마리가 〈화염구Fire Ball〉를 쏘는 융단폭격, 암살자를 이용해 도시 수뇌부를 암살해 혼란에 빠뜨리는 침공작전 등이 있었다.

이처럼 다채로운 도시 공략방법의 기록은 영역수호자들의 공부만이 아니라 나자릭으로 쳐들어오는 자들의 계획을 미리 읽는 데에도 도움이 될 것이다.

아인즈는 내심 한숨을 쉬었다.

수호자들의 마음속에는 지나치게 경계한다는 의견이 있을지도 모른다.

실제로, 나자릭이 절대무적이라면 이러한 일은 하지 않아도 된다. 그러나 그럴 리가 없다.

결코 그럴 리가 없는 것이다.

"——언젠가 다가올, 동격 이상의 길드와 싸울 날에 대비하라."

아인즈가 무겁게 말하자, 수호자들이 일제히 복종의 목소리를 냈다.

"자—— 슬슬 다음 공략전이 시작되겠군."

알베도에게 흘끔 눈짓을 하자 ——아인즈는 안구가 없기에 시선만으로는 눈치를 채지 못하는 경우가 많아 얼굴까지 슬쩍 돌리곤 한다. 다만 알베도는 상당히 민감하게 알아차린다—— 알베도가 그렇다며 고개를 끄덕였다.

"그런데. 아인즈. 님. 이번. 일전은. 병력. 면에서. 다소. 어렵게. 여겨지오나. 어떠한. 생각을. 하셨.는지요?"

아인즈는 굳어버렸다.

그런 당연한 질문에 대해 아인즈는 즉시 대답하지 못했다. 솔직히 그냥 밀어붙일 수 있으리라 생각했던 것이다. 실제로 데미우르고스나 알베도에게서는 질문이 없었다. 코퀴토스를 비롯한 다른 계층수호자도 똑같을 줄 알았는데——

'——그렇구나. 코퀴토스는 리저드맨과의 싸움에서 패배한 경험이 있고, 그때는 스스로 생각하라는 식으로 말했으니까.'

과거의 자신은 왜 돌고 돌아 지금의 자신을 괴롭히는 결과가 될 말을 했을까. 아니, 그때는 그게 정답이었고, 나자릭을 강화한다는 의미에서는 틀림이 없었다. 그것이 있었기에 코퀴토스의 성장으로도 이어졌으니까.

아인즈가 왜, 확실히 이길 수 있다고는 단언하지 못할 만한 병력만을 보냈는가. 여기에는 전혀 복잡하지 않은 이유가 있었다. 하지만 그것을 계층수호자들에게 말해 이해시킬 수는 없었다. 왜냐하면 그것은 어쩌면 나자릭 붕괴의 위기로 이어질 수도 있기 때문이다.

아인즈는 꼴깍 ——나오지도 않는—— 침을 삼켰다.

침묵해버린 시간이 지나치게 길었다. 이럴 때는 뭐든 좋으니 그럴듯한 소리를 해야 한다.

"그러고 보니 이웃 도시를 함락시켰을 때에도 일부러 몇몇 인간을 그쪽으로 도주시키셨죠? 그건 뭔가 이유가 있었나요?"

"코퀴토스와 아우라의 의문은 당연하다. 아니, 그 외에도 비슷한 감상을 가진 이들이 있으리라 본다."

아인즈가 둘러보자 모든 계층수호자들이 고개를 끄덕였다.

"……그렇군. 그렇다면 이제부터 치러질 전투를 지켜보거라. 그 후에 내가 이유를 들려주도록 하마."

시간을 끌 수밖에 없었다. 아인즈는 미래의 자신에게 모든 것을 떠넘겼다.

*

왕국 북부의 린데 해(海)에 인접한 대도시, 에 나이울.

나이우아 백작의 영지에서는 가장 큰 도시이며, 해양자원이 풍부한 항만도시다.

영지에서 가장 크다고는 했지만, 영지의 경계를 넘어 동쪽으로 가면 군항(軍港)으로 유명한 리 우로발이 있다. 면적도, 입항할 수 있는 선박의 숫자도 그쪽이 더 커서, 에 나이울이 더 나은 점이라면 어획고 정도밖에 없을 것이다. 다시 말해 전략거점으로는 별다른 가치가 없는 도시다.

이러한 에 나이울의 진가를 드높이 칭송하는 사람은 오히려 미식가들일 것이다. 나이우아 백작가는 생선 요리에서는 왕국 최고의 자리를 누리기 위해 대대로 연구를 거듭해왔다. 그렇게 해서 발효 조미료를 베이스로 벌꿀 등을 섞은 소스를 식재료에 발라, 타지 않도록 조심스레 구운 나이울 구이를 만들어낸 것으로도 유명하다.

그런 도시의 공기는 개전 후에도 느슨했다. 어부들은 배를 띄워 그물을 던지고, 시장은 신선한 어패류를 찾는 사람들로 붐볐다. 가도를 오가는 상인들의 모습이 줄어든 것 이외에는 전혀 변함이 없는 일상이 이어졌다. 겨우 며칠 전까지만 해도 그랬다.

특별한 행동을 보인 이가 아무도 없었던 것도 어쩔 수 없는 일이었다.

마도국과 개전했다는 소식은 한 달 전에 왕도에서 온 사자가 전하기는 했으나, 마도국이 왕국 최북단까지 손을 뻗치리라고는 생각할 수 없었던 것이다. 그 전에 왕도가 함락되어 전쟁이 끝날 테니까.

게다가 주위에는 다른 영지의 대도시가 있고, 같은 나이우아 백작령만 봐도 마도국에서 이곳까지 오는 경로에 수많은 소도시와 촌락이 있다.

유사시에는 그러한 곳에서 원군 요청이 들어올 테니, 방비를 다지지는 않고 파병 준비만을 해놓았을 뿐이었다.

하지만—— 사태가 급변했다.

이웃 영지의 남작이 얼마 안 되는 부하와 가족만을 데리고 황급히 에 나이울까지 피난을 온 것이다.

남작의 설명은 간단했다. '언데드들이 나타나 영민들을 몰살시켰다' 는 것이었다.

언데드가 자연발생하는 일이 있다. 그리고 그것이 강대한 언데드여서 촌락이 멸망당하는 일도 아주 없지는 않다.

하지만 촌락을 멸망시킬 만한 언데드가 발생하기까지는 시간이 걸린다. 카체 평야와 같은 예외를 빼면, 약한 언데드가 한 자리에 많이 몰려있는 상황이 오래 이어져야 비로소 그보다 강한 언데드가 발생하는 것이다.

영지를 잘 관리하면 감당하지 못할 만한 언데드가 발생하기 전에 문제를 해결하기란 쉽다.

이처럼, 원래는 강대한 언데드가 인간 세계에 느닷없이 출현하는 일은 없다. 있다고 한다면 대개 두 가지 경우로 좁힐 수 있다.

언데드를 지배하는 사악한 매직 캐스터가 출현했거나, 언데드가 멀리서 흘러들어왔거나, 둘 중 하나다.

그렇다면 짐작 가는 인물은 단 하나밖에 없다.

아인즈 울 고운 마도왕이다.

개전했다는 정보는 이곳까지 들어왔다. 마도왕의 언데드 군단이 출현했다고 생각하면 수긍이 간다. 하지만 문제는 계속해서 불거졌다.

주위의 도시는 어떻게 됐을까?

숫자는 어느 정도고, 어떤 언데드의 집단일까?

왕도는 어떻게 됐을까?

숱한 의문이 떠올랐으나, 그런 질문에 하나하나 대답을 도출하기 전에 해야 할 일이 있었다. 남작의 이야기를 자세히 듣고 정보를 분석해보니, 이 언데드 대군의 진로에 에 나이울이 있다는 예측이 섰던 것이다.

즉시 영내의 모든 마을과 도시에 파발을 보내 피난하라는 지시를 내렸다.

현재 상황에서 마도국군이 어떤 목적으로 변경 항구도시까지 왔는지는 알 수 없었다. 마도국은 내륙지방에 있으므로 손쉽게 항구를 얻기 위해 공략하기 쉬운 곳을 노렸을지도 모르고, 리우로발을 공격하기 위한 교두보로 삼을 생각일 수도 있다.

어쨌거나 이곳으로 피난하는 것은 위험하기도 하지만, 다가오는 마도국군을 뿌리치고 다른 영지로 피신할 수 있었던 자는 얼마 되지 않아, 결국 대부분은 그럭저럭 방위능력을 갖춘 에 나이울로 온 것이다.

영내 주민의 피난이 거의 끝난 닷새 후. 마침내 에 나이울의 시벽에 세워진 감시탑에서 언데드의 모습을 확인했다.

그로부터 다시 사흘이 지난 정오 무렵, 그 감시탑 꼭대기에 한 사내가 있었다.

나이는 40세가 넘었을까. 볕에 그을린 몸은 다부지지만 풍기는 분위기는 무인이라기보다는 소금 냄새가 난다는 인상이었다. 바다의 사나이와도 같은 풍모였다.

앞머리와 정수리의 머리카락은 거의 없는 대신 좌우와 뒤에는 풍성했던 시절의 잔재가 있었다. 이를 질끈 틀어올려 정수리의 맨살을 조금이라도 가리고자 노력하고 있었다.

뱃사람 같은 외견이지만 몸에 걸친 옷은 상급 귀족의 것이어서 사내가 높은 신분임을 나타내주었다.

"흐아~ 드글드글하네."

외견에는 별로 어울리지 않는 어조였다. 하지만 위엄이라고는 전혀 없는 말투의 이 사내야말로 이 지역의 지배자, 나이울 백작이었다.

그의 시선 너머에는 좀비의 대군이 있었다. 수는 에 나이울 수비군의 20배 정도가 아닐까. 지금은 후속부대를 기다리며 전진을 멈춘 상태인데, 나중에 오는 좀비의 대열도 듬성듬성해졌으므로 규모는 딱 이 정도 아닐까. 그렇다면 개전이 눈앞에 다가왔다고 보는 편이 좋으리라.

"──그렇다곤 해도 좀비 떼인걸요. 별것 아니죠."

그렇게 단언한 것은 백작의 옆에 서 있던 여성이었다.

새하얀 머리카락이 바람에 나부낀다.

하얗다고는 해도 나이 때문은 아니다. 희게 물들인 것이다.

원래의 색은 왕국 국민에게서 흔히 보이는 금색이었으며, 1년쯤 전까지는 검은색으로 물들였다.

물들인 이유는 패션이나 취미 때문이 아니다. 그녀는 모험자이므로 눈에 뜨이는 외견을 해 자신들의 팀을 선전하는 것이다. 이러한 모험자는 그 밖에도 있다. 유명한 곳에서는 핑크색으로 물들인 모험자도 있을 정도다.

그녀의 머리카락 색이 검은색에서 흰색으로 바뀐 것도 이와 관련이 있다.

왕국 내에서 활약하는 아다만타이트 클래스 모험자 중에 '주홍' 물방울과 '청' 장미가 있으며, 그리고 칠 '흑' 이 생겨났다. 이제 모험자 업계에서 검은색 하면 칠흑의 모몬을 가장 먼저 떠올리게 되고 말았다. 모몬의 맨얼굴을 본 이는 극소수였으므로 흑발을 밀어붙여 선전효과를 기대할 수 있지 않을까 검토해 보기도 했지만, 모몬의 파트너가 아름다운 흑발이라는 말을 듣고 포기했다.

이리하여 팀 컬러를 검은색에서 흰색으로 확 바꾼 것인데, 그녀—— 스카마 엘베로는 팀의 이름에 색깔을 넣지 않고 심플하게 '사무기(四武器)' 라 했던 것은 정말 잘한 일이었다고 남몰래 생각했다.

"저건 절대 자연발생이 아니네요. 농부 차림을 한 좀비가 많은 걸 보면, 마도국에서 데리고 나온 게 아니라 주변 마을을 습격해서 죽인 자들을 언데드로 만들었던 거겠죠. 진짜 구역질나네."

스카마는 진저리가 난다는 듯 말했다.

개중에는 가죽갑옷이나 체인 셔츠 등 경장 갑옷을 입은, 원래는 병사였으리라 여겨지는 좀비도 있다. 하지만 대부분은 평범한 옷이었으며, 그 옷도 별로 좋지는 않았다.

"그럴 수도 있나?"

"저만한 숫자를 만들 수 있을지 어떨지는 모르겠지만, 언데드를 만들어내는 마법은 있으니, 가능하지 않을까요?"

"흐에~."

나이우아 백작이 감탄한 듯 중얼거렸다.

이 비상사태에 긴장감이라곤 전혀 느껴지지 않는 목소리였다. 사람에 따라서는 불쾌감을 자극받을 수도 있겠지만 스카마의 표정에는 어떤 변화도 없었다.

"그러면 우리도 언데드 부대를 편성해서 싸우게 할 수도 있겠네?"

"수많은 마법 중에서 구태여 사령계 마법을 취득한 고위 마법사가 수십 명쯤 있으면야 가능하겠죠. 유감이지만 이 도시에는 한 명도 없어요."

단언하는 데에는 근거가 있었다.

나이우아 백작은 마술사 조합 소속, 신전 소속, 모험자, 그 외── 다시 말해 이 도시 내에 있는 모든 매직 캐스터에게 도시 방어 참가를 요청해, 산하에 매직 캐스터만의 부대를 만들었다.

그중에서 가장 수가 많은 것이 모험자 매직 캐스터로, 전투경험도 풍부했으므로 그들의 지휘는 이 도시 최고위의 모험자 팀── 다시 말해 스카마의 '사무기'에 위임되었다. 그렇기에 그녀는 수비대의 매직 캐스터에 대한 자세한 내역을 파악하고 있었다.

"그렇구나. 그럼 말야~ 어떻게든 해결이 될까? 우린 120년

동안── 이 지역에 처음 마을이 생겨났을 때부터 이제까지 한 번도 침공을 당한 적이 없었어. 까놓고 말해 노하우가 전혀 없습니다요."

도시의 지배자가 할 말이 아니었다.

하지만 역시 스카마에게 분노의 감정은 나타나지 않았다. 그리고 대답하는 목소리에서는 여전히 경의는 느껴지지 않았다.

"해결이 될까? 가 아니죠. 백작님. 해결을 못하면 우린 전부 언데드 신세예요. 그러니까 다들 힘을 빌려주기도 했고요."

"그렇지~? 왜~ 내가 다스릴 때 이런 일이 일어났담. 하다못해 앞으로 5년쯤 뒤였으면 큰아들에게 넘겨줬을 텐데."

"운이 나빴죠 뭐. 그렇게 따지면 우리도 마찬가지예요. 왜 하필 우리가 이 도시에 왔을 때 이런 사건에 말려들었는지. 몇 달만 더 있었으면 아마 여기 말고 다른── 더 큰 도시로 이동했을 텐데."

"흐아~ 자, 잠깐만 기다려봐. 제발 우리 도시를 버리고 가진 말아줘!"

"도망칠 거라면 지금! 이겠지만요. 보세요, 저기."

스카마가 내민 손가락이 가리킨 곳에는 좀비 군단의 맨 앞에 선 두 마리의 언데드가 있었다.

둘 다 주위의 좀비보다도 머리 두 개 정도는 컸으므로 충분히 눈길을 끌었지만, 그 이전에 온몸에 소름이 돋는 듯 차원이 다른 위압감을 풍겨 그것이 존재감을 강화해주었다. 둘 다 강적이리라는 것이 명확하게 전해졌다.

그리고 그 언데드들 바로 옆에는 깃발 하나가 나부끼고 있었다.

"마도국 거구나."

"네. ……백작님은 카체 평야 전투에는 참가하셨던가요?"

"응? 신뢰할 수 있는 가신에게 병사를 맡겨 보냈는데 나도, 우리 가족들도 참가하진 않았어. ……그 친구들은 돌아오지 못했지."

"그랬군요…… 신의 곁에서 편히 잠드셨기를. 뭐, 그 20만 명을 학살했던 마도왕── 마도국이 보낸, 단 두 마리뿐인 특제 언데드. ……약할 거라 생각해요?"

"안 생각해~. 엄청 세겠지~."

"그렇겠죠. …………이 도시를 사실상 겨우 두 마리의 언데드로 함락시킬 수 있다고 판단했다는 점에 대해 화가 나진 않나요?"

"하나도 안 나~. 그보다도 어떡하면 살아남을 수 있을지만 생각해."

이 지역의 지배자로서 한심하기 짝이 없는 말이었지만, 반대로 보면 상황을 제대로 인식했다는 뜻이다.

"사자를 보내서 투항하겠다고 교섭해볼까 하는데, 아마 무리겠지~?"

"배 타고 도망치면 되잖아요. 그럴 준비는 됐죠?"

스카마는 조금 전에 모여서 회의했을 때 모두가 생각은 하면서도 말로는 꺼내지 못했던 안건을 물었다.

백작은 쓴웃음을 지으면서 당장은 대답하지 않았다. 숨기려 했다기보다는, 스카마의 질문에 담긴 진의를 꿰뚫어 보고자 머리를 굴리는 중일 것이다.

백작과 특별히 친한 것은 아니지만 일 때문에 몇 번 만난 적이 있으므로 상당히 머리회전이 빠른 인물이란 것은 안다.

유감인 점은, 백작의 아들은 아버지만큼 우수하지 않다는 것이다. 잘 봐줘야 그럭저럭 합격선에 들어갈 정도. 경험을 쌓으면 아버지를 능가할 거라 보는 사람도 많다지만.

"음~ 물론이지. 하지만 이 도시 주민을 전부 배에 태울 수는 없으니까. 근처의 해안까지 피신시키고 다시 배를 여기로 돌려보내는 걸 되풀이해도, 식량은 어떻게 하고 어디로 도망치느냐 하는 문제가 있고……."

"백작가만이라면 어떻게 되지 않겠어요?"

백작은 다시 조금 더 생각한 후 대답했다.

"그야 그렇지. 그건 최후의 수단이야. 『다들 이 도시로 피난해주세요. 저는 가족들과 함께 이 도시에서 도망치겠지만요』 하는 건 역시 좀 찜찜하잖아~."

상대의 도시를 점거했다면 도시의 지배자층만을 죽이거나 종속시키고 영민들은 그대로 ──약탈을 할 수는 있겠지만── 지배하는 것이 일반적이다. 도시 주민을 학살한다는 것은 황금 알을 낳는 닭의 모가지를 비트는 것과 같은 행위다.

도시를 파괴하는 것이 점령자에게 이익이 되는 일이 없다면, 그런 일은 보통 일어나지 않는다.

하지만──.

"마도왕── 마도국에 침공당했을 때 살아서 도망친 남작이나 우리 영지의 마을에서 피난한 사람들 얘기, 자네도 들었지? 별로 좋은 분위기는 아니었잖아."

"더 많이 도망쳤을 수도 있었을 텐데, 라는 말씀을 하고 싶으신가요?"

"응, 그거."

백작이 대답했다.

일찌감치 도망쳤던 자들이 이곳까지 도착했다. 하지만 그것은 주변에 사는 백성들의 수를 생각해보면 너무나도 적은 수였다. 그러면 남겨진, 도망치지 못한 백성들은 어떻게 되었는가.

너무나도 완벽하게 자비로운 통치를 펼쳐 도망칠 마음이 들지 않았다, 개미 한 마리 빠져나갈 틈도 없는 감시를 당하고 있다, 마도국으로 끌려갔다. 희망적 관측에 따라 생각한다면 이 세 가지 정도가 가능할까.

하지만 마을 사람이 좀비로 바뀐 모습을 보면, 마도국이 그들을 온당하게 대접했으리라고는 도저히 생각하기 힘들었다.

"……에 란텔을 지배한다고는 해도, 역시 인간처럼 살아있는 존재에게는 별로 관대하지 않은 괴물이란 뜻이겠지~."

"그리고 죽인 상대를 언데드로 만들어서 병사로 쓴다는 노림수도 있을지 모르겠네요. 식량도 필요 없고, 지치지도 않고, 공포도 안 느끼고, 무엇보다 명령에 충실하니까요. 뭐, 적에게 관대하지 않은 건 보통이라고 생각하지만요?"

"적에게라면, 그렇지. 장래에 도시를 지배하고 주민에게 일을 시킬 생각을 한다면 그런 짓을 벌이진 않잖아? ……어쩌면 왕국 백성을 하나도 남김없이 죽여버릴 생각인지도 모르겠어. 그렇게 생각하면 도망칠 곳도 없을 거 같지?"

여기에 공감해주었으면 하는 걸까. 비슷한 감상을 품어주길 바라는 걸까.

스카마는 그런 느낌을 받았다.

이 도시의 모험자 중에서 톱은 그녀다. 그녀가 도망친다면 이 길 수 있는 싸움도 이기지 못한다. 그렇기에 도망칠 곳이 없다는 방향으로 생각을 유도하는 것이리라.

스카마가 뭔가 말하고자 입을 열었을 때, 두 사람의 주위가 소란스러워졌다.

원래 주위에서는 다른 사람들을 치워두었다. 정확하게 말하면 방위 준비가 갖춰질 때까지의 짧은 시간 동안 둘이서 함께 적진을 살펴보던 것에 불과했다.

스카마와 백작 앞에 나타난 것은 그녀의 팀 멤버들이었다. 그녀의 팀 '사무기'는 그녀를 포함해 4명인 팀이며, 남녀 비율은 반반. 전사인 스카마와 도적, 신관, 마력계 매직 캐스터로 이루어진 균형 잡힌 팀이다.

동료들의 뒤에는 도시 내에서 모아온 모든 매직 캐스터들의 모습이 있었다.

매직 캐스터는 50명도 되지 않는다. 하지만 이 정도의 숫자가 군대로 보자면 상당한 전력이다.

이만한 수를 모을 수 있었던 것은 모험자들의 불문율——국가 간의 전쟁에는 참가하지 않는다——을 잘 회피한 덕이었다.

마도국이 인간 병사로 쳐들어왔다면 무리였겠지만, 언데드만으로 구성되어 있어서—— 그것도 왕국 백성을 언데드로 만들었다고 여겨졌기 때문이다.

언데드 군세가 그저 마도국의 깃발을 들고 있을 뿐이라고 해석해버렸던 것이다.

이런 막무가내가 통한 것은, 역시 마을 주민들까지 언데드로 만들어 쳐들어오는 모습을 보인 상대에게, 자신들은 싸움에는 참가하지 않겠다고 해봤자 통하지 않으리라는 예감을 모두가 받았기 때문이었다.

이들 전원으로 마법병단을 만들어 일제히 ——쓸 수 없는 계통의 매직 캐스터도 있으니 가정일 뿐이지만—— 〈마법화살 Magic Arrow〉을 반복해서 쏜다면 이론상으로는 드래곤도 잡을 수 있다.

활로 쏘는 화살과 달리 〈마법화살〉은 사용자의 기량과 상관없이 반드시 명중하며, 쓸 수 있는 위계가 올라가면 사출되는 숫자도 위력도 늘어난다. 그래봤자 한 발 한 발의 위력은 그리 강하지 않으므로 한 발만으로 적을 쓰러뜨리는 일은 별로 일어나지 않는다.

그리고 맞는 부위에 따라 피해가 커지거나 작아지거나 하지도 않으니, 그 점을 장점으로 보느냐 단점으로 보느냐는 견해가 갈라질 것이다.

다만 종합적으로 봤을 때는 활용도가 높아, 이 마법을 수련한 병사로 군대를 만들면 무시무시한 성과를 낼 것 같지만, 역사상 그러한 부대가 존재했던 사례는 없다.

이것은 제1위계의 초보적인 마법조차 습득에는 일정 이상의 소질이 필요한 데다, 애초에 매직 캐스터의 양성에는 시간이 들기 때문이다. 같은 시간과 수고를 들인다면 매직 캐스터 한 명을 키우는 것보다는 궁병 100명을 훈련시키는 편이 전장에서 유용하다.

만약 종족적으로 〈마법화살〉을 쓸 수 있는 생물이 있다면, 그들만으로 만든 군단은 매우 흉악해질 가능성이 있겠지만, 그렇지도 않은 이상—— 아니, 그렇기에 매직 캐스터만으로 구성된 군단이란 꿈이나 공상의 영역이었다.

그런 꿈이나 공상의 부대 후방에는 백작의 부하인 병사와 모험자 중에서 활 같은 원거리 무기를 다루는 데 뛰어난 자들이 따르고 있었다.

다시 말해 지금 시벽 위에 모인 것은 마도국군에 첫 일격을 날릴 자들이다.

그런 자들 앞에서 나이우아 백작이 목소리를 높였다.

"모두 잘 모여주었다! 여러분의 협조에 깊이 감사한다!"

조금 전까지 스카마를 상대로 대화하던 때의 미덥지 못한 모습은 전혀 느껴지지 않는, 남의 위에 서는 자로서 필요한 위엄과 자신을 갖춘 태도였다.

귀족으로서 태어나 살아온 자의 자세에 스카마는 마음속으로 혀를 내둘렀다.

"감사는 눈에 보이는 형태로 해주쇼!"

스카마의 동료 중 한 사람, 매직 캐스터인 사내가 대답하자 후방에서 실소가 새 나왔다. 모험자를 대표하는 발언에 남작은 언짢아하는 기색도 없었다. 그뿐이랴, 얼굴에는 기분 좋은 웃음마저 있었다.

"걱정 말게! 주변 모험자들이 자네들한테 한턱 쏘라고 몰려들어서 뜯어먹어도 괜찮을 정도의 금액을 만인 앞에서 당당히 건네줄 테니."

오오 하는 술렁임이 솟아났다.

"물론 나의 병사들도 마찬가지다. 아무리 그래도 모험자들과 같은 액수는 어렵겠지만, 처자식이 자네들을 걱정할 정도의 특별수당을 주지! 단——."

백작이 농담처럼 말을 이었다.

"——그 돈으로 신세 망치지는 말게들."

병사들의 얼굴에 떠올랐던 긴장감이 다소 누그러지는 것이 보였다.

"나는 다른 보수가 좋겠는데~. 백작님 가문에 가보로 전해지는 매직 아이템 같은 거 없어요? 뼈대 있는 집안이잖아."

발언한 것은 향기가 풍겨올 듯한 색기를 뿜어내는 여성이었다. 로브를 밀어 올리는 거대한 가슴이 목에 건 토신(土神)의 성표를 감싸고 있는 모습은 도리어 모독적이라 해도 좋을 정도였다.

그녀—— 릴리넷 피아니 또한 스카마의 동료다. 결코 손님의 기호에 맞춰 성직자 옷을 입은 창부가 아니다.

"호오, 가보를 노리다니 세게 나오는걸. 있다마다. 우리 집안에 대대로 전해져 내려오는 매직 아이템이. 아는 사람도 많지만, 이름은 오색성검(五色聖劍)."

불, 번개, 산성, 음파, 냉기의 힘이 깃든 롱 소드로, 적을 베면 그러한 속성의 대미지도 동시에 입힌다는 무기다.

다만 칼날이 없으므로 모조검처럼 구타 무기로 사용해야 한다는, 왜 이런 모양으로 만들었나 싶어지는 무기였다. 또 한 가지 지적하고 싶어지는 점이라면 성(聖) 속성 대미지를 입히는 것도 아닌데 성검이라는 이름이 붙었다는 점이지만, 그건 어쩌

면 후세 사람이 멋대로 이름을 바꿨기 때문인지도 모르니 넘어
가자.

"그거 갖고 싶은데~."

파격적인 가치의 아이템이므로 모험자들에게 지불할 물건으
로는 손해가 막심하다.

"그걸 갖고 싶나? 음~ 조건에 따라서는 줄 수도 있지."

술렁임이 솟아나는 가운데 백작이 말을 이었다.

"우리 아들의 측실이 되어준다면야."

스카마는 과일을 먹다가 벌레를 발견한 듯한 표정을 지었다.

백작은 말을 실수했다.

일부 모험자가 백작을 노려보고 있는 이유는 그만큼 릴리넷에
게 반한 자가 많기 때문이리라. 반면 릴리넷 본인은 어떤가 하
면, 독수리와도 같이 날카로운 눈빛으로 바뀌었다.

지나치게 놀렸다고 생각했는지 나이우아 백작이 사과하고자
입을 열려 했지만, 그보다 먼저 릴리넷의 질문이 날아들었다.

"백작님은 애가 넷이잖아. 본처님이 낳은 장남하고 삼남, 그
리고 측실님이 낳은 차남하고 장녀. 뭐, 장녀는 제외한다 쳐도
그중에서 누구?"

이제까지와 어조가 달랐다. 조금 전까지의 느긋한 말투가 아니
라 모험자에게 어울리는 날카로운 것이었다. 이쪽이 본성이다.

다시 말해 릴리넷은 진심인 것이다.

스카마는 더욱 떨떠름한 표정을 지었다. 다른 동료들에게 눈
짓으로 신호를 보냈지만 무정하게도 눈을 돌려버렸다.

동료애도 없는 녀석들이다.

"……삼남."

"삼남? 걔 이제 겨우 열두 살이잖아? 생일이 얼마 남진 않았지만 아직이고. 걔의 측실?"

백작은 고개를 끄덕이려다 한순간 굳어버렸다.

"……그렇긴 한데, 말이야. 어떻게 우리 애의 나이까지 알고 있나? 지방 영주의 삼남 생일이라는 게…… 그렇게까지 중요한 정보인가? 일류 모험자라 그런가?"

"그건 아니지." "응, 아니지."

모험자들 사이에서 그런 목소리가 들려왔다. 이를 무시하고 릴리넷이 머리를 쓸어올리며 말했다.

"뭐, 어쩔 수 없네. 응, 어쩔 수 없지. 오색성검을 위해서니까. 측실 돼줄게."

백작은 릴리넷을 충분히 관찰하고, 다음으로는 스카마에게 시선을 돌렸다. 꼭 물어봐야만 할 것이 있는 모양이었다.

어떤 질문이 올지는 잘 안다. 충분하고도 남을 정도로 안다.

"말을 꺼낸 나도 나지만 말야. 저 친구는 왜 입가에서 침을 흘리고 있나? 이거 내 아들을 노리는 거야, 아니면 매직 아이템을 노리는 거야?"

'전자예요'라고 스카마가 대답하기도 전에 포효가 터져나왔다.

"멍청하긴! 익지도 않은 과일이니까 당연히 침 넘어가지!"

침묵이 좌중을 지배하고, 누군가의 발언이 모두의 머릿속에 스며든 것과 동시에 몇몇 모험자가 주저앉는 모습이 보였다. 환상이 사라지고 현실이 남았던 것이다.

스카마는 그런 모험자들에게 연민마저 느꼈다.

죄송합니다. 마음속으로 사죄까지 했다. 하지만 이제까지 그녀를 점찍어두었던 남자들이 하나같이 무시당한 이유를 이제는 다들 이해했을 것이다.

단순히 나이 문제였던 것이다.

"……난 왜 측실이냐는 소리를 들을 줄 알았는데."

중얼거리는 나이우에 백작에게 릴리넷이 대답했다.

"에이, 아버님. 삼남이라고는 해도 귀족이고 정실의 아드님인걸요. 잘만 하면 남작 정도 작위랑 조그만 영지는 얻을 수도 있지 않겠어요? 나름대로 능력이 있더라도 모험자가 정실이 되기는 꽤나 힘들죠. 물론 신전하고 연줄이 있긴 하지만 그것만 가지곤 좀, 그렇잖아요? 하지만 이 전투에서 멋지게 활약하면 정실로 올려줄 수도 있다느니 그런 얘기 꺼내실 생각 아니었나요? 그걸로 만족할 거 같으면 오색성검 얘기는 유야무야해버리고. 삼남의 정실이 가보까지 가지고 있다면 틀림없이 집안이 뒤집힐 테니까요."

아버님 소리까지 나왔다.

"……내가 자네를 과소평가했나 보군. ……좀 옛날에 왔으면 장남의 측실을 권했을 텐데."

"아, 열다섯…… 아니, 열……일곱을 넘은 건 별로 기쁘지 않네요, 아버님."

백작이 스카마에게 시선을 보냈지만 애써 무시했다. 나이우아 백작의 충격을 받은 듯한, 치사하다고 말하고 싶은 듯한 표정 정도로는 양심은 아프지 않았다.

"저기 말일세, 매우 중요한 일이네만—— 삼남도 언젠가는 열일곱이 넘을 거야!"

"그렇죠~? 장수하는 종족이면 참 좋을 텐데 말이에요. 하지만 그렇게 되면 저 혼자 나이를 먹을 테니…… 그러니까 그 부분은 참아볼게요!"

"역설할 일이야?! 나하고 얘기하던 것 중에서 그 대답이 제일 힘찬데?!"

"어머나, 아버님. 성격이 왔다 갔다 하시네요."

"……자네한테 듣고 싶은 말은 아닐세."

스카마의 개인적인 평가로 따지면, 릴리넷은 좋은 사람이고 배려심도 있으니 그렇게까지 나쁜 며느리는 아닐 것 같았다. 그렇다고는 해도 그 면을 어필해주지는 않았다.

이 이상 동료가 부끄러운 모습을 보이면, 아니, 팀의 평가를 이상한 방향으로 날려버리면 여러모로 곤란하다. 자신의 백발이 나쁜 의미에서 널리 알려지는 것은 싫었다.

"……아무튼 백작님. 유머로 긴장감을 풀어주신 것은 좋지만 슬슬 전투 준비를 하고 싶으니 전체 지휘로 돌아가 주실 수 있을까요?"

이곳에 남아봤자 전투능력이 떨어지는 그가 할 수 있는 일은 없다. 해야 할 일은 다른 곳에 있다. 나이우아 백작은 당연한 제안에 크게 고개를 끄덕였다. 결코 릴리넷에게서 도망치기 위해서는 아닐 것이다.

"그렇군. 그러면 제군, 잘 부탁하네!"

                                    *

　시벽에서 보이는 적진은 대열 따위 없이 그저 좀비가 모이기
만 한 오합지졸로만 여겨졌다. 미스릴 클래스 모험자인 스카마
일행이라면 토벌은 쉽다. 예의 괴물들만 없다면.

　"움직임은 없고. 그러면—— 저 언데드를 아는 사람 있어?"

　스카마가 가리킨 장소. 그곳에 있는 두 마리의 언데드.

　한 마리는 거대한 방패에 거대한 검을 든 언데드였다. 또 한
마리는 두 손에 각각 검을 든 언데드였다.

　주위에 있는 매직 캐스터들에게 건넨 질문의 답변은 고개를
가로젓는 형태로 돌아왔다. 스카마는 릴리넷에게 시선을 돌렸
다.

　신관은 언데드에 관해 깊은 지식이 있다. 일반적인 언데드는
물론, 어지간해서는 들어본 적이 없는 언데드라 해도 안다. 하
지만 그런 그녀조차 어깨를 으쓱했다.

　여기서 생각할 가능성은 두 가지.

　하나는 매우 희귀한 언데드. 또 하나는 신종 ——이라는 말이
타당한지 어떤지는 둘째 치고—— 언데드.

　어느 쪽이든 난감하기는 마찬가지였으며, 모험자라면 후퇴를
생각해도 될 정도였다.

　일격필살의 특수능력이 아니어도 치사성 공격이 될 때가 있
다.

　그것은 정보가 없을 때다.

　예를 들어 저급 언데드 중 구울이라는 것이 있는데, 놈들의 손

톱에는 상처를 입힌 상대를 마비시키는 독이 있다.

만약 마비독을 가졌다는 걸 몰라 대책을 세워두지 않았다면 한 명씩 마비당해 전멸할 수도 있을 것이다. 사령Wraith이 생명력을 흡수한다는 것을 모르면 어떻게 될까. 늑대인간Werewolf처럼 일부 금속을 제외하면 내성을 가지는 몬스터도 있다. 불꽃이나 산을 써야만 재생을 막을 수 있는 몬스터도 존재한다.

이처럼 지식은 무기이자 방어구다. 그렇다면 지식이 없는 상태로 전투하는 것이 얼마나 위험한지는 말할 것도 없다.

"……이건 정말 위험한데. 일단은 유효한 공격수단을 찾기 위해서라도 이것저것 시도해보자. 이의는?"

누구에게서도 반론은 나오지 않았다.

"그럼 그 부분은—— 누가 어떤 마법으로 공격할지는 전문가끼리 논의해줘. 일단 외견으로 상상할 수 있는 능력을 의논해보자. 우선 두 마리 모두 접근전을 위주로 하는 언데드 같지?"

생긴 그대로다. 그래도 크게 다르지는 않을 것 같았다. 그러한 데서부터 의태를 하는 몬스터도 없지는 않겠지만 스카마는 본 적이 없었다.

마도국이 만들어낸 신종 언데드일지도 모르지만, 저래놓고 사실은 마법공격을 위주로 싸우지는 않을 것이다.

"게다가 방어력은 높아 보이니까 접근전으로 들어가는 건 위험하겠지. 그렇다면 정석대로 원거리에서 공격해 쓰러뜨리는 게 안전할 텐데—— 물리적인 화살은 효과가 약할지도 몰라. 결국 접근전이 벌어지기 전에—— 놈이 여기까지 오기 전에 얼마나 대미지를 입힐 수 있느냐가 승부의 관건이겠어. 다만 놈이 도시 안으로 침입했을 때를 대비해서, 앞에 서는 사람을 지원하는 강화마법을 걸 만큼은 여력을 남겨줘. 그리고 공격마법용으로도."

그래도 필요 이상으로 마력을 온존할 생각은 말라고 경고해두었다.

"뭔가 좋은 아이디어가 없다면, 시작하자."

스카마의 지시에 따라 매직 캐스터들이 모여 의견을 나누기 시작했다.

그곳에서 조금 떨어진 곳으로 이동해 스카마는 동료들──한 사람 부족했지만──과 합류했다.

"그런데 리더, 이제 어떻게 할까?"

도적의 질문에 스카마는 무슨 뜻이냐고 되물었다.

이제부터 전투가 벌어지는 것도 당연히 알고 있을 테고, 전술 이야기도 했다. 그렇다면 분명 그 이외의 이야기를 요구하는 것이다. 하지만 '어떻게 할까' 라는 질문의 범주는 너무 넓다.

"이 도시를 위해 얼마나 노력하겠냐는 의미야. 좀비 위주인 탓인지, 도시 전체가 포위된 건 아니잖아. 도망치려고 마음먹으면 우리 정도는 쉽게 도망칠 수 있을 것 같은데? 배를 빼앗아서 내빼는 것도 나쁘지 않지? 식량은 시킨 대로 확실하게 준비해 놨어."

릴리넷이 지친 듯 말했다.

"멍청하긴. 상대는 언데드야. 지금쯤 바다 밑바닥으로 걸어와도 이상하지 않아."

이 도시의 북쪽은 항구이며 바다에 인접한 관계상 그 방향에는 시벽이 없다. 만약 적에게 조금이라도 지혜가 있다면 이쪽은 양동이고 진짜는 바다에서 튀어나올 가능성도 충분히 있는 것이다.

"아~ 그렇구나. 그건 위험하겠네. 백작한테도 그런 얘기 했어?"

"안 했어. 해봤자 손쓸 방법도 없잖아. 바리케이드를 쌓으려 해도 너무 넓어서 무리고. ……분명 쓸데없는 혼란만 생길걸. 게다가 포위하지 않은 건 의도일지도 몰라. 그런 경우가 있잖아? 한군데만 구멍을 뚫어놓고 거기로 도망쳤을 때…… 하는 함정이."

"그럼 어쩌라고."

"도망칠 거면 저기로 도망쳐야 해."

스카마가 가리킨 곳은 적의 집단이었다.

"좀비뿐이라면 돌파하기는 쉬워. 그렇다면 최악의 경우에는 적진을 돌파해야지. 그렇다 해도 저 뒤에 적의 본대가 없다는 걸 〈비행〉으로 확인한 다음이 돼야겠지만."

"그렇구나. 생각 많이 해놨네."

'네가 생각이 없는 거겠지' 하는 두 여성의 시선을 알아차리지는 못했으므로 도적은 말을 이었다.

"그럼 도망칠 거면 어디까지 도망칠 거야? 이 근처의 도시? 아니면── 왕도 근처?"

"나라를 버려."

"진짜로?!"

"목소리 낮춰."

주위를 확인한 후에야 스카마는 나직하게 말했다.

"……진짜로."

아무리 적국의 백성이라지만 저렇게 많은 사람을 언데드로 만들다니. 그런 마도국의 영토에 남는 것이 행복으로 이어지리라고는 생각할 수 없었다.

다만 문제는 어디로 도망치면 좋으냐 하는 점.

모험자 한 팀 정도가 도망치는 거야 쉽다고 생각하지만, 팀 리더로서 여러 가지 상황을 고려할 필요가 있었다.

왕국과 인접한 나라는 마도국을 제외하면 셋. 평의국, 성왕국, 제국이다.

소거법으로 생각하면 평의국밖에 없을 것이다. 성왕국은 친마도국이라 하고, 제국은 마도국의 속국이기 때문이다. 이곳에서 가까운 것도 좋은 점이다. 만약 그 이외의 나라가 된다면 법국, 도시국가연합 중 어느 한 곳이 되리라. 용왕국은 별로 좋지 않은 소문이 있고, 그 외의 나라는 인간이 주체가 아니다. 물론 평의국도, 도시국가연합 중 어디도 인간이 주체는 아니지만.

전체 인구에서 차지하는 인간의 비율을 고려하면 평의국은 후보에서 제외될지도 모른다. 그 나라에 인간은 10퍼센트 정도밖에 되지 않는다는 소문을 들은 기억이 있다.

거리를 고려하면 도시국가연합이 가장 좋을까. 도시국가연합 중에는 인간이 절반 가까이 되는 도시도 있다고 하니까.

"에이~ 도망치게, 스카마? 내 행복을 위해서라도 좀 힘내봐."

"……아까 그게 연기가 아니었다는 게 거시기하네."

스카마는 도와주고 싶기도 하고 도와주고 싶지 않기도 한 기분에 사로잡혔다. 그때 마침 매직 캐스터들이 의논을 마치는 것이 보였다.

"리더! 이쪽은 끝났어!"

"알았어! ——그럼 가볼까. 예정대로 해나가자. 만약 무리일 것 같으면—— 여기에서 뛰어내려서 좀비 떼를 돌파하는 걸로."

시벽에서 그냥 뛰어내리면 갑옷을 입은 스카마는 다소 아프겠지만, 그 부분은 팀의 매직 캐스터에게 맡기면 된다. 〈낙하제어 Falling Control〉로 안전하게 내려줄 것이다.

스카마의 팀은 위치로 이동해 적의 동향을 기다렸다.

운이 좋다고 해야 할까, 적은 밤이 될 때까지 기다리지 않고 움직였다.

특별한 개전 신호는 없었다.

화살을 나누지도, 무언가 명분을 떠들어대지도 않았다. 대량의 좀비가 어기적어기적 시벽으로 다가오는, 참으로 역겨운 광경으로 전투가 시작되었다.

시체가 신음성을 내며 밀려든다니, 일반인이 보기에는 공포에 질릴 만한 광경일지도 모른다. 하지만 스카마와 같은 모험자에게는 실소할 수준이다. 인간 이외의—— 거인이나 용처럼 거대한 종족의 좀비라면 이야기가 다르겠지만, 인간 좀비 따위에게 겁을 먹는 모험자는 신출내기만도 못하다. 무엇보다 이 시벽을 좀비 따위로 공략할 방법은 없다.

좀비라는 언데드는 근력이나 내구력, 지구력은 평범한 일반인보다 뛰어나지만 약간 경험을 쌓은 모험자보다 뒤떨어지고, 무엇보다 지성이 없기 때문이다.

활을 든 병사들은 별개로 치고, 모험자들의 시선은 단 두 마리 뿐인 언데드에게 쏠렸다.

그러나 움직이지 않는다. 무언가를 노리기 때문인지, 아니면 움직일 마음이 없는지.

이윽고—— 좀비들이 아슬아슬하게 유효 사정거리에 들어왔다고 확신한 스카마의 신호로 병사들이 일제히 화살을 쏘았다.

원래 같으면 확실을 기하기 위해 좀 더 거리가 줄어든 다음부터 쏘는 편이 좋을 것이다. 그러나 적이 좀비의 대군임을 감안하면 정확도보다도 횟수를 중시하는 것이 낫다.

활 솜씨에 자신이 있는 병사들인 만큼 이 거리에서도 상당히 잘 맞았다. 빗나간 것은 열 대에서 스무 대 정도일 것이다. 좋은 오산이었다.

다만 화살 한 발에 쓰러지는 좀비는 별로 없다. 그래도 맞히기만 하면 상대의 거짓된 생명을 깎아내는 것은 틀림없다.

이어지는 제2사, 제3사로 적의 수가 계속 줄어들었다.

좀비가 땅바닥에 퍽퍽 쓰러지지만 모험자들에게도 병사들에게도 기뻐하는 기색은 없었다. 이제까지는 모두 예상했던 전투 경과에 불과했기 때문이다.

문제는 역시 두 마리의 언데드였다.

일부 강대한 몬스터는 단독으로도 전황을 바꿔버릴 수 있다.

"——움직인다."

방패와 검을 든 언데드가 나섰다. 좀비 따위는 비교도 되지 않을 속도로 문을 향해 돌진한다. 전면에 방패를 세우고, 진로 위에 있는 좀비를 아무렇지 않게 튕겨버리면서.

상대의 너무나도 빠른 속도에 경악하면서도 스카마는 명령을 내렸다.

"공격 개시!"

매직 캐스터들에게서 일제히 마법이 날아갔다.

그중에서도 파괴력이 뛰어난 것은 역시 스카마의 동료가 쏜 〈화염구〉였다.

날아간 〈화염구〉가 미지의 언데드를 중심으로 파열했다. 주위의 좀비들까지 한꺼번에 쓸어버리는 거대한 화염의 꽃이 피어났다. 설령 방패로 전면 공격에 엄폐성을 얻었다 해도 미친 듯이 날뛰는 불꽃은 이를 우회해 집어삼킨다.

여기에 다종다양한 마법이 그 언데드—— '방패잡이'에게 쏟아졌다.

그래도 태연하게—— 대미지 따위 털끝만큼도 입지 않았다는 양 돌진하는 '방패잡이'를 보고 병사들이 술렁거렸다.

"당황하지 마!"

한 모험자가 외쳤다.

모험자들에게는 당연한 사실이지만, 언데드는 대미지를 입어도 움직임이 둔해지지 않는다. 아무리 손상을 입더라도—— 산 자라면 죽음 일보 직전의 상태에 빠질 정도라 해도, 거짓된 생명이 완전히 사라질 때까지는 끝없이 움직인다.

게다가 유명한 〈화염구〉도 무적의 마법은 아니다. 어느 정도의 능력을 가진 모험자라면 한 발을 견뎌낼 수 있다. 강자라면 몇 발이라도 버틸 것이다.

저 정도로 '방패잡이'를 없애지는 못할 거라고, 나쁜 방향으로도 상상해두지 않는다면 모험자 실격이라 할 수 있다.

다만 문제가 있다.

정말로 전혀 대미지가 들어가지 않았는지, 아니면 대미지가 잘 들어갔는지는 알 수 없는 것이다.

그러므로 스카마는 날카로운 눈으로 노려보았다.

일반적인 마법공격은 회피도 방어도 불가능하거니와 물리장갑으로 경감할 수도 없다. 저러한 갑옷—— 혹은 두꺼운 외피 같은 것을 가진 상대에게도 순수한 에너지에 의한 마법공격은 통한다. 하지만 일부 몬스터는 마법이나 속성공격에 대한 방어능력을 가졌다.

언데드 중에서 예를 들자면, 매우 위험한 존재로 알려진 골룡 Skeletal Dragon은 마법에 완전내성을 가졌다. 그 외에도 불꽃 대미지를 감소시키거나, 때로는 특정 속성공격이 치유효과를 가져다주는 몬스터마저 있다.

저 언데드가 그러한 능력을 가지지 않았으리란 법이 없다.

만약 마법공격이 통하지 않을 경우에는 전면적으로 작전을 변경해야 한다.

"괜찮아! 통한다!"

〈화염구〉를 쏘았던 동료가 외쳤다.

대미지가 들어갔음을 직감한 것이다. 그리고 잇달아 다른 매직 캐스터들에게서도 "먹혔어." "대미지를 입혔다." 등등의 목소리가 들려왔다.

"스카마! 놈에게는 거의 모든 마법공격이 통해!"

오늘 최고의 낭보에 안도했던 스카마의 마음에 이길 수 있을

지도 모른다는 희망이 솟아났다.

"알았어! 그럼—— 계속 반복해!"

상대는 경이로운 속도를 조금도 늦추지 않고 달려왔다. 바라건대 문에 도달하기 전까지 격파되기를. 오히려 이만한 마법공격을 내성도 없이 버텨내고 있었다면 그것은 보통 상대가 아니라는 무엇보다도 큰 증거였다.

'저런 괴물하고 붙고 싶지 않다고!'

스카마의 마음속 목소리에 찬동하듯 다시 마법이 일제히 날아갔다.

많은 좀비가 쓰러졌지만 '방패잡이'의 돌진은 멈추지 않았다.

수십 차례의 마법을 맞아, 어지간한 언데드라면 틀림없이 소멸해버렸을 텐데.

싸늘한 것이 스카마의 등줄기를 훑어 올렸다.

'상상했던 것보다 강해……. 아니, 너무 강해……. 저걸 우리가 이길 수 있을까?'

적은 '방패잡이'만이 아니다. 또 한 마리, 비슷한 언데드가 대기하고 있는 것이다. 왜 저놈이 움직이지 않는지는 알 수 없지만——

'저건 마도국의 비밀병기일까? 그래서 두 마리뿐일까? ……아니면 우리와 이 도시를 함락하는 데에는 두 마리만 있으면 충분해서?'

다시 한번 싸늘한 것이 등줄기를 타고 흘러갔다.

만약 마도국이 이 도시에 있는 모험자—— 최대 전력이 스카

마 일행 '사무기'라는 정보를 얻었으며, 그들을 이길 만한 병력
을 보냈던 것이라면? 그 병력이란 다수의 좀비가 아니라 저 '방
패잡이' 같은 놈들이라고 한다면?

자신의 불안이 공연한 걱정이었음이 증명되길 바라는 마음
에, 스카마는 빨리 해치우라고 소리를 지르고 싶었지만 입술을
꽉 깨물며 참았다.

다들 진심으로, 온 힘을 다해 싸우고 있는 것이다. 이 중에서
는 최고위의 모험자인 자신이 그런 말을 했다가는 어떻게 될까.

아무것도 변하지 않는 정도가 아니라, 전의만 꺾일 것이다.

그렇다면 지금은 참아야 한다.

스카마는 자신이 신앙하는 화신에게 기도를 올렸지만 신은 미
소 지어주지 않았다.

'방패잡이'가 문에 도착했다.

다시 말해 시벽에서는 가려져 사선을 확보할 수 없다.

스카마는 생각했다. 시벽에서 도시 바깥쪽으로 뛰어내려 도
망쳐야 할까, 하고.

하지만 그녀의 시선은 아직도 움직이지 않는 또 한 마리의 언
데드를 포착하고, 스카마는 그 계획을 포기했다.

또 한 마리의 언데드도 '방패잡이'와 동등한 기동력을 가졌으
리라 가정할 경우, 분명 중간에 저 언데드에게 붙들릴 것이다.

그렇다면 절대 도망칠 수 없느냐 하면 그렇지는 않다. 〈비행
Fly〉을 써서 알아보았지만 지금 상대하는 언데드 부대 이외의
적은 없었다고 한다.

그러므로 〈비행〉과 〈부유판Floating Board〉을 조합하거나, 혹

은 상대를 도시 안으로 끌어들이고 그 틈에 도망치는 방법을 취하면 된다. 후속부대가 없는 이상 도주가 저지당할 일은 없다.

다만 후자의 경우 상대를 이 도시 안까지 유인해야 하므로, 실행할 경우 도시를 저버리고 도망치는 것 이상의 죄책감을 안고 평생을 후회하며 살아가야 할 것이다.

스카마가 이를 악문 그때, '콰앙!' 하는 폭발과도 같은 소리가 시문 쪽에서 들려왔다. 마치 파성추 공격을 받은 것 같았다.

시간이 없다.

스카마는 결심했다.

"……가자! 너희는 저기서 대기 중인 언데드에게 주의하면서 시벽 밑에도 주목해! 유도할 테니까 보이는 범위에 들어오면 마법을 날려!"

동료들에게 짧게 호령한 후, 매직 캐스터와 궁병을 향해 구체적인 지시를 내린 스카마는 시벽을 내려가는 계단으로 달려갔다. 〈비행〉을 유지한 동료가 즉시 옆으로 따라왔다.

"저놈의 내구력은 정말 놀랄 정도야. 하지만 상당한 대미지를 입었을걸!"

'정말로? ……희망적 관측은 아니겠지? 그렇다 쳐도…….'

스카마는 슬쩍 쓴웃음을 지었다.

그 정도의 마법을 맞고도 움직이는 언데드의 공격을 막아내고, 마법으로 숨통을 끊을 만한 시간을 확보할 수 있을 것 같지가 않았다.

그래도 살아남기 위해서는 그렇게 해야만 한다.

시문은 커다란 외여닫이문이며, 통나무를 엮어 만든 지극히 간소한 구조였다. 해양도시다운 호방함이 여기서는 완전히 마이너스로 작용했다.

파성추를 맞으면 틀림없이 경첩이 날아가버릴 테고, 그렇다고 해서 교환할 수 있는 문도 아니었으므로 튼튼한 나무판을 있는 대로 덧대 완전히 봉쇄할 수밖에 없었다. 덕분에 문짝의 두께는 평소보다 두 배 가까이 되는 것 같았다.

그런 문이 바깥쪽의 공격을 받아 쿵, 쿵 소리와 함께 흔들렸다.

"얼마나 센 거야……."

보강해놓은 목재 일부가 쩌적 소리를 내며 꺾였다.

공격과 공격 사이에 조금 시간이 있는 것을 보면, '방패잡이'는 육탄돌격을 한 후 조금 뒤로 물러나 도움닫기를 한 다음 또 육탄돌격을 하는, 그런 행동을 반복하는 모양이었다.

"어떻게 할까? 〈뇌격Lightning〉이라면 문을 관통해서 상대에게 대미지를 입힐 수 있는데. 해볼까?"

문 같은 구조물은 번개 속성 공격마법에 강하다. 그래도 전혀 대미지를 입지 않는 것은 아니다.

여기서 고려해야 할 것은 문에 입히는 대미지와 저 언데드에게 입힐 대미지의 대비. 그리고 여기서 〈뇌격〉을 사용하는 것과 '방패잡이'가 들어왔을 때 다른 마법을 사용하는 것은 소비마력을 비교했을 때 어느 쪽이 효율적인가 하는 계산도 필요했다.

아니, 생각할 필요도 없었다.

여기서 중요한 것은 적과 맞붙지 않고 일방적으로 대미지를 입혀 쓰러뜨리는 것이다.

스카마가 고개를 끄덕이자 동료가 즉시 마법을 발동시켰다.

"〈뇌격〉."

벼락이 일직선으로 날아가 문을 관통하고 뒤에 선 '방패잡이'에게 대미지를 입혔을 것이다.

"쿠오오오오오오오오오!"

여기에 화가 났는지 언데드의 포효가 두꺼운 문 너머에서 전해졌다. 숨 쉬는 것도 잠시 잊어버릴 만한 박력이었다.

스카마는 땀을 한 줄기 흘렸다.

포효계 특수능력도 아닐 텐데 온몸이 떨렸다. 이것은 힘의 차이—— 존재로서의 역량 차이를 무의식적으로 깨달았기 때문이다.

'위험해. 이거 진짜 완전 위험해. ……이기느니 마느니를 생각하기 전에, 마도왕은 저런 언데드를 지배…… 응, 그야 그렇겠지. 10만 명도 넘게 죽여버리는 괴물인걸!'

그래도 이렇게나 강력한 언데드를 다수 사역할 수 있다고는 여겨지지 않았다. 아마도 이 언데드는 마도국의 비밀병기일 것이다.

그만한 것을 투입할 정도로 이 도시가 매력이 있었던 걸까.

자신들은 참으로 최악의 장소에 있었던 셈이다. 스카마는 그렇게 자신의 불운을 탄식했다.

콰앙. 큰 소리가 울리고 쩌적쩌적 소리와 함께 보강용 목재가 몇 개나 꺾였다.

"〈뇌격〉."

다시 새하얀 잔광을 남기며 벼락이 날아갔다. 하지만 울려 퍼지는 타격음은 변함없이 무기질적으로 반복되었다.

달라진 것은 문 쪽이었다. 통나무는 모조리 꺾이고, 보강해놓은 나무판은 휘어진 못만 문에 남긴 채 날아가버렸다.

"마법공격은 이제 됐어. 그보다도 나를 강화해줄래?"

"……그러지."

사방으로 튀는 나뭇조각을 피하듯 스카마는 뒤로 물러나며 두 동료에게 신앙계통과 마력계통 마법의 버프를 받았다.

여기에 쓰인 것은 제1위계의 〈대악방어Anti Evil Protection〉, 제2위계 〈하급 근력증대Lesser Strength〉, 제2위계 〈하급 민첩력 증대Lesser Dexterity〉, 제2위계 〈부정속성 방어Protection Energy Negative〉, 제3위계 〈가속Haste〉 등이었으며, 특수능력을 경계하는 것보다는 단순히 육체능력의 차이를 메우기 위한 마법이 많았다.

어지간한 버프를 다 받은 타이밍에, 마침내 시문이 한계를 맞아 커다란 소리를 내며 쓰러졌다.

뭉게뭉게 피어나는 흙먼지 속에 이글이글 빛나는 붉은 눈동자가 보였다. 나란히 늘어선 흉성(凶星)이 이쪽을 노려보니 견딜 수 없을 정도의 공포가 온몸에 내달렸다.

이가 따닥따닥 울리고 손이 떨렸다. 이를 누구에게도 들키지 않도록 억누르는 데에는 정신이 아득해질 정도의 노력이 필요했다.

시벽 위에서는 알 수 없었던, 대치했기에 느껴지는 공포가 있었다.

"이게 현실이야……? 보강해놓은 문을 뚫어버리다니…… 마도왕은 이딴 언데드를 지배하고 있냐고……."

"다음부터는 마도왕한테 대들지 말자는 생각이 드는걸. 진심으로."

동료가 푸념하고, 스카마도 침을 삼키며 대답했다.

단 하나의 마법으로 10만이 넘는 군세를 없앴다는 말은 들었지만 공포의 실감은 없었다. 하지만 눈앞에서 일어난 사실이——이 언데드를 지배하는 마도왕에 대한 외경심으로 이어졌다.

이런 언데드하고는 싸우고 싶지 않았다. 솔직히 말해 등을 보인 채 도망치고 싶었다.

하지만 산 자에게 증오를 뿌려대는 눈앞의 언데드가 놓아줄 리는 없을 것이다.

아무튼 이 언데드를 어떻게든 처치하는 것 외에 살아남을 길은 없다.

무시무시한 죽음의 화신은 방패를 휘둘러 흙먼지를 걷어내고, 파괴된 문짝을 짓밟으며 다가왔다.

마침내 도시 내로 침입을 허용하고 말았다.

좀비들은 벽 위에 있는 산 자에게 정신이 팔려 문의 존재를 알아차리지 못했는지 아직 이쪽으로 흘러들지는 않았다.

문 근처의 좀비를 눈앞의 언데드가 날려버렸던 것은 생각지도 못한 행운이었으나, 이 조그만 행운이 언제까지고 지속되진 않으리라는 것은 의심의 여지가 없다.

스카마는 자신이 가진 무기, 토마호크를 들었다. 저놈의 각력이라면 이 정도 거리는 공격범위라고 봐야 한다.

토마호크의 능력을 기동시키자 바로 옆에 반투명한 똑같은 무

기가 나타났다. 이것은 이 무기 고유의 '이중Doppel'이라는 힘
으로, 소유자에게서 붙지도 떨어지지도 않고 부유한 채 소유자
와 같은 정확도와 속도로 적을 자동공격한다.

이 반투명한 무기는 단순한 힘으로는 파괴할 수 없으며, 배제
하려면 무기파괴 계열 특수기능을 사용해야만 하므로 어쩌면
스카마 자신보다도 오래 버틸지도 모른다.

딱히 결점이 없다고도 할 만한 능력이지만, 굳이 결점을 들자
면 반투명한 쪽의 위력은 본체의 절반 정도로 떨어진다는 점일
것이다.

"쿠워어어어어어어어!!"

온몸이 떨려오는 포효가 다시 들려왔다.

그것은 이제부터 사람을 죽일 수 있다는 환희의 목소리였을
까. 커다란 방패를 높이 들더니, 무참하게 늘어진 문의 잔해에
내리꽂았다.

사방으로 터져나간 목재가 무시무시한 기세로 날아들었지만 스
카마는 이를 자신의 주무기인 토마호크로 여유 있게 튕겨냈다.

스카마의 움직임에 '방패잡이'가 처음으로 그녀를 적이라 간
주한 듯한 움직임을 보였다.

방패를 내밀고, 동시에 플랑베르주를 수평으로 겨눈다.

'진짜, 위험한데……. 그건 그렇고 마법을 그렇게 맞았으면
서 아직도 안 죽어? 뭔가 사기 치고 있는 거 아냐?'

조금 전에 날아왔던 목재의 파편을 태연히 튕겨냈던 것은 완
전한 허세였다. 마법의 지원을 받아 간신히 튕겨낼 수 있었다.

"다들 서서히——"

'방패잡이'가 돌진했다. 순식간에 피아간의 거리가 사라졌다. 벽이 밀려드는 것 같았다. 그대로 방패로 압살시킬 심산이리라.

하지만──

〈불락요새(不落要塞)〉까지는 쓰지 못하지만 〈중요새(重要塞)〉를 사용해 토마호크로 방패를 받아냈다. 다음 순간 '방패잡이'가 방패를 교묘히 놀려 토마호크를 흘려내 스카마의 자세를 흐트러뜨리려 했다. 마치 손도끼가 방패에 빨려드는 것 같다는 생각이 들 정도로 교묘한 기술이었다. 스카마는 힘의 흐름에 거역하지 않고 옆으로 몸을 굴리면서 그 반동으로 재빨리 일어났다.

동시에 반투명한 토마호크가 위에서 수직으로 꽂혔지만 적은 플랑베르주로 이를 튕겨내며 스카마에게 달려들었다.

숨 쉴 틈도 없이 다시 수세에 몰린 스카마는 토마호크로 이를 흘려내고, 반대로 스카마 쪽에서 상대의 품에 파고들고자 움직였다.

거대한 상대라면 품에 파고드는 편이 유리한 경우가 있다.

"〈태양광Sunlight〉!"

그 행동을 서포트해주듯 뒤에서 눈부신 빛이 뿜어져 나왔다.

제3위계 신앙계 마법.

강한 빛을 투사해 상대의 눈을 어지럽히는 동시에 언데드 등에게는 대미지를 입히는 마법이다. 같은 위계에 〈신성광Holy Light〉이라는 것이 있는데, 그것은 사악한 적 전반에 대미지를 입히는 효과를 가졌다. 다만 여기에는 눈을 어지럽히는 작용은 없으므로 역시 대미지보다도 지원을 노렸을 것이다.

허공으로 떠오른 매직 캐스터에게서는 〈마법화살〉이 날아와 세 개의 빛줄기가 언데드에게 꽂혔다.

이만한 지원을 받았는데도 방패가 벽처럼 가로막아 간격으로 파고드는 것을 허용하지 않았다. 토마호크로 베었지만 간단히 튕겨 나왔다.

'쳇! 움직임이 교묘한걸. 아까의 칼놀림은 이 정도까진 아니었는데—— 방패 기술이 너무 좋아! 방어 주체인가? 엥? 그런데 공격이 그렇게 강렬해? 아니, 그건 아니겠지…….'

자신의 생각에 공포를 느끼면서 스카마는 서서히 물러났다. 말할 것도 없이 목적은 시벽 위에 있는 매직 캐스터들의 사선을 확보하는 것. 하지만 너무 멀리 물러나서 상대를 자유롭게 놓아둘 경우 무시하고 도시 안으로 달려가 버릴 위험성이 있다. 이는 될 수 있는 한 피해야 한다. 놈의 주파력을 생각하면 스카마 일행은 따라잡을 수 없기 때문이다.

그렇게 될 경우 싸울 힘이 없는 시민들이 다수 희생될 것이다.

만에 하나를 대비해, 스카마 팀의 도적은 언제든 추적할 수 있도록 공격에는 참가하지 않고 대기 중이다.

이 자리에서 상대가 이탈하려 하면 방해하기로 의논을 해두었는데, 저 육체능력을 생각해보면 돌파당할 가능성은 충분히 있었다.

상대의 일거수일투족에 주의를 기울이며 천천히 유도했다. 상대는 이를 깨닫지 못했는지 거리를 유지한 채 다가왔다.

조금만 더 오면 사선이 확보되는 위치까지 도달했을 때, 상공에서 동료가 거의 비명에 가까운 목소리로 외쳤다.

"안 돼! 또 한 마리가 이쪽으로 달려오고 있어! 위에 있는 사람들은 그쪽으로 공격하는 중이야!"

그 말의 의미가 뇌에 스며들자 자연스럽게 생각이 떠올랐다. 아, 그럼…… 망했네.

가령 '방패잡이'와 '이도류'가 동격일 경우, 두 마리를 상대하면 스카마의 팀으로는 도저히 붙들어놓을 수 없다. 아니, 맞붙었다간 틀림없이 죽을 것이다.

"스카마, 어떡하지?!"

"……이놈을 해치우자."

동료의 당황한 목소리에 아주 조금 침착함을 되찾은 스카마는 잘라 말했다. 이놈을 해치우지 못한다면 도망치려야 도망칠 수도 없다. 한참 마법을 퍼부어댔으니 이놈의 체력은 이미 촛불의 불꽃 정도밖에 남지 않았으리라고 믿을 수밖에.

후퇴를 중지하고 스카마는 앞으로——'방패잡이' 쪽으로 파고들었다.

토마호크는 방패에 쉽게 가로막혔다. 반투명한 토마호크도 마찬가지. 스카마의 공격으로는 '방패잡이'의 방어를 무너뜨리지 못했다.

놈이 받아내리란 것은 이미 알고 있는 바. 그것으로 충분하다.

진짜는 동료들이 날려준 〈마법화살〉과 〈충격파Shockwave〉였다.

즉 공격마법이다. 동시에 도적이 언데드의 병을 발밑에 던진다.

병이 깨지는 소리와 함께, 연금술 등으로 만들어낼 수 있는 점착액이 퍼졌다. 아래가 돌바닥이기에 사용할 수 있는 전술이다.

'방패잡이'가 아무리 방어력이 뛰어나다 해도 발밑에 병을 던지는 데에 상대의 회피력 따위는 별로 상관이 없다.

언데드의 발바닥과 돌바닥이 점착액으로 달라붙어버렸다.

이제 시간이 조금만 지나면 상대의 기동력을 없애버릴 수 있다. 강적과 싸울 때 모험자가 자주 써먹는 전법이다.

스카마는 방패를 들지 않은 손—— 플랑베르주를 든 쪽으로 우회하면서 공격을 감행했다.

그러나 '방패잡이'는 커다란 검을 산뜻하게 놀려선 이를 모두 쳐냈다. 두 다리가 지면에 붙어버렸으면서, 무투기를 구사한 연속기를 펼쳐도 놈의 몸에는 검이 한 번도 닿지 않았다.

'진짜 이놈 철벽이네!'

언데드가 돌바닥에서 발을 억지로 떼어내는 모습이 시야 한구석에 비쳤다. 다시 두 차례의 마법공격이 꽂혔지만 아직 쓰러지지 않는다.

'——불사신인가? 아니면 시간이 지나면 상처가 치유되는 타입?'

히드라나 트롤처럼 생명력이 재생되는 몬스터도 있다. 그런 몬스터에게는 생채기나 입히는 공격은 별로 의미가 없다. 역시 치명적인—— 단숨에 상대의 체력을 깎아낼 만한 공격을 꽂아야만 한다.

초조함에 사로잡히면서 공격을 계속했지만 역시 소용이 없었다.

스카마는 놈의 몸에 일격을 가할 수도 없었다.

'젠장!'

"——왔다!"

도적의 고함에 자기도 모르게 시선이 움직였다. 문에 또 다른 언데드의 모습이 있었다.

'이도류'였다.

위장이 기분 나쁠 정도로 메슥거렸다. 토하고 싶어질 정도의 압박감이었다.

'여기가 우리가 죽을 곳인가?!'

스카마와 협공하던 도적이 주눅이 들어 스카마의 옆으로 다가왔다. 반대로 '이도류'는 '방패잡이'와 나란히 서고자 이동을 개시했다.

"……공격하지 않는걸. 다시 말해…… 최악이네. 이 자식들 충분히 지성이 있어."

'이도류'의 허물어진 안면에 웃음이 번지는 것 같았다. 방어의 기량에 걸맞지 않은 공격을 보여주었던 것은 절망감을 안겨줄 작정이었고, '이도류'가 올 때까지 시간을 끌기 위해서였는지도 모른다.

적 두 마리가 모두 모였다. 다시 말해 범위공격 마법을 쓸 좋은 기회다. 하지만 공격마법은 날아오지 않았다. 아니, 날릴 수 없다.

이유는 말할 것도 없다. 공격마법으로 언데드들에게 대미지를 입힐 수는 있겠지만 그 후에는 곧바로 전투가 시작된다.

그렇게 되면 운명은 뻔하다.

사실 이쪽이 공격을 하지 않더라도 언젠가는 상대가 공격하러 올 것이다. 하지만 자신의 손으로 자신의 수명을 단축시킬 용기는 솟아나지 않았다.

조금 망설이고, 스카마는 결심했다.

"둘 다 도망쳐!"

그리고 도적의 허리를 탁 두드렸다.

"시간을 끌자."

"뭐? 진짜?! 나도?! 아니, 내가?!"

곁의 도적에게서 비명이 솟았지만 스카마는 무시했다.

상대는 둘. 그렇다면 이쪽도 둘은 있어야 조금이라도 시간을 끌—— 퍽, 하는 소리가 났다.

"······어?"

눈앞의 언데드—— '방패잡이' 의 머리를 긴 바늘이 꿰뚫은 것처럼 보였다.

하지만 그렇지 않았다.

'방패잡이' 의 머리를 관통하고 돌바닥에 박힌 것은 바늘이 아니라, 집게손가락의 끄트머리 같은 물체였다.

다시 말해 너무나도 고속으로—— 스카마의 동체시력으로는 포착할 수도 없을 정도로 빠르게 날아오는 바람에, 잔상이 남아, 긴 바늘처럼 보였던 것이다.

'방패잡이' 의 몸이 휘청 기울어졌다. 하지만 부들부들 떨리는 다리로 바닥을 디딘 채 쓰러지려는 몸을 지탱한다. 무언가가 머리를 관통했는데도 버틸 수 있는 것은 언데드이기에 가능한 일이다.

스카마 일행은 자신도 모르게 눈앞의 적에게서 시선을 돌려, 조금 전 공격이 날아온 방향을 보았다. 그 틈에 언데드들이 덤벼들지 않았던 것은 놈들도 같은 방향을 노려보았기 때문이다.

동시에 추가 일격이 '방패잡이'의 머리를 다시 꿰뚫고, 이와 함께 '방패잡이'의 거구가 부슬부슬 허물어졌다.

단 두 방. 아니, 그렇게나 많은 마법을 맞아 체력이 얼마 남지 않았기에 가능했는지도 모른다. 하지만 대체 누가 이런 일을 해냈단 말인가――

상공에 있던 사람의 모습을 포착하고――

"뭐, 뭐지?"

――누구의 목소리였을까.

스카마 자신의 것인지, 동료 중 누군가의 것인지. 그런 것조차 판단할 수 없을 만큼 놀랐다.

그곳에 있던 것은 갑옷을 입은 거인이었다.

3미터도 넘을 만한, 이질적인 진홍색 갑옷이 허공에 떠 있었다. 그리고 그 갑옷은 긴 원통 같은 물체를 두 손으로, 크로스보우를 드는 것과 비슷한 자세로 들었다. 아마도 집게손가락 같은 물체는 거기서 날아왔을 것이다.

'방패잡이'를 공격해준 것을 보면 아군까지는 아니어도 적 또한 아닐 것이라고 생각하고 싶었다.

스카마 일행은 조금씩 '이도류'에게서 거리를 벌렸다. 양측의 싸움에 말려들었다간 그것만으로도 죽어버릴 것 같다는 예감이 들었다.

'이도류'는 이미 그들에게는 관심을 잃었는지, 아니면 공중에 뜬 거대한 갑옷이야말로 경계해야 할 상대라고 이해했기 때문인지 스카마 일행의 도주를 저지하려는 기색을 보이지 않았다.

그때, 전투의 막이 열렸다.

이번에는 '이도류'의 차례였다.

들고 있던 검을 던졌다.

스카마에게는 회피가 불가능하고, 어설프게 받아내려 해봤자 치명상을 입었을 만한, 힘이 담긴 투척이었다. 갑옷은 이를 피하지도 않고 몸으로 받아냈다. 아니, 어쩌면 피할 수 없었거나, 아니면 피할 필요성을 느끼지 못했거나.

요란한 금속성이 울리고, 투척된 검은 튕겨져 나와선 허공에 녹아들듯 사라졌다. 대신 '이도류'의 손에는 던졌어야 하는 검이 들려 있었다. 돌아온 것이 아니다. 새로 출현한 것이다.

허공에 있던 갑옷은 기민한 움직임으로 통을 '이도류'에게 향했다. 조금 전의 투척이 안에 있는 자를 상처 입히지는 못했던 것처럼 보였다.

통을 표적에게 향하고, 그리고―― 불꽃과 섬광과 함께 무언가를 토해냈다.

조금 전에는 한 발씩이었는데, 이번에는 헤아릴 틈도 없을 만한 대량발사였다. 드드드, 하는 무기질적이며 폭력적인 소리가 울려 퍼졌다.

날아드는 무언가에 대고 '이도류'가 검을 휘둘렀다. 까강, 하는 드높은 소리는 날아오던 무언가를 갈라버리는 소리였으리라. 하지만 그것뿐이었다.

수십 발, 어쩌면 수백 발이나 되는 투사물을 두 자루의 검으로 모두 막아낼 리 만무했다. 조그만 무언가가 무시무시한 속도로 적의 몸통을 관통했다. '이도류'의 몸이 경련이라도 일으키듯 떨렸다. 그리고 '방패잡이'와 마찬가지로 소멸해버렸다.

두 마리의 언데드는 정말로 그림자도 흔적도 없이 사라졌다.

스카마는 진심으로—— 마음에서 우러나는 경악 때문에 말이 나오질 않았다.

솔직히 말해 무슨 일이 일어났는지 전혀 이해할 수 없었다.

그래도 저 갑옷은 차원이 다를 만큼 강하다는 것쯤은 알 수 있었다. 스카마가 이제까지 보았던 그 누구보다도 강하다고.

스카마는 연신 눈을 깜빡였다.

너무나 현실감이 없어, 목숨을 건졌음에도 이를 고분고분 받아들일 수가 없었다. 자신들이 품었던 비장감이 이렇게나 쉽게 파괴된 탓에 머리가 따라가질 못했다.

"뭐, 뭐야저거뭐야저거?"

"……야, 저거, 모험자 조합 태그 아냐?"

"어?"

도적의 말을 듣고 응시해보니 그 갑옷은 목에 ——억지로 찬 것 같기는 하지만—— 플레이트가 달린 목걸이를 하고 있었다. 스카마 일행이 가진 것과 같은 크기겠지만 거구에서 오는 대비로 인해 너무 작게 보였다. 보통은 놓쳐버릴 만한데도 이를 발견한 도적은 역시나 대단하다고 해야 하리라.

목걸이에 달린 플레이트의 색은 처음 보는 것이었다.

오리할콘이라면 본 적이 있다. 그렇다면 소거법으로, 저것은 무엇을 의미하는 플레이트인지 알 수 있다.

"아다만타이트 클래스 모험자?"

왕국 내에는 3개 팀이 있지만, 그중 어느 쪽인지는 갑옷의 색이 가르쳐주었다.

"혹시 저게 주홍물방울…… 중 누군가?"

릴리넷의 말에 스카마도 그럴 것이라고 대답했다. 이랬는데 청장미나 칠흑이었다면 대체 무슨 생각으로 갑옷을 그렇게 칠했느냐고 따졌을 것이다.

허공에 뜬 갑옷은 스카마 일행에게서 등을 휙 돌렸다.

"자, 잠깐만!"

목소리에 반응해 갑옷이 슬쩍 돌아보았다.

그리고 왼손을 들더니 검지와 중지를 모아 이마에 가져다댔다. 그리고는 작별이라도 고하듯 척 움직였다.

그리고 갑옷은 날아갔다.

아무도 없는 허공을 멀거니 바라보는 스카마에게 도적이 말을 걸었다.

"……뭐였어?"

"글쎄……."

정말로 이해할 수 없었다. 뭐, 주홍물방울이 도와주었던 거겠지.

"하지만, 뭐, 한 가지는 알겠어. 저 정도로 강하다면── 어쩌면 마도국의 침공도 여기서 끝날지 몰라. 물론 모험자의 룰을 어기고 앞으로도 전쟁에 참가해준다면 말이지만."

누군가가 "어?" 하는 소리를 낸 것 같았다. 그것은 아인즈 스스로 생각하기에도 자신의 목소리가 아니었을까 여겨질 만한 광경이었다.

죽음의 기사와 죽음의 전사. 두 마리의 언데드가 간단히 소멸되었다. 게다가 쓰러뜨린 상대는 위그드라실에 존재하는 파워드 슈트를 착용했던 것이다.

아인즈에게서 멀리 뻗어 나갔던 연결고리――너무 잔뜩 만들어놓는 바람에 뒤죽박죽되었던――가 두 가닥 끊어지는 느낌이 들어, 지금 보았던 광경이 환영이 아님을 아인즈에게 알려주었다.

실내에 침묵이 드리워졌다.

각 계층수호자들의 시선――아마 메이드들의 시선도――이 자신에게 집중되는 것을 감지했다.

원래 이 공성전은 아인즈가 주도한 것이므로, 이 패배는 아인즈의 패배라 간주해도 이상하지 않다.

너무나도 예상치 못했던 일이었지만, 져도 상관없다는 정도로 생각해 이 정도의 전력을 보냈던 것이니 너무 자신을 염려하는 듯한 태도를 보이지는 않았으면 좋겠다고 생각했다.

하지만 이 상황에서, 딱히 져도 상관없었다는 소리를 한다면 왠지 궁색한 변명처럼 들릴 것이 분명했다. 사후대처란 늘 그런 법이다.

이 견뎌낼 수 없는 분위기가 더더욱 무거워질 것이 뻔했다.

그러므로 아인즈는 여느 때처럼 연기하기로 했다. 물론 이것 또한 시간을 내 일반 메이드가 없는 틈을 타 거울 앞에서 훈련했던 연기였다.

"흐음…… 예상대로군."

모든 것이 자신의 손바닥 안에 있다.

마치 악당 보스가 손안의 와인 잔──말할 것도 없이 레드와인이 들어있다──을 천천히 흔드는 듯한 여유를 보이며, 아인즈는 자못 그럴듯하게 중얼거렸다.

여기서 중요한 포인트는 큰 목소리를 내서는 안 된다는 것이다. 목소리가 크면 왠지 폼이 안 난다. 어디까지나 혼잣말이라는 분위기를 내비치는 것이 요령이다.

그런 고심이 담긴 연기의 결과, 술렁임과도 비슷한 파동 같은 것이 실내를 휩쓸었다.

아인즈는 나오지도 않는 침을 꼴깍 삼켰다.

성공했는지 어떤지는 데미우르고스의 첫마디에 달렸다.

"과. 연. 그런. 뜻이었. 군요……."

'──엥?! 코퀴토스?!'

아인즈가 경악하고 있으려니 "저요 저요 저요!" 하고 샤르티아가 외치며 두 손을 들었다. 만세 포즈지만, 그게 아니라 자신을 어필하는 것이리라. 모두의 시선을 한몸에 모으며 샤르티아가 씨익 웃었다.

"저도 이해했사와요! 그러니까 아인즈 님께서는 저게 나타날 거라고 예측하셨사와요! 그래서 겨우 저 정도의 병력을 보내셨던 것이사와요!"

여느 때의 패턴이 아니다.

이건 성공일까 실패일까. 아인즈는 곁눈질로 데미우르고스의 눈치를 살폈다. 그러자 그는 웃음을 지으며 고개를 끄덕였다.

"과연. 둘 다 훌륭합니다."

데미우르고스의 칭송을 받아 두 사람은 슬쩍 가슴을 폈다. 짐작이지만 아마 데미우르고스도 그 답에 도달했으면서 두 사람을 띄워주려 했던 것이리라.

아인즈는 마음을 놓았다.

보아하니 이번에도 성공한 모양이다.

알베도가 이어서 말했다.

"세바스와 데미우르고스, 그리고 왕도의 협력자가 모아온 정보에 따르면 주홍물방울은 왕국 북부에서 활동한다고 했나이다. 그렇기에 그들을 유인하기 위한 병력이었던 것이로군요. 그자들에게는 여유롭게 이길 만한, 그러나 도우러 가지 않는다면 도시가 함락당할 만한 절묘한 병력. 과연 아인즈 님이시옵니다."

"미끼를. 문. 물고기. 였던. 셈이로군요……."

'응? 그거 주홍물방울이었어? 확실한 정보라고 봐도 되는 거야? 플레이어일 가능성은?'

위그드라실의 파워드 슈트가 나온 이상 플레이어일 가능성인 편이 높지 않을까.

아니면 주홍물방울이라 단언할 만한 정보가 있었던가. 만약 후자라면 아인즈에게 그 정보가 올라오지 않았던 것 아닐까.

아니다—— 아인즈가 자료를 보고도 놓쳤을 확률이 훨씬 높다. 그러므로 역시 아인즈는 이것도 계산한 대로였다고 다들 느낄 수 있도록 희미한 웃음소리를 냈다.

당연한 말이지만 이 웃음소리도 연습한 것이다.

"——후후. 뭐, 정말로 나타날 줄은 몰랐으니 상당히 놀란 것은 사실이다. ……왕도에서 결전을 벌일 때까지 힘을 아껴둘지도 모른다고 생각했으니."

"아인즈 님은 늘 거기까지 생각하시는군요!"

아우라가 그렇게 말하자 마레가 대단하다고 중얼거리는 목소리가 들렸다.

순수한 존경의 눈빛을 보내는 두 사람의 시선에 아인즈의 얇은 유리와도 같은 마음은 큰 대미지를 입었다.

아니야.

하지만 그런 말은 할 수 없다.

아인즈는 그런 생각은 조금도 하지 않았다. 분명 져도 이겨도 상관이 없었다. 이번에는 다른 노림수가 있었기 때문이었다.

얼마 전—— 이 도시에서의 전투를 아인즈가 지휘하는 계기가 되었던 세바스 일행과의 대화를 떠올렸다.

＊

"무슨 일이냐, 세바스? 내게 볼일이라도 있느냐?"

에 란텔에서 대기 중이어야 할 세바스가 나자릭으로 귀환한 아인즈 앞에 나타났을 때 우선 그렇게 물은 것은 당연한 일이리라.

세바스를 불러낸 것은 물론, 최근에 그와 관계가 있을 법한 모종의 명령을 내린 기억도 없었다. 아마 자유의지로 돌아왔을 것이다. 그러나 여기에 문제는 없다.

세바스는 에 란텔에 상주하지만 어느 정도의 자유재량을 주었으며, 원할 때 나자릭으로 귀환할 수 있도록 허락했다.

다만 아인즈를 만나려 한다면 에 란텔에서도 충분할 것이다. 어지간히 중요한, 그러면서도 급한 용건이 있는 걸까.

"참으로 송구스럽사옵니다, 아인즈 님. 위대하신 존재의 소중한 시간을 잠시만—— 아니, 시간을 할애해주실 수 있겠나이까?"

말을 흐린 부분에서 불길한 느낌을 받으며, 아인즈는 근처에 서 있던 일반 메이드——오늘의 아인즈 당번이다——에게 물러나도록 지시했다. 고개를 가볍게 숙인 메이드가 아인즈 개인실 당번 메이드와 함께 밖으로 나갔다.

아인즈는 천장에 달라붙어 있던 팔지도 암살충들을 보았다.

"너희도 가거라."

체중이 느껴지지 않는 움직임으로 천장에서 내려온 팔지도 암살충도 처음부터 끝까지 한마디도 하지 않고 퇴실했다.

아인즈가 '들은 이야기를 외부로 흘려선 안 된다'고 명령하면 모두 죽어도 입을 열지 않겠지만, 이 세계에는 마법이라는 힘이 있다. 그들의 자아의식을 빼앗아 정보를 얻을 수 있다. 물론 그런 일을 아인즈가 용납할 리도 없지만, 주의에 주의를 기울여야 할 것이다.

"아인즈 님, 감사드리옵니다."

만일 세바스가 사람을 내보내 달라고 말했다면 동료인 일반 메이드들을 믿지 않는다는 뜻이 되고 만다.

그러므로 세바스가 말하면 좋지 않으리라 판단한 아인즈에 대한 감사였다.

세바스의 말에 고개를 가로저어 대답하고, 아인즈는 그 이상으로 조금 전부터 묻고 싶었던 질문의 답을 얻고자 되풀이했다.

"대체 무슨 일이더냐? 보통 일은 아닌 듯하다만. 서둘러야 하느냐?"

"예. 음, 아닙니다. 보통 일인지 어떤지는 모르겠나이다…… 사실은 아인즈 님께 내밀히 말씀을 드리고 싶다는 자가 있어…… 아인즈 님을 모셔왔으면 한다고 제게 부탁을 했사옵니다."

"……나더러 그쪽으로 가란 말이냐? 나의 방에 오고 싶은 것이 아니라?"

나자릭 지하대분묘의 최고위 인물인 아인즈에게, 나자릭 내 부인이라면 말하기 힘든 제안이었다.

"……혹시 네가 데리고 있는 그 인간이냐?"

"아니오, 트알레는 아니옵니다. 자신의 수호영역에서 밖으로 나갈 허가를 얻지 못했기에 무례임을 잘 알면서도 아인즈 님께서 왕림하시기를 바란다 하였나이다."

세바스가 진심으로 송구스럽다는 마음과 함께 아인즈의 낯빛을 살폈다.

"아하, 그랬구나."

아인즈는 이내 수긍했다.

실제로 상대가 영역수호자라면 그런 일도 충분히 있을 수 있다.

물론 아인즈가 오라고 명령하면 그 장소를 벗어나 이곳으로 찾아올 가능성은 높다. 창조한 동료——NPC들이 지고의 41인이라고 부르는 존재들——에게서 명령을 받아, 위치를 떠날 수 없다고 대답할 만한 이들이 일부 없는 것은 아니지만, 대부분은 아인즈의 명령을 따른다.

하지만 그렇게 할 경우 좋지 않은 자들도 있다.

예를 들면 나자릭 제7계층의 영역수호자인 홍련이 좋은 예다.

홍련이 전개하는 오라는 상시발동형이므로 제9계층에 오기만 해도 온갖 피해가 생겨날 것이 틀림없다. 융단처럼 불이 붙기 쉬운 것이 타버리는 정도는 그나마 다행이고, 일반 메이드는 근거리에서 조우했다간 심각한 부상을 입을지도 모른다.

그러한 점까지 고려하면, 실제로 아인즈가 찾아가는 편이 낫다. 게다가 아인즈의 엉덩이가 그렇게 무거운 것도 아니다. 그리고 현재 맡은 일 중에서 뒤로 미룰 수 없는 일은 아마도 —— 아인즈의 관점에서는—— 없을 것이다.

"알았다. 그러면 내가 그리 가도록 하지. 헌데 나를 부른 것이 누구냐?"

"니글레도 님과 페스토냐입니다."

기본적으로 '님'이라는 경칭을 붙이는 세바스가 페스토냐에게만 이를 생략한 것은 자신의 직속이라고 생각하기 때문일 것이다.

"그 둘이라고……."

아인즈는 씁쓸한 표정이 떠오르려는 것을 열심히 감추었다. 아인즈의 해골 얼굴에 표정 따위 없지만 일부 수호자는 이를 간파하는 듯했다. 알베도가 특히 그렇다. 덧붙여 데미우르고스는 이상한 방향으로 착각하는 것 같다. 아니면 혹시 일부러 그러는 걸까.

그렇게 잘 숨겼다고 생각은 했지만, 목소리에 미미하게 부정적인 감정이 배어나온 것을 느꼈는지 세바스의 송구스러워하는 표정이 한층 강해졌다.

'세바스에게는 미안하지만…… 솔직히 말해 가고 싶지 않아.'

이것은 절대 좋은 이야기가 아닐 것이다.

상당히 자신 있게 단언할 수 있다.

회사와 마찬가지다. 이런 표정을 지은 사람이 "저쪽 부서에서 부르던데? 내선으로 말고, 직접 와달라면서."라고 말했다면 십중팔구 귀찮은 일이다.

그렇기는 해도 아인즈에게 별로 선택지가 없는 것도 사실이다. 문제를 방치했다가 더 큰 문제가 발생했을 때는 결국 그 책임은 아인즈에게 귀결된다.

아인즈는 나자릭의 절대지배자지만, 그렇다고 해서 이 자리에 안주하는 것은 어리석은 자나 하는 짓이다.

게다가 자신의 자식이나 다를 바 없다고 생각하는 나자릭의 NPC들에게는 미움보다는 사랑을 받고 싶다.

"……가자. 예정은……."

아인즈는 수첩을 꺼내 자신의 예정을 살펴보았다. 아인즈는 싫은 일은 뒤로 미루려는 성격이었다. 하지만 동시에 싫은 일은 빨리 마쳐버리고 싶기도 했다.

"……지금 시간이라면 문제없이 비어있군. 지금 당장 가도 되겠느냐?"

니글레도와 페스토냐. 두 사람 모두 영역수호자이기는 하지만 조금 전 세바스의 이야기를 생각해보면 둘 중 누구에게 가야 좋을지는 안다. 그렇기에 일부분이 빠진 질문이었음에도 세바스에게는 의미가 제대로 전달되었다.

"페스토냐를 먼저 보낼 터이니 1시간 후가 어떻겠나이까?"

"……문제없다. 알베도나 데미우르고스 같은 자를 데리고 가는 건—— 좋지 않을 듯하군."

"예. 매우 황송하오나 아인즈 님 혼자서 와주셨으면 하옵니다."

아인즈는 한숨을 감추고 고개를 끄덕였다.

"인형은 어떻게 하지?"

"페스토냐에게 준비토록 했사오니 마음에 두실 필요는 없나이다."

"좋아, 그러면 1시간 후란 말이지…… 응? 세바스, 너도 그 이야기에 참가하느냐?"

"예. 그렇게 했으면 하옵니다. 그래도 괜찮겠나이까?"

아인즈가 상관없다고 허가를 내리자 세바스는 백발이 성성한 머리를 깊이 숙였다.

1시간 후, 아인즈는 반지의 힘을 써서 제5계층 빙결뇌옥 앞에 도착했다.

수행원은 아무도 없다. 일반 메이드에게는 중요한 용무가 있으니 다른 이들에게는 비밀로 해두라는 지시를 남겨놓았다.

그녀는 '아무것도 보지 못한 것으로 하고 없는 사람 취급해도 좋으니 같이 갔으면 좋겠다'고 말했다. 실제로 그 말은 신뢰할 수 있다. 그녀들은 반대로 그런 취급을 받는 쪽을 선호하는 듯했다.

언뜻 들은 이야기에 따르면 도구처럼 쓰이면 메이드의 본분을 다하는 기분이 들어서 그런 대응에 강한 매력을 느낀다나. 아니, 물론 단 한 사람에게 들은 이야기니 우연히 그녀가── 정말로 우연히 그러한 성벽을 가졌을 가능성도 없진 않지만.

아무튼 일반 메이드가 그렇다 해도, 쓸데없는 문제가 일어날 가능성을 1퍼센트라도 남기지 않기 위해 아인즈는 자신의 의지를 억지로 관철시켰다.

'돌아가면 뭔가 그녀가 기뻐할 만한 일을 해줘야 하려나……. 귀찮거나 힘들거나 한 일을 맡기……면 기뻐한다는 게 영 이해가 안 가지만…….'

이런 생각을 공유하는 이가 메이드 외에도 나자릭에는 지나치게 많았으므로 장기휴가나 유급휴가 도입은 아직도 성공하지 못했다. 이대로는 꿈으로 끝날지도 모른다.

아인즈는 동화에 나올 것 같은 커다란 서양식 2층 저택의 얼어붙은 문을 밀어 열었다. 그때와 마찬가지로 냉기가 흘러나왔다. 하지만 언데드이며 냉기에 완전내성을 가진 아인즈에게는 아무것도 아니다.

아인즈는 조용하고 어두운 통로를 혼자 나아갔다. 도중에 딱

한 번 천장을 올려다보고 구멍이 뚫리지 않았음을 확인한 것 말고는 발을 멈추지 않은 채, 그대로 문을 중심으로 벽 전체에 커다란 프레스코화가 그려진 장소에 도착했다.

그때와 마찬가지로 프레스코화의 칠은 군데군데 벗겨져 무참한 모습을 드러내고 있었다.

문을 밀자 소리도 없이 미끄러지듯 열리고, 실내에 있던 세 사람이 일어나 아인즈를 환영해주었다.

방의 주인, 니글레도.

개 머리의 메이드, 페스토냐.

그리고 세바스까지 세 사람이었다.

"왕림해주셔서 감사드립니다. 아인즈 님."

방의 주인인 니글레도의 환영을 받아 아인즈는 그들이 이제까지 앉아있던 테이블로 다가갔다.

전에 왔을 때는 이 방에 요람밖에 없었는데, 지금은 반대로 요람이 없고 테이블과 함께 의자가 네 개 있을 뿐이었다.

빙결뇌옥 내의 다른 방에서 가져온 것이리라. 참고로 빙결뇌옥의 지상층이 니글레도의 수호영역이고, 지하는 뉴로니스트가 수호한다.

아인즈가 자리에 앉자 페스토냐가 즉시 차를 준비하기 시작하고, 눈앞에 놓인 김이 솟는 잔에서 피어나는 홍차의 향이 아인즈의 코를 자극했다. 그리고 세바스가 함께 비스킷을 내놓았다.

물론 아인즈는 먹고 마실 수 없는 몸이지만 그들의 호의는 기쁘게 받아들였다. 그 후, 계속 서 있던 세 사람에게 앉도록 지시했다.

아인즈의 앞에 놓인 비스킷은 우툴두툴한 사각형 덩어리로 세련되지는 못한 것이었다. 나자릭 내에서는 어지간해서는 볼 수 없는 것이라 할 수 있다.

누군가가 실험적으로 만든 건가 싶어 세바스를 보니, 아인즈의 의문이 전해졌는지 대답이 돌아왔다.

"나자릭 내에서 만든 것이 아니라 에 란텔에서 팔던 것을 가져왔나이다. 현재 에 란텔에서는 싸고 신선한 식재료가 들어와 식문화가 꽃을 피우고 있나이다. 이 비스킷도 그중 하나지요. 원래는 더 단단했다지만 요즘은 이처럼 부드러워졌사옵니다."

"전에도 먹어보았는데, 이 정도라면 과자라고 할 수 있겠어요. 명."

"흐음."

아인즈는 비스킷을 하나 들어 씹어보았다. 정말로 그리 단단하지는 않은 듯했다.

이내 둘로 쪼개져, 이빨 안과 밖으로 흘러 떨어진 것을 손으로 받아 홍차 잔 옆에 놓았다.

식감은 알아도 맛은 알 수 없는 이 몸이 매우 유감스러웠다.

하지만 아인즈는 이내 생각을 바꾸었다. 성욕도 식욕도 수면욕도 없는 이 몸이기에 나자릭의 지배자가 될 수 있는 것이다.

만약 어느 하나라도 있었다면 그것 때문에 타락해버렸을 것이다.

"아인즈 님의 언데드들이 농원 같은 곳에 더 많이 임대된다면 분명 품종개량도 진행되어 식문화가 큰 꽃을 피울 것입니다. 어쩌면 나자릭 내에 있는 다양한 식재료에 필적하는 것도 생겨날지 모르겠습니다."

"그렇게 되면 훌륭한 일이겠구나. 식재료에서 나오는 버프는, 나야 이런 몸이다 보니 별로 조사해보지 못했지. 앞으로는 그런 쪽에도 힘을 쏟는 편이 나자릭의 강화에도 이어질지 모르겠구나. 하지만── 그렇게 되면 요리사 클래스를 가지지 않은 사람은 요리를 만들지 못하게 되는 것 아니냐?"

"그런 우려도 있으니, 원종이 될 씨앗은 남겨두는 편이 좋을지도 모르겠습니다."

니글레도의 말에 아인즈는 고개를 끄덕였다.

문득 유럽의 아콜로지 사이에서 식물의 종자가 보존된 장소를 두고 분쟁이 벌어졌다는 이야기가 떠올랐다. 아인즈는 당시 전혀 관심이 없었던 이야기였으며, 블루 플래닛만이 부르짖고 있었다.

그래서 기억하는 것이지만, 그렇게 종자를 둘러싼 분쟁이 있다는 것을 이 세계에서도 마음에 두는 편이 좋을 것 같았다.

"그렇구나. 그리 해두는 것이 좋겠다. 그 부분은 따로 팀을 만들어 대응하게 하마."

알베도에게 제안해야 할 안건이었다.

"그건 그렇고── 슬슬 본론으로 들어갈까. 나를 이곳까지 부른 이유를 들려주겠느냐?"

니글레도가 대표로 입을 열었다.

"예. 현재 왕국에서 추진 중인 백성 말살을 이쯤에서 중지해주실 수는 없으신지요."

"기각한다. 무엇보다 그것은 내게 해야 할 말이 아니다. 너희의 직속 상사인 계층수호자에게 해야 할 말이 아니더냐?"

아인즈는 즉시 대답했다.

나자릭 내에 있는 이——영역수호자——들에게는 현재 아인즈와 계층수호자들이 어떤 목적으로 무엇을 하는지를 서면으로 전달했다.

이것은 무언가 의견이 있다면 직속 상사에 해당하는 계층수호자에게 전달해, 나자릭에 속한 이들의 의지를 통일하면서 다채로운 관점에서 의견을 모으고자 하는 목적이었다. 동시에 각자의 호기심이나 관심을 자극하려는 목적도 있었다.

그러므로 니글레도가 자신의 의견을 피력한 것은 목적에 정확히 부합한 것이었다. 하지만 직속 상사는 제5계층의 수호자인 코퀴토스다. 아인즈가 니글레도의 의견을 채용한다면 코퀴토스의 체면을 짓밟게 된다.

이것은 사회인으로서는 절대 해서는 안 될 일이다.

만약 이것이 이해가 안 가는 사람이 있다면, 직속 중역을 건너뛰고 다른 부서의 중역에게 직접 탄원하러 가보도록. 틀림없이 좋지 못한 일이 일어난다는 사실을 알게 될 것이다.

그런 의미에서는 가장 높은 사람인 사장——혹은 회장——인 아인즈가 움직이는 데에는 문제가 없다고 할지도 모르겠지만, 부하 간의 불화 때문에 서먹서먹한 회사가 되는 것은 반드시 피해야 하는 일이다.

만약 제4계층 가르간튜아의 영역수호자였다면 아인즈가 대리로 처리해도 상관없겠지만.

"아인즈 님의 말씀이 지당하십니다멍. 따라서 저도 그렇게 제안을 드렸습니다멍."

페스토냐의 직속 상사는, 어떤 의미에서 세바스다.

만약 제9계층, 제10계층에 영역수호자를 두었다면 제9계층 계층수호자가 세바스, 제10계층 계층수호자가 알베도인 셈이다.

그런 세바스가 아인즈를 데려왔다고 생각한다면, 누구의 체면도 상하지 않는다.

"——과연. 너희의 마음은 알겠다. 하지만 한 가지 질문을 하자꾸나. 이것은 나자릭 지하대분묘, 우리가 사는 장소를 더욱 강화하기 위한 실험을 겸한 작전이다. 단순한 자비 때문에 중지할 수는 없다. 이를 알고 하는 발언이겠지?"

착각해서는 안 된다. 나자릭 지하대분묘—— 아인즈 울 고운 마도국은 절대강자도, 무적도 아니다. 만약 이 세계에 그들과 마찬가지로 거점째 전이한 길드가 존재한다면 패배할 가능성도 있는 것이다.

전이한 존재가 자신들뿐이라고 생각하는 것은 지나치게 낙관적이라고 해야 하리라.

실제로 세계급 아이템의 존재가 느껴지지 않았던가. 어딘가에 길드가 있어도 이상할 것이 없다.

그렇다면 싸움이 벌어졌을 때 승리를 얻을 수 있도록 나자릭을 더욱 강화하는 것이 길드 마스터의 책무다.

"자비만이 아니라고 하면 어떻겠습니까멍?"

"……호오. 그건 대체 무슨 뜻이지? 이점이 있다면 들려다오. 다만, 미리 말해두는데 많은 인간을 구하는 것으로 장래에 강자가 태어날 거라는 아이디어는 기각하겠다. 왜냐하면 왕국의 역사에서 아다만타이트 클래스 모험자 이상의 강자가 태어난 사실은 없기 때문이다. 그렇다면 순수한 강함으로는 인간의 능력은 그 정도에서 멈춘다고 생각해야 할 것이다. 그렇다면 용처럼 종족적으로 우수한 강자를 우대하는 편이 낫겠지."

"갓난아기에게는 가능성이 있습니다, 아인즈 님."

페스토냐가 ——아마도—— 싸늘한 눈을 니글레도에게 돌렸다.

"갓난아기만이 아니에요멍."

니글레도는 아기에게 다정하다. 어쩌면 그 다정함은 페스토냐를 능가할지도 모른다. 하지만 그녀의 다정함은 갓난아기에만 한정된다. 갓난아기가 2세를 넘었을 무렵부터 그녀의 애정은 사라지고 처리해야 할 고깃덩어리로 바뀐다.

그러므로 왕도를 습격해 목숨을 구했던 갓난아기는 2세를 경계로 니글레도에게서 떠나 페스토냐의 손에 넘어갔을 것이다.

그리고 지금은 유리가 관리하는 고아원으로 옮겨졌다고 한다.

"그렇지. 그 말은 옳다. 하지만 그것은 용이라 해도 마찬가지가 아니겠느냐?"

"조금 전에 품종개량에 대해 말씀하셨는데, 인간이라는 종족에게도 그것을 시행할 수는 없겠는지요. 나자릭의 여러 가지 자산을 통해 강화하면 강인한 신종이 태어날지도 모릅니다. 또한 종족의 가치는 강함만이 아닙니다. 인간은 창의력이 있으며 새로운 것을 만들어내는 능력…… 문명발전력이 해도 좋겠사오나, 그러한 것을 가졌다고 생각합니다. 지나치게 줄여버릴 경우 그것은 나자릭의 잠재적인 불이익이라 할 수 있지 않겠습니까?"

그래서 아인즈에게 비스킷을 가져왔던 걸까. 그렇다면 이제까지는 그녀들의 예상대로 왔다는 뜻이 된다. 아니, 그래도 상관은 없다. 결국 아인즈는 자신을 이해시켜주기만 하면 그만이었으므로.

"일고의 여지는 있군. 하지만 나는 이 세계의 주민 다수가 지나치게 강해지는 것은 바라지 않고, 문명이 크게 발달하는 것은 위험시한다."

아인즈는 주먹을 쥐었다.

"강해질 수 없는 강자와 강해질 수 있는 약자. 서로의 위치관계가 뒤집히는 일은 반드시 피해야만 한다. 그 조짐이 보이기라도 한다면, 무엇을 잃더라도 막아야만 한다. 나자릭의 이익을 위해서라도. ……내 말이 틀렸느냐?"

두 사람은 입을 다물었다. 아인즈는 세바스에게 눈을 돌렸다.

세바스만이 조금 전부터 아무 말도 하지 않고 있었다.

"저는 아인즈 님께서 이곳에 왕림하셔서 두 사람의 이야기를 들어주신 것만으로도 감사드리옵니다. 그러니 이 이상 아인즈 님께 탄원 드릴 마음은 없나이다."

"흐음……."

아인즈는 턱을 문지르며 두 사람에게 시선을 돌렸다.

"뭐, 인간을 궁지에 몰아넣는 것이 불이익이 크다고 하면 그렇기는 하지. 궁지에 몰리면 강해지고자 노력할 테니 말이다.

그러니 그러한 경험을 한 자들은 몰살시키는 편이 나을 것이다. 그리고 그런 경험을 하지 않은—— 강해지려고 하지 않는 자들을 소중히 여기면 된다."

아인즈는 두 사람의 얼굴을 번갈아 보았다.

"이야기는 끝났느냐? 그러면 돌아가겠다만."

"아직입니다멍!"

페스토냐가 조금 큰 목소리를 내더니, 그 행위를 부끄러워하며 고개를 숙였다.

"송구스럽습니다."

"괜찮다. 그보다도 네 의견을 들려다오."

"예. ——아인즈 님. 이번 건은 당근과 채찍, 속국이 된 제국과 적대하는 길을 선택한 왕국의 취급 차이를 많은 이들에게 알리기 위한 의도도 있어서 살육을 계속하는 것이라고도 들었습니다. 멍."

아인즈가 고개를 끄덕이자 페스토냐가 말을 이었다.

"목숨을 간신히 부지해 도망친 자가 많으면 많을수록, 아인즈님—— 아니, 마도국에 거역하는 어리석음이 널리 알려지지 않겠습니까? 아, 멍."

"그러기 위해 일부러 도주시키자는 것이냐?"

"그렇습니다멍."

그렇다고 한다면 살려주는 데에도 이익이 생긴다.

하지만.

알베도나 데미우르고스가 그 점을 생각하지 않았을 리가 없다. 두 사람은 그것까지 고려하고 작전을 실행하지 않았을까.

그렇다면 그들이 모종의 이유로 이미 파기한 계획을 수행한다는 뜻이 되고 만다.

아인즈를 현명하다고 착각하는 두 사람이 어떤 반응을 보일까.

이를 생각하면 있지도 않은 위장이 따끔거렸다.

아니, 일부러 실수하겠다는 말을 해놓았으니 괜찮을지도 모른다. 하지만 진짜 문제는 그 후에 있다. 아인즈가 희다고 하면 검은색도 흰색이라고 하는 자들이다.

'치명적인 불이익이 있기에 파기했던 계획이라면, 내가 하겠다고 말한 탓에 막대한 손실을 가져올지도 모르잖아⋯⋯.'

사장이 내세운 안건은 손해를 볼 거라고 예측해도 말릴 사람이 아무도 없는 것과 마찬가지다.

'게다가 그 손실을 만회하려 해도 나처럼 능력 없는 놈은 무력해. 책임을 질 수도 없는 놈이 그런 짓을 해서 되겠어⋯⋯?'

그러면 기각해야 할까 생각해보면, 페스토냐의 제안 중 어디가 안 좋은지를 명확히 지적할 수도 없다.

그럼에도 안 된다고 부정해도 되는 걸까.

'⋯⋯역시 억지로라도 알베도나 데미우르고스를 데려왔어야 했나? 하지만⋯⋯.'

그렇게 할 수는 없었다. 왜냐하면 이런 논의가 되리라는 것은 니글레도와 페스토냐가 기다린다는 말을 들은 시점에서 아인즈도 어렴풋이 알아차렸기 때문이다.

그렇기에 위험하다.

과거 이들 둘에게는 근신을 내린 적이 있다. 그때 알베도는 두 사람을 처분할 것을 제안했다. 이번에도 같은 일이 일어난다면 알베도가 처분을 강하게 주장할 우려가 있으며, 앞으로 결코 메워지지 않는 고랑이 생길 것 같아 두려웠다.

　외적에 강한 조직도 내부에서 무너질 수 있는 법이다.

　그러므로 일어날 수 있는 위험을 피했던 것이다.

　그러면 여기서는 어떻게 해야 할까.

　역시 상식적으로 생각해 두 사람의 의견은 기각해야 하리라. 다만 한 가지 불안요소가 있었다. 그것은 장래였다.

　앞으로 나자릭 지하대분묘에 외부인은 한 세트밖에 들어오지 않겠지만, 아인즈 울 고운 마도국에는 이미 외부인이 다수 들어왔다. 조직으로서 중요한 역직에는 올리지 않았어도 그것 또한 지금 뿐일 수도 있다.

　만약 외부인을 마도국의 중신으로 등용할 날이 온다면 다양한 의견이 생겨날 것이다. 때로는 알베도 같은 이들이 '미지근하다'고 할 만큼 자비로운 의견도 나올 수 있다.

　그러한 의견을 취합하는 지위에 두 사람이 올라갈 가능성도 있지 않겠는가.

　그렇게 생각하면 지금 그녀들의 의견을 완전히 무시하는 것은 문제가 된다.

　그녀들 같은 의견을 가진 자가 나자릭에서 이질적이라면, 한층 더 소중히 여겨야만 한다.

　게다가――

　'터치 미님에게 받았던 은혜는 갚았어. 이번에는 팥고물떡님과 타블라님에게 은혜를 갚는다고 생각하면, 별것 아니지.'

"……알고 있으리라 생각한다만 다시금 말해두마. 딱히 왕국의 모든 인간을 죽일 예정은 없다. 실제로 몇몇 귀족은 이쪽으로 끌어들였지. ……왕국 백성의 약 9할을 죽일 예정이다."

"선택받아 살아남은 왕국 백성은 나자릭의 지배를 받으며 사는 길을 걷게 됩니다멍. 홍보라는 의미에서는 선택받지 못했기에 도망친 자들 쪽이 효과가 클 거라 생각합니다멍."

선택받지 못한 자들을 살리고 싶다는 페스토냐의 마음은 이해했다.

"너희의 이야기는 잘 알았다. 단순한 자비를 베푸는 것이 아니라 나자릭의 이익을 위해서라면 다소 고려할 여지가 있겠지. ……얼마 안 되는 수이기는 하지만 놓아주는 방향으로 생각해보마."

"감사드립니다."

"감사드립니다멍."

세바스도 말없이 깊이 고개를 숙였다.

그렇다고는 하지만 어떻게 하면 좋을까. 아인즈는 마음이 무거웠다.

하지만 어떻게든 해야만 한다. 수백 명 정도는 살려서 두 사람의 바람도 들어주었다는 실적을 남기면 될 것이다.

*

계산 밖이기는 했지만, 그 도시의 주민이 다수 살아남은 것은 사실이다. 두 사람에 대한 체면이 섰다고 할 수 있다. 그렇지만 이래서야 목숨을 간신히 부지해 도망쳤다고는 할 수 없다.

그러면 한 번 더, 더욱 강대한 언데드들을 파견해야 할까.

아니, 그 전에 확인이 필요했다.

"어흠! 자, 알베도. 너는 조금 전에 저것이 주홍물방울이라고 말했다만, 그것이 정말로 확실한 정보라 간주해도 되겠느냐?"

"면목이 없사옵니다, 아인즈 님. 실제로 확실하다고 단언드릴 수는 없나이다. 가슴에 있던 아다만타이트 플레이트, 그리고 갑옷의 색으로 얄팍한 추측을 했을 뿐이옵니다."

알베도가 일어나 깊이 고개를 숙였다.

"고개를 들어라. 내가 모르는 정보를 네가 가지고 있을까 생각했기에 물어본 것뿐이다. 그렇게까지 불쾌히 여기지는 않았다."

충성심이 강한 것은 기쁘지만 아무렇지도 않게 이런 태도를 보이면 속으로는 상당히 질겁한다. 아인즈 같은 실수덩어리라면 모를까, 지금 것은 그리 대단한 실수라고는 말할 수 없지 않은가.

"성은이 망극하옵니다, 아인즈 님."

"으음. ……저것은 주홍물방울일까, 아니면 주홍물방울로 착각하도록 만들고자 하는 누군가의 음모일까. 어느 쪽이라 생각하느냐? 각 계층수호자. 의견을 묻겠다."

한 차례 이야기를 들은 결과, 전자를 지지하는 자가 다수였다. 아인즈의 생각도 마찬가지로 전자였다.

"그러면 다음으로── 다시 모두에게 묻겠다. 파워드 슈트의 성능을 아는 자가 있느냐? 만약 모른다면 말해주마."

아인즈는 수호자들이 잘 모른다는 사실을 확인한 후, 파워드 슈트의 능력에 관해 자신이 아는 대로 들려주었다.

　파워드 슈트는 위그드라실이라는 게임에서 초기에는 존재하
지 않았으며, 나중에 들어온 플레이어들을 끌어들이려는 의도
로 도입된 무구였다.
　그리고 또 한 가지. 로봇 전투물이 유행했으므로 그쪽 취향의
유저를 끌어들일 수 있으리라는 기대도 있었다고 한다.
　그래서는 아니겠지만, 파워드 슈트는 성능이 매우 좋다.
　일단, 조금 전 광경에서 보았듯 〈비행〉을 능가하는 속도로 하
늘을 날 수 있으며, 수중에서도 1시간 이상에 걸쳐 변함없는 행
동력을 유지하고, 환경 대미지를 거의 차단한다.
　그리고 오른쪽 어깨, 왼쪽 어깨, 동체에 ——종류에 따라서는
오른팔, 왼팔, 다리에도 추가해서—— 각각 공격마법을 내장해
이를 발동시킬 수 있다.
　당연한 말이지만 인간과 마찬가지로 손이 존재한다면 ——
팔 부분이 통째로 검 같은 무기가 아니라면—— 무기를 쥘 수
도 있다.
　이러한 마법무장은 파워드 슈트의 세팅 단계에서 자유로이 조
합할 수 있는데, 이 조합용 데이터 크리스탈은 절반이 캐시 아
이템이고, 나머지 절반이 모험을 되풀이해 입수하는 것이다. 조
합 자체는 전투 중만 아니면 언제든 가능하지만 몇 가지 규칙이
있다.
　내장된 마법은 최고 제10위계까지. 다만 각각의 사용횟수는
1시간당 몇 개로 정해져 있으며 강한 것일수록 횟수가 적어진

다. 이 횟수는 시간이 지나면 회복되지만 조금이라도 소모했으면 그 부위의 마법무장을 교환하지 못하는 규칙이 있다고 한다.

갑옷의 물리공격력이나 마법공격력은 능력치와 상관없이 고레벨대에 속한다. 방어력이나 회피력도 마찬가지다.

그야말로 약자를 강자로 끌어올리는 갑옷이라 할 수 있다.

약점이라고 한다면 작은 약점이 두 가지.

하나는 파워드 슈트가 풀 플레이트 아머로 취급되기에 다른 갑옷과 병용이 불가능하다는 점. 단, 목걸이 같은 장신구는 장비가 가능하다.

또 하나는 조합된 마법을 특수기술 같은 것으로 강화하지 못한다는 점. 단, 장비품으로 강화하는 것은 가능하므로 약점이라고 단언하기는 어렵다.

다만 약자가 사용할 때 치명적이라 할 수 있는 최대의 약점이 하나 있다.

그것은 HP와 MP다.

공격력 등은 사용자의 능력치를 토대로 산출된 것을 덧씌워버리는 반면, 체력과 마력은 착용자의 것을 그대로 사용한다.

다시 말해 약자가 장비할 경우 방어력은 높지만 쉽게 죽는다는 뜻이 된다. 물론 높은 방어력을 돌파할 만한 대미지를 가진 상대와 붙어야만 약점이 된다고도 할 수 있다.

나자릭으로 따지면, 계층수호자 클래스라면 그렇게까지 문제가 되지 않는다.

위험한 것은 플레이아데스처럼 그렇게까지 강하지 않은 NPC들이며, 그러한 자들이 상대했을 때는 후퇴를 선택해야 할 것이다.

　설명을 마치고 질의응답으로 넘어갔다.

　첫 타자는 알베도였다.

　"저희라면 문제는 없다는 뜻이옵니까?"

　"그렇지. 최고의 파워드 슈트라 해도 전투능력은 80레벨 정도라 할 수 있다. 다만 이것은 내 지식이 정확할 경우의 이야기다. 가령 유니크 혹은 아티팩트 파워드 슈트 같은 것이 존재한다면 달라진다. 어쩌면 그 이상의 성능을 가졌을지도 모른다."

　"외견으로는 알아볼 수 없나요?"

　"음. 미안하구나, 아우라. 우선 나도 모든 파워드 슈트를 파악한 것은 아니라 외견으로는 성능을 헤아릴 수 없다. 게다가 외견을 크게 변화시킬 수는 없다만 어느 정도는 바꿀 수 있을 것이다."

　파워드 슈트는 성능 때문에 레벨이 낮은 사람에게는 매우 유용하지만 고레벨이 되면 별로 도움이 되지 않는다.

　이런 풀 플레이트 아머를 입느니, 신기급까지는 안 가더라도 플레이어의 특성에 맞는 전설급 풀 플레이트 아머를 착용한 사람이 더 강하다. 그러므로 파워드 슈트라는 시스템이 위그드라실에 도입되었을 때 이미 레벨 100이었던 아인즈의 입장에서는 관심의 대상이 될 수 없었다.

　게다가 무엇보다 풀 플레이트 아머로 취급되기에 이를 장비하면 대부분의 마법을 쓸 수 없었던 것이다.

　"두 개였던가 세 개였던가, 나자릭에도 파워드 슈트가 있을 테니 나중에 보물전에 가보자꾸나. 다 함께 착용해보면 무언가 느끼는 바가 있을지도 모르지."

생산직이라도 싸울 수 있다는 이야기를 듣고 아마노마히토츠가 입수한 파워드 슈트가 있다는 것이 기억났다. 그는 당시 공중전 게임도 하고 있어 은근히 자신감을 가졌지만 페로론티노와의 모의전에서 어이없이 격추당해 그 후로는 햇빛을 보지 못했던 물건이다.

니시키엔라이 같은 사람이 '*아베라지면 충분하다'는 식으로 말했던 것도 기억난다.

아인즈는 잠시 기억의 여행을 떠났다가, 문득 깨달았다.

주홍물방울이 위그드라실의 파워드 슈트를 가진 것이 사실이라면── 같은 아다만타이트 클래스 모험자인 청장미의 리더가 가진 흑검 또한 같은 클래스의 강력한 무기일 가능성이 있지 않을까?

그녀가 가진 무기는 놀랍게도 도시를 하나 멸망시킬 수 있는 힘을 가졌다고 한다. 왕도의 협력자에게서 얻은 정보다. 협력자 자신은 도저히 믿을 수 없다는 말을 덧붙였지만, 이 정보는 그녀의 파티 동료에게 얻은 것이라고 했다.

아인즈는 이제까지 청장미의 리더가 동료에게까지 거짓말을 했거나 블러프일 거라고 생각했다.

하지만── 어쩌면 그 정보가 진실이었는지도 모른다.

청장미와 주홍물방울이라는 두 팀의 리더는 서로 친척이라고

---

* 아베라지 : 오버로드 세계관의 현실세계에 존재하는 메카닉 슈팅 게임. 직접 만든 파워드 슈트를 입고 싸우는 내용으로, 길드 '아인즈 울 고운'의 일부 멤버들이 위그드라실과 함께 이 게임을 즐겼다. 특히 니시키엔라이는 이 게임의 톱클래스 랭커였다고 한다.

들었다.

　연결고리가 있으니, 두 사람이 비슷한 정도의 무장을 가졌어
도 이상하지 않을 것이다.

　물론 아인즈도 계층수호자가 일격에 당할 거라고는 생각하지
않지만, 절대 그렇지 않으리라고 장담할 근거 또한 없다. 어쩌
면 이 세계 고유의 엄청난 무기이고, 수호자의 방어력도 간단히
돌파해버릴지 모른다.

　상대가 그런 검의 힘을, 자폭을 각오하고 쓴다면 큰 피해를 입
을 것이다. 그런 꼴은 보고 싶지 않았다.

　청장미와 맞붙을 때가 온다면 소환한 몬스터를 붙여서 능력을
해방하도록 유도한 다음에야 해치우는 작전을 취해야 하리라.

　연발할 수 없다면 말이지만.

　군자는 위험한 장소에는 다가가지 않는다는 격언이 있다던
데, 이번에야말로 그랬다.

　왕국을 멸망시키는 목적이 딱히 청장미를 죽이기 위해서는 아
니다. 방해한다면 죽일 뿐이다. 그렇다면 지금은 그 여자가 가
진 검의 능력이 판명될 때까지 접촉하지 않는 편이 좋을 것이
다. 엔토마에게는 사과하고 이해해달라고 부탁해야겠다.

　아차차.

　아인즈는 마음속으로 고개를 가로저어 의식을 되돌렸다.

　지금은 그런 생각이나 할 때가 아니다.

　"달리 질문은?"

　둘러보았지만 수호자들에게서 새로운 질문이 나올 기미는 없
었다.

"그렇다면 파워드 슈트 이야기는 이만 마치도록 하고. 자, 데미우르고스. 저 도시의 대응은 어떻게 할까? 나는 저것이 낚인 것만으로도 만족한다."

"마도국에게 이겼다고 착각하면 후일이 성가실 것입니다. 더욱 강한 자를 보내 저 도시를 잿더미로 만들어버리시지요."

"흠, 그게 좋겠지……."

아니야, 안 좋아.

만약 그런 짓을 했다간 니글레도와 페스토냐를 생각해 다른 도시에서 구제조치를 취해야만 한다. 이번에는 잘 얼버무렸지만 또 그러기는 매우 힘들다.

뒤에서 이 이야기를 듣고 있는 페스토냐를 위해서라도, 저 도시의 주민들은 살려주고, 그렇게 해 두 사람에게 했던 약속을 지키도록 하자.

"아니다, 데미우르고스. 그것은 관두자. 향후 비슷한 일이 일어날 경우의 포석으로 삼는 거다. 그보다도 지금은 왕도를 먼저 함락시켜 왕국에 멸망의 막을 내려주자꾸나. 그 후에 남은 도시를 순서대로 초토화해나가면 될 것이다. 어떠냐?"

저 도시의 주민에게 도망칠 시간과 기회를 준다. 그 후에 만약 도망치지 않는 바람에 몰살당한다 해도 니글레도와 페스토냐는 뭐라 할 수 없을 것이다.

"아인즈 님께서 그렇게 해야 한다고 생각하신다면 따를 뿐입니다."

지금 비꼬냐?

그렇게 생각은 해도 데미우르고스가 아인즈에게 그런 말을 할

리가 없다.

상대의 말을 넘겨짚어 곡해하는 사람이 가끔 있는데, 이는 마음속에 삿된 것이 있기에 그렇게 생각하는 것이다. 다시 말해 지금의 아인즈처럼.

"그런 말 말거라, 데미우르고스. 더 좋은 아이디어가 있다면 그것을 채용해야 하지 않겠느냐."

"역시 아인즈 님. 관대하신 태도에 감복하였나이다."

깊이 고개를 숙이는 데미우르고스를 보며 아인즈는 복잡한 심경이었다.

일단, 아인즈가 한 말은 상식이며 칭찬할 만한 것은 아닐 것이다.

치켜세워주는 것은 기쁘지만 별다른 일을 하지 않았는데도 칭찬을 받으면 갓난아기 수준이라 생각하는 것 아닐까 싶어진다.

물론 이것 또한 열등감의 반증이겠지만.

"……다른 수호자들 중에 의견이 있는 자가 있느냐?"

이의가 없는 것을 확인하고, 샤르티아 쪽으로 고개를 돌렸다.

"그러면 파견 중인 언데드를 〈전이문〉으로 일시 후퇴시키겠다. 그 후 전군을 에 란텔에 모아 왕도로 쳐들어가겠다."

"예. 조속히 시행하겠사와요."

"전군이라. 하시면. 나자릭. 지하대분묘.에서도. 보내시는. 것입니까?"

"나자릭 올드 가더 정도의 병사를 내보내지. 그건 그리 강하지 않지만 병단으로 꾸미면 꽤 볼만하니."

"분부대로. 따르겠.습니다."

"좋아. 순차적으로 도시를 함락시키고 왕도에서 결전을 치른다. 그 후, 순서는 달라졌지만 불필요한 도시는 주민과 함께 멸망시키도록 하자. 나자릭에 복종하지 않는 것이 얼마나 어리석은지를 모든 나라에 가르쳐주어라."

각 수호자들에게서 힘찬 대답이 돌아와, 아인즈는 고개를 크게 주억거렸다.

"좋다. 그러면 각 계층수호자──"

아인즈는 그때 문득 앞으로의 일을 생각하고 다시 입을 열었다.

"아니지. 일부 수호자는 이곳에 남아야 하겠지만, 모두의 힘을 보여주거라."

막간

카르사나스 도시국가연합을 구축하는 도시 중 하나인 베버드.

그곳의 도시장인 여성의 주거에는 오늘도 형형히 불이 밝혀져 있었다.

가주(家主) 리 키스타 카베리아는 모인 자료를 손에 들고 숙독하기 시작했다.

카르사나스 도시국가연합이란——.

카르크사나스.

페포 아로.

동(東) 가이츠.

서(西) 가이츠.

베넬리아.

대(大) 리스타란

오크네이스.

신(新) 오크네이스.

그란위츠.

리.

프랑크란.

그리고 베버드.

이상 12개 도시로 이루어진 공동체이며, 각 도시――및 그들의 고유지――의 평균 인구는 약 40만, 가장 많은 도시는 60만 정도다.

베버드를 제외하면 이러한 도시에서 한 종족이 차지하는 인구 비율은 많아야 40퍼센트 정도다. 종족적 다양성이 상당히 풍부한 여러 도시의 집합체가 카르사나스 도시국가연합이며, 이것은 수백 년 전까지 거슬러 올라가면 원래 거대한 하나의 국가였던 데에서 기인한다.

그 거대국가가 붕괴하면서 각 도시를 중심으로 한 14개의 소국이 난립했다. 그 후 각 도시――소국가 사이에 적지 않은 피가 흘렀다. 그렇게 병합과 분열을 되풀이한 끝에, '대논의' 라 불리는 토론의 결과, 운명을 함께 하는 현재의 12개 소국가로 연합이 구성되는 형태에 이르렀다.

이렇게 되어 이제까지의 원한이 사라졌는가 하면, 그렇다고만은 할 수 없다. 100년이란 세월은 단명종(短命種)에게는 옛날 일이지만 일부 장명종(長命種)에게는 그리 먼 과거라 하기 힘들다.

그러므로 과거의 원한을 발산시킬 자리로 5년에 한 번 경기대회를 열고 있다.

그리고 다음 개최지로 베버드의 차례가 돌아왔다.

개최까지는 앞으로 4년의 시간이 있다고 할 수 있다. 하지만 앞으로 4년밖에 남지 않았다고도 할 수 있다.

경기대회에는 16개 종목이 있는데, 그중 하나, 핵심 이벤트가 되는 경기가 있다.

코넬리에―― 또는 가상전장, 무투경기 등의 이름으로 불리기도 하는 경기다.

도시마다 각각 10명의 강자를 선발해, 평화의 전쟁깃발이라 불리는 매직 아이템으로 보호를 받는 필드 내에서 싸우는 것이다.

가장 화끈한 이 경기는 인기가 매우 높아서, 다른 경기는 놓치더라도 이것만은 무조건 봐야 한다는 사람이 많다. 그렇기에 특히 이 경기에서는 소소한 실수라 해도 용납되지 않았다.

이것은 비유도 뭣도 아니다. 충분한 대책을 세우지 않았던 오크네이스 대회에서는 경기 중에 폭동이 일어나 다수의 사상자가 나왔다. 40년이 지난 지금도 '오크네이스의 운영'이라고 하면 무능함의 대명사로 통한다.

어느 경기에서든 실패는 기피해야 하지만, 특히 코넬리에에서는 절대 용납되지 않았다.

다만 각 도시의 수뇌부는 오크네이스의 운영이 그렇게까지 나쁘지 않았다는 것을 안다. 그들의 실수는 단 하나. 망령에 대한 경계를 늦춰버렸다는 점이었다.

확증은 없어도 존재가 의심시되던 망령이 표면으로 드러난 것은 그때가 처음이었다고는 하지만, 그 실수가 지나치게 치명적이었다.

자료를 다 읽은 키스타는 미간을 문질렀다.

베버드가 개최지가 된 지난번 경기로부터 50년 이상이 지났다. 당시 운영의 중추에 있던 자들은 거의 남지 않았다.

처음부터 다시 시작할 각오로 해나가야만 한다고 지도를 받고 있지만, 그래도 중압감에 짓눌려버릴 것만 같았다.

만일 이래놓고 경기대회가 실패로 돌아간다고 생각하면 자다가도 눈이 떠진다.

키스타는 쓴웃음을 지었다.

4년 이상 남았는데도 이 모양인 것이다. 대회 날까지 정신적으로 얼마나 핍박받을지.

벌써부터 그것이 지긋지긋해졌다.

다만, 선배들이 남긴 자료를 읽고 머릿속으로 이것저것 생각하는 바를 적어나가고 있을 때만은 불안을 잊을 수 있었다.

키스타가 다음 자료에 손을 뻗으려 했을 때, 문을 노크하는 소리가 들렸다.

키스타가 의자에서 일어나 문을 열자, 예상했던 대로 낯익은 인물이 있었다. 키스타의 할아버지이자 선대 도시장인 리 베른 카베리아였다.

오랜 기간 동안 베버드를 무탈히 통치했던 위인이며, 지난번에 베버드에서 경기대회가 개최되었을 때의 도시장이기도 하다.

"할아버지."

키스타는 미소를 지었다.

"일부러 별채에서 여기까지 와주신 거예요? 말해주시면 제가 갔을 텐데."

"아니다. 이것도 운동이지. 다리가 안 좋아졌다고 계속 방에만 틀어박혀 있으면 다리가 더 약해지기만 하니까. 그보다 일을 방해해서 미안하구나, 키스타. 지금 괜찮으냐?"

"네, 물론이죠, 할아버지. 어서 들어오세요."

방으로 들어온 베른은 손에 포트를 들고 있었다. 살짝 풀 향기가 감돌았다. 약초차일까.

키스타의 안내로 소파에 앉아 둘이 마주 보았다.

베른은 키스타가 가져온 두 개의 잔에 차를 따랐다. 엷은 녹색의 액체에서 감도는 부드러운 향기가 실내를 채웠다.

"그런데 키스타. 메이드들에게 들었다만, 요즘 밤에 늦게 잔다지?"

걱정을 끼치고 싶지는 않았지만 숨겨도 소용이 없을 것 같았다.

"네, 할아버지. 4년 후를 생각하니 조금 잠이 안 와서……."

보통 사람이라면 4년 후의 일을 걱정해 밤에 잠도 못 잔다고 하면 걱정이 지나치다고 웃어도 이상하지 않다. 하지만 베른은 웃지 않았다. 도시장의 책임이 얼마나 막중한지, 오랫동안 같은 자리에 있었던 그는 잘 알기 때문이다.

"키스타, 지금부터 그래서는 지쳐버릴 게다. 마음을 가라앉히는 약초를 끓인 차니, 이거라도 마시고 일찍 자렴. 좋은 통치자는 일을 많이 하는 사람이 아니라 적합한 사람에게 일을 맡길 수 있는 사람이야. 너도 나도, 혼자 할 수 있는 일은 얼마 되지 않아."

"고마워요. 하지만…… 해야 할 일이 있으니까요."

"주변 도시에 큰 움직임이라도 있었느냐? 기마왕(騎馬王)은 가만히 있는 듯했다만."

도시국가연합의 외적이라고 하면, 동쪽에 펼쳐진 초원을 지배하는 기마왕이 있다. 하지만 베버드는 그 초원과는 인접하지 않았으므로 이제까지는 그가 쳐들어오면 원군을 보내는 정도로 넘어갈 수 있었다.

"……제국이 속국이 되었다는 이야기는 아실 테지만, 마도국에 대한 경계를 어느 정도 수준으로 해야 할까 하는 문제가 있어요."

"마도국 말이구나……."

베른이 씁쓸한 표정을 지었다.

제국을 속국으로 삼은, 도시 하나뿐인 나라. 그리고 그 유명한 암살조직을 손에 넣었다는 소문이 있는 나라이기도 했다.

전해 들은 소문은 많지만 무엇이 진실인지를 매우 알고 싶었다.

키스타는 어떤 인물을 떠올렸다.

제국 황제 지르크니프 룬 파로드 엘 닉스였다.

선혈제라는 이름으로도 알려진 황제와는 한때 사절단의 일원 —— 상급내무원으로서 제국에 갔을 때 알현하고, 그 후의 환대 연회에서 이야기할 기회를 얻었다.

재치가 풍부하고 카리스마가 있는 인물이었다. 그런 사람이 속국이라는 입장을 감내할까? 무언가 분명 이유가—— 목적이 있을 것이다.

"마도국의 정보를 수집하는데 할아버지의 인맥을 빌려주실 수 있을까요?"

오랜 기간에 걸쳐 도시장을 지냈던 베른의 연줄은 키스타를 훨씬 능가한다. 물론 도시장을 계승하면서 소개를 받기는 했지만 키스타가 움직이는 것보다도 베른이 움직이는 편이 이야기가 훨씬 빠르다.

"물론이지, 키스타. 나의 인맥은 아니다만 제국에서 이주해온 우수한 모험자들이 근처에 있다더구나. 그들의 이야기를 들어보면 어떻겠느냐?"

"네, 부탁드릴게요. ──할아버지, 고마워요."

키스타는 고개를 숙였다. 식구이기는 해도 상대는 여든에 가까운 고령까지 도시장 자리에서 내려오지 않고, 이웃도시에서는 베버드의 늙은 까마귀라 부르던 역전의 인물임을 잊지 않고 있다.

"고맙다는 말은── 아니다, 받아두기로 하마. 키스타, 오늘부터는 한동안 일찍 자거라. 알았지?"

"──네, 할아버지. 여러모로 정말 고마워요."

3장 **최후의 왕**

Chapter 3 | The last king

1

집무실에는 수많은 서류가 모여 있었다. 동시에 안색이 나쁜 내무관이 몇 명이나 있었다.

안색이 나쁜 이유는 업무량이 방대해 육체적으로, 그리고 왕국이 얼마나 궁지에 몰렸는지를 알아버리는 바람에 정신적으로 지쳐서였다.

자낙은 사인을 너무 많이 해 욱신거리는 오른팔을 붕붕 몇 번이나 휘두르고는 어깨를 빙글빙글 돌렸다. 그러자 온몸에서 뚜둑뚜둑 소리가 들렸다.

자신의 몸도 그들과 마찬가지로 휴식을 원하는 듯했다.

이쯤 해서 쉬고 싶었지만, 유감스럽게도 이 방으로 운반되는 업무의 양은 늘어나기만 할 뿐 줄어들 기미가 없었다.

그렇다면 인원을 늘리거나 일을 다른 부서에 할애하는 것이 현명한 방식이겠지만, 유감스럽게도 일을 맡길 자는 없었다. 자낙의 지금 일을 대신해줄 사람은 같은 왕족뿐이다.

하지만 자낙이 아버지에게도 라나에게도 협조를 청할 수 없는 이유가 있었다.

협조를 청하지 않는 것은 잘못이리라. 하지만 그럴 수밖에 없는 것 또한 사실이다.

자낙은 다시 펜을 들고 자신에게 온 서류를 살폈다. 그 후 사인을 하고, 도장을 찍었다.

같은 일을 8회 반복했을 때 노크 소리가 들렸다.

한숨을 쉬는 내무관이 몇 명이나 있었다. 또 서류가 추가된 것이리라.

푸훅 하고 짐짓 콧김을 뿜어내며 살찐 내무관이 느릿느릿 일어나 문으로 다가갔다. 문을 여는 동작이 느리면 조금이라도 일이 줄어들 거라 생각하는 듯한, 그런 둔중한 움직임이었다.

열린 문에서 기사가 얼굴을 내밀었다.

"바쁘신 데 진심으로 죄송하오나, 라나 님께서 전하를 뵙고자 찾아오셨습니다."

생각했던 것과는 달랐지만, 결국 귀찮은 일이었다.

"바쁘다고 거절해줘. 이야기는 오늘 저녁때 듣지."

형이 사라진 후로는 될 수 있는 대로 가족이 함께 식사를 했다. 하지만 지난 며칠은 그러지 않았다. 아마 라나는 혼자 먹고 있을 테지.

그렇다고 외롭지는 않을 것이다. 메이드의 수가 줄어든 지금은 아마 클라임과 ──그리고 브레인도── 식사를 할 테니 기분은 좋지 않을까. 자낙이나 아버지와 함께 먹을 때보다도.

"분부에 따르겠습니다."

기사가 문을 닫았다. 하지만 자낙은 예감했다. 라나가 이 정도로 넘어갈 리가 없다고.

그는 손에 든 펜을 내려놓고, 문에서 자리로 돌아가려던 내무관에게 기다리라고 지시했다.

그리고 1분쯤 지났을까. 다시 문을 노크하는 소리가 들리고, 같은 행위가 반복되어 아까의 기사가 고개를 내밀었다.

"정말 죄송합니다, 전하. 공주님께서…… 그게, 있는 일 없는 일 다 떠들어댈 텐데, 그게 싫으시면 같이 이야기를 좀 해달라고 말씀하셔서……."

협박하냐.

쓴웃음과 함께 투덜거렸다. 동생이 그런 짓을 할 거라고는 생각하지 않지만 협박까지 들고나온 이상 이야기를 들어봐야 할 것이다. 게다가 만약 정말로 떠들고 다니면 한다면 틀림없이 일이 더 늘어날 것이다.

다만 자신은 마지못해 들어주었다는 어필은 해두었다.

"알았다. 입실 허가를 내리지. 다만 라나 이외에는 출입을 금한다. 나머지 둘은 옆방에서 대기하라고 해."

"분부 받들겠습니다."

기사가 즉시 알아들은 것을 보면 역시 두 사람도 함께 온 모양이다.

브레인은 왕국에서도 견줄 자가 없는 전사다. 그리고 클라임도 어지간한 전사보다 훨씬 강하다. 그 둘을 왕궁에서 거의 나가지 않는 라나가 경호원으로 데리고 다니는 것은 인재의 낭비라는 생각이 들기도 한다.

　다만 그들은 왕궁에서 고용한 것이 아니라 라나의 세비에서 급료가 지불되는 라나 개인의 부하다. 자낙이 이러쿵저러쿵 따질 권리는 없었다.

　기사가 문을 닫자 자낙은 실내에서 일하는 내무관들에게 말했다.

　"다들, 동생이 방해하러 온다는구나. 어쩔 수 없지. 기뻐해라, 휴식 시간이다. 이제부터 3시간 동안 휴식을 주마. 푹 쉬었다가 다시 돌아와라."

　내무관들이 조금 피곤한 미소를 짓고는 마치 좀비처럼 무거운 걸음걸이로 방을 나갔다.

　그들과 교대하듯 라나가 들어왔다. 나가는 멤버들과는 정반대로 빛나는 듯 환한 미소를 짓고 있다.

　"오라버니. 잘 아시겠지만 내무관 여러분은 제때 푹 쉬시는 편이 효율이 좋을 거예요. 피곤하면 부주의한 실수가 늘어나니까요. 그리고── 오라버니는 괜찮으세요?"

　자낙은 수염이 덥수룩하게 자란 턱을 문질렀다. 내무관들과 같은 시간 동안 일했으니 같은 만큼 피로가 얼굴에 드러날 것이다. 실제로 쉬고 싶은 마음은 그들과 마찬가지다. 하지만 최고 위에서 결정을 내려야만 하는 일이 많았다.

　"나와 똑같은 서명을 할 수 있는 놈을 고용했어야 한다고 진심으로 생각하는 중이다."

　"아버님의 서명이라면 가능한 사람이 있는데 그분께 부탁드려보면 좋지 않을까요?"

라나가 자낙을 지긋이 바라보았다. 무슨 말을 하고 싶은지는 알지만, 일단 확인해보았다.

"——뭔데?"

"……아바마마는 살아계신가요?"

자낙은 쓴웃음을 지었다.

"야, 야…… 내가 죽였을 것 같아? 이 상황에? ……아바마마는 옥체가 불편하셔서 방에서 정양하시는 중이야. 왕으로서 해야 할 일을 떠올리면 푹 쉬시지도 못할 것 같아 왕녀인 너를 면회시킬 수는 없었어. 미안하다."

라나가 자신의 얼굴에 떠오른 미소와 똑같은 웃음을 지었다. 그 웃음을 보니 자신의 속내가 다 드러났음을 알 수 있었다.

"오라버니, 저희 사이에 거짓말은 하지 말기로 해요. 레에븐 후작님의 병사가 없는 오라버니가 아바마마를 감금할 수 있었다는 건 군무상서님과 내무상서님이 오라버니의 편을 들었다는 뜻이겠죠. ……아바마마가 무슨 일을 하려고 하셨나요?"

"마도왕과 교섭해서 문제를 해결하려 하셨다."

그것이야말로 자낙이 왕의 대리로 온 힘을 다해 업무에 매진하는 이유였다.

스스로 아버지를 감금했으니 모든 귀찮은 일은 자신이 짊어져야 한다. 그래놓고 아버지에게 우는소리를 한다면 그보다 한심한 짓이 있을까.

"그야 아바마마의 심정도 이해는 가지만요. 20만 군세가 순식간에 궤멸당하는 현장에 계셨으니까요……."

게다가 가제프 스트로노프와 자기 아들까지 잃었으니……라는 말은 입 밖에 내지 않고 마음속으로만 중얼거렸다.

"……교섭으로 해결할 수 있다면 피해자가 최소한으로 그칠 거라 믿고 싶은 마음은 이해 못할 것도 없지. 하지만 이젠 그런 걸로는 해결할 수 없는 데까지 왔어."

자낙은 커다란 종이 한 장을 꺼내 책상 위에 펼쳤다.

울퉁불퉁한 종이가 아니라 제법 값이 나가는 얇고 흰 종이에는 〈모사(模寫)〉된 왕국 전체의 지도가 있었다.

"봐라. 왕국에서 마도왕에게 함락당한 걸로 보이는 도시들을."

왕국 동부가, 그리고 왕국 북부의 절반가량이 X표로 지워져 있었다. 지리감각이 있는 자라면 그것이 어느 정도의 인구를 가진 도시인지 알 것이다. 그리고 현명한 자는, 만약 지도에 촌락까지 기재되어 있을 경우, 이 X표의 수가 급격히 늘 것도 추측할 수 있으리라.

자낙은 지도 위에서 손가락을 움직였다.

"개전 직후부터 마도국은 움직이지 않았다고 생각했다만, 실제로는 이처럼 북부를 향해 진격했던 거다."

라나가 자낙의 손가락 너머에서 한 나라를 가리켰다.

"평의국과의 국경을 제압해서 원군을 보내지 못하도록 하려는 거군요."

"그렇지. 움직임이 없어서 선전 포고는 어디까지나 협박이라고 생각했던 아바마마가 교섭을 시도하려는 동안, 사실은 이만한 사태가 일어나고 있었어. 도시는 궤멸하고, 그곳에 사는 주민들도 몰살당한 모양이야."

자낙은 뿌드득 소리가 날 정도로 이를 악물었다.

"……이런 횡포를 용납할 수 있겠냐."

용납하면 왕족이라고 할 수 없다.

"마도국은 협상 테이블에 오를 마음이 없어. 그렇다면 그 다음에는 다른 수단으로 접촉할 수밖에 없겠지? 내 말이 틀렸냐?"

"지당하신 말씀이에요. 다음은—— 무력으로 접촉해야겠네요."

자낙은 고개를 끄덕였다.

그렇기에 왕국 내의 모든 귀족에게 격문을 띄우거나 하느라 매우 바빴다.

"……동생아. 네 명석한 두뇌로 좀 가르쳐다오. 왜 마도국의 침공을 알아차리지 못했을까? 북부에 있는 에 나이울에서 격퇴당할 때까지 왜 이쪽에 정보가 들어오지 않았을까?"

마도국은 도시를 침공할 경우 한 명도 살려두지 않는 처참한 학살을 자행한다고 한다. 하지만 절대 누구 한 명 놓치지 않는 일은 어려울 것이다. 게다가 전시에도 상인이나 여행자처럼 가도를 이용하는 자들이 있다.

그러한 입은 어떻게 단속했단 말인가.

마도왕이 발휘하는 모종의 마법 덕일까.

"으음~ 오라버니도 어렴풋이 짐작은 하고 계시죠? 마도국의 정보봉쇄만으로 이렇게 될 수는 없다는 것쯤은."

"그래…… 역시 그렇겠지. 그렇다면 여기에 친 X표 자체가 전부 진실이란 법은 없다는 소리가 되는데."

마도국만의 힘이 아니라고 한다면, 결론은 간단하다. 왕국 내부인의 소행이다.

우선 이 궁정 내의 내무관 등이 배신해서 허위 정보를 올렸을 패턴. 또 하나는 왕국을 배신해 마도국에 붙은 영지귀족들이 있어서 그곳이 기만정보를 보낸다는 패턴이다.

자낙은 지도에 얹은 손가락을 움직였다. 이 광대한 국토의 어디쯤에 있는 귀족이 배신하면 그만큼 거대한 정보조작이 가능할까.

자낙은 한 도시에서 손가락을 멈추었다가 슬쩍 치웠다.

"…………동생아. 너라면 알겠지? 어디의 귀족이 배신했을 것 같으냐?"

"어느 패턴일 것 같으냐, 가 아니고요?"

자신의 머릿속을 완전히 꿰뚫어 보고 있다. 얼마 전 같으면 으스스하다고 생각했겠지만, 지금은 반대로 그것이 든든했다.

"……왕도로 들어오는 정보를 이처럼 멋지게 봉쇄할 수 있는 자는 얼마 없지. 군무상서라면 가능할지도 모르지만…… 그도 왕도를 드나드는 상인의 입까지 막을 수는 없을 거다. 따라서 왕도 내에 있는 자들은 정보봉쇄를 하기가 힘들어."

"거기까지 아셨다면 정답도 아시리라 생각하는데요…… 레에븐 후작님이겠네요."

"──말도 안 돼. 그럴 리가 없어."

자낙은 즉시 부정했다. 조금 전에 손가락이 멈추었던 도시, 에 레에븐에 대해서는 잊어버리고.

"정말로 있을 수 없다고 생각해서 하시는 말씀인가요? 레에븐 후작님은 아드님을 매우 사랑하시잖아요. 만약 그 아이가 인질로 잡혔다면 어떨까요?"

"…………그리고 협박했다는 거냐? 상것들!"

"저야 그냥 왕가에 미래가 없다고 판단해 배신했을 거라 생각하지만요."

레에븐 후작이 배신했으리라고는 믿고 싶지 않다. 하지만 후작만큼 힘이 있는 귀족이 친한 귀족을 설득한다면 그 도시에서 흘러나오는 정보를 차단하는 것이 가능할지도 모른다. 게다가 도망친 백성들이 신변의 안전을 바란다면 역시 큰 도시로 갈 것이다. 이렇게 되면 에 레에블은 피난하기에 좋은 장소다.

여기까지 생각하고 마도국은 레에븐 후작에게 매력을 느꼈던 걸까.

"……마도왕은 어떤 인물이라고 생각하나?"

"무시무시할 정도로 머리가 잘 돌아가는 인물이겠네요. 국가 수준의 모략과 지략을 가진 천재예요. 그리고 무엇보다 무서운 점은, 그만한 힘을 가졌으면서도 거기에 의존하지 않고 지모(智謀)로 사태를 움직이려 한다는 점이에요. 오만함이 느껴지지 않는 괴물이라고 해도 되겠죠."

어라?

자낙은 기묘한 것을 느끼고 라나를 보았다. 표정은 평소와 전혀 다를 바가 없었지만 목소리에 담긴 감정이 여느 때와 달랐다. 외경, 존경. 그러한 마음이 섞인 것처럼 느껴졌다.

"우리가 보고 있는 이 거미줄은 몇 년도 전부터 깔렸을 거예요. 우리는 거기에 걸린 나방이라고나 할까요……."

"나방보다는 나비가 좋은데."

"어쨌거나 먹이일 뿐이지만, 오라버니가 그쪽이 좋다고 하신다면 나비라고 해드릴게요. 아무튼 이 거미줄을 잘 빠져나간다

해도 다른 거미줄이 기다리고 있겠죠······. 조금 무서워요. 이만한 책략을 펼치는 상대가 같은 세상에 있다니, 어쩌면 제 행동도 전부 계산하고 있을지 모르겠네요."

"너보다도 말이냐?"

라나는 웃기만 할 뿐 대답하지 않았다.

"본론으로 돌아갈까요? 아마 오라버니는 레에븐 후작의 저택을 수색해야 할지 말지를 생각하고 계실 것 같은데, 아마 아무것도 안 나올 거예요."

"그렇겠지. 하지만 아무것도 하지 않을 수는 없어."

배신했을 가능성이 지극히 높다는 것을 알아버린 이상 아무 행동도 하지 않을 수는 없다. 게다가 어쩌면 무언가 나올지도 모른다는 희미한 희망도 있다.

"너라면 이 상황에서 어떻게 행동하겠냐?"

"그 전에 오라버니께 여쭙고 싶은데요, 이 상황 그대로 마도국이 움직일 경우, 다음에는 왕도 근처에서 결전이 벌어지겠죠? 왕도에 병사를 배치할지 치고 나가실지는 모르겠지만, 병력은 얼마나 모였나요?"

"인근 귀족들에게서 좋은 대답을 받아냈다."

하지만 멀리 있는 귀족들에게서는 대답이 없었다. 서한이 도착하지 않아서가 아니다. 눈치를 보는 것이다. 왕국이 멸망한 후에는 마도왕에게 무릎을 꿇을 생각일 것이다. 아니면 그저 왕가를 도왔다가 마도국에게 적대시당하는 상황을 피하고 싶거나.

어쨌거나 어수룩하기 짝이 없다.

자신들은 괜찮다고 생각하는 것 자체가 어리석다는 증거다.

아니, 어리석다고 비웃을 수는 없다. 마도국의 끔찍한 행보를 알면서도 그런 태도를 취할 리가 없다. 그들 또한 정보 봉쇄의 희생자다.

왕도를 멸망시키면 마도국은 틀림없이 다른 도시도 유린할 것이다. 이번의 결전에 참가하지 않은 귀족은 각개격파당할 뿐이다.

"이길 수 있다고 생각하세요?"

자낙은 쓴웃음을 지었다. 대답하기 힘든 질문을 태연하게 던진다고.

"이길 수 있다 없다가 아니야. 싸울 수밖에 없는 거지. 마도국은 도시를 불태우고 그곳에 사는 주민을 몰살하고 있어. 살아남기 위해서는 모든 병력을 모아 건곤일척의 대승부에 나설 수밖에 없다."

자낙은 불끈 주먹을 쥐었다.

"…………오라버니…… 왕이 되셨군요."

"뭐? 무슨 소리냐? 잘난 척한다는 말이냐?"

"……아뇨, 그 승부에서 패배하면 왕국은 그대로 멸망하는 거잖아요? 그렇다면 왕도 백성들을 어딘가로 피신시켜봤자 끝장이고 말이에요. 오라버니가 하시려는 건곤일척의 대승부, 옳다고 봐요. ……아아, 레에븐 후작이 배신한 데에는 그런 이유도 있었을지 모르겠네요."

"아하…… 백성들을 받아들일 곳이 필요했단 말이구나……."

"하지만 마도왕이 이를 용납하지 않고, 도망친 백성들을 죽이라고 레에븐 후작에게 명령을 내릴 수도 있죠. 충성심을 시험하기 위해."

레에븐 후작은 무슨 생각으로 배신했을까. 아니, 그가 정말로 배신했을까. 불화의 씨앗을 뿌리기 위한 마도왕의 책략에 자신도 라나도 속아 넘어간 것은 아닐까.

자낙은 왕국을 더 좋은 곳으로 만들고자 하던 레에븐 후작을 생각했다.

레에븐 후작에게 편지를 보내 속내를 터놓고 의논해보면 어떨까. 하지만 그랬다가 어쩌면 그의 입장을 더 난처하게 만들지도 모른다.

배신자에게 옛 주인의 편지가 도착한다. 마도왕이 의심을 품기에는 충분할 것이다.

계략의 일환으로서는 유익할지도 모르지만, 그것은 레에븐 후작이 마도왕의 깃발 아래 군을 이끌고 나올 경우에서 취해야 할 수단이지, 이 단계에서 그렇게 해서는 안 된다는 생각이 들었다.

만약 레에븐 후작이 가족을 인질로 잡혔다거나 해서 마도왕을 돕고 있다면 결코 원망할 수는 없다.

자낙은 아들을 끔찍이 사랑하는 레에븐 후작을 떠올렸다.

조금 그리움이 들어 눈을 가늘게 떴다가, 여동생의 표정에 제정신을 차렸다.

"피난이라…… 그러고 보니 이건 좀 다른 이야기다만, 아바마마께서 널…… 정확하게는 우리를 사자로 삼아 도시국가연합에 보내고 싶어 하시는 것 같더라. 아바마마를 감금하기 전의 이야기다만. 너는 어떻게 하고 싶으냐? 가고 싶다면 냉큼 왕도를 떠나야 할 텐데."

앞으로 모든 병력을 통솔해 결전에 나서야 하는 상황이지만, 솔직히 말해 승산은 한없이 낮다. 패배하면 이 왕도를 비롯해 남은 도시는 모두 마도왕에게 초토화될 것이다.

다시 말해 왕국에 안전한 곳은 없다. 그러므로 아버지 말대로 이 나라를 버리고 망명하는 것 이외의 길은 없으리라.

원래 같으면 구 왕가에는 두 가지 용도가 있다.

하나는 결혼을 해서 피를 받아들이는 방법. 또 하나는 죽여서 왕가가 멸망했음을 어필하는 방법이다.

마도국의 경우라면 거의 확실하게 후자다.

그들에게서는 왕국이라는 나라를 과거의 역사로 만들어버리고자 하는 의지밖에 느껴지지 않았다.

"그건 좋은 생각이네요. 오라버니는 가실 건가요?"

"여기까지 와서 어떻게 가겠냐……. 형님이 여기 있었다면 기꺼이 도망쳤겠다만. 그러니 나는 됐다. 넌 어떻게 할 거냐? 마도왕은 언데드라고 하니 여자로서 비참한 꼴을 당하거나 하지는 않겠지만. 처형은 틀림없을 텐데."

"마도국이 쳐들어오면 자포자기한 자들에게 능욕을 당할 위험성은 있는 걸요?"

그런 소리를 태연하게 할 수 있는 여동생에게 자낙은 언짢은 표정을 지었다. 아니면 현실을 잘 보고 있다고 칭찬해야 할까.

라나의 미모는 널리 알려졌다. 그런 패악을 저지르는 자가 나오지 않으리라고 단언할 수도 없었다.

"클라임과 앙글라우스에게서 떨어지지 말고 있어라."

"네, 그래야겠네요. 클라임에게서는 떨어지지 않도록 할게요."

"나밖에 없고 이런 상황이니 아무 말도 안 하겠다만, 『두 사람에게서』라고 대답해라, 좀."

브레인 앙글라우스는 왜 이런 여자를 섬기는 걸까.

클라임이 마음에 들어서라고 했던 것도 같은데, 동성애자는 아닐까. 애초에 조사해본 결과 여자를 만나는 낌새는——— 없지는 않았지만 그래도 자식까지는 없을 것이다.

그런 소릴 했다간 여동생이 무서우므로 입 밖으로는 내지 않았다. 게다가 어디서 새 나가 그 두 사람에게 전해지기라도 한다면 최악이다.

"일단 저도 여기서 도망칠 마음은 없어요. 왕녀로서 당당하게 죽음을 맞이할게요."

역시 조금 의외였다.

전에도 생각한 적이 있지만, 클라임과 함께 어디까지고 도망칠게요, 라고 말할 것 같았기 때문이다. 아니면 자신에게는 이렇게 말해놓고 이미 도망칠 준비를 해놓은 걸까.

'이 녀석이라면 그럴 수도 있겠지……'

"마도왕이라면 시체조차 이용할 것 같다만."

"그럴지도 모르겠네요. 그러면 오라버니는 군세를 이끌고 마도왕에게 도전하실 거죠?"

"그래, 그렇게 되겠지. 내가 있어도 의미는 없을지 모르지만, 총대장으로서 왕가 사람이——— 내가 있어야 해."

자낙은 천장을 올려다보았다.

"너도 말했듯 내가 다음 왕이니 말이다. 그 책임은 져야지……. 내가 죽으면 아바마마가 모든 것을 끝내주실 거다. ……너는 언제든 도망쳐도 좋아."

징그러운 동생이지만 동생인 것은 사실이다. 그렇다면 조금쯤은 오빠로서 좋은 모습을 보여주도록 하자. 어쩌면 죽은 후에 신께 칭찬을 받을지도 모르니까.

"알겠어요. 그때는 그렇게 할게요."

시선을 되돌렸을 때, 라나가 평소와 다를 바 없는 미소를 지으며 대답하는 모습이 보였다.

2

마침내 마도국은 서쪽으로 침공을 시작해, 수많은 도시와 마을을 하나하나 파괴해가며 왕도까지 일직선으로 육박하고 있었다. 다만 진격 속도는 매우 더뎠다.

병력이 많을수록 진군 속도는 둔해지기 마련이지만, 동료인 이블아이의 말에 따르면 언데드만으로 구성된 마도국의 군세는 여기에 해당하지 않는다고 한다. 왕도 주민들을 압박하려는 의도일 것이다. 그것이 이블아이의 견해였다.

이처럼 다가오는 적국의 압력 때문에 왕도에서도 한 번 큰 혼란이 일어나 적지 않은 피가 흘렀다. 그 후 왕도 주민은 크게 두 가지 선택지 중에서 하나의 길을 택하게 되었다.

하나는 왕도를 떠나 에 란텔과는 반대쪽——서쪽——으로 피난을 가는 길이다.

또 하나는 왕도에 남아, 문을 굳게 잠그고 틀어박히는 길이다.

어느 쪽을 택하는 자가 많았는가 하면, 압도적으로 후자였다. 전자는 멀리 도망쳐도 생활이 가능할 만큼 어느 정도의 돈이나 연줄, 혹은 기능직을 가진 사람으로 한정되기 때문이었다.

그렇기에 왕도 인구의 95퍼센트 이상은 그대로 남게 되었다.

다만 그것도 어제까지였다.

왕가에서 포고가 내려졌기 때문이다.

마도국의 군세가 밀려들고 있으므로, 이 도시를 지키기 위해 싸울 수 있는 사람은 출진하라는 것이었다. 다시 말해 징병이다.

물론 전쟁에 겁을 먹고 집에 틀어박힌 사람도 많았다. 그러나 동시에, 싸우지 않으면 지켜야 할 사람까지 죽고 말 거라고 각오를 다진 사람이 그 이상으로 많았다.

광란에 가까운 열기에 휩쓸려 왕도 전체가 들끓고 있다. 길거리는 준비에 쫓기는 자들로 넘쳐났으며, 병사가 되어 집을 떠나는 아버지나 아들에게 조금이라도 좋은 음식을 먹여주고자 식료품을 취급하는 상점이 크게 붐볐다.

특히 왕가에서 상인들에게 식료품을 싸게 팔라는 명령이 내려왔다는 사실이 알려진 후로는 그 열기가 한층 강해졌다.

그런 길거리를 '청장미' 일동이 걸어간다.

목적지인 여관은 아직 멀었다.

라퀴스는 뒤에서 걸어오는 멤버들에게 제안했다.

"저기, 얘들아. 나 혼자서도 괜찮아. 상대의 의뢰에도 누구더러 오라고 하는 지정은 없었고, 이 정도 의뢰를 받는데 전부 갈 필요는 없어. 다들 바쁘잖아? 여기서 해산하자."

"……아까부터 왜 그러지, 라퀴스. 우리가 함께 가면 안 될 이유라도 있나?"

이블아이의 한마디에 라퀴스는 꾸며낸 웃음을 지었다. 속으로는 '예리해!' 라고 생각했지만 애써 얼굴에는 드러내지 않았다. 이블아이는 그렇다 쳐도 티아와 티나는 훨씬 예리하기 때문에 그녀들 쪽으로 얼굴을 돌리지 않은 것이 다행이었다.

"그렇지 않아. 다만 너희의 소중한 시간을 빼앗는 게 미안해서."

"라퀴스의 마음 알아. 아주스 나리도 온다며?"

가가란의 말에 라퀴스는 심장이 덜컥하고 크게 뛰는 것을 느꼈다.

그랬다. 라퀴스의 삼촌이자 아다만타이트 클래스 모험자 팀 '주홍물방울' 의 리더인 아주스 아인드라도 라퀴스 일행과 같은 시각에 불려 나왔다고 한다.

"친척이니까. 단둘이서 하고 싶은 얘기도 많겠지? 이해한다."

다행이다. 그쪽으로 착각했구나.

라퀴스는 가가란의 말에 편승했다.

"맞아. 다들 좀 이해해줘. 기껏 왕도에 돌아왔는데 날 만나러 와줄 수가 없었거든. 그러니까——."

"그게 이상함."

"불가사의."

"뭐?"

라퀴스는 쌍둥이에게 고개를 돌렸다.

"친척인 데다 같은 아다만타이트 클래스 모험자 팀의 리더한 테도 이 시기에 왕도로 돌아왔다는 사실을 알리지 않았는데, 이번 의뢰주는 어디서 그 정보를 얻었지?"

"'주홍물방울'의 관계자라면 당당히 이름을 대면 될 텐데, 의뢰인은 그런 소리는 하지 않았음."

어젯밤, 지극히 평범한 사내가 청장미가 체류 중인 숙소에 나타나, 어떤 인물이 일을 의뢰하고 싶으니 와 달라고 말했다. 조합을 경유하지 않은 직접 지명이었으며, 솔직히 말해 라퀴스도 수상하다고 느껴 거절하고 싶었으나, 주홍물방울의 아주스도 온다는 말을 들으니 찾아가 보지 않을 수 없었다.

"맞아. 이건 수상한 정도가 아니라 뭔가 꿍꿍이가 있을 것 같다니깐. 거짓말을 해서 우리를 불러내려 한다거나 말이지."

"그렇다. 함정일 가능성을 생각해보면—— 네가 강한 건 사실이다만 혼자서는 할 수 없는 일도 많지. 상대가 우리에게 해를 끼치려 한다면 각개격파될 만한 행동은 피해야 한다."

"얘들아……."

걱정해주는 것은 매우 기쁘다. 하지만——.

"게다가 우리의 선배인 그 영웅도 만나고 싶음."

"이름은 들어봤지만 한 번도 만난 적이 없으니까. 친척이니 가볍게 만나게 해주면 어때서."

라퀴스는 위장이 꽉 오그라드는 기분이었다.

삼촌은 나쁜 사람은 아니지만 좋은 사람도 아니었다. 아무튼 아이들에게 나쁜 영향만 주는 인물임은 틀림없다.

어렸을 적, 라퀴스가 만나던 시절에는 본성을 숨겼는지 지금보다 훨씬 괜찮은 사람이었다. 아니면 모험자가 되어 머리에서 나사가 하나 빠진 걸까.

라퀴스는 뭐가 뭔지 알 수 없는 것에 ——아무리 그래도 이런 일로 신을 의지할 수는 없었다—— 기도할 수밖에 없었다.

삼촌은 초면인 상대에게는 일단 내숭을 떤다. 영웅을 동경한 다면 꿈을 이루어주는 것이 영웅의 역할이라고 말하는 사람이 기는 하다.

그런 면모에 기대할 수밖에 없다.

라퀴스 일행은 약속 장소인 여관에 도착했다.

별로 번성하지는 않은 남루한 여관이었다.

입구에 달린 문은 튼튼하고 의외로 무거웠다.

라퀴스 다음으로 문을 건드린 티아와 티나가 허리 위를 두 차례 두드렸다.

주의하라는 신호다. 무언가 생각하는 바가 있었으리라.

문 바로 정면에 카운터가 있어, 주점 같은 것을 경영하는 분위기는 아닌 것 같았다.

이렇게 입지가 좋지 못한 장소에서 주점도 열지 않고 전업 여관을 한단 말인가.

위화감을 느낀 모두가 마음을 다잡고 언제 어떤 상황에 처해도 대응할 수 있는 전투 모드로 전환하는 것을 느꼈다.

라퀴스는 카운터에 가만히 선 시원찮은 인상의 사내에게 말을 걸었다.

"…… '청장미'인데. 의뢰인을 만나러 왔어."

"301호라고 적힌 방으로 가쇼. '주홍물방울'의 아인드라 씨는 먼저 와 있수."

정말로 온 걸까. 그것은 잠시 후에 알게 될 것이다.

라퀴스는 고맙다고 인사하고, 바로 옆에 있는 계단을 오르기 시작했다.

조용한 여관이었다. 도중에 한 번도 다른 사람과 마주치지 않았으며, 아무 소리도 들리지 않았다. 어지간히 차음성이 높은 것인지, 아니면 사람이 없는지.

3층에 도착하자 객실의 수가 적다는 사실을 알아차렸다. 2층의 절반도 안 된다는 것은 그만큼 객실 하나하나가 넓다는 뜻이리라.

301이라고 새겨진 플레이트가 달린 문을 노크했다.

"삼촌, 라퀴스예요!"

귀를 기울이자, 안에서 매우 작게 들어오라는 남자 목소리가 들린 것 같았다. 너무 작아서 삼촌의 목소리라고 확신할 수는 없었다.

라퀴스는 앞으로 나서려 하는 티아와 티나를 제지하고 천천히 문을 열었다.

안은 밖과 전혀 달랐다.

호화롭고 중후한 가구들이 있었다. 어쩌면 라퀴스 일행이 이용하는 숙소보다도 고급일지 모른다. 솔직히 조금 이상했다. 역시 이 여관에는 뭔가 있다.

주위를 둘러보기도 전에 라퀴스에게 누군가가 말을 걸었다.

"여, 라퀴스! 오랜만이다!"

"삼……."

친근한 삼촌의 목소리가 틀림없었다.

라퀴스는 목소리가 들린 쪽으로 고개를 돌렸다가── 힘차게 문을 닫았다.

"……………."

"가, 갑자기 왜 그래, 라퀴스."

가가란이 대표로 물어보았다.

삼촌의 목소리는 모두에게 들렸을 것이다. 이 상황에서 아무것도 아니라고 대답하기는 힘들다.

"……얘들아, 잠깐 나 혼자 들어가서 삼촌 만나고 올게."

"이 녀석은 여기까지 와서 무슨 소릴 하는 건지……."

이블아이가 어이없어하는 것도 당연하다.

라퀴스는 일행의 얼굴을 둘러보았다. 이블아이가 대표로 나섰을 뿐 모두 같은 생각을 하는 것이 확실한, 그런 표정이었다.

그렇다면──.

"저기, 얘들아. 솔직히 말할게. 우리 삼촌은 인상을 좋게 펴고 보기 어려운 사람이야."

"……주홍물방울의 리더가?"

티나의 말에 진지한 표정으로 고개를 크게 끄덕이고, 다시 모두의 얼굴을 둘러보았다. 다들 의아해했으나, 이제까지 오랫동안 알고 지내면서 라퀴스가 이런 일로 거짓말을 할 사람이 아니란 것을 알아준 모양이었다. 이해의 빛이 떠올랐을 때, 라퀴스는 다시 문을 열었다.

방 안에는, 아마도 벨벳인지, 깊은 광택이 도는 긴 의자가 있었다.

그곳에 한 남자가 앉아 있었다. 잘 아는 남자—— 아주스 아인드라 본인임은 틀림이 없었다.

상반신은 알몸이어서 탄탄한 복부와 부풀어 오른 가슴 근육이 보였다. 의뢰인을 만나는 데에는 어울리지 않는 차림이다. 다만 라퀴스가 동료들에게 보여주기를 꺼려했던 원인은 그것이 아니었다.

아주스의 좌우에는 한 명씩, 반라의 여성이 앉아 그에게 매달려 있었던 것이다.

아니, 반라 이상이었다. 상의를 풀어 헤쳐 풍만한 융기가 고스란히 드러나 있었다. 팬티는 입었지만 실오라기처럼 가늘어 전부 다 가리기에는 무리가 있는 수준이었다.

나름대로 고운 얼굴인 것을 보면 아마도 고급 창부일 것이다.

바닥에는 그녀들이 입었던 것으로 여겨지는 선정적인 옷이 무더기를 이루었다.

아주스는 그런 여자들의 어깨에 팔을 감은 채 가슴을 주무르고 있었다.

"삼촌…… 같은 의뢰인에게 불려 나온 조카가 일부러 찾아왔는데, 손님을 맞이할 때는 좀 멀쩡한 차림을 할 수 없을까요?"

라퀴스가 말하는 동안에도 아주스는 두 손을 여자들의 가슴에서 떼지 않고 거침없이 주물러댔다. 그리고 여성들도 라퀴스 일행을 아랑곳하지 않고 교성을 냈다.

그런 태도 또한 라퀴스의 속을 끓게 했다. 이 여자들을 준비해 준 것이 의뢰인이라면 이에 마땅한 대응을 해주어야겠다고 굳게 결심했다.

"아, 좀 더 늦게 올 줄 알았거든. 그 뭐냐, 침대에서 하고 있던 것도 아니니까 괜찮지?"

"괜찮긴 뭐가 괜찮아요!"

뒤에 있는 동료들의 얼굴은 무서워서 쳐다볼 수 없었다.

"……그러냐?"

아주스는 진심으로 의아하다는 듯 고개를 갸웃했다. 그러는 동안에도 여성들의 가슴을 주무르는 손은 멈추질 않았다.

"넌 정말 융통성이 없다니까. 좋은 여자를 안고 싶은 건 남자의 본성이야. 게다가 내 자식들이라면 나름대로 재능을 가지고 태어날 텐데. 장래에 핏줄을 남기는 건 중요하잖아?"

"흥. 귀족 가문을 뛰쳐나온 주제에 한 번 물든 사고방식은 바뀌지 않는다는 건가?"

이블아이의 말에 아주스가 언짢은 표정으로 노려보았다. 압력마저 느껴지는 시선이었지만 청장미 멤버들 중에 그 정도 압력을 견디지 못할 사람은 없었다. 특히 이블아이는 산들바람이라도 부는 느낌이겠지. 그대로 말을 잇는다.

"……나 원. 정곡을 찔렸다고 태도가 이렇다니. 영웅이라고 들었는데 어린아이 같은 놈이로군. 아니, 그런 놈이기에 귀족 신분을 버리고 모험자의 길을 걸을 수 있었겠지. ……아무튼 의뢰인을 맞이할 태도는 아니군. 여자들, 그만 돌아가라."

"──쟤 뭐니?"

오른쪽에 매달려 있던 여자가 이블아이를 노려보았다.

"하아, 정말 귀찮게. 이봐, 아인드라. ……저쪽 방도 열려 있나?"

이블아이가 가리킨 것은 복도에 인접하지 않은 쪽의 문이었다.

"그래. 그쪽은 침실이던데. 체크해놨어."

"그래? 그럼 이 여자들에게 그곳으로 가라고 말해라."

"쟤 진짜 뭐니? 뭐 잘났다고?"

왼쪽의 여자가 험악한 얼굴로 이블아이를 노려보며 말했다.

"얼굴도 못 보여주는 계집애가 어디서 건방을 떨어!"

"……하아. 〈인간종 매료Charm Person〉. 가라."

"아, 네. 알겠습니다."

왼쪽 여자가 벌떡 일어나자 오른쪽 여자가 경악한 표정을 지었다. 입이 크게 벌어지고——.

"너도다. 바닥에 떨어진 옷 들고 가는 것 잊지 말고."

여자가 뭐라고 말을 하기도 전에 다시 〈인간종 매료〉가 발동되었다. 그리고 여성들은 명령에 따라 옆방으로 걸어갔다.

아주스는 입을 삐죽거리며 과장되게 어깨를 으쓱했다. 모험자의 관점에서 보면 이블아이의 행위는 검을 뽑은 것과 다름없지만 비난할 마음은 없는 모양이었다. 분하지만 이런 점에서는 그릇이 크다는 생각이 들었다.

"이블아이…… 굿잡!"

티나가 엄지를 척 들어 이블아이를 칭찬했다.

"하지만 암살자일지도 모르는 여자를 옆에 놔두는 용기는 역시 아다만타이트 클래스 모험자."

"그런가?"

"우린 저런 훈련도 평범하게 받음. 완력에서도 마력에서도 떨어지는 여자는 여자라는 것 자체를 무기로 삼을 수밖에. 가가란하고는 상관없겠지만, 그래도 어떤 방법이 있는지 설명은 해둠.

우선——."

티아가 설명을 시작했지만 흘려들으며 이블아이가 라퀴스에게 말했다.

"이렇게라도 하지 않으면 번잡해질 것 같았다. 뭐, 이 이상 대화에 끼어들 마음은 없다. 편할 대로 이야기해라."

"고마워, 이블아이. 그러면…… 하아……."

이야기가 시작되기 전부터 지쳤지만 애써 말을 이었다.

"그런데 삼촌. 이번 의뢰인 엄청 수상해 보이던데, 어떤 사람이에요?"

"응? 야 야, 모르고 온 거야? 큰 조직이 뒤에 있는 놈들이라고. 아마도."

"……아마도? 삼촌이 아는 상대예요?"

"직접은 몰라. 상대가 예의 바른 놈들이라면 왔을 때 이름을 대겠지. 뭐, 숨기는 놈들이라면——"

그리고는 씨익 웃으며 말을 이었다.

"돼먹지 못한 놈들일 거고. 그런데 넌 이제 어떻게 할 거냐?"

"어떻게 하다뇨?"

"만약 여기서 도망——떠날 거라면 내 연줄을 쓸 수도 있는데."

"떠날 생각은 없어요."

라퀴스는 모두의 시선이 자신에게 집중되는 것을 느꼈다.

"……쳇. 집어치워. 마도왕은 주민을 몰살시키고 도시를 완전히 파괴해가며 이쪽으로 오고 있다고. 왕도만 그렇게 안 될 거라고 생각하지 마."

"그럼 삼촌도 같이 싸워요."

"무리야. 마도왕의 힘을 직접 본 건 아니니 꼭 그렇다고는 말 못하지만, 소문이 사실이라면 나는── 우리는 놈을 이길 수 없어. 괴물한테 이기는 건 괴물뿐이야. 인간이 맞서려 하는 게 잘못이라고."

아주스가 지친 듯 한숨을 내쉬었다. 이런 삼촌은 한 번도 본 적이 없었다.

"……소용없다는 걸 아니까 다른 동료들은 여기 안 데려왔던 거야. 형님네한테는 도망치라고 해놨고."

"아무도…… 도망치지 않은 거 아니에요?"

"그래. 진짜 바보……라니까. 하지만 애들만은 맡아놨으니까, 동료들이 평의국으로 데려가고 있겠지."

라퀴스가 복잡한 감정을 품고 있을 때, 티아가 긴장감을 머금은 목소리로 "보스."라고 말한 것과 같은 타이밍에 통로 쪽에서 남자 목소리가 들려왔다.

"시간에 딱 맞춰 왔군요."

입구에 서 있던 티아, 티나와 가가란 세 사람이 보이지 않는 힘에 밀려나듯 실내로 들어오고, 이어서 두 남녀가 들어왔다.

선두에 있던 것은 젊은 남자였다.

열 손가락에 하나하나 반지를 끼었으며, 단아한 얼굴에 부드러운 웃음을 머금고 있다.

이어서 께느른한 분위기의 여성. 옷차림은 단정치 못했으며 걷는 것조차 귀찮다는 듯한 분위기였다. 매우 커다란 모자를 쓴 탓에 얼굴은 대부분 가려져 있었다.

라퀴스는 경계심을 높였다. 동료들은 생물로서의 강함──

'격'에 떠밀린 것이었다. 두 방문자는 모두, 고명한 아다만타이트 클래스 모험자인 라퀴스조차 손을 댈 수 없을 거라고 생각하게 만드는 엄청난 분위기가 있었다.

하지만 그 뒤에서 또 한 사람이 나타났을 때, 분위기가 완전히 바뀌었다.

그자는 거구를 흔들며 천천히 방으로 들어왔다. 거대한 도끼를 등에 짊어진 야만인 같은 차림이었으며, 주위의 경치가 일그러진 것 아닌가 착각이 들 만큼 강렬한 위압감을 뿜어냈다.

앞서 들어온 두 사람은 분명 강하다.

하지만 그 이상으로 이자는 격이 달랐다.

목구멍이 달라붙은 것처럼 말이 나오질 않았다.

라퀴스는 아다만타이트 클래스 모험자로서 강한 몬스터나 아인을 수없이 격퇴했다. 하지만 이자는 차원이 다르다. 얄다바오트가 날뛰었을 때 보았던 해골 머리 악마보다도 위였다.

이자는 앞서 들어온 두 사람의 호위병이라고 보면 될까.

이만한 강자들이 시시한 조직에 속하고도 소문이 나지 않을 리가 없다. 그렇다면 배후에 있는 것은 그들을 완벽하게 숨길 수 있는, 국가 수준의 거대한 조직일 것이다.

"……풀 장비로 오길 잘했음."

"……하나하나가 아마 우리보다 위."

"그래. 이딴 놈들이 왕국에 있다는 말은 들어본 기억이 없는데."

"이봐 이봐 이봐, 늦게 온 주제에 그렇게 위험한 분위기 풍기지 마. 자네들 윗선에서 그러라고 시켰어? 버릇없이 굴라고?"

아주스가 비아냥거리자 여성이 코웃음을 쳤다.

"창녀 데리고 온 주제에 거들먹거리네, 아저씨. 여긴 그런 여관이 아닌데."

여성의 말에 아주스가 웃음으로 대꾸했다.

"헹, 이런 데로 불러내니까 그렇지. 좀 골려주고 싶었거든."

여성이 들으란 듯이 쯧 하고 혀를 찼다.

아주스의 말을 긍정했다는 것은 이 멤버들과 관련이 있는 여관이라는 뜻일까. 국가 수준의 조직을 구성할 수 있는 나라── 왕국 이외의 나라라고 생각하면 두 곳. 하나는 평의국. 또 하나는 법국.

어느 쪽일 가능성이 높을지 생각해보면, 후자였다.

"자자, 그쯤 해두시면 좋겠는데요."

"쿠아……. 하아, 이번에는 쿠아가 리더니까 따르겠지만……."

여리여리한 사내가 다독이자 여자는 마지못해 고개를 끄덕이며 어깨를 움츠렸다.

"아인드라 님 말씀이 맞습니다. 소중한 시간을 내주셨음에도 저희가 마지막에 도착해 정말 죄송합니다."

"헹."

아주스가 여봐란듯이 코웃음을 쳤지만 사내의 웃음은 조금도 흐려지지 않았다.

"그러면 다짜고짜 본론으로 들어가 죄송합니다만 용건을 말씀드리겠습니다. ──아주스 아인드라 님. 그리고 이 자리에 오지 않으신 주홍물방울 분들."

라퀴스는 눈을 가늘게 떴다.

라퀴스의 삼촌은 귀족 칭호를 버렸다. 그래도 명예기사 작위를 가졌으므로 예의를 지켜 부른다면 이름은 더 길어져야 한다. 하지만 그렇게 하면 아주스가 언짢아한다.

초면인 사람이 괜히 예의를 지키려 할 때 흔히 걸려드는 함정이다.

사내는 그것을 아무렇지도 않게 피해간 것이다. 다시 말해 이 남자는 그만큼 미리 조사했다는 뜻이다. 아니, 이자의 위에 있는 자들이.

"라퀴스 알베인 데일 아인드라 님. 이블아이 님. 티아 님. 티나 님. 가가란 님. 저희는 여러분을 스카우트하러 왔습니다. 이곳 왕도에서 목숨이 다할 때까지 싸우시는 것도 좋을지 모릅니다. 하오나 미래를 보셨으면 좋겠다고 생각한 것입니다."

"흥, 버릇없는 놈이군. 근데 어느 나라에서 왔어?"

"어느 나라면 어때. 쓸데없는——."

여성의 뒤에서 불쑥 손이 뻗어나와 입을 막았다.

"아니?!"

"세상에!"

티아와 티나가 경악해 무기를 뽑았다.

여성의 뒤에는 기묘한 차림의 사내가 서 있었다. 몸에 찰싹 달라붙는 옷으로 온몸 정도가 아니라 얼굴과 손까지 빈틈없이 뒤덮고, 금속판 같은 것으로 보강해놓았다.

"위험해. 우리보다 실력 있는 암살자."

"위험해. 우리보다 엄청 고수."

이 두 사람은 라퀴스가 아는 한 최고의 ——최악의—— 암살자다. 그보다도 위라니.

"안심하십시오. 그리고 무기를 거둬주십시오. 정말로 여러분을 죽일 생각이었다면 이렇게 잘난 척하며 정체를 드러내지는 않았습니다."

여리여리한 사내의 말은 정론이었다. 이 방에 들어와 있었으면서도 아다만타이트 클래스 모험자들뿐인 실내의 그 누구도 알아차리지 못하도록, 모종의 힘으로 완벽하게 몸을 숨겼던 것이다. 그럼에도 이런 우스운 일로 모습을 드러내다니, 암살을 할 마음이 없다고 표명하는 것과 마찬가지다.

아니면 모습을 보인 것도 그들의 노림수였을까? 자신들의 조직에 들어오지 않는다면 우수한 암살자가 찾아갈 거라는 어필이다.

"그보다도 저희 동료가 다소 무례한 발언을 해서 죄송합──."

"──이봐이봐. 뭔가 숨기는 거라도 있어? 너희 법국 인간들이지?"

"정말로 법국이었나……. 법국에 이만한 놈들이 있었다니……."

이블아이가 놀란 듯 말했다. 라퀴스도 놀랐다.

과거에 아인 마을을 불태우던 부대와 전투를 한 적이 있다. 그 부대도 강했다. 특히 대장임 직한 사내는 그 무렵의 라퀴스보다도 강했다. 그렇다 해도 그 부대에 이 정도의 인물들은 없었다.

"몰랐냐? 소문 정도는 들었을 줄 알았는데…… 법국이 자랑하는 영웅부대. 칠흑성전. 하나는 영웅의 영역에서 일탈한 놈도 있다던가."

아주스의 시선은 야만인을 향하고 있었다.

사내는 육식짐승 같은 웃음을 지었다.

"큭큭큭큭…… 아는 게 좀 있나 보군. 하지만 거기에도 있잖나. 나와 마찬가지로, 혹은 그 이상으로 높은 경지에 도달한 놈이."

그가 가리킨 것은 이블아이였다.

"청장미의 이블아이. 좀 버겁겠는걸."

하지만 질 거라는 태도는 아니었다. 어깨를 견줄 만한 수준이라고 보는 자의 태도였다.

"……흥. 나보다도 강한 녀석 따위…… 음…… 악마를 제외하고, 인간이나 아인종으로 한정 짓는다면 모몬 님 정도밖에 없지."

"모몬 정도라……."

희미한 웃음을 지은 야만인은 중얼거리더니 입을 다물었다.

"이봐, 법국의 비밀부대 여러분. 그쪽도 우리하고 힘을 합쳐서 마도왕하고 싸우지 않겠어?"

그 여자도…… 아니, 그 여자는…… 하고 이블아이가 중얼거리는 동안 아주스가 무시하고 질문했다. 여리여리한 사내는 조금 전부터 변함없는 웃음을 머금은 채 대답했다.

"영광스럽기 그지없는 제안입니다만, 저희는 우수한 분들을 스카우트하는 임무를 띠고 이곳에 온 것입니다. 그러니 정중히 사양하겠습니다. 독자적으로 판단해 전투에 참가하는 군인이란 조직에 해를 미칠 뿐이니까요."

"국가의 명령을 핑계로 내세우겠다? 너희 개인의 의견을 들려줬으면 좋겠는데."

"같잖은 소리 하네. 위에서 그렇게 말했으니까 거기에 따르면 귀찮을 일이 없는걸."

여자가 귀찮다는 듯이 말하자 여리여리한 사내가 처음으로 웃음을 거두고는 난처한 표정을 지었다.

"당신의 경우에는 생각하는 것이 귀찮을 뿐이잖습니까."

"맞아. 명령에 따라 행동하면 책임은 위에서 져주잖아. 난 내가 책임지는 거 귀찮아서 싫어. 남한테 책임 잘 떠넘긴다고 주위에서도 칭찬해주는걸."

"칭찬 아니다."

야만인이 불쑥 말했다.

"후후. 아무튼 아인드라 님의…… 실례, 아주스 님의 말씀은 알겠습니다. 그러면 청장미 여러분은 어떠신지요?"

"그 전에 하나 물어봐도 될까? 왕도에서는 어떻게 도망쳐?"

"저희 편이 되어 주신다면 그때 알려드리겠습니다. 참고로 이미 모험자 팀의 몇몇 분들을 같은 스카우트 조건으로 승낙을 받고 이 땅에서 안전하게 피난시켰습니다."

"……이봐. 무력이나 협박을 써서 강제로 끌고간 건 아니겠지?"

가가란의 말도 일리가 있다. 그들만 한 힘을 가진 자들이 위협을 가한다면 거절하기는 매우 어려울 것이다.

"그런 짓은 하지 않습니다. 저희의 뜻에 부합하지 않는 형태로 와주셔도 언제 배신할지 알 수 없잖습니까. 저희는 진심에서 같은 편이 되어주셔서 장래—— 인간을 위해 협력해주셨으면 하는 겁니다."

사내의 표정에 거짓의 빛은 전혀 없었다. 그런 자이기에 설득하는 역할로 뽑혔는지도 모른다.

"……나는 거절하겠어."

라퀴스가 너희는 어떠냐고 물어보기도 전에 가가란이 입을 열었다.

"'나는' 이란 소린 빼⋯⋯. 우리도 리더 의견에 찬성이니."

가가란의 말에 동료들이 모두 고개를 끄덕였다.

"그렇습니까⋯⋯? 아무래도 설득해봤자 헛수고일 듯하군요. 그러면 어쩔 수 없지요."

의외로 순순히 받아들인 사내가 갑자기 무력으로 나서도 대응할 수 있도록 라퀴스는 슬쩍 자세를 낮추었다.

그런 라퀴스에게 사내가 난처하다는 듯 웃음을 지었다.

"안심하십시오, 라퀴스 님. 무력행사는 예정에 없으니까요. 여러분 덕에 마도왕이 응분의 대가를 치르기를 기원하겠습니다. 여기까지 와주신 비용을 접수대에 맡겨두었으니 돌아가실 때 받아주시기 바랍니다. 그러면── 가지요."

사내가 지시하자 법국 멤버들은 객실을 나가고자 움직였다. 아무 일도 없이 끝날 듯했다. 라퀴스는 조금 안심했으나, 아주스가 사내에게 말을 걸었다.

"이봐~ 그러고 보니⋯⋯ 루푸스였던가 루퍼스였던가는 잘 지내?"

"루⋯⋯? 죄송합니다. 우리 나라도 넓어서 어떤 분을 말씀하시는지 잘 모르겠군요. 혹시 더 정확하게──."

"──아, 그렇구만. 너희 수준으로는 이름을 몰라도 어쩔 수 없지. 그럼 평소에는 그 언데드를 뭐라고 불러? 위대한 분이라든가?"

칠흑성전의 모두가 넋이 나가버린 표정을 짓고, 그것이 이내 악귀 같은 형상으로 바뀌었다. 살육전이 시작될 것을 확신할 만한 살기가 단숨에 객실을 가득 채웠다. 하지만 여리여리한 사내가 누구보다도 빨랐다.

두 팔을 옆으로 펼쳐 제지했던 것이다.

"──쿠아. 왜 이래? 안 죽여?"

여자의 질문에, 사내는 아주스에게 싸늘한 얼굴로 아주스를 보면서 냉정하게 대답했다.

"블러프입니다. 여러분, 제멋대로 행동하지 마십시오. 명령입니다."

살기는 나타났을 때와 마찬가지로 즉시 사라졌다. 여리여리한 사내는 싸늘한 시선을 아주스에게 돌렸다.

"……무엇을 알고 계시는지 매우 관심이 동하는군요. ……보고를 올리도록 하겠습니다. 여러분, 가시지요."

조금도 방심하지 않고, 적대행동을 취한다면 온 힘을 다해 상대하겠다는 날카로운 기운을 발산하며 칠흑성전 멤버들은 객실을 나갔다.

한참이 지나, 그들이 사라졌다고 확신을 가질 수 있게 된 후에야 라퀴스는 아주스에게 불만을 제기했다.

"삼촌…… 여기서 제일 약한 건 삼촌이니까 괜히 도발하지 말아요."

"뭐야? ……하긴, 위험하긴 했지. 그렇게까지 적의를 드러낼 줄은 몰랐다구. 가짜로 웃던 그놈이 없었으면 난 틀림없이 죽었겠지. 그놈들도 자기네 손으로 죽이는 것보다는 우리가 마도왕한테 한 방 먹이게 놔두는 게 이익일 테니 아무 짓도 못할 거라고── 그렇게 생각했는데 말야.”

하하하 웃음소리를 내는 아주스에게 라퀴스는 짐짓 한숨을 쉬어보였다.

하지만 정말 그럴까.

삼촌이 법국의 어떤 중요한 정보를 쥐고 있다는 사실을 어필했는데, 그것이 마도왕에게 흘러가지 못하도록 입막음을 하려는 경우도 충분히 있을 수 있지 않을까. 어쩌면 납치해서 고문이나 마법으로 정보를 끌어내려 할지도 모른다.

애초에 아주스는 왜 그런 어필을 했단 말인가. 그것만 아니었어도 아무 일 없이 끝났을 텐데.

왜 자신의 집에 불을 지르는 것과도 같은 짓을.

아주스는 그렇게까지 생각이 없는 사람이 아니다. 그렇다면 라퀴스에게는 보이지 않는 무언가가 있을까.

생각해도 답은 나오지 않는다. 라퀴스는 헛수고에 머리를 쓰지 않기로 했다.

“나 참……. 그럼 이제 삼촌은 어떻게 할 거예요?”

“어떻게 하긴? 마도왕이 올 때까지 여기── 왕도에서 기다려야지. 며칠 안으로 왕도에서 병력이 출동해 근교에 진을 친다던데, 솔직히 이길 것 같진 않아. 놈들은 반드시 여기까지 올 거야. ……너는 마도왕한테는 못 이기니까 도망쳐라.”

냉정한 말이었다.

“그래도, 이 도시를 버리고 도망칠 수는 없어요……. 저기, 삼촌…….”

만약 마도왕을 쓰러뜨릴 방법이 있다고 한다면, 그것은 전사의 일격이 아니다. 암살자의 기습이다. 그렇기에 라퀴스는 입술을 깨물고, 맞서 싸우기 위해 왕도를 떠나는 사람들을 배웅했던 것이다.

"같이 싸워달라는 얘기라면 거절한다. 난 나대로 행동할 거야."

"그래요?"

"응. 난 내가 할 수 있는 일을 할 거야. 넌 네가 할 수 있는 일을 해. 다만 귀여운 조카한테 한 번만 더 말하마. 너희는 도망치는 게 나아. 마도왕의 힘 앞에서 너희는 무력해."

"……흥. 뭐지, 그 말은? 너라면 뭔가 할 수 있다는 건가?"

이블아이의 질문에 아주스는 난처하다는 듯 웃었다.

"그야 마도왕한테는 못 이기겠지. 내 능력 가지고는. 하지만 마도왕이 왕도를 포위해도 나 혼자라면 도망칠 수 있을 테니까."

아주스는 자리에서 일어났다.

"그럼 난 저쪽 방에서 허리운동 좀 하련다. 너희는 어쩔래?"

라퀴스는 삼촌이 한 말의 의미를 이해하고 낯을 찡그렸다.

"우린 갈래요. 앞으로도 준비해야 할 게 많으니까요."

삼촌에게 작별을 고하고, 어느 정도 경계하며 여관 1층까지 내려갔다. 그곳에서 보수를 받아 가게 밖으로 나왔다. 그들이 습격할 기미는 없었다.

3

왕도에서 여행자의 발걸음으로 사흘도 걸리지 않는 곳에 마도국의 군세가 나타났다는 보고가 들어왔다. 자낙의 지휘 아래, 이에 맞서 싸우기 위해 왕국군 전군이 왕도를 떠났다.

왕도에서 한나절도 걸리지 않는 평야에는, 마도국이 서쪽으로 진군한다는 소식을 듣자마자 임시로나마 마도국과 싸우기 위한 진지를 형성해두었다. 그곳에 들어가 마도국군을 기다린다는 작전이었다.

진지는 가도를 봉쇄하는 형태로 구축했으므로, 마도국의 군세가 이대로 왕도를 향해 똑바로 다가온다면 효과는 있겠지만, 만약 진로를 바꾼다면 진을 다시 짜야만 한다. 그런 불안도 있었으나 정찰대의 이야기에 따르면 마도국의 군세는 왕도를 향해 일직선으로 오고 있다고 하므로 공연한 걱정으로 끝날 것 같았다.

하지만 이를 기뻐하는 이는 없었다.

이번 왕국군은 인근 귀족들과 왕도 시민, 난민 중에서도 싸울 수 있는 남성 등을 모아 편성한 왕국의 결전병력이라 해도 과언이 아니었다.

수는 40만이 넘었다.

용케도 이만한 군세를 모았다고 칭찬하고 싶어지기도 하지만, 내실은 오합지졸이었으며, 제대로 된 무장이 없기 때문에 수제 곤봉 같은 것을 든 자도 많았다.

반면 사기는 높았다. 그러나 이것은 궁지에 몰린 생쥐의 마지막 발버둥 같은 것이었다. 마도국의 잔인함을 아는 이들이 자신들의 소중한 것을 지키겠다는 마음만으로 무기를 들었을 뿐이다. 만약 용기에 조금이라도 균열이 생기면 왕국군은 어이없이 와해할 것이다.

그래도 병력은 무기이며, 정렬한 병사들의 모습은 그것만으로도 기이한 압박감을 준다. 그러면 이를 향해 전진하는 마도국에는 어떤 노림수가 있을까.

조금이라도 전략을 이해한다면 이런 대병력을 향해 일직선으로 돌진하는 짓은 해서는 안 된다. 아니, 사실 마도국이 취할 수 있는 가장 확실한 전략은 '아무것도 하지 않는다'일 것이다. 보급이 필요 없는 언데드의 군대와는 달리 40만이나 되는 군세는 구멍 뚫린 위장을 가진 거대한 짐승이다. 포위하고 위협하기만 해도 이 짐승은 굶어 죽거나, 공황과 패닉에 빠져 미친 듯이 춤을 추다가 죽거나 둘 중 하나의 운명을 걷는다.

하지만 마도국군은 진로에 있는 모든 것들을 짓밟으며 직진해왔다. 이제까지 보여준 마도왕의 뛰어난 지휘능력을 보건대 아무 생각이 없으리라고는 여겨지지 않았다.

마도국은 승리할 자신이 있는 것이다.

마도국으로서는 절대로 무모한 행위가 아니다. 과거 20만이나 되는 대군을 단 하나의 마법으로 궤멸한 적이 있었으니, 마도왕은 두 번의 마법으로 몰살할 수 있으리라고 계산했는지도 모른다.

총대장인 자낙은, 아무리 그래도 그런 일은 없을 거라고 생각하고 싶었지만, 귀족을 중심으로 그렇게 생각하는 이들이 있는 것도 사실이었다.

병력을 분산해야 한다는 의견도 있었다. 실제로 수긍이 가는 말이었다. 각개격파의 위험성은 있지만 병력을 분산하면 마법 하나에 전멸하는 일은 피할 수 있다.

하지만 그럴 수는 없었다.

지난번의 대패와 이번 침공으로 많은 인원을 지휘할 수 있는 귀족이나 기사, 상급 장교가 격감하고 말았다. 병력을 분산하기만 해도 군대의 기능을 유지할 수 없을 것이다. 그것은 '결전병력'이 아니라 단순히 '인간 40만 명'일 뿐이다.

게다가 이만한 병력이—— 같은 편이 모였기에 용기가 솟고, 마도국과도 맞설 수 있는 것이다.

진지에 들어온 지 이틀이 지났다.

너무나 병력이 많아 전투준비에만도 그만큼 시간이 걸린 것이다. 그리고 모든 포진이 완료되었을 무렵, 충분한 시간을 주었다는 양 당당한 걸음으로 마침내 마도국의 군세가 모습을 나타냈다.

병력은 1만 정도일까. 크게 나눠 세 종류나 네 종류 정도의 언데드로 이루어진 듯했다. 40만 앞에서는 불면 날아갈 규모로 보이지만, 개체의 강함을 따지자면 마도국 측이 압도적으로 유리하다고 봐야 한다.

"전하."

"나도 안다."

자낙은 군무상서에게 짧게 대답했다.

군무상서는 익숙하지 않은 갑옷 차림이라 움직임이 뻣뻣해 조금 우스꽝스러웠다. 다만 자낙도 남의 말을 할 처지는 아니었다.

과거에 가제프가 입었던 갑옷—— 왕가의 보물을 착용하고는 있지만, 가제프와는 비교도 되지 않을 만큼 안 어울린다는 것을 스스로도 잘 알았다.

그나저나 마법의 갑옷에는 감사할 따름이다.

요즘은 스트레스에 때문에 폭식이 이어져 배에 지방이 많이 쌓였다. 마법의 갑옷이 아니었다면 대장장이에게 부탁해 다시 만들었어야 했을 것이다.

"말을 대령하라!"

자낙의 명령에 기사가 말 한 마리를 자낙의 천막 앞까지 끌고 왔다.

자낙은 비난하는 듯한 시선을 보내는 애마에게 고생해서 올라타고는, 수행원도 없이 혼자 진지를 나서 마도국의 군세를 향해 나아갔다.

수행원을 데려와 봤자 마도왕이 자낙을 죽이려고 마음먹으면 경호 따위 무의미하다. 위협의 효과도 있을 리 만무했다.

그렇다면 혼자 가는 편이 그나마 자신의 대담함을 모두에게 알릴 수 있다. 게다가 만약 혼자 가서 살해당하기라도 한다면 그건 그거대로 마도왕의 좁은 도량을 모든 이들에게 알릴 수 있다.

'리 에스티제 왕국에 호걸이 있노라…… 훗.'

아무에게도 방해를 받지 않고, 대치한 양측 군세의 한가운데에 도달한 자낙은 지참한 매직 아이템을 기동해 목소리를 확대시켰다.

"리 에스티제 왕국 왕자 자낙 바를레온 이가나 라일 바이셀프다! 마도왕 폐하와 일대일로 이야기를 나누고 싶다!"

설전 따위를 시작할 마음은 없었다. 이제 와서 그런 짓을 해봤자 의미는 없다.

다만 자낙은 순수하게 알고 싶었을 뿐이었다. 마도왕이 무슨 생각으로 이런 짓을 시작했는지를.

*

아인즈는 세 면을 감싼 타프 텐트 안에서 자신의 군세가 진지를 구축하는 모습을 바라보았다. 거의 언데드로 구성된 마도국 군세에 식량 따위는 필요가 없으므로 진지는 그리 크지 않고 병력에 비해 아담했다.

근본적으로 진지 구축 자체가 필요 없다는 생각은 들었지만, 이것 또한 경험이다.

실제로 몇 번이나 만들어본 결과 진지는 처음 무렵보다도 훨씬 튼튼해진 것 아닐까 싶었다.

원래 같으면 마레의 마법과 병용해 진지를 만들어낼 수 있지만, 어떤 이유로 마레는 아인즈의 곁에서 잠자코 언데드들이 일하는 모습을 함께 바라보기만 했다.

옆에 있던 아우라도 마찬가지로 대열을 정돈한 자신의 군대를 바라보고 있지만 그녀의 시선은 자신의 서번트에게 향한 듯했다.

진지도 그렇고 텐트도 그렇고, 좀 더 지내기 편한 환경을 마법으로 만들어내기는 쉽다. 하지만 같은 이유 때문에 물리적으로 운반해온 천막을 펼쳐 그곳을 본진으로 삼았다.

'마레에게는 앞으로 마도국의 건축 전반을 맡겨도 괜찮을지

몰라.'

누나의 옆에 서서 진지한 표정으로 언데드들을 바라보는 소년의 옆얼굴을 흘끔 본 아인즈는 멀거니 그런 생각을 했다.

마도국에 있는 아인종이나 이형종 중에는 구멍을 파는 것이 특기인 자들이 있다. 그런 자들을 마레 밑에 붙여주어도 좋지 않을까. 아니, 아마 알베도 같은 이가 그런 방향으로 이미 움직이고 있으리라는 예감이 들었으므로 ──그 경우 아마 아인즈에게까지 서류가 올라올 것이다── 은근슬쩍 반응을 떠봐야 할 것이다.

그런 마음이 전해졌는지, 본진 구축에 힘쓰던 알베도가 경호원 코퀴토스를 데리고 돌아왔다.

"아인즈 님. 인간들의 군대에서 사자 같은 자가 이쪽으로 오고 있사옵니다. 어떻게 하시겠나이까?"

"개전 사자는 아니란 말이냐? 대접할 준비…… 환영 음료라도 준비해두거라."

알베도가 책상과 의자 같은 것을 준비하고 있으려니, 정말로 풀 플레이트 아머를 입은 남자가 이쪽을 향해 말을 몰아 달려오는 것이 보였다.

그 자가 입은 갑옷이 아인즈의 눈에 익었다.

'저건…… 분명 가제프 스트로노프의 갑옷……이었던 것 같은데……. 저자가 다음 전사장인가? 들은 이야기하고 다른 것 같은데?'

사자는 양측의 중간지점쯤에 멈춰 서더니 큰 목소리로 자신을 소개했다.

"리 에스티제 왕국 왕자 자낙 바를레온 이가나 라일 바이셀프다! 마도왕 폐하와 일대일로 이야기를 나누고 싶다!"

이곳까지 목소리가 들리는 것은 모종의 매직 아이템을 사용했기 때문이리라.

"……어떻게 하시겠나이까, 아인즈 님. 개전 사자는 아니온지라 들을 가치도 없을 것이옵니다. 전투를 시작하시겠나이까?"

"아니. 알베도. 그것은. 좋지. 않다. 상대는. 설전.을. 시작할. 생각일. 것이다. 이를. 거절.한다면. 아인즈. 님의. 도량이. 좁다는. 소문이. 날. 수도. 있다."

알베도는 냉혹하게 웃었다.

"소문 따위…… 어차피 금방 멸종할 목숨인걸. 듣는 사람이 없는 소문에 무슨 의미가 있을까?"

아인즈도 설전은 사양하고 싶은 기분이었다. 상대는 이 나라의 왕족이다. 그렇다면 전투능력을 제외하면 온갖 면에서 아인즈보다도 우수할 것이다. 하지만──.

"알베도, 잊었느냐? 소문을 퍼뜨리는 패밀리어가 있을지도 모른다."

"……소녀의 생각이 짧았나이다."

"음…… 그러면 다녀오도록 하마. 왕족이 혼자 오지 않았느냐. 나도 혼자 가지 않는다면 체통이 서질 않지."

"……괜찮으시겠어요, 아인즈 님?"

"모르겠구나, 아우라. 하지만 세뇌 같은 것을 당했을 때는 그 세계급 아이템을 사용해 나를 지켜다오."

평소 같으면 장비했을 세계급 아이템을 이번에는 나자릭에 두고 왔다. 그렇기에 아우라의 산하사직도(山河社稷圖)를 사용하면 아인즈까지 함께 집어넣을 수 있다. 그러면 아인즈가 세뇌당하더라도 전이 등으로 밖으로 나갈 수 없게 된다.

"알겠어요!"

"음."

아인즈는 아우라에게 고개를 끄덕이고는 영혼포식수에 올라타 진지를 나왔다. 말을 타는 연습은 해놓았으므로 승마는 어느 정도 가능하다. 하지만 잘 탄다고 말할 정도는 아니기 때문에, 많은 이들이 보는 앞에서 창피를 당하지 않도록 영혼포식수를 고른 것이었다.

상대는 아인즈가 도착하기 전에 말에서 내려 기다리고 있었으므로 아인즈도 이를 따라 지면에 내려섰다. 이제부터 그를 기다리고 있을 운명과는 상관없이 예의는 예의로, 원한은 원한으로 갚는다는 원칙을 바꿀 마음은 없었다.

상대는 조금 뚱뚱해 보이는 사내였다. 다만 화장으로도 감출 수 없을 정도로 눈 밑이 시커멓게 죽어 있었다.

"처음 뵙겠습니다, 마도왕 폐하. 저는 자낙 바를레온 이가나라일 바이셀프라고 합니다."

"나야말로 이렇게 만나 반갑소, 전하. 아인즈 울 고운 마도왕이오. 잘 부탁하오. 헌데, 선 채로 이야기를 나누는 것도 좀 그렇군……."

아인즈는 마법을 두 차례 발동해, 조금 떨어진 곳에 마주 보는 형태로 검은색 옥좌 두 개를 만들어냈다. 마법으로 만든 것이므로 당연하지만 양쪽 모두 완전히 똑같은 형태였다.

"금속이라 단단하기는 하지만 저기에 앉아 이야기를 나누는 게 어떻겠소?"

"감사합니다, 폐하."

둘이 앉자, 그와 동시에 아인즈는 마법 하나를 더 사용했다. 두 사람 사이에 비슷한 검은색 광택을 가진 테이블을 마련한 것이다.

조금 전부터 마법을 쓰고 있는데도 자낙은 경계하는 기색이 없었다. 아인즈를 시해하려는 마음이 없기 때문일까.

이어서 인벤토리에서 잔을 두 개, 그리고 얼음물이 담긴 용기를 꺼냈다.

"물이어도 괜찮으시겠소? 술은 좋지 않겠지. 오렌지 주스도 있소만⋯⋯."

"감사드립니다, 폐하. 물이어도 충분합니다."

아인즈는 마실 수 없지만 일단 예의상 자신의 잔에도 따라놓았다.

"이로써 이야기를 할 준비가 되었군. 그러면 무슨 이야기를 하시겠소? 우리의 침공이 정의였다는 말이라도 해야 할까?"

"그런 말씀을 하실 필요는 없습니다, 폐하. 그보다도 여쭙고 싶은 것이 있습니다. 왜 이토록 잔혹한 행위를 하시는 것입니까? 왜 저희의 항복을 인정하지 않으시는 겁니까?"

당연한 의문일 것이다. 아인즈의 입장에서는 논리적인 의미가 있지만, 상대로서는 단순한 폭거의 폭풍일 뿐일 테니까.

"흐음."

아인즈는 고개를 끄덕이고는, 숨겨봤자 의미도 없을 테니 마도국의 계획에 대해 들려주었다.

"이익이 없기 때문이오. 여러분은 우리의 제물이 되어 향후 많은 이에게 마도국과 적대하는 어리석음을 알려주어야 하지. 그러기 위해 우리는 여러분을 섬멸한 후, 왕도로 쳐들어가 그곳에 있는 모든 것을 잿더미로 만들 것이오. 그리고 수백 년이고 수천 년이고 그대로 두어, 대대로 영원토록 마도국에 대항하는 어리석음을 알리겠소."

"……농담으로 하시는 말씀 같지는 않군요."

"농담할 생각은 없소. 일어날 수 있는 사실을 말했을 뿐."

"어째서일까요."

"뭐라고?"

아인즈는 무슨 뜻인지 이해하지 못해 되물었다.

"마도왕 폐하는 강대한 힘을 가지셨으며, 그러한 일을 하지 않으셔도 많은 이에게 폐하의 위광을 알리실 수 있지 않습니까."

자낙이 입술을 혀로 축였다. 그리고 꼴깍 침을 삼킨 후 물었다.

"왜 그렇게 도량이 좁으십니까?"

"도량이 좁다라."

자낙은 아인즈를 화나게 만들었다고 생각해 긴장하는 듯했지만, 아인즈는 전혀 화를 내지 않았다.

"무엇이 목적입니까?"

아인즈는 입 속에서 '무엇이 목적인가.' 하고 말을 굴렸다.

과거 아인즈에게, 아니, 스즈키 사토루에게는 위그드라실이라는 게임에서 만났던 동료들이야말로 인생의 전부였다. 찬란히 빛나는 추억이었다. 그렇기에 아인즈는 동료들과 다시 만나고 싶었다.

위그드라실이라는 게임이 끝을 맞이하고, 모든 것이 소멸되었어야 할 순간, 이 세계로 날아왔다.

끝은 끝이 아니었던 것이다.

아니, 시작이었다.

동료들이 만들어낸 NPC들이 자아를 얻어 움직이고, 그들의 일거수일투족에서 옛 동료들을 느꼈다. 아니, 솔직히 말하자면 전이 직후에는 그보다도 급격한 환경변화를 따라잡지 못해 그들이 자신을 배신할 걱정이 더 컸다. 지금도 그 생각을 하면 웃음이 나온다. 이제는 그들이 자신을 배신할 걱정은 거의 하지 않는다.

그리고 이 세계로 날아온 사람이 아인즈만은 아닐 것이다. 실제로 다른 플레이어들의 그림자가 어른거리고 있다.

그렇다면 혹시 그 빛나는 시간을 함께 보냈던 동료들도 이 세계에 와 있을지 모른다고 생각하는 것은 당연한 흐름이리라. 물론 아인즈도 그 최후의 순간에 이 세계로 날아왔기 때문에 동료들이 있을 리 없다는 생각은 한다.

실제로 몇몇 마법을 사용해 정보를 모을 때마다 아무도 없으리라는 생각은 어렴풋이 들었다. 하지만 확실시할 수 없는 이상 가능성은 남아있다.

그런 담담한 희망을 품는 것은 어리석은 짓일지도 모른다. 한심한 짓일지도 모른다.

그래도 그때의 아인즈에게는 그것이 전부였다.

그리고 지금, 그 꿈은 희미해지기 시작했다── NPC들 덕에.

동료들은 소중하다. 하지만 NPC들도 같은 만큼 소중했던 것이다.

옛 동료들이 남긴 자식처럼 여겨지는 자들이기에.

아인즈는 마지막에 남은 자로서 그들을 지켜야만 한다.

그렇기에 아인즈는 모든 것을 희생할 수 있었다. NPC들이 조금이라도 위험에 빠지지 않도록, 나자릭 지하대분묘의 세력이 적에게 패배하는 일이 없도록, 조직의 강대화는 모든 일에 우선시되었다.

샤르티아는 누군가에게 지배당했다. 되찾을 수는 있었지만 자칫하면 나자릭 지하대분묘의 정보를 모두 빼앗기고 궤멸적인 피해를 볼 가능성도 있었다.

그러한 일을 두 번 다시 일으켜서는 안 된다.

"무엇을 노리는가. 어렵고도 간단한 질문이로군. 내가 노리는…… 바라는 것은 단 하나뿐. 행복이오."

"행복?"

자낙이 눈을 깜빡거렸다.

그런 태도에 아인즈는 희미한 웃음을 지었다. 그렇게 이상한 소리를 했다는 생각은 들지 않소만. 그런 뜻의 웃음이었다.

"사람이라면, 누구나 바라는 것은 역시 행복 아닐까?"

아인즈는 평소의 연기도 잊고, 친근한 친구를 대하듯 말했다.

"행복해지기 위해서라면 타인의 행복을 빼앗아도 된다는 말씀입니까?"

"당연하지 않나? 나의 소중한 이들이 행복해지기 위해서라면 그 이외의 사람들 따위 어떻게 되어도 상관없지. 그대도 자국 백성의 행복과 맞바꾸어 타국 백성이 괴로워한다면 어떻게 하겠나? 행복을 포기하라고 할까?"

"극단적인 말이오!"

외치고 나서야 냉정함을 되찾은 자낙은 고개를 숙였다.

"실례했습니다, 폐하."

아인즈도 지배자다운 태도를 되찾았다.

"아니오, 마음에 두지 않소."

"마도왕 폐하처럼 지혜와 힘을 가지신 분께서, 그 이외의 방법으로 행복해질 방법을 찾지 못하신 겁니까?"

"……있을 수도 있지. 그러나 없을 수도 있소. 눈앞에 간단히 행복을 얻을 수단이 있다면, 없을지도 모르는 방법을 모색하는 것보다는 그쪽에 뛰어드는 편이 낫소. 뭐라더라. 행복의 여신은 뒤에서 붙잡을 수가 없다고 했던가?"

자낙이 의아하다는 표정을 지었다.

"이상한 여신이군요. 아, 죄송합니다. 폐하께서 신앙하시는 신을 우롱할 마음은 없었습니다. 용서해 주십시오."

"아니, 마음에 두지 마시오. 딱히 신앙하는 것은 아니니. 그런 비유가 있었던 것 같아서 말했을 뿐이오. 각설하고, 그렇게 된 것이오. 내가 지켜야 할 이들의 행복을 위해, 여러분은 불행해져야겠소. 그것이 이 전쟁의 근간이지. 이해하셨소?"

"그렇군요. 폐하의 생각에는 공감합니다. 자국의 이익을 추구하는 것이야말로, 자신을 따르는 자들을 행복하게 해주는 것이야말로 남의 위에 선 자의 역할이라고 할 수 있지요. 저희를 멸망시키고 마도국 백성이 행복해진다면 항복을 인정하시지 않는 이유를 알겠습니다. 어찌할 방법이 없다는 것을."

"그렇군. 이해하셨소. 그러면 다음으로는 내가 질문할 차례일 텐데, 물어볼 것이 없구려……."

아인즈는 시선을 약간 들고 생각했다.

"아, 그래. 전하께서 그 갑옷을 입고 있다면 그 검에 대해서도 물어봐야겠군. 가제프 스트로노프가 소지했던 검은 현재 누가 가지고 있소?"

"그건 브레인 앙글라우스라는 자가 맡아두는 형식으로 가지고 있습니다."

"브레인 앙글라우스? 아, 그자 말이군."

가제프와 일대일 대결을 했을 때 있었던 두 명의 남자 중 하나. 그자가 그런 이름이었던 것으로 기억한다. 다만 꽤 오래전이었으므로 얼굴은 거의 떠오르지 않았다.

왕도는 잿더미로 만들겠지만, 몇몇 아이템은 회수할 예정이었다. 그중에 가제프의 검이 있던 것을 떠올렸다.

"그자는 이번에 이 전투에 참가했소?"

"아닙니다. 오지 않았습니다, 폐하. 왕성에 남아있을 것입니다."

"그렇군. 그렇다면 여러분을 어떤 마법으로 전멸시킨다 해도 아무 문제는 없겠어."

왕성을 함락시키는 역할을 맡은 코퀴토스에게 주의를 주어야만 할 것 같았다.

"패배할 마음은 조금도 없사오나, 너무 고통스럽지 않은 마법으로 부드럽게 죽여주시면 고맙겠습니다."

"……흐음, 그렇군. 알았소. 기왕 이곳까지 와서 이야기를 나눈 사이니, 전하는 될 수 있는 한 부드럽게 죽여 드리겠소."

"감사드립니다."

자낙이 명랑하게 웃어 아인즈는 눈을 크게 떴다.

이자는 제법 담이 크다. 아인즈도 이런 행동을 할 수 있을까?

'——도저히 못할 것 같은데. 역시 왕족이란 이런 거구나. 좋은 공부가 됐어.'

자낙은 잔을 들고 안에 든 물을 단숨에 들이켰다. 독이 들어있을지도 모른다는 의심은 조금도 없는 당당한 태도였다.

"맛있었습니다, 폐하. 그런데 마지막으로 한 가지만 더 여쭙고 싶습니다만—— 형을 죽인 것은 폐하입니까, 아니면 폐하의 부하입니까?"

"형?"

아인즈는 고개를 갸웃했다. 그리고 잠시 후 왕국의 왕자를 처분했다는 이야기를 떠올렸다. 하지만 이름까지는 기억이 나지 않았다. 긴 이름이었던 같은데…… 하는 생각이 드는 정도였다.

"아마 내 부하일 거요."

"그렇군요…… 역시 죽었군요. 그나마 속이 조금 후련해진 것 같습니다……. 폐하, 가르쳐주셔서 고맙습니다. 그러면 이만."

그 말만을 남기고, 자낙은 말을 향해 걸어갔다.

아인즈는 남은 잔이며 마법으로 만든 것들을 정리하고 영혼포식수로 다가갔다. 그러자 자낙은 말 옆에서 아인즈가 오기를 기다리고 있었다.

왜 타지 않을까 의문을 느끼며 아인즈가 영혼포식수에 올라타자, 자낙은 그 뒤를 따라 말을 탔다.

왕자와 왕. 어느 쪽의 입장이 위인지를 생각하고, 말 위에서 내려다보는 일이 없도록 행동한 것이리라. 말을 이용한 비즈니스 매너를 알 리 없었던 아인즈는 '이것이 올바른 귀족의 매너구나' 하고 감탄했다.

'귀족의 매너도 잘 배워봐야겠다. ……공부해야 할 게 점점 늘어나는구나. 줄어들 날이 오긴 할까……?'

*

"전하!"

돌아온 자낙을 귀족들이 맞이해주었다. 대부분 자낙의 격문에 호응했던 인근 영지의 귀족들이었다.

조금 전에는 아무도 말리지 않아 금방 빠져나올 수 있었는데, 이번에는 반대로 들어갈 수조차 없을 정도였다. 다시 말해 다들 기대했던 것이다. 마도왕에게서 모종의 타협점을 이끌어낼 수 있었을 거라고. 무엇보다——.

그들이 듣고 싶은 말을, 자낙이 단도직입적으로 대답했다.

"무리였네. 마도왕 폐하는 우리를 몰살할 작정이셨어. 교섭의 여지는 전혀 없었지."

새파랗게 질린 얼굴을 한 귀족이 있는 것이 의아했다. 설마 이제 와서 어떻게 되지 않을까 기대라도 한 걸까.

자낙은 말에서 내려, 아랫입술을 깨물며 무언가 생각에 잠기기 시작한 그들을 남긴 채 자신의 천막으로 걸어갔다.

천막에 들어서자 군무상서가 맞이해주었다. 그리고 얄궂은 웃음을 지었다.

"별로 좋은 이야기는 없었던 모양입니다."

"다시 말해 예상대로였다는 거지. 다만, 뭐, 한 가지 약간 놀란 것도 있기는 해."

"그렇습니까? 그런데 저는 마도왕을 본 적도 없는데, 얼마나 사악한 괴물이었는지요?"

자낙은 미소를 지었다.

"생각보다도 인간미가 있던걸."

군무상서는 그 대답에 놀라 눈을 휘둥그렇게 떴다. 어쩌면 그의 이런 표정은 처음 보는 것인지도 모른다.

자낙은 마도왕의 모습을 떠올려보았다.

실제로 외견은 끔찍한 괴물이었다. 압도적인 존재감을 뿜어냈으며, 몸에 걸친 의상은 얼마나 값이 나가는 것인지도 알 수 없었다. 다만, 그래도 자신의 소중한 존재를 위해, 행복을 위해 행동한다는 것은 누구나가 가진 욕구가 아니겠는가.

솔직히 산 자의 적인 언데드답지 않은 반응이었으며, 그야말로 인간 같았다.

마도왕이 무엇을 생각하고 이런 짓을 저질렀는지 전혀 알 수 없었다. 하지만 조금 전에 마도왕에게 말한 대로, 왕으로서 공감하는 부분도 있었다.

"응, 그랬지. 맞아. 평범한—— 인간과 마찬가지였어."

자낙은 시선을 군무상서에게서 천막 밖으로 돌렸다.

어쩌면 좀 더 오래전에—— 이렇게 되기 전에 더 좋은 방법이 있었는지도 모른다. 하지만 이제는 때가 늦었다.

"……그런데 지휘계통이나 전투의 준비는 어느 정도 끝났나?"

"전하 직속—— 왕도 백성들은 즉시 움직일 수 있습니다. 왕도 내의 주소에 따라 배정한 것이 효과적이었습니다. 하지만 영지 귀족들의 움직임은 상당히 둔중합니다. 나쁜 의미에서 서로 선봉을 떠넘기고 있습니다."

군무상서는 불평불만이 강하게 배어나오는 표정으로 말했다.

"뭐, 어쩔 수 없겠지. 그들은 우리가 지휘하는 것이 아니고, 일부 귀족은 죽을 각오도 없으니. 그들에게 바라는 건 제멋대로 전투를 시작하지 않았으면 하는 것 정도야. 그쯤은 어떻게든 할 수 있겠지."

보조를 맞춰 싸울 수 없으면 그야말로 난감해진다. 그렇다고 는 해도 그들이 없으면 병력이 4분의 1 정도 줄어드니 그건 그 거대로 곤란하다.

마도왕의 마법으로 예전처럼 20만이 줄어든다 쳐도 절반은 남는다는 무시무시한 계산을 해봤을 때, 남은 절반 속에 귀족들 이 모조리 들어간다고 가정한다면, 4분의 1이란 얼마나 막대한 숫자인가.

"그런데 작전은 어떤 식으로 진행돼가나?"

"작전이라고 할 것도 없습니다, 전하."

군무상서는 지친 듯, 체념한 듯한 표정으로 웃었다.

"대열도 뭣도 없습니다. 그저 아무 생각 없이 돌격할 뿐이지 요. 그러니…… 사기가 무너지는 것을 최대한 막아야만 할 것 입니다. ……독전대를 사용할까요?"

"관두게. 그보다도 왕가를 섬기는 기사들을 앞으로 내보내게. 그리고——."

"——전하는 참으십시오. 저희가 가겠습니다."

자네가 가겠다고?

자낙은 그런 눈으로 군무상서를 보았다. 자신의 전투능력은 뒷전으로 미뤄놓고 한마디한다면, 이 애송이가 검을 휘두르는 모습은 도저히 상상이 가지 않았다.

"누군가가 앞에 나서야만 한다면 제가 가겠습니다. 전하는 뒤에서 지휘를 내려주십시오."

자낙은 군무상서와 한바탕 눈싸움을 하다, 결국 고개를 끄덕였다.

"이해해주셔서 기쁠 따름입니다……."

군무상서가 문득 위를 올려다보았다. 천막의 천장이다. 그곳에 무언가가 있는 것도 아니고 하늘이 보이는 것도 아니다. 그래도 그는 잠시 위를 보다가 불쑥 중얼거렸다.

"솔직히 스트로노프는 좋아하지 않았습니다만, 그가 있었다면…… 하고 생각하지 않는 날이 없습니다."

"그 마음 이해하네. 하지만 나는 그를 좋아했어."

군무상서가 슬쩍 웃음을 지었을 때, 밖이 소란스러워졌다.

"시끄럽군요. 설마 마도국이 움직인 걸까요?"

"아니……."

자낙은 귀를 기울이다가 웃고 말았다.

"이건 그런 게 아닐세."

그리고 천막으로 힘차게 들어오는 자들이 있었다.

왕도 주변——이라고는 해도 약간 거리가 있지만——에 영토를 가진 봉건귀족들이었다. 조금 전에 창백한 얼굴을 했던 귀족들도 더러 보였다. 데리고 온 자들은 용병일까. 검이 피에 물든 것이 보였다.

"검을 뽑아 들고 전하의 천막에 뭘 하러 온 거냐! 물러나라!"

　군무상서의 일갈에도 귀족들은 대답하지 않았다. 막다른 곳에 몰린 시궁쥐 같은 눈으로 자낙을 쳐다볼 뿐이다.

　자낙은 배를 쥐고 폭소하고 싶어졌다.

　들어왔을 때부터 어렴풋이 눈치는 챘지만, 그들의 어리석은 생각이 거의 완전히 이해되었던 것이다.

　기사들을 지휘관으로 두는 바람에 자신의 주위에서 치웠던 것이 잘못이었던 모양이다. 그들은 억지력이 사라졌기에 폭주한 것이다. 이 상황에서 모반을 일으킬 사람이 있으리라고 예측하지 못했던 것은 설마 인간이 그렇게까지 간사할 거라고는 생각하지 못했기 때문이었다.

　아니, 그렇지 않다.

　그들의 행동은 옳다고도 할 수 있다. 왜냐하면 그들은 그들 나름대로 살아남을 길을 필사적으로 모색했을 뿐이므로.

　여기서 책망해야 할 사람은 자신이 아닐까. 그들의 마음을 이해하고, 불안을 달래주고, 하나의 방침에 따르도록 하지 못했으므로.

　아버지라면 어땠을까를 생각해보니, 애써 지은 근엄한 표정이 다시 웃음으로 무너져버릴 것 같았다.

"썩 꺼져라, 이 천한 것들!"

"……그만둬라, 군무상서!"

"하오나 전하!"

"그만둬라. 그리고 물러나라."

"그런 명령은 못 듣겠습니다."

"군무——."

"——그쯤 해두시지요. 전하. 시간을 끌려 하셔도 소용없습니다."

"……흥. 그럴 생각은 없었다만."

국보 갑옷을 장비하기는 했지만 자낙은 전투훈련을 그리 많이 받지 않았다. 형이라면 달랐을지 몰라도, 자낙이 이곳에 몰려든 자들을 베어버리기란 거의 불가능했다.

만약 그들의 반란이 돌발적인 것이 아니라 나름대로 준비해왔던 것이라면 자신이 살아날 방법은 없다.

눈에 힘을 주고 노려보니 귀족들이 움츠러드는 기색을 보였다.

이렇게나 꼴사나울 수가. 자신이 옳은 일을 한다고 생각한다면 가슴을 펴야 하지 않겠는가. 그러므로 자낙은 그들 앞에서 가슴을 폈다. 자신은 결코 잘못된 짓을 하지 않았음을 역설하기 위해.

"어떤 용건으로 나의 천막까지 왔느냐. 검을 뽑는다는 행위의 의미를 모르는 것도 아닐 텐데?"

"——물론입니다, 전하. 이 전쟁에서 항복해 주셨으면 합니다."

자낙은 미소를 지었다.

"마도왕 폐하께는 항복해봤자 소용없다. 그분의 생각은 듣고 왔다. 우리의 복종을 받아들일 일은 결코 없을 것이다. ……민지 못할 수도 있겠다만 우리가 살아날 길은 마도왕 폐하를 격퇴하는 것 말고는 없다."

"어떻게 이긴다고……."

귀족 중 하나가 그렇게 중얼거렸다. 자낙도 그 말에 찬성했다.

"그래도 싸울 수밖에 없다. 나도 복종을 맹세한다는 제안을 해보았으나 소용이 없었다. 반복하겠다만 우리가 살아날 길은 싸우는 것뿐이다."

"……전하는 그럴지도 모르지요. 하지만 충분한 활약을 한다면 눈감아줄지도 모릅니다. ——당신의 신병과 맞바꾸어 목숨을 부지해보겠습니다."

그 말을 시작으로 귀족들이 저마다 발언했다.

"따지고 보면 마도국의 식량 수송을 방해한 놈이 잘못한 거야. 우리는 하나도 잘못한 게 없는데!"

"우리는 마도국에 충성을 맹세하겠다!"

자낙이 보기에 그들의 말은 티타임에 어떤 기사가 이상형인지 수다를 떠는 영애들과 구분이 가지 않았다. 그래도 그들의 마음은 뼈아플 정도로 잘 알았다.

"한 가지만 말해주지. 나를 연행하려 해봤자 소용없다. 나는 왕족으로서 끝까지 싸우기로 각오했다. 목숨을 잃어도 상관없다는 놈들만 덤벼라!"

나 이거야 원.

아군의 손에 최후를 맞는다니. 참으로 멋이 안 난다.

아니, 여기서 이런 멍청이들이 죽어 동생이나 아바마마에게까지 누가 미치지 않는 것이 다행이었다.

하기야 여동생이라면 그 전사들이 있는 한 이런 놈들에게 죽지는 않겠지.

"목을 가져가고 싶다면 어디 가져가 봐라!"

자낙은 검을 뽑았다. 군무상서가 그 옆에 나란히 섰다.

검 실력에는 자신이 없지만, 무장이라면 뒤지지 않는다.

자낙은 얼른 덤벼들려 하지 않는 귀족들을 노려보았다.

"뭣들 하나! 검을 피로 적시고 이곳까지 왔으면서! 독배를 마시게 하는 수단을 택하지도 않고 스스로 손을 더럽혔다는 것은 나름대로 각오를 했기 때문이 아니었나!"

귀족들이 한순간 얼굴을 마주 보았다.

그것까지는 생각해보지 않았다는 듯한 태도에 실망했다. 그런 각오도 없는 놈들에게 자신의 목숨을 빼앗긴다는 것에.

결국 마도왕의 군세를 보자 공포로 팽팽해졌던 실이 끊어져 생각 없이 행동했던 것이다.

그렇게 따지면 자신은 역시 왕이 될 재목이 아니었으리라. 부왕 같은 인덕도, 동생 같은 지혜도 없다. 하지만 그래도 상관없다. 딱히 왕이 되고 싶었던 것은 아니고, 이 나라를 바로잡고 싶었을 뿐이었으니까.

그렇다.

이 나라를, 백성을, 가족을.

행복하게 해주고 싶었을 뿐이다.

하지만 그때 귀족 중 하나가 천막 밖으로 소리를 지르자, 굴강한 용병들이 몇 명이나 들어왔다.

한 차례 혀를 찬 자낙은 형이 검을 쥐었던 모습을 떠올리고,

그의 포효를 흉내 내며 귀족들에게 돌진했다.

*

 진지 내에서 왕도 공략에 관해 코퀴토스, 아우라, 마레와 함께 이야기를 나누고 있을 때 천막 밖에서 마지막으로 대열을 확인하던 알베도가 조금 난처한 기색으로 돌아왔다. 무슨 일 이 있었느냐고 시선으로 묻자 알베도가 대답했다.
 "아인즈 님, 아무래도 적의 진지가 혼란에 빠진 듯합니다."
 "……뭐? 혼란? 무슨 일이지?"
 아인즈는 자리에서 일어나 천막 밖으로 나가보았다. 정말로 어쩐지 혼란스러웠다. 정확하게는 자기들끼리 싸우는 것처럼 보였다.
 이윽고 적의 진지에서 기병 한 무리가 달려 나왔다. 선봉을 차지하려고 앞다투어 달려오는 분위기는 아니었다.
 아인즈 일행이 잠자코 지켜보는 사이에, 기병의 무리는 마도 국 진지 바로 앞까지 왔다. 무장이 제각각이어서 용병으로 보이는 자들, 그리고 귀족들로 이루어진 무리였다.
 수많은 굴강한 사내들 속에서 귀족풍의 장년 사내가 튀어나왔다. 그리고 그가 다소 히스테리컬하게 높인 목소리가 바람을 타고 아인즈의 귀에까지 들렸다.
 "마도왕 폐하께 드릴 말씀이 있사옵니다! 부디 배알을 윤허해 주시옵소서!"
 그 속에 자낙은 없었다. 그리고 적진의 혼란과, 아인즈에게 달려온 일부 귀족. 대충 예감이 들었다.

"……알베도, 데려오거라."

고개를 숙인 알베도에게 시선을 돌리지 않은 채 아인즈는 천막으로 돌아가 임시 옥좌에 털썩 앉았다. 세 명의 수호자는 아무 말도 없이 아인즈의 옆에 섰다.

이윽고 알베도의 안내로 귀족풍의 사내들이 열 명 정도 왔다. 호위로 보이는 용병들은 밖에 남겨둔 듯했다.

그들은 옥좌에 앉은 아인즈를 보고 놀라고, 그 옆의 코퀴토스를 보고 놀라고, 아우라와 마레에게는 의아한 표정을 지었다.

"폐하를 배알하도록 허가한다."

왕국 귀족들은 입구 부근에서 무릎을 꿇고 아인즈에게 고개를 조아렸다.

"고개를 들어라."

아인즈의 옆으로 다가온 알베도가 말했다.

"처음 뵙겠사옵니다, 폐하."

그들 중에서 나이가 많은 귀족이 대표로 말했다. 다른 자들의 태도를 보면 그가 이 무리의 리더일 것이다.

"저희는 위대하신 폐하께 감복하여 무릎을 꿇고 용서를 빌고자 찾아온 자들이옵니다. 부디 이것을 받아주시옵소서……."

귀족 중 하나가 뒤에서 자루 같은 것을 꺼냈다. 알베도가 움직이려 하는 것을 아인즈가 저지했다. 그리고 옥좌에서 천천히 ——훈련된 움직임으로—— 일어나, 그 귀족에게 다가갔다.

그리고 자루를 들었다.

'함정이 아니었군…….'

실망하면서도 아인즈는 자루를 바라보았다.

자루에서는 진한 피 냄새가 풍겼다. 안에 무엇이 들어있는지 예측 정도는 할 수 있었다.

아인즈는 자루의 주둥이를 열고 안을 들여다보았다.

자낙과 눈이 마주쳤다.

아인즈는 그것을 가만히 바라보았다. 아까 잠깐 만났을 뿐이니 이것이 대역이 아니리라 단언하기는 어려웠다. 하지만 그들의 행동을 생각해보면 대역의 머리를 내놓았을 가능성은 낮을 것이다.

아인즈는 자루를 닫고 옥좌로 돌아가 알베도에게 자루를 넘겨주었다.

"정중히 장사지내주어라."

언데드를 만들 시체는 아직 남아돈다. 굳이 자낙의 시체까지 이용할 필요는 없을 것이다.

"그러면 이자가 입고 있던 갑옷은 어떻게 했느냐?"

귀족들이 반응하기 난감하다는 표정으로 아인즈를 보았다. 아마 총사령관의 수급을 가져왔다고 칭찬을 받을 줄 알았으리라.

"뭐 하는 거지? 아인즈 님의 질문에 대답하지 않겠다는 것이냐?"

"아, 아닙니다! 그게, 왕자의 시체가 있는 천막에 그대로 있을 것입니다."

알베도의 싸늘한 물음에, 대표로 나섰던 귀족이 황급히 대답했다.

"그렇군…… . 알았다…… . 너희는 잘 해주었다."

그 말에 얼굴 가득 희색을 띤 귀족들이 "예!" 하며 일제히 고개를 숙였다.

"그러면 이 활약에 어울릴 만한 상을 주지. 무엇을 원하느냐?"

"저를, 저희 가족을 살려주시옵소서, 마도왕 폐하! 저는 폐하께 절대적인 충성을 맹세하옵니다!"

갑자기 대표 뒤에 있던 귀족이 외쳤다. 대표 귀족은 조바심을 드러낸 얼굴로 그에게 고함을 지르며 자신의 소망을 말했다.

"네 이놈! 폐하, 저도 그렇습니다! 부디 자비를 베풀어주소서!"

그 후로 한동안 자기도 그렇다는 말이 이어졌다. 아인즈는 천천히 손을 내저어 그들의 탄원을 제지했다.

"——알았다, 알았다. 너희의 마음은 충분히 알다마다. 다들 같은 바람을 가졌다는 뜻으로 이해하면 되겠느냐?"

귀족들이 열심히 고개를 끄덕였다.

"그렇군. 그렇다면 너희는 죽이지 않도록 하마. 알베도——그들을 뉴로니스트에게 데려다주거라."

"——분부에 따르겠나이다."

"폐하, 저희 가족은……."

한 귀족이 중얼거리는 것을 아인즈는 놓치지 않았다.

"가족도 말이냐?"

아인즈는 미소를 지었다. 물론 그들에게 그 표정이 전해지진 않겠지만.

"못 말리는 놈들이로구나. 알베도, 그들의 가족이 어디 있는지 알아내서 데리러 다녀오거라."

"분부에 따르겠나이다, 아인즈 님. ——너희, 이쪽으로 오도록 해."

알베도의 뒤를 따라 귀족들이 천막을 나갔다. 그들이 떠나가는 모습을 지켜본 아인즈는 아우라에게 손짓을 해 명령했다.

"저자들이 죽음을 바라지 않는 한 절대 죽이지 말라고 전해두어라."

"알겠습니다, 아인즈 님!"

걸어나가려 하는 아우라의 손을 잡았다. 그리고 어리둥절한 아우라에게 덧붙였다.

"죽음을 바라도 한동안은 죽이지 말라고도 전해다오."

"네!"

손을 놓자 충분하고도 남을 정도로 이해한 아우라는 알베도를 따라 천막 밖으로 나갔다.

아인즈는 그 뒷모습에서 눈을 떼지 않은 채 남은 두 수호자에게 명령했다.

"관심이 식어버렸다. 코퀴토스를 지휘관으로, 마레를 부관으로 임명한다. 너희가 직접 힘을 사용하는 것도 허가할 테니 왕국 백성을 하나도 살려두지 마라."

두 사람의 대답이 울려 퍼졌다.

그리고 1시간 후—— 리 에스티제 왕국 최후의 군세는 이 세상에서 사라지게 된다.

4장 준비된 함정

Chapter 4 | Well-prepared Traps

1

　뚜벅, 뚜벅 소리를 내며 힐마는 여덟손가락의 동료 세 사람과 나란히 저택 복도를 걸었다. 그녀가 향하는 곳은 마도왕의 부하가 지정한 대형 룸이었다.

　남은 멤버들은 그곳에서 마도왕의 사자가 언제 와도 대응할 수 있도록 기다리는 중이다.

　왜냐하면 마도왕의 부하에게서 오늘 이 저택에 사자가 나타날 거라고 장소와 날짜를 지정하기는 했지만 시간대까지는 밝히지 않았기 때문이다. 그렇기에 힐마를 비롯한 간부는 2교대제로 룸에 모여 앉아, 아무도 없는 타이밍을 두지 않으려 했다.

　만약 사자를 기다리게 하였다간 불경하다면서 그 지옥을 다시 체험시킬지도 모른다. 그럴 가능성이 조금이라도 있다면 이를 피하도록 행동해야만 했다.

　넷이서 묵묵히 1분 정도를 더 걸었다.

이 저택이 넓어서이기도 하지만, 목적지인 룸에서 거리가 있는 방을 휴게실로 지정했기 때문이었다. 방에 가까운 곳에 휴게실을 준비할 수도 있었지만, 다 함께 검토한 결과 가까운 방은 모두 짐을 놓아두는 창고로 쓰기로 했다.

침묵을 견디다 못한 것은 아니겠지만 동료 중 하나—— 프리안 포르손이 말했다.

"조금 시끄럽지 않을까요?"

힐마는 귀에 신경을 집중했다.

정말로 아이들의 목소리가 들렸다. 하지만 넓은 저택 어딘가 먼 곳에서 들려오는 수준의, 주의를 기울여야만 신경이 쓰일 정도로 작은 목소리였다. 대형 룸 근처는 창고로 만들고 생활의 장은 멀리 떨어뜨려 놓았기에 이 정도로 넘어갈 수 있었다.

다만 그들이 시끄럽지 않다고 생각해도 사자가 시끄럽다고 생각하면 어떻게 될지 상상도 가지 않는다.

"……그럴지도 모르겠네. 조용히 하도록 단단히 타이를까?"

오린의 말에 모두가 동의했다. 앞으로 교대할 사람에게 말해 두면 쉬러 가면서 아이들에게 주의를 줄 것이다.

오린은 자신의 이야기가 통해 조금 마음이 가벼워졌는지, 계속해서 모두가 마음속으로 생각은 했지만 결코 입에 담지 못했던 말을 했다.

"……하지만…… 정말 우리를 살려주기 위해 오는 걸까?"

마도국 사자를 맞이한다는, 오랜 긴장감이 필요한 행동을 지속하다 보니 자기도 모르게 꺼낸 말이었을 것이다.

왕도에서 40만이나 되는 군대가 출진한 것이 7일 전. 그 후로 마도국의 군세가 왕도 부근에 포진했다는 소문이 퍼진 것이 어제. 겨우 하루 정도의 대기였지만 육체 이상으로 정신의 피로가 극심했다.

이 전쟁이 시작됐을 무렵 ——1개월도 더 전의 이야기다—— 마도왕의 부하로부터 앞으로의 지시를 들었다.

그 말에 따르면, 마도국이 왕도까지 진군할 때, 마도국에 충성을 맹세할 자들을 천 명 정도 안전한 장소로 데려갈 테니 멤버를 선출해놓으라는 것이었다.

그러므로 이 저택에 천 명의 여덟손가락 관계자를 모아놓았다.

물론 여덟손가락의 구성원 수는 말단에 이르기까지 헤아릴 수 없을 정도로 많다. 힐마 일행은 그중에서 우수한 인물과 충성심을 가진 자들, 그리고 그들의 가족까지 천 명의 리스트를 만들었다. 이곳에 아이들이 있는 것은 그런 이유였다.

다만 불안한 것은 정말 살려주러 올지 어떨지 하는 것.

그들은 모두 여덟손가락이라는 범죄조직의 간부 자리에 이르는 과정 속에서, 목숨은 살려주겠다고 약속해놓고는 쓸모가 없어진 자들을 처치하도록 명령을 내린 적이 몇 번이나 있었다. 그렇기에 이번에는 자신들이 그런 입장이 되진 않을까 하는 마음이 뇌리에 달라붙은 채 떨어지지 않았다.

그런 가운데 힐마는 동료들의 얼굴도 보지 않고 단언했다.

"나는 마도왕 폐하의 말씀을 믿어."

오린이 조바심이 난 것처럼 입을 열었다. 아니, 실제로 조바심이 났을 것이다. 힐마의 말을 뒤집는다면 오린이 하는 말은 마도왕을 믿지 않는다고 말하는 것이나 다름없었으므로.

"나, 나도 그래! 지금 한 말은 딱히 마도왕 폐하를 신뢰하지 않아서 그런 게 아니야!"

아이들보다도 큰 목소리가 복도에 울려 퍼졌다. 오린이 이를 깨닫고 입을 꾹 다물며 고개를 숙였다.

그대로 아무도 입을 열지 않은 채 룸에 도착했다.

문을 열어보니, 마찬가지로 피로의 기색이 완연한 동료들이 힘없는 웃음으로 맞이해주었다.

마도국의 사자는 아직 오지 않았다.

마음이 놓이기도 하고 애가 타기도 하는 그런 감정이 힐마의 가슴속에 솟아났다. 아마 함께 온 동료들 모두가 같은 심정일 것이다.

"왔구나. 그럼 우리는 쉬러 가지. 만약 사자가 오시면──."

노아 지덴의 시선이 향한 곳에는 매직 아이템인 핸드벨이 놓여 있었다.

한쪽을 울리면 다른 한쪽의 벨도 연동되어 울리는 아이템이다.

거리가 멀어지면 반응하지 않으며, 또한 소리도 한 종류밖에 없어 범용성이 떨어지므로 통신수단으로서는 조금 못미더운 아이템이다. 하지만 이런 간단한 일에는 편리하게 쓸 수 있다.

"그래, 걱정하지 마."

이쪽 팀의 대표로 프리안이 대답했다.

"──저기이, 나는 여기서 계속 대기해야 해? 그만 슬슬 마도왕…… 폐하, 그래, 나도 알아. 그런 무서운 얼굴로 보지 말아줘엉."

선이 가녀린, 비실비실한 사내가 말했다.

노예매매 부문장, 코코돌이었다.

왕국의 범죄자는 마도국과 최전선에서 싸우기 위한 병사로서 풀려나 모두 군에 연행되었다. 그로부터 며칠 동안 준비하는 혼란을 틈타 그를 회수해 이 저택까지 데려왔던 것이다.

당초 코코돌의 취급은 의견이 갈라졌다.

마도국과의 전쟁에 참가하면 확실히 죽을 테니 동료였던 그를 구해주는 것은 당연했다. 의견이 갈라졌던 것은 그 부분이 아니라, 그를 어떻게 마도왕에게 소개하는가였다.

이미 거의 사라져버린 부문의 부문장이니 소개까지 할 필요는 없지 않겠느냐는 의견. 그리고 여덟손가락의 간부 중 하나니까 마도왕도 그의 존재에 대해 알고 있을 테고, 소개하지 않으면 위험하다는 의견.

조금이라도 위험을 회피하자는 마음에 후자가 채용되었다.

다음으로 도마에 오른 것은 소개할 타이밍이었다.

이것은 만장일치로 사자가 왔을 때 제일 먼저 소개하는 쪽으로 정해졌다. 무언가를 숨기고 있다는 오해를 조금이라도 피하려는 생각에서였다.

"넌 여기서 대기해. 언제 오실지 모르는 마도국 사자님을 뵈어야지."

그런 사정이 있다 보니 언제 올지 알 수 없는 마도국 사자 때문에 그는 계속 이 방에 틀어박혀 있었다. 수면이나 식사도 이 방에서 해결했다. 그러므로 코코돌이 노골적으로 언짢은 표정을 지었다.

"있지, 나도 여러모로 감사하고는 있엉. 너희가 뇌물을 준 덕에 그 감옥에서도 그렇게까지 힘들지는 않았고 말이양. 게다가 출진의 혼란통에 날 빼돌리기까지 했지—— 이렇게 큰 실패를 저질렀던 나를."

"무슨 말을 하려는 거야, 코코돌?"

노아의 질문에 코코돌이 눈을 날카롭게 떴다.

"힘도 연줄도 전부 다 완전히 잃어버린 나한테 너무 관대한 거 아냐? 대체 뭐가 목적이야? 여긴 여덟손가락 관계자들이 다 모인 모양인데, 단결을 위해 날 죽이기라도 하게?"

"——아?"

힐마는 어이없다는 표정을 지었다. 아니, 힐마만이 아니었다. 이 방에 있는 코코돌 이외의 모두가 어이없다는 얼굴이었다.

다 함께 같은 죄를 저질러 손을 씻지 못하게 만든 적은 있다. 그가 하려는 말은 그런 것이다. 하지만——

"뭐, 뭐야, 표정이 왜들 그래. 정곡을 찔려서……는 아니네."

힐마는 모두와 얼굴을 마주했다. 다들 '난감한 녀석일세' 라고 하는 표정이었다. 그러므로 대표로 말했다.

"무슨 소릴 하는 거야, 코코돌. 아니, 암페티프. 우린 동료잖아."

"——아?"

이번에는 코코돌이 진심으로 어이없다는 표정이었다. 너무나도 얼빠진 표정이라 웃음이 터져 나올 뻔했다.

"무, 무슨 속셈이니?! 너, 너희 사람 껍질을 빼앗아서 본인인 척하는 몬스터구나! 그러니까, 마도왕의 몬스터!"

코코돌이 조바심인지 공포인지 모를 표정으로 외쳐댔다.

그가 말하는 몬스터란, 밤에 잠을 자지 않으려 하는 아이를 겁주기 위해 어머니가 써먹는 공상의 산물이다. 실제로는 그런 몬스터를 본 적은 없다는 것이 모험자들의 통일된 견해였다.

"뭔가 수상하다고 생각했어! 다 같이 다이어트 시작한 것도 이상해. 그중에서도 힐마가 제일 기분 나빠! 너무 말라서 분명 몸에 안 좋을 텐데. 하지만 껍질을 뒤집어쓴 몬스터라면 이해가 가는걸!"

힐마는 부드러운 표정으로 코코돌을 바라보았다. 그 지옥을 경험해보지 못했다니, 정말 행복하겠구나.

"그, 그 표정은 또 뭐야……."

"아냐. 신경 쓰지 마, 암페티프. 너의 다정함에 감사하고 싶어."

"──뭐?"

"왜?"

"아, 아니, 아무것도 아냐…… 아무것도 아니지 않지만…… 진짜로…… 농담 아니고 진심으로 물을게. 너 정말 힐마, 힐마 슈그네우스 맞지? 쌍둥이 언니라든가 동생은 아니겠지? 아니면 마법으로 세뇌당했다거나?"

"내가 그렇게 달라졌어?"

매우 마르기는 했지만, 그런 뜻은 아닌 듯했다. 아마 옛날보다도 다정해졌다거나 해서겠지만, 보통 그건 좋은 변화가 아닐까. 그렇게까지 의심스럽게 보였다니 조금 서운했다.

"……응, 다른 사람 같아. 아, 아니, 그렇게 따지면 너희 다 그래. 정말 본인 껍질 빼앗아서 뒤집어쓰고 있는 건 아니겠지?"

"그럴 만한 경험을 했다는 거지."

노아의 발언에 모두가 고개를 끄덕였다. 코코돌의 표정에 두려움이 드러났다.

"대체 무슨 경험을⋯⋯. 듣고 싶진 않지만 들려줘. 너희──."

갑자기 룸 중심에 이변이 발생했다. 얇디얇은, 하지만 어디까지 가도 끝이 나지 않을 것처럼 깊이가 있는 칠흑. 그것이 아래쪽 절반을 잘라낸 타원형으로 바닥에서 솟아났던 것이다.

몇 번인가 연행된 적이 있어서 기억하는 〈전이문〉이었다. 초고위 마법이며, 이 왕국 내에서 쓸 수 있는 매직캐스터는 존재하지 않고, 마도왕과 그의 부하들이 아니면 사용이 불가능한 마법. 그것이 발동됐다는 뜻은──.

힐마는 황급히 한쪽 무릎을 꿇었다. 뒤늦게 코코돌도 이를 따라 하는 것이 기적으로 느껴졌다.

고개를 숙인 힐마는 손을 꽉 쥐었다.

운명은 두 가지.

자신들을 해치우기 위해 왔거나, 아니면 살려주기 위해 왔거나.

한 사람의 조그만 발소리가 들렸다.

"고개를 들어도 좋사와요."

〈전이문〉 앞에 서 있던 것은 나이에 비해 기이할 정도로 가슴이 큰 소녀였다. 이름을 직접 들은 적은 없지만 샤르티아라 불린다는 것은 안다. 하지만 이 자리에 그 이름을 부를 만큼 용감한 자는 없다. 아무것도 모르는 코코돌조차 분위기를 파악하고 있었다.

"회수하러 왔사와요. 천 명 정도라고 하던데, 지금 당장 데려오겠사와요?"

"예! 잠시 기다려 주십시오!"

오린이 온 힘을 다해 방을 뛰쳐나갔다. 이 중에서는 그가 가장 육체능력이 높다.

"──그림자 악마."

샤르티아의 목소리에 맞춰 그림자 속에서 불쑥 악마가 솟아났다. 어느새 실내에 있었을까. 만약 한참 전부터 있었다고 한다면 계속 감시당했다는 뜻이 되는데, 놀라지는 않았다. 역시 그랬구나 생각할 뿐이었다.

그런 그림자 악마가 샤르티아의 귀에 무언가를 속삭였다. 그녀는 흠흠 맞장구를 쳐가며 그것을 듣는다. 이야기가 끝났을 무렵 노아가 조심스레 물었다.

"……저, 저어…… 오린이 사람들을 데리고 올 때까지 시간이 걸리리라 생각하오니, 그 전에 한 사람 소개해드리고 싶은 자가 있습니다만, 시간을 내주실 수 있으신지요?"

"그럴 필요는 없사와요. 그보다도 짐이 있다고 하니 그걸 먼저 운반해 주사와요. 양이 많을 것 같으니 내 서번트를 쓰는 편이 빠를 텐데, 어떠사와요?"

"부, 부탁드려도 괜찮겠습니까?"

"물론."

그렇게 말한 샤르티아가 마법을 사용했다. 아마 소환마법일 것이다. 그러자 여러 마리의 굴강한 언데드가 생성되었다. 안내받아 방을 나간 그들이 상당한 양의 짐을 가볍게 들고 〈전이문〉 너머로 옮겼다.

놀랄 정도로 빠르게 짐이 운반되어 이사 준비가 끝나갈 무렵,

많은 사람이 달려오는 소리가 들렸다.

이곳은 저택이고 가장 넓은 방이었지만 그래도 천 명이나 들어올 만큼 넓지는 않았다.

"그러면 도착한 순서대로 문을 지나사와요. 행선지는 숲속에 만들어놓은 마을이사와요. 나가면 광장이 있을 테니 그곳에서 기다리사와요."

명령에 따라 순서대로 문을 지났다.

기이한 공간에 들어가는 것을 망설이는 자가 없지는 않았지만, 이곳으로 데려오면서 명령에는 절대 복종해야 한다고 신신당부를 해두었으므로 생각보다 혼란은 적었다.

그보다도 문제인 것은 나이 찬 소년들이 넋을 잃거나 얼굴을 붉히며 걸음을 멈추는 것이었다. 그리고 근처의 소년이 그런 모습을 보이는 데에 불쾌감을 품는 소녀도 있었으므로 그것 또한 문제였다.

샤르티아는 절세 미소녀다.

첫눈에 반해도 이상하지 않고, 여자로서 적의를 품을 수도 있다.

하지만—— 힐마는 마음속의 메모장에 기록해두었다.

저 아이들이 멍청한 짓을 저지른다면 책임을 져야 할 사람은 자신들이다. 그렇게 되지 않도록 주의를 주어야만 한다. 특히 마음에 걸리는 것이 자신의 평탄한 가슴에 손을 얹고 샤르티아와 비교하던 한 소녀 아닐까.

다만 그러한 아이들은 부모가 손을 잡아끌거나 해 평범하게 〈전이문〉을 지나갔으므로 다행히 큰 문제는 하나도 일어나지 않았다.

마지막까지 남아있던 힐마 일행이 〈전이문〉을 빠져나가자, 그곳은 들은 대로 목조 건물이 늘어선 장소였다. 정말로 숲속의 향기가 났다.

언데드들이 운반해온 짐이 한구석에 쌓인 광장에서는 가벼운 혼란이 발생했다. 아니면 흥분일까. 나이가 어릴수록 후자의 비율이 높은 듯했다.

〈전이문〉을 빠져나온 것이 처음인 자들에게는 당연한 반응이라 할 수 있다.

"경청해!"

노아가 큰 목소리를 내자 서서히 ——생각보다도 빨리—— 조용해졌다.

그런 가운데, 모든 이가 다 볼 수 있도록 배려해서인지, 가볍게 지면에서 떠오른 샤르티아가 말을 시작했다.

"지금 현재 빠른 속도로 마을을 만들고 있으니 일주일 후에 그쪽으로 안내하겠사와요. 그때까지 이곳에서 살도록. 마을 관리의 일환으로 골렘을 4마리 임대하겠사와요. 무거운 짐을 옮기거나 할 때는 그 아이들을 쓰도록 하사와요. 이 마을 주위에는 언데드가 있지만 마을에 몬스터가 들어오지 못하도록 하는 아이들이사와요. 다만 융통성이 없어서, 언데드들보다 밖으로 나간다면 돌아올 때 공격당할 것이사와요. 그러니 절대 언데드들 너머로는 나가지 말도록."

모두를 둘러보고, 이야기의 내용을 이해했다고 판단한 샤르티아가 말을 이었다.

"그것 외에는 너희끼리 의논해서 일주일을 보내주사와요. 식량은 2주 치 이상 준비해놓았으니 문제는 없사와요. 난 3일 후에 한 번 올 테니 무슨 일이 있으면 그때 보고할 것을 허락하겠사와요."

지면에 내려선 샤르티아가 주위를 휙 둘러보더니 시선이 코코돌에게서 머물렀다.

"너도 간부 중 한 명이사와요?"

"아, 응. 어, 그게 아니고. 예. 무슨 일이신지요?"

격이 다르다는 것을 피부로 느낀 코코돌이 말투에조차 신경을 쓴다는 것을 알 수 있었다.

"너도 공포공의 방에 보내겠사와요."

"네?"

샤르티아가 조금 전의 〈전이문〉을 해제하고 새로운 〈전이문〉을 만들어냈다.

동물적인 감인지, 자신에게 무언가 위험한 일이 일어난다는 사실을 직감한 코코돌이 도움을 청하듯 연신 표정을 바꾸었다.

시선이 마주쳤지만 힐마는 즉시 눈을 내리깔았다. 샤르티아의 결정에 어떻게 거역하겠는가. 다른 동료들도 마찬가지여서, 말을 하는 사람은 아무도 없었다.

"자, 잠깐만, 기다려! 싫어! 다들 저런 반응을 보이다니! 살려!"

"네, 네. 가겠사와요!"

샤르티아는 비명을 지르는 코코돌을 붙들고 이동했다. 그녀의 완력 앞에서 그의 저항은 무의미했다.

"뭐야! 하지 마! 살려줘!"

미안해, 코코돌.

힐마는 〈전이문〉 너머로 사라진 코코돌을 향해 조그맣게 중얼거렸다. 그리고 〈전이문〉도 사라졌다.

그래도 느슨한 공기는 흐르지 않고, 정적만이 그 자리를 지배하고 있었다.

이 광장에는 천 명 가까운, 그 지옥을 모르는 행복한 자들이 있다. 그래도 눈앞에서 끌려간 코코돌에게 앞으로 찾아올 비극을 직감적으로 깨닫고, 움직이려 하는 자는 아무도 없었다.

자신들을 끌고 온 자가 결코 마음 착한 상대가 아님을 알았으므로 이곳이 정체 모를 공포가 도사린 장소처럼 여겨지기 시작해서일 것이다.

"……코코돌을 구해주지 못했어."

힐마는 다가온 노아에게 말했다.

그런 지옥은 이제 누구에게도 경험시키고 싶지 않다. 그렇게 생각했다. 하지만 그것은 불가능했다. 죄책감에 짓눌려버릴 것 같았다.

"어쩔 수 없어. 하지만 죽는 건 아니니까…… 이건 세례라고 생각해야지. 이제 그도…… 이해할 거야. 동료를 소중히 여기고 싶다는 마음을."

"세례…… 그래……. 그렇게 생각하니 마음이 조금 가벼워졌어."

"이봐, 너희. 코코돌이 걱정되는 건 이해해. 하지만 지금은 앞일을 의논해야지."

우선 이곳에 있는 자들의 불안을 없애주기 위한 행동을 시작해야 할 것이다.

힐마는 움직였다.

만약 자신들을 죽이고 싶었다면 그대로 내버려두면 그만이었다. 굳이 이곳에 데려올 이유가 없었다. 게다가 코코돌을 끌고 갈 필요도 없다.

다시 말해 샤르티아의 모든 행동이, 마도왕은 약속을 지켰다는 사실을 가르쳐주었다.

"고맙습니다, 마도왕 폐하."

힐마는 고개를 숙였다. 물론 이곳이 어디이고 마도왕이 어느 방향에 있는지는 모른다. 하지만 지금 그녀의 마음을 솔직하게 나타내는 행동은 그것뿐이었다.

그것은 기도와도 흡사했다.

*

왕도 앞에 구축된 진지에서 세 명의 계층수호자가 출격했다.

왕성을 함락시킬 역할을 맡은 코퀴토스, 중요 시설을 제압할 아우라, 광역 공격마법을 사용해 왕도를 폐허로 만들 마레였다.

세 사람에게는 각각 부하가 있었다.

마레에게는 한조, 코퀴토스에게는 설녀Frost Virgin, 아우라에게는 본인의 마수가.

세 사람이 향한 곳—— 왕도에는 기이한 정적이 있었다. 초상을 치르기라도 하는 걸까, 아니면 마도국에 겁을 먹은 걸까.

며칠 전의 전투로 왕도의 병력은 궤멸시켰다. 얼마 남지 않은 병사가 시벽 위에서 항전의 태세를 보이는 모습은 왕도 바로 근처에 전개한 아인즈가 있는 진지에서도 보였다.

너무나도 적은 수였다. 다만 그것은 아인즈 측의 진지도 마찬가지였다.

본진에는 고위 서번트가 없으며, 나자릭 올드 가더조차 보이지 않는다. 지금 있는 것은 아인즈, 알베도, 그리고 죽음의 기사처럼 아인즈가 만들어낸 언데드 열 마리 정도였다.

알베도는 풀 플레이트 아머를 착용하고 손에는 할버드를 들었다. 만약을 위해 세계급 아이템도 가져왔을 것이다.

"……슬슬 때가 됐으려나?"

수호자들이 왕도를 포위하듯 주위로 흩어진다. 그들이 본진에서 멀리 떨어졌을 때 아인즈는 곁에 선 알베도에게 물었다.

"그렇겠지. 수호자는 저만큼 멀어졌고, 움직인다면 지금이 마지막 기회가 될 테니까. 반대로 지금 움직이지 않는다면, 유감이지만 꽝이었다는 뜻일 거야."

아인즈는 그렇군, 하고 짧게 대답한 다음 왕도로 시선을 돌렸다.

그리고── 왕도에서 날아오는 한 그림자를 발견했다. 주위를 둘러보아도 그것 말고는 발견할 수 없었다.

20만 군세를 마법 하나로 와해시킨 마도왕에게 도전할 정도로 용감한 존재는 현재 얻을 수 있는 정보 속에서 추측건대 한 명뿐.

파워드 슈트── 주홍물방울일 것이다.

눈을 가늘게 뜨고, 육박하는 그림자를 노려본 아인즈는 "자, 그러면." 하고 한마디만을 중얼거렸다.

이로써 계획은 제2단계로 넘어가게 되겠지만, 조금 불안한 점도 있었다.

이것은 매우 중요한 계획이다. 살얼음을 밟는 듯한, 지극히 섬세한 대응이 요구된다. 이를 자신이 멋지게 성사시킬 수 있을까? 아니, 하지만 이렇게 중요한 역할을 타인에게 맡길 수는 없었다.

그림자는 쑥쑥 다가왔다.

솔직히 상대의 계획이 너무 허술해서 어이가 없었다. 공중전 부대를 배치하지 않은 것을 의문으로도 여기지 않는 건지, 계층수호자들이 상공을 날아가는 그림자를 눈치채지 못했으리라 생각하는 건지. 혹시 전부 다 예상하고서 행동하는 것일까.

함정이 있음을 알면서도 이를 때려부술 만한 각오와 용기. 아니면——.

"——무모함인지 자만심인지, 아니면……. 뭐, 어쨌든 여기까지 오면 알 일이지."

"맞아."

알베도가 고개를 끄덕였다.

"……네게 맡기겠다."

"그래, 걱정 마."

역시 대답이 짧았다. 그녀가 어떤 심정으로 있는지 아인즈는 알 수 없었다. 하지만 별로 좋은 감정은 아닐 것이다.

아인즈는 시선을 그림자에게 돌렸다. 이쪽에 도착하기까지는 조금 더 시간이 걸릴 듯했다. 좀 더 가까운 곳에서 습격을 가했어도 좋았을 텐데. 그런 생각을 한 아인즈는 그것이 잘못된 생각임을 깨달았다.

저것이 버리는 패일 가능성이 매우 높다.

"저건 자신의 역할을 이해하는 걸까? 아니면 모르는 걸까."

"글쎄? 어쨌거나 이로써 제3단계는 확실한걸. 괜찮겠어?"

"……문제는 없다. 내 역할은 훌륭히 마칠 테니. 너도 자신의 역할을 다하도록."

"그래── 아니, 이게 아니지. 맡겨만 주시옵소서, 아인즈 님."

알베도가 그렇게 대답했을 때, 그림자는 마도국 본진 근처에 도달했다. 고도 100미터 이상, 거리 100미터 정도의 위치였다.

이제 상대의 모습은 또렷이 확인할 수 있었다. 그렇다 해도 원래 확인할 필요도 없는 사항이었다.

진홍색 파워드 슈트는 공중에서 급브레이크를 걸더니 그대로 떠 있었다. 얼굴은 보이지 않지만 이쪽을 노려보는 것 같기도 했다.

알베도가 손을 들자 주위에 있던 죽음의 기사들이 사선을 차단하듯 움직였다.

상공에 머문 파워드 슈트의 오른쪽 어깻죽지에 있던 상자 같은 것에 빛이 빨려 들어가더니, 그것이 번개의 형상이 되어 뿜어져 나왔다.

"──〈연쇄용뢰Chain Dragon Lightning〉군."

아인즈가 마법의 이름을 중얼거린 것과 동시에, 용의 형상을 한 번개는 죽음의 기사 한 마리에게 꽂혔다. 그것은 죽음의 기사에게 방대한 전격 대미지를 입힌 후 근처에 있던 다른 언데드에게 달려나갔다.

눈부신 벼락이 주위를 가득 메운 후, 그곳에 언데드의 모습은 사라지고 없었다. 모든 언데드가 순식간에 소멸되어버린 것이다. 아인즈와 알베도가 있는 곳까지 날아오지 않았던 것은 상대가 이를 노렸기 때문이 아니라 우연이리라.

"무례한 놈!! 이름을 대라!!"

알베도가 화난 목소리로 고함을 질렀다. 바로 옆에 있던 아인즈가 귀를 막고 싶어질 정도의 성량이었다. 이만한 거리가 있어도 상대의 귀에는 들렸겠지만 대답은 없었다. 아니——— 대답은 있었다. 이를 대답이라 해도 좋을지는 모르겠지만.

상대의 왼쪽 어깨에 있던 상자 형태의 웨폰 랙에 조금 전과 마찬가지로 빛이 빨려 들어가더니 다른 마법이 발동했다.

불꽃의 폭풍이 아인즈와 알베도를 에워싸고 휘몰아쳤다.

〈화염폭풍Fire Storm〉이라 불리는 신앙계 범위공격마법이다.

불꽃은 아인즈의 약점이기는 하다. 그러나 특수공격으로 강화된 것도, 아인즈와 동격 수준의 매직 캐스터가 발동한 것도 아닌 마법이므로 심각한 대미지는 입지 않았다. 다만 이를 계속해서 무시하고만 있을 수는 없었다.

그러므로 아인즈는 명령을 내렸다.

"가라, 알베도! 놓쳐서는 안 된다!"

"예!"

*

명령을 받은 알베도는 할버드를 굳게 쥐고 날아올랐다.

검은색 날개를 펄럭여 단숨에 상대와의 거리를 좁혔다.

급속도로 피아간의 거리가 줄어드는 바람에 당황했는지, 파워드 슈트는 다소 뻣뻣한 움직임으로 등을 돌렸다.

그 무방비한 뒷모습에 할버드를 내려치기 직전, 파워드 슈트가 날아갔다. 조금 전에 나타났던 왕도 방향이 아니라 남쪽을 향해.

알베도는 주위의 지리를 떠올렸다.

그 너머에 특별한 무언가가 있었던 기억은 없고, 딱히 매복에 적합한 장소도 없었다.

알베도는 투구 안에서 낯을 찡그렸다.

'나 원. 그쪽이 뭘 노리는지 모를 만큼 내 눈이 옹이구멍이라고 생각해? 아니면…… 들켜도 문제가 없다고 생각하는 거라면…… 경계해야겠는걸.'

조금 전까지 자신이 있던 마도국 본진을 어깨 너머로 흘끔 살폈다. 그곳에는 혼자 남아 이쪽을 바라보는 조그만 그림자가 있다. 주어진 사명을 다하기 위해서라지만 원래 같으면 타인을 ──특히 자신의 유일한 주인을── 지키는 탱커인 자신이 호위 대상을 뒤에 남겨두는 것은 조금 기분이 찜찜했다.

더욱 불쾌감을 자극하는 것은, 상대에게 그 어리석음의 대가를 몸으로 치르게 하는 것이 불가능하다는 점이었다.

"쯧."

혀를 찬 알베도는 앞서 날아가는 파워드 슈트를 노려보았다.

파워드 슈트의 등에는 백팩처럼 부푼 부분이 있고 그곳에는 여섯 개의 분사구가 달렸다. 그곳에서 하얀 빛이 솟아나와 유성처럼 꼬리를 끈다.

저것을 파괴하면 상대는 비행능력을 잃고 지상으로 추락하지 않을까. 파워드 슈트를 모르는 자라면 그렇게 생각할지도 모른다.

하지만 그녀의 주인이 말하길, '저것은 어디까지나 연출'이라고 한다.

왜냐하면 파워드 슈트의 비행능력은 〈비행〉마법에 가까운 것이기 때문이라나. 주인의 말에 따르면 정확하게는 다르다지만 결론만 말하자면 저 분사구가 전부 파괴되더라도 비행능력을 잃지는 않는다는 것이다. 물론 실제로 그런지는 주인도 확인해보지 않았다며 '저쪽 세상에서는'이라는 단서를 덧붙였다.

'하지만 언제까지 날아가려는 거지? 조금 전—— 우리가 본진을 구축한 장소에서 꽤 멀리 떨어진 것 같은데? 아니면 진짜 목적은 내 쪽이었나?'

서서히, 정말로 조금씩 거리가 벌어졌다.

분명 이대로 두면 상대를 놓치고 말 것 같았다.

알베도에게는 비행속도를 높이는 특수능력이 없다. 그러므로 이런 추격전에서는 전투바이콘War Bicorn을 소환해 올라타는 것이 보통이지만, 아직도 탈 수가 없으므로 자신의 날개로 비행해야만 한다. 그렇다면 이 정도 속도밖에 나지 않는다.

물론 대비는 해두었다. 주인에게 이동속도 상승 아이템을 빌려온 것이다. 이를 장비하면 거리를 좁힐 수 있다. 그렇다면 왜 그러지 않는가. 그것은 상대의 다음 수를 알아보기 위해서였다.

만약 이대로 단순히 도망치려 한다면 알베도도 이에 대응할 수를 쓸 뿐이다.

알베도가 싸늘하게 뒷모습을 노려보고 있으려니, 상대는 갑자기 돌아보았다.

그리고 시즈의 마도총과 비슷한 무기를 겨누었다.

"흥."

알베도는 조소를 머금고 대응했다.

시즈의 마도총이 어설트 라이플이라는 형태에 속한 반면, 적의 마도총은 헤비 머신건에 속한다고 코퀴토스가 말했다. 파괴력이 시즈가 가진 것보다도 높다나.

울부짖는 듯한 소리와 함께 총탄이 대량으로 사출되었다.

엄청난 속도로, 도토리보다 약간 큼지막한 사이즈의 탄환을 대량으로 쏘아냈으므로 이를 모두 회피하기는 제법 어려웠다.

하지만 알베도라면 최소 한 발은 튕겨낼 수 있다. 그렇게 되면 상대의 무기 대미지에 알베도가 가진 할버드의 대미지 및 특수기술 보너스가 가산되므로 상대에게 꽤 큰 피해를 주리라 기대할 수 있을 것이다.

하지만―― 알베도는 특수기술을 쓰지 않고 할버드를 들기만 한 채, 오히려 스스로 다가가 적과의 거리를 좁혔다.

자신의 몸 하나로 받아낼 생각이었다.

그리고 적의 무기에서 사출된 탄환이 알베도의 갑옷에――.

'어머나…… 실수했네.'

――갑옷으로 대부분의 대미지를 무효화할 수 있으리라 생각했는데, 그 이전의 문제가 있었다.

알베도의 몸에 맞지도 않고 전부 비껴 나가버린 것이다.

아무래도 저 탄환에는 마법이 담기지 않은 모양이다.

계층수호자 정도 되면 마법이 깃들지 않은 원거리 무기는 모두 무효화할 수 있다. 만약 상대의 무기에 마법이 담기지 않았다는 사실을 알았으면 그런 아이템은 장비에서 제외했을 텐데.

'상대의 무기가 가진 파괴력을 알아볼까 했더니…… 반대로 내 능력을 하나 보여주고 말았잖아. 다음 기회가 온다면 적은 분명 마법이 담긴 걸로 공격할 테고…….'

상대의 움직임에 동요가 있는 것을 알베도는 놓치지 않았다. 다만 예상은 했는지 즉시 마도총에서 한쪽 손을 떼고 앞으로 내밀었다.

다음은 마법공격인 듯했다.

'이젠 어떻게 할까.'

그렇게 생각하면서도 알베도는 특수기술을 전혀 쓰지 않고 아무렇게나 적과의 거리를 좁혔다. 거리가 있어도 특수기술을 사용하면 약간은 공격할 수 있지만 자신의 카드를 보여줄 마음은 없었다.

적의 오른손에서 눈부신 녹색 빛이 일직선으로 날아와 알베도에게 부딪쳤다.

한순간 알베도의 몸——갑옷——이 같은 색으로 빛났다. 하지만 아무 효과도 발휘하지 못한 채 그 빛은 이내 사라지고 말았다.

아픔도 무엇도 없었다.

이것은 공격마법을 방어해 대미지가 들어오지 않은 것이 아니라, 알베도의 저항력을 뚫지 못했기에 효과를 발휘하지 못했던 것이다.

주인의 주특기와 같은 즉사 등의 일격필살계 마법이었을 가능성이 높다.

그런 마법은 능력치, 패시브 스킬, 특수기술, 아이템 등만이 아니라 레벨의 차이에서 오는 저항 보너스 내지는 페널티의 영향을 강하게 받으므로, 같은 레벨대라면 특화하지 않고서는 잘 통하지 않는다.

파워드 슈트 따위로 강화한 자의 공격이라면, 100레벨로 창조된 후 온갖 매직 아이템으로 강화된 알베도가 저항하지 못할 리가 없다.

피아간의 전투능력 차이를 알기 위해 일격필살 공격에 도박을 걸었을 수도 있겠지만, 알베도는 그런 마법으로 맞붙을 생각을 한 상대에게 불쾌감을 품었다.

그렇다면 분수를 일깨워주어야만 한다.

알베도는 이미 눈앞까지 다가온 적을 주먹으로 후려쳤다.

손에 든 할버드를 사용하지 않고 상대를 우롱한다는 노림수도 있지만, 동시에 할버드로 공격하면 상대에게 입히는 대미지의 양을 가늠할 수가 없기 때문이기도 하다.

상대는 총으로 받아내려 했으나 그보다도 알베도의 공격속도가 약간 빨랐다.

힘을 가감했다고는 해도 100레벨인 알베도의 일격은 강력하다.

뼈억, 하고 상당히 단단한 소리가 울리더니 상대가 날아가버렸다.

3미터도 넘는 거구가 그보다도 1미터 이상 작은 알베도에게 맞아 넉백하더니 부들부들 떠는 모습은 우스꽝스럽다고 말할 수밖에 없었다.

'……상상했던 것보다 대미지가 컸나 봐. 두부처럼 무르잖아…….'

그건 그렇고, 이건 생각보다도 훨씬——.

'약해~…….'

——알베도는 조바심을 느끼면서도 웃음소리를 냈다.

"——우후후후후. 아인즈 님을 공격한 자신의 어리석음을 고통으로 깨우쳐주지. 일단은 팔다리를 잘라내고, 다음에는 앞니를 전부 뽑아서 혀를 깨물지 못하게 만들어줄게. ……순서는 반대가 나을지도 모르겠는걸. 아무튼 그다음에는 아인즈 님 앞으로 끌고 가서 사죄를 시켜야겠어."

"——쯧."

남자의 혀 차는 소리가 알베도의 귀에 들렸다.

알베도는 투구 안에서 눈을 가늘게 떴다.

"혀를 찼어? ……무례하기는. 아니, 이름도 대지 않고 공격을 가하는 비열한 놈이니 그 정도 무례함은 당연하다고 받아들여야겠지."

"무슨 헛소리냐, 학살자. 너희 같은 사악을 멸하는 데 더럽고 깨끗함이 어디 있나."

"어머나, 느닷없이 공격하길래 말도 못 하는 야만족인 줄 알았더니…… 아니지, 왕국 주민 따위는 야만인이나 다름없어서일까?"

"말을 제법 잘하는구나, 마도국 재상 알베도."

알베도는 여기서 이야기를 길게 끄는 이익과 불이익을 계산해

보고 한 가지 수로 이용할 수 있겠다고 판단했다.

'아인즈 님이나 데미우르고스라면 조금 더 깊은 데까지 생각했겠지만⋯⋯.'

내무에는 자신이 있어도 책략이나 외교가 얽힌 모략에는 약간 자신이 없었다. 그렇다고는 하지만 지금은 도와줄 이도 없으므로 자신이 생각하는 바를 믿어야만 한다.

"잘하다마다. 주홍── 뭐였더라? 모험자 따위의 이름은 기억하지 못해서 미안해."

"흥. 그딴 여자라도 재상을 지낼 수 있나?"

정말로 주홍물방울일까, 아니면 착각을 유발하기 위해 부정하지 않는 걸까.

어느 쪽이든 이대로 수다를 떨 예정이었다. 그렇다기보다는 조금 전의 일격으로 상대의 능력은 막연하게나마 알았다. 전투를 재개하면 곤란해질 가능성이 높았다.

알베도는 기분 좋게 이야기에 어울려주는 척했다.

'시간을 끈다는 것도 참 귀찮아⋯⋯.'

상대가 위화감을 품지 않도록, 오만한 강자를 연기해야만 하므로.

*

알베도의 모습이 붉은색 파워드 슈트를 따라 점점 작아진다.

이로써 본진에 있는 이는 아인즈 하나뿐이다. 상정대로라면 슬슬 시작될 무렵이다.

아인즈는 〈광휘록체Body of Effulgent Beryl〉를 발동시켰다.

아인즈를 없애려 한다면, 조금이라도 지식이 있는 자는 스켈레튼 계열의 약점인 구타 속성 무기를 선택할 것이다. 목적을 달성할 때까지는 체력이 크게 깎이는 약점을 공격당하는 것은 조금 곤란했다.

그때, 아인즈가 사용했던 〈전이지연Delay Teleportation〉에 반응이 있었다.

다시 말해 그런 것이다.

아무래도 알베도를 노린 습격이 아니었던 모양이다. 아인즈는 조금 안도했다. 그녀 쪽이었다면 약간 문제가 복잡했다.

하지만—— 정말로 그럴까. 2중 함정은 아닐까.

적이 전이한 곳은 아인즈의 바로 뒤.

수는 하나.

여기에서 상대가 접근전투에 능숙한 존재라는 사실을 알 수 있었다.

지연되는 동안 아인즈는 자신의 바로 뒤, 상대가 전이할 위치에 〈폭격지뢰Explode Mine〉를 발동했다. 그 후 굳어버린 것처럼 움직이지 않은 채 적이 전이하기를 기다렸다. 원래 같으면 이미 발동시킨 〈생명의 정수Life Essence〉로 상대의 체력이 깎이는지 어떤지를 눈으로 확인하고 싶었지만, 지금은 참아야 한다.

출현과 동시에 폭발음이 울려 퍼졌다.

튕겨나듯 아인즈는 자신의 전방—— 다시 말해 적에게서 거리를 벌리는 방향으로 이동하면서 돌아보았다.

"은…… 아니, 광채가 다르군. 백금인가? 아니면 내가 모르는 금속인가?"

폭발로 발생한 흙먼지 속에 백금색 풀 플레이트 아머가 있었다.
그 주위에는 네 개의 무기가 주인을 따르듯 떠 있다.

창, 카타나, 해머, 대검.

하나같이 사람이 휘두르기에는 조금 컸으며, 형상도 실용성
보다는 다소 장난기 쪽으로 치우친 듯했다. 나자릭의 보물전에
다수 존재하는 그런 무기였다.

무기의 광택은 갑옷과 비슷해, 이쪽도 은이 아니라 백금일 가
능성이 높다.

하지만 의문이 들었다. 왜냐하면 귀금속으로서의 가치는 둘
째 치고, 백금은 마법적으로는 특별한 효과가 없는 금속이다.
그것으로 무구를 만들었을 때의 이점을 알 수 없었다.

가장 그럴듯한 것은 백금으로 코팅해 내부에 있는 금속의 정
체를 숨기는 패턴이다. 바로 최근에 알았던 공포공의 방에 있는
골렘처럼, 같은 사례가 나자릭 내부에도 있었다.

다음으로는 백금과 비슷하지만 다른 금속—— 아인즈도 모르
는 이 세계 특유의 금속이라는 패턴이다.

아인즈는 빈틈없이 상대의 움직임을 관찰했다. 얼마 안 되는
정보의 유무가 승패를 좌우할 수 있다.

의아했던 것은 모습을 나타낸 후로 상대의 태도에 감정의 빛
이 보이지 않는다는 점이었다. 출현한 직후부터 우뚝 선 자세를
조금도 무너뜨리지 않는 것은 부상당하지 않아서 ——피를 흘
리거나 하지 않아서—— 여유가 드러나기 때문일까.

아무리 그래도 멀쩡하지는 않을 것이다.

아인즈의 〈폭격지뢰〉를 받고, 저 눈부신 갑옷에 흙먼지가 조금 묻은 정도라고는 상상하기 힘들다. 아무리 아인즈가 사령계 마법에 특화했다지만 고위 공격마법의 대미지를 완전히 무효화한다는 것은 트릭이 없고서는 불가능하다. 특히 〈폭격지뢰〉는 속성 대미지가 아니다. 간단히는 무효화할 수 없다.

그렇다면 저 느긋한 태도는 허세를 부리기 때문일까, 아니면 죽음까지도 각오했다는 결의에서 비롯된 것일까. 아니면──정말로 무언가 트릭이 있어서 무효화한 걸까.

"내가 경계도 하지 않고 서 있으리라 생각했나? 이 주위에는 네가 지금 당한 것──."

대화의 공을 던져 상대의 반응을 보고자 했는데, 상대는 그 이상 말을 하게 내버려두지 않았다. 갑옷은 망설임 없이 공격준비로 여겨지는 행동을 취했다. 무기 중 하나인 해머가 들기 좋은 위치로 둥실 이동했던 것이다.

한 가지 정보가 확정되어 아인즈는 마음속으로 희미하게 웃었다.

그들의 목적은 알베도가 아니라 아인즈라는 것이었다

왜냐하면 아인즈의 수다에 어울려줄 마음이 없다는 것은──시간을 끌 의도가 없다는 뜻이기 때문이다. 원군이 오기 전에 해치워버리고 싶기 때문이리라.

만약 상대가 공중에서 나타났고 말을 걸기라도 했다면 알베도를 노리는 것이었다고 의심할 수밖에 없었다. 아니면 둘 다 동시에 해치울 생각이었거나.

이제까지는 거의 아인즈가 예상한 대로였다.

하지만 아무리 아인즈라 해도 적의 공격은 예상 밖이었다.

무기는 주위에 떠 있고── 전사 계열일 테니 거리를 좁힐 거라 생각했는데, 상대가 명령을 내린 것처럼 손을 휘두른 순간 거대한 해머가 느닷없이 날아온 것이다.

빠르다.

상당한 고레벨의 전사가 던진 것 같은 속도였으며, 아인즈에게는 회피가 불가능했다.

마법이 걸리지 않은 무기라면 어떤 원거리 무기라도 무효화할 수 있지만 아무리 봐도 마법은 담겼을 것이다.

그렇다면.

아인즈는 한 걸음도 움직이지 않은 채 조금 전에 적이 했듯 우뚝 서서 투척을 받아냈다. 물론 해머가 아인즈의 몸에 명중한 순간 마법을 발동시켰다.

〈광휘록체〉의 힘으로 구타 속성 대미지를 완전히 무효화했다.

한 번도 상대에게서 눈을 떼지 않은 채 움직임을 관찰하던 아인즈는 그 순간 상대의 움직임이 멈추는 것을 알았다. 이쪽이 멀쩡하다는 사실에 놀란 것이리라.

해머는 투척된 것과 같은 속도로 상대에게 돌아가 다른 무기와 마찬가지로── 조금 전과 마찬가지로 적의 주위에 부유했다.

"크하하하하──."

아인즈는 웃으며 크게 팔을 벌렸다. 자신이 멀쩡하다는 사실을 어필한다.

"──이제 이해했나? 너도 알겠지만 스켈레톤이란 구타 속성 공격에 약하지. 그것은 나도 마찬가지다. 그러므로── 약점을 언제까지고 그대로 둘 줄 알았나? 그렇게까지 내가 어리석다고 생각했나? ……다시 말해 이런 것이다."

아인즈는 자신의 몸을 탁탁 두드렸다.

"——나에게 구타 속성 공격은 전혀 통하지 않는다."

자신이 능력을 자랑스럽게 떠들어댈 동안 적의 추가공격은 없었다. 이것은 무엇을 뜻할까. 아인즈는 진지하게 생각했다. 여기서 판단을 그르쳤다가는 치명적인 일이 생길지도 모른다.

적은 가만히 한쪽 손을 들었다. 그리고 말했다. 남자의 목소리였다.

"세계단절방벽."

적을 중심으로 파동이—— 대기의 왜곡 같은 것이 퍼져나갔다.

발동한 순간의 형상이 그대로 퍼져나갔다고 가정하면, 이 자리를 중심으로 반투명한 반구형의 벽이 에워싸고 있을 것이다. 상당히 넓은 범위에 걸쳐 전개되었으니 킬로미터 단위가 아닐까. 알베도를 비롯한 수호자가 전원 이 밖에 있는 것은 확실했다.

아인즈는 사고를 고속으로 회전시켰다.

이러한 장벽은 대개 외부와의 접촉을 차단한다. 그렇다면 어느 정도까지의 침입을 저해할 수 있을까. 뛰어들어서 돌파하는 등의 물리적 침입은 가능할까. 전이에 의한 침입은 가능할까.

효과 범위도 그렇다. 반구로 보이는데, 그렇다면 지면을 파고 침입할 수는 있을까.

그리고 무엇보다—— 모종의 수단으로 파괴할 수는 있을까.

정보가 부족해 무엇 하나 확증은 얻을 수 없었다. 하지만 대충 추측 정도는 가능했다.

우선 아인즈가 매직 캐스터라는 점은 상대도 알 것이다. 그렇다면 최소한 전이 같은 수단은 저해하는 종류겠지.

첫수로 세계급 아이템을 사용해 세뇌하지 않았던 이유는 역시 샤르티아를 세뇌했던 것이 이놈이 아니었기 때문일까. 아니면 또 다른 이유일까. 알 수 없는 것투성이였지만, 조금도 방심할 수 없는 강적임은 확실했다.

왜냐하면 아인즈는 방대한 마법, 수많은 특수능력을 알고 있다. 그리고 훈련을 거듭해 그것이 어떠한 것인지를 이해하고, 아마 나자릭 내에서도 톱클래스의 전투숙련자가 되었을 것이다.

그러나 이번 적이 사용한 기술은 아인즈의 기억에 없는 것이었다. 다만 이처럼 광범위에 영향을 미치는 기술은 초위마법이나 세계급 아이템 정도밖에는 떠오르지 않는다. 그렇게 되면 상대는 그러한 것에 필적하는 미지의 기술을 아무렇게나 ──순식간에── 발동시켰다는 뜻이다.

틀림없는 강적이다.

아인즈를── 100레벨의 계층수호자를 없앨 수 있는 적이다.

하지만 강적을 앞에 두고 아인즈는 그 어떤 감정의 변화도 드러내지 않았다.

물론 애초에 아인즈의 얼굴에 표정 따위는 나타나지 않는다. 그래도 태도나 목소리의 어조에는 동요가 드러날지 모른다. 하지만 아인즈 울 고운은 그런 부끄러운 짓을 해서는 안 된다.

그와 동시에, 아인즈의 안도나 기쁨 같은 감정을 적에게 들켜서는 안 된다.

자신이 싸우게 되어 다행이라고 생각한다는 것도.

아인즈는 눈을 가늘게 뜨고 관찰을 이어나갔다.

미지의 기술이기는 하지만 어느 정도 이해한 점이 있었다. 우선——.

그것은 체력을 소비하는 기술이었다. 그것도 상당히 많은 양을. 그렇다면 저 장벽은 결코 아무 효과도 없는 겉보기만 그럴싸한 기술은 아닐 것이다. 따라서 어떤 효과가 있는지를 알아내야만 한다.

아인즈가 발동했던 마법 〈생명의 정수〉로, 저 기술이 발동한 것과 같은 타이밍에 상대의 체력이 단숨에 깎여나가는 것이 보였다. 그런 반면 〈마력의 정수Mana Essence〉에는 반응이 없었다. 그렇다기보다 상대는 순수한 전사에게 흔히 보이는, 마력이 전혀 없는 상태였다.

수수께끼의 결계가 도주를 용납하지 않는 감옥이라면 그곳에 아인즈를 가둬놓았다고 생각하는 상대의 입은 조금쯤 가벼워져도 이상하지 않다. 스스로의 힘에 자신이 있을수록 그렇다.

그렇게 생각한 아인즈는 부드럽게 물었다.

해머 공격을 받았다고는 여길 수 없을 만큼 부드러운 목소리로.

"조금 전의 기습을 용서하마. 나의 이름은 물론 알고 있으리라 생각한다만 정식으로 소개하지. 아인즈 울 고운 마도왕이다. 이번에는 그쪽 차례지. 나에게 네 이름을 가르쳐주지 않겠나?"

몇 초의 침묵을 거쳐 대답이 돌아왔다.

"……리쿠 아가네이아."

아인즈는 즉시 지금 얻은 정보를 분석했다.

이 결계는 안에서 밖으로 탈출하지 못하도록 방해하는 것만이 아니라 밖에서 안으로 침입하는 것도 저해할 가능성이 급격히 높아졌다. 정보를 주었다는 것은 놓칠 마음이 없어서——— 원군이 올 가능성을 없애버렸기 때문일 것이다.

세바스나 데미우르고스가 모아온 자료 속에 리쿠라는 이름은 없었다. 이만한 상대를 조사해놓고도 깜빡 빼먹었으리라고는 생각할 수 없다. 가령 세상의 눈을 속인 강자라고 해도 이해할 수 없는 점이 있다. 아무리 그래도 이만한 힘을 가진 존재가 왕국의 역사에 전혀 이름을 남기지 않았다니 이해가 가질 않았다.

가능성이 높은 것 중 하나는 가명이다.

하지만 왜 가명을 댔을까.

왕국 사람이라면 당당히 이름을 대며 침략전쟁을 저지른 악의 두목을 치겠다고 선언하면 그만이다. 그러지 못하는 입장, 그것도 정체를 숨길 수밖에 없는 인물이라는 뜻일까. 아인즈의 증오를 진짜 리쿠 아가네이아에게 돌리려는 노림수일 수도 있다. 아니면 단순히 이름을 밝히면 무슨 짓을 당할지 모른다는 경계심 때문일까.

황야를 지배했을 때 여러 아인 부족에게서 정보를 모았는데, 그중에는 영혼과 이어진 진정한 이름을 들키면 저주에 걸리기 쉽다는 것이 있었다. 하지만 나자릭에서 조사해본 결과 그것이 사실임을 확인할 만한 증거는 전혀 얻을 수 없었으므로 민간전승이라는 것으로 결론이 났다.

그렇다면 리쿠는 그러한 전승을 가진 부족 출신일까?

너무나도 정보가 부족해 추론에 추론을 거듭하는 별로 좋지 못한 상황이었다. 하지만 백금에서 따온 강자라면 두 사람 정도

짚이는 곳이 있었다. 하나는 인간의 형상을 하지는 않을 테니, 또 한 사람——.

"음유시인의 노래를 들은 적이 있다. 십삼영웅이라 불리는 자들의 영웅담. 몇몇은 이름이 남지 않았다는데, 그중 하나로 백금 갑옷을 입은 인물이 있었지. ……리쿠 아가네이아라는 이름이었군. 이를 음유시인들이 알면 기뻐하겠는걸?"

"그런가? 음유시인들이 알고 싶어 할 정도로 내가 유명한 줄은 몰랐다."

적은 어깨를 으쓱하지도 않고, 아무런 움직임도 없이 담담히 말했다.

정말로 십삼영웅인지, 아니면 이를 사칭해 정체를 숨길 생각인지. 그 이외의 이유도 있을지 모른다.

나 이거야 원.

아인즈는 생각했다.

어디까지 허위고 어디까지 진실인지 간파하기란 지금은 상당히 어려울 것 같았다. 다만 20만 명의 군세를 마법 하나로 쓰러뜨린 아인즈 울 고운과 단기결전으로 이길 수 있다는 자신감을, 상대가 가진 저력을 이 일전에서 가늠해야만 한다.

"리쿠라 불러도 되겠나?"

"거절한다."

즉답이었다. 그리고 그 목소리에는 강한 혐오가 있었다.

"실례. 너무 친한 척했나? 그렇다면 아가네이아라 부르면 상관없겠나?"

"그거라면 문제는 없다."

"그렇군. 그러면 제안이 있다. 어떻겠나, 내 부하가 되지 않겠나?"

리쿠의 주위 공기가 살짝 팽팽해졌다. 다만 리쿠 자신은 조금도 긴장하거나 자세를 바꾸거나 하지 않았다. 당당히 서 있을 뿐이었다.

이유를 알 수 없었다.

이쪽을 하수로 본다면 자세를 잡지 않는 것도 이해가 간다. 과거 코퀴토스는 리저드맨들을 상대로 전혀 자세를 잡지 않았다고 한다. 그렇다면 리쿠는 아인즈 울 고운을 하수로 생각하고 자세를 잡지 않는 걸까?

그건 아닌 것 같았다.

그렇다면 저것이 바로 리쿠의 자세라는 뜻이 된다.

저 무기를 조작할 뿐, 스스로는 전혀 움직일 마음이 없으니 가만히 서 있는 전투태세라고 해야 할까.

"……분위기를 보니 아무래도 거절당한 듯하군. 유감이다. 잠시 설득을 해도 되겠나? 나는 강자를 모으고 있다. 칠흑의 모몬도 나의 부하로서 좋은 대접을 해주고 있지. 만약 네가 나의 부하가 된다면—— 더 이상 왕국을 침공하지 않을 수도 있다. 너의 가치는 이런 나라보다도 높으니까."

"거절한다."

일도양단이었다. 조금의 망설임도 없었다.

아인즈는 표정이 떠오르지 않는 얼굴 속에서 지금의 대화 이면에 담긴 내용을 고속으로 고찰했다.

아인즈를 쓰러뜨린 후 왕국을 구할 수 있다는 절대적인 자신감이 있다 해도, 과연 한 치의 망설임조차 없을 수 있을까? 아인즈를 없앤다 해도 마도국군이 물러나리라는 확신을 가질 수 있을까?

'……왕국이 어떻게 되어도 별로 관심이 없는 건가? ……타국의 존재?'

"광의(光衣)."

리쿠의 갑옷에 빛이 맺혔다. 한순간 햇살의 반사인가 생각했지만 그와 함께 리쿠의 체력이 다시 줄어들었다. 무언가 힘을 발동한 것이 분명했다.

동시에, 이것으로 거의 확실해졌다.

리쿠는 자신의 체력을 소비해 기술을 사용한다.

다만 잃어버린 체력은 마법을 사용하거나 포션이라도 마시면 금세 회복할 수 있다. 다시 말해 그리 강하지는 않은 기술일 것이다. 대가가 크면 클수록 기술이 강해지는 것은 이 세계에서도 마찬가지였으므로.

리쿠가 특수기술을 사용했다는 것은 교섭이 완전히 결렬됐다는 뜻이다. 아인즈는 즉시 마법을 발동시켰다.

"〈상위전이Greater Teleportation〉."

아인즈는 단숨에 전이해―― 반투명한 결계 바로 앞에 출현했다. 정확하게는 시야가 변화한 직후 눈앞에 반투명한 벽이 가로막고 섰던 것이다.

"전이 실패……."

주위를 둘러보았으나, 추적능력이 없는지 아가네이아의 모습은 보이지 않았다.

아마도 결계 건너편, 아인즈의 시선 방향을 쭉 이어서 따라가 보면 목적지로 삼았던 나자릭 지하대분묘가 있을 것이다.

이 결계의 효과가 한 가지 확실해졌다. 전이는 완전히 차단되는 모양이다. 하지만 결계 바로 앞에 출현했다는 것은 결계 내에서의 전이 자체는 가능하다는 뜻이다. 그러나 밖으로 나갈 수는 없다. 이 경우 전이 발동시의 위치에서 목적지까지 일직선으로 선을 그어 부딪힌 벽 앞에서 모습을 나타내는 것이리라.

이것은 중요한 정보다.

원래 이 전투에서는 전이를 사용할 마음이 없었는데, 카드를 하나 쓴 보람은 있었다는 뜻이다.

이어서 아인즈는 반투명한 막에 손을 뻗었다.

만약 이것이 공격성이 있는 방벽이라면 즉시 대미지가 들어올지도 모르지만 그럴 가능성은 낮다. 왜냐하면 전이를 방해당한 직후 아인즈에게 대미지가 없었기 때문이다.

손이 결계에 닿았다.

부드러운 이미지와는 달리 매우 단단했다. 강하게 밀어보았으나 뚫고 나가기는커녕 흔들리는 기척조차 없었다. 그야말로 세계를 단절하는 벽 같았다.

아인즈는 이어서 교역공통금화 한 닢을 꺼내 던져보았다.

결계에 부딪쳐 튕겨났다.

다음에는 각도를 계산해서 〈뇌격Lightning〉을 시전해보았다.

"……관통하지 않는군."

상상했던 대로의 결과에 수긍하고 있으려니 〈전이지연〉에 반응이 있었다. 틀림없이 리쿠다.

아인즈는 〈광휘록체〉를 발동해 그대로—— 리쿠에게 등을 보인 채 움직임을 멈추었다.

리쿠가 전이한 직후 아인즈의 몸에 고속으로 무언가가 부딪혔다. 그것이 구타 대미지였으므로 〈광휘록체〉의 힘이 즉시 대미지를 완전무효화했다.

하지만 어째서인지 그의 몸은 앞으로—— 결계 쪽으로 밀려났다. 이것은 상당히 이상한 일이었다. 보통 대미지를 완전히 무효화하면 부가효과도 의미를 잃는다. 하지만 리쿠의 공격은 그렇지 않았다. 그것이 무엇을 의미하는지는 아직 알 수 없지만.

아인즈는 천천히—— 당당한 태도로 돌아보았다.

리쿠의 곁으로 해머가 돌아간다. 리쿠의 주위에 뜬 네 개의 무기에는 조금 전과 달리 하얀 빛 같은 것이 맺혀 있었다. 그것은 갑옷에 담긴 빛과 거의 비슷했다.

그리고 리쿠의 체력은 전이하기 전보다도 더욱 줄어들었다.

조금 전의 갑옷에 사용했던 힘 이상으로 줄어든 듯했다. 이것은 무기 한 자루 한 자루에 마법을 걸어야 하기 때문일까, 아니면 전이도 체력을 소비하기 때문일까. 조금 더 정보를 모아야겠다.

"구타 속성 공격은 무의미하다고 했을 텐데…… 어떻게 했지?"

"……전이를 써도 이 결계에서 벗어날 수는 없다. 너는 이곳에서 소멸할 운명이다."

대화를 좀 해라.

아인즈는 속으로 생각했지만 입 밖으로는 꺼내지 않았다. 상대에게 불쾌감을 주지 않아 최대한 입을 가볍게 만들고 싶었기 때문이다.

"그렇군. 그쪽도 도망칠 수 없다는 불퇴전의 결계라니, 용케 그런 걸 펼칠 생각을 했는걸. 각오는 됐다는 뜻인가?"

대답도 없이 주위에 뜬 네 자루의 무기 중 하나── 대검이 우뚝 움직임을 멈추었다.

──온다.

이 이상 수다에 어울려줄 마음은 없는 듯했다. 그 사실을 안 아인즈는 먼저 손을 썼다.

"〈마법이중화: 흑요석검Twin Magic: Obsidian Sword〉."

아인즈는 두 자루의 흑요석제 검을 생성해 리쿠에게 날렸다.

상대가 부유하는 무기를 사용한다면 자신도 그렇게 하겠다는 뜻이다.

첫 번째 검은 리쿠의 주위에 뜬 대검에 튕겨나고, 또 한 자루는 기이한 회피방법 때문에 빗나갔다.

"아니?!"

아인즈는 자신도 모르게 목소리를 높였다.

리쿠가 회피한 것 자체는 놀랄 일이 아니었다. 하지만 그의 회피방법은 코퀴토스라 해도 불가능할 만한 움직임이었다.

리쿠는 머리 높이에서 공중 옆돌기를 해 피했다. 그 자체도 조금 이상했지만, 뭐, 넘어갈 수 있다. 문제는 인간이라면 당연히 있어야 할 움직임이 없었다는 점이다.

점프를 한다면 몸을 조금 움츠리거나, 다리에 힘을 주거나 하는 전제동작이 있어야 한다. 하지만 리쿠에게는 아무것도 없었다. 아무 힘도 주지 않고 그 자세 그대로 공중돌기를 했던 것이다.

〈비행〉 같은 마법을 사용한다면 불가능하지는 않지만, 아인즈라 해도 그것은 어려웠다. 아무리 해도 몸이 따라서 움직이게 되는 것이다.

어쩌면 〈비행〉에 탁월한 특이한 소질을 가진 자는 저런 움직임이 가능할지도 모른다. 하지만 그 이상으로 리쿠의 기이하다 할 만한 움직임과 비슷한 무언가가 떠올랐다. 하지만 그것이 명확한 형태로 뇌리에 그려지질 않았다.

그 답답함에 언짢아하는 아인즈에게 리쿠가 반격이라는 양 대검을 날렸다. 흑요석검 두 자루는 리쿠의 주위에 뜬 다른 무기에 튕겨났다.

자유의지를 가진 것처럼 날아드는 대검에, 아인즈는 한순간 길드의 상징인 무기의 모습을 겹쳐보고 방어마법을 발동시켰다.

"〈해골벽Wall of Skeleton〉."

만들어낸 벽에 대검이 격돌했다. 〈해골벽〉은 일격에 파괴되었다.

"⋯⋯제법이군."

〈해골벽〉이 있던 장소에는 대검이 아인즈를 향해 칼끝을 들이댄 형태로 떠 있었다. 리쿠에게 돌아가나 했더니 마치 누군가가 칼자루를 쥐고 있는 것처럼 덤벼들었다. 그런 한편 리쿠는 꼼짝도 하지 않고 서 있었다. 자세도 잡지 않고 가만히.

그 모습에 아인즈는 조금 전 뇌리를 스쳤던 생각의 정체를 깨달았다.

그렇다. 그것은 그야말로 인형.

리쿠의 움직임은 꼭두각시 인형의 움직임이었다.

리쿠의 뒤에 거대한 손이 있어서, 한 손으로 리쿠 자신을 조종하고 또 한 손으로는 무기를 조종하는 것만 같았다.

'——이건 〈염동Psychokinesis〉 같은 것으로 무기를 조종하는 게 아니라 갑옷 자체까지 조종하는 건가? 설마 속에는 아무것도 없나? 아니면 착용자가 자신도 포함해 조작하는 건가?'

대검의 상단 수직베기. 아인즈는 공간에서 꺼낸 지팡이——블래스팅 스태프로 이를 받아냈다.

묵직한 압력이 걸리며 발밑이 살짝 지면으로 파고드는 것 같았다.

무기파괴 계통의 특수기술을 가졌다면 이 대검을 공격하는 데에 의미가 있을지도 모르지만, 아인즈는 그러한 기술을 익히지 않았다. 물체에 효과적인 산 같은 공격마법으로 파괴하려 해도 시간이 오래 걸린다. 그렇다면 역시 공격은 리쿠에게 가해야 한다.

"〈심장장악Grasp Heart〉."

아인즈의 주특기인 사령계 마법이다. 하지만 리쿠가 영향을 받은 기색은 없었다.

사령계에 완전내성이 있는 걸까, 아니면 배드 스테이터스 내성일까 생각하는 아인즈에게 자신의 차례라는 양 대검이 조금 전보다도 빠른 속도로 수평 일격을 펼쳤다.

"윽!"

방어도 회피도 한발 늦어 그 일격을 몸통에 받았다. 참격 무기에 의한 대미지가 들어오고 살짝 몸이 밀려나 등 뒤의 결계에 격돌했다. 이곳은 장소가 조금 좋지 못하다.

"〈상위전이〉!"

아인즈는 상공으로 전이했다. 일반 소환마법과는 성격이 다르기 때문에 두 자루의 검도 아인즈의 바로 곁에 떠 있었다.

상대의 머리 위이므로 금세 발각당하겠지만, 이곳에서 크게 벗어나려는 것도, 숨어서 알베도가 오기 위한 시간을 끌려는 것도 아니었다. 왜냐하면 이 전투는 그가 바라던 것이었으므로.

혹시 몰라 〈광휘록체〉를 발동하면서 작은 점으로 보이는 리쿠의 모습을 관찰하자, 이윽고 아인즈를 발견한 것처럼 단숨에 상승했다.

무기만을 날리지 않는 것을 보면 무언가 ——이를테면 사정거리—— 제한이 있는 것이리라.

동시에 아인즈는 낙하를 개시했다.

서로 스쳐 지나간 순간 흑요석검 두 자루를 날렸다.

이 〈흑요석검〉은 어디까지나 공격만을 위한 것이며 상대의 공격을 받아내는 등 방어에는 쓸 수 없다. 왜냐하면 상대가 공격을 받아내기만 해도 내구성이 저하되는 약한 무기이기 때문이다. 만약 방어에 사용하면 엄청난 기세로 내구성이 깎일 것이다.

리쿠는 허공을 가르며 날아드는 두 자루의 검을 자신의 주위에 뜬 무기로 튕겨냈다.

검을 막는 것이 고작인지 리쿠의 반격은 없었다.

리쿠와 스쳐 지나가며 지면에 도착했을 때, 머리 위에서 창이 맹렬한 속도로 내리꽂혔다.

몸을 앞으로 날려 어떻게든 피했다. 〈비행〉이 발동되어 있으므로 몸을 일으키기는 힘들지 않았다.

그곳에서 조금 떨어져 일어나자 리쿠가 천천히 지면에 내려서고 있었다. 그의 주위에는 세 자루의 무기가 떠 있었으며, 지면에 꽂혔던 창이 되돌아갔다.

마찬가지로 아인즈의 곁에는 흑요석검 두 자루가 떠 있다.

역시 생명체가 갑옷 안에 들어있다고는 여겨지지 않는 움직임이군.

리쿠의 움직임을 관찰하던 아인즈는 그렇게 생각했다. 조금 전 지면에 내려설 때도 무릎을 전혀 굽히지 않았던 것이다.

그때, 이제까지 부동의 자세를 유지하던 리쿠가 손에 대검을 쥐었다.

그리고 단숨에 육박했다. 이제까지 본 움직임 중 가장 빨랐다.

그야말로 유성과도 같은 속도였다.

반격하기 위해 흑요석검 두 자루가 날아갔지만 이것은 리쿠의 주위를 날던 카타나에 튕겨나 바닥에 떨어졌다.

"〈만뢰격멸Call Greater Thunder〉."

몇 겹으로 겹쳐진 번개가 리쿠를 쳤다. 그러나 리쿠의 돌진은 조금도 둔해지지 않았다. 대미지를 입지 않은 것이 아니다. 생명력이 줄어드는 것이 보였다. 그게 아니라 아픔을 완전히 견뎌내고 있는 것이리라.

크게 쳐들었던 대검의 일격이 아인즈에게 내리꽂혔다.

"큭!"

아인즈가 대미지를 입은 순간, 시야 한구석에서 카타나가 수평 일격을 날리려는 것처럼 육박하는 것이 보였다.

아인즈는 블래스팅 스태프를 휘둘렀다.

리쿠는 이를 몸으로 받아냈다. 매직 캐스터의 일격 따위 별것 아닐 테니 회피하지 않고 대미지를 받아낸 후 그 대가로 아인즈에게도 일격을 가할 심산이었을 것이다.

그 판단은 옳다.

아인즈도 같은 입장이었다면 그렇게 했을 것이다.

하지만 지금은 그것이 큰 오판이었다.

아인즈가 내심 씨익 웃은 순간 충격파가 몰아쳐 리쿠를 크게 날려버렸다.

블래스팅 스태프는 야마이코가 가진 '여교사 분노의 철권'과 마찬가지로 넉백 효과를 높인 지팡이다. 그 대가로 공격력은 거의 없지만 매직 캐스터에게 가장 중요한 거리를 확보할 수 있다.

리쿠가 뒤로 날아가면서 끌려갔는지 카타나의 수평 일격은 아인즈에게 살짝 미치지 못하고 칼끝이 아인즈의 흉골을 얕게 베는 정도에서 그쳤다.

뒤로 날아가면서도 자세가 전혀 흐트러지지 않는 리쿠에게 아인즈가 마법을 발동했다.

"〈제10위계 불사자 소환Summon Undead 10th〉."

흑요석검 두 자루가 사라진 대신 소환된 것은 레벨 70의 근접전 타입 언데드── 파멸의 왕Doom Lord이었다.

녹슨 듯한 왕관을 투구 위에 쓰고 핏빛으로 물든 망토를 걸쳤으며, 몸을 보호하는 풀 플레이트 아머에서는 낫처럼 구부러진 칼날이 몇 개나 튀어나와 있다.

갑옷 틈새에서는 부정의 에너지로 이루어진 시커먼 안개가 조금씩 새나와 서서히 체력이 줄어든다. 이것은 파멸의 왕이 레벨 70으로는 여겨지지 않을 정도로 강해서 받는 페널티이며, 이를 잘 써먹으려면 베테랑의 운용능력이 필요하다.

하지만 어디까지나 방패 역할만을 바라고 소환한 아인즈에게 는 별로 상관이 없는 이야기였다.

몬스터를 소환해 방패로 삼는다. 혹은 검으로 삼는다.

매직 캐스터는 그것이 가능하다는 점에서 강하다. 그래도 정 말로 강한 순수 전사는 이를 무시할 수 있다.

예를 들어 코퀴토스라면 어떻게 할까.

소환된 몬스터를 술사 쪽으로 요령 있게 튕겨내고, 거리를 좁 혀 둘을 동시에 공격의 표적으로 삼을 것이다.

알베도라면 어떨까.

방어력을 앞세워, 무시하고 돌진해 술사를 없애버릴 수도 있 고, 어그로를 적에게 전가시켜 서로를 공격하게 만들 수도 있 다.

그러면 리쿠는 어떻게 할까. 조금 전까지 리쿠는 무기가 자동 으로 공격하는 전법을 주체로 삼았다. 대검을 휘두르기도 했지 만 그때 특수기술이나 무투기 같은 기술을 쓰는 기색은 없었다. 그러므로 전사로서의 역량은 도통 감을 잡기 힘들었다.

그렇기에 소환한 것이다.

리쿠는 간격을 좁히고자 일직선으로 돌진했다. 한순간의 망 설임도 없었다. 숫제 깔끔하다고 해도 좋을 만한 움직임이었다.

부유하는 무기를 사용하는 전투에 탁월한 것이 아니라 초 근 접전 특화형일 것이다. 그러므로 단시간에 소환 몬스터를 없애려면 간격을 벌려서는 안 된다.

파멸의 왕은 육박하는 리쿠를 향해 손에 든 무기를 겨누었다. 칼날이 칼자루에 일직선으로 달린, 전투용 낫War Scythe이라 불리는 무기다. 여기에도 부정의 에너지가 담겨 까만 안개가 맺혀 있다.

아인즈는 소환한 파멸의 왕과 마법적으로 이어져 있으므로 이를 이용해 명령을 내렸다.

상대가 무생물일 확률도 높으니 그 부분도 확인하라는, 추상적인 명령이었다. 물론 소환된 몬스터는 소환자의 지식을 일부 가지고 태어난다. 그러니 명령을 내리지 않아도 알고 있으리라 생각했지만, 혹시 모르니까.

파멸의 왕은 특수능력을 발동했다.

〈멸망의 밤Ruinous Night〉이었다.

뿜어져 나오는 검은색 안개가 많아지더니 주위로 넓게 퍼져나갔다.

체력이 줄어드는 속도가 상승하는 대신 전투능력 전반이 일시적으로 증대되는 것이다.

심지어 그것만이 아니라 상대와의 레벨 차에 따른 대미지 감소가 무효화되기도 한다. 게다가 검은색 안개가 퍼져나간 범위 내에 있는 언데드——물론 파멸의 왕 자신도 포함해——에 대한 빛 계열, 신성 계열, 플러스 카르마 수치에 영향을 받는 기술 전반을 경감시켜주는 작용이 있다. 이것의 강점은 다른 모든 버프와 중복되지 않고 효과를 발휘한다는 점일 것이다.

아인즈도 그 혜택을 받고 싶지만, 안개의 범위는 그리 넓지 않으므로 포기할 수밖에 없었다.

아인즈는 표적이 되지 않기 위해 둘에게서 거리를 두었다.

관찰 준비가 갖춰졌다.

이제부터 리쿠의 역량은 백일하에 드러낼 것이다.

파멸의 왕이 휘두르는 낫과 허공에 뜬 대검이 격돌해 요란한 소리가 울려 퍼졌다.

서로 한 치도 물러나지 않고, 뒤로 날아가지도 않는다.

완력이 서로 비슷하기 때문이다.

그 직후, 이번에는 낫과 부유 카타나가 부딪치는 소리가 연속으로 울렸다. 낫과 카타나가 고속으로 맞부딪친다.

검의 참격을 낫이 받아 흘려내고, 낫의 찌르기를 해머가 방패처럼 블록한다. 날아오는 창을 낫의 자루로 튕겨내고, 수직으로 꽂히는 대검을 파멸의 왕이 멋지게 피한다.

그 직후── 회피를 위해 살짝 물러나 생겨난 거리를 좁히고자 리쿠는 그대로 파고들었다.

막상막하의 공방이었지만, 공격횟수 면에서 리쿠가 살짝 유리한 듯했다.

"──〈부정폭렬Negative Burst〉."

빛을 반전시킨 듯한 새까만 빛의 파동이 아인즈를 중심으로 주위를 삼켜버렸다.

부정의 에너지를 받은 파멸의 왕이 부상을 회복했다. 다만 마력 소모량과 회복량을 비교하면 수지가 맞지 않는다. 그리고 리쿠는 어떤가 하면, 멀쩡했다.

상처를 전혀 입지 않는다는 것은── 부정의 에너지에 완전내성을 가졌다는 것은 무엇에서 비롯되는가. 종족적인 것일까, 직업적인 것일까. 아니면 가장 가능성이 높은 장비품 때문일까.

언데드인 아인즈와 싸우는 만큼 언데드가 일반적으로 잘 사용하는 부정의 에너지에 대한 수비를 다지는 것은 당연하다고 할 수 있다. 아인즈도 불꽃의 숨결을 뿜어내는 용과 싸울 때는 화염 내성을 올리고자 할 테니까.

두 사람의 무기 부딪치는 소리가 그치지 않는 동안 아인즈는 다음 마법을 발동했다.

"〈완전불가지화Perfect Unknowable〉."

불가지화 상태가 된 아인즈는 방패인 파멸의 왕 뒤에서 나와 우회하듯 움직였다.

그 순간 카타나가 회피할 수 없는 속도로 아인즈를 향해 일직선으로 날아와 푸욱, 로브 너머로 복부에 박혔다.

찌르기에 완전내성을 가졌으므로 대미지는 없었지만, 아인즈는 황급히 후퇴해 파멸의 왕 뒤로 숨었다.

허공에 뜬 카타나는 다시 자동으로 파멸의 왕을 공격했다.

"……불가지화를 간파하는 눈을 가졌나?"

놀랄 일은 아니다. 아인즈의 레벨까지 가지 않아도, 고위의 존재라면 대책 하나쯤 가져도 이상하지 않다.

문제는 어떤 수단으로 발견했는가인데, 그 답은 도저히 알 수 없었다. 너무나도 대책수단이 많아 범위를 좁힐 만한 정보가 부족했다.

그러면 다음 수는 무엇으로 해야 할까.

리쿠도 아인즈를 직접 노리는지 체공 중인 무기가 칼끝을 돌리곤 했지만 파멸의 왕이 커버해주므로 한 번도 공격당하지 않았다.

현재 전투의 흐름을 계산해봤을 때, 대미지를 입히는 공격마법만을 시전하고, 파멸의 왕이 죽었을 때 새로 소환하는 식으로 전투를 이어나가면 승리를 거둘 가능성이 높다. 하지만 그것은 아인즈가 바라는 바가 아니었다.

리쿠라는 존재는 이제까지 보지 못했던 강적이며, 아인즈의 지식으로는 단정할 수 없는 능력을 다수 보유한 듯했다.

그렇다면 여기서 리쿠의 능력을 모두 알아내면 앞으로 비슷한 능력을 가진 강적이 나타났을 때 유리하게 작용할 것이다.

아인즈는 공격마법을 쓰려던 것을 중지했다.

이 사이에 방어를 다져놓는 것이 좋겠다고 여겨졌지만, 어떤 이유 때문에 그러지 않았다. 지금은 위험을 무릅쓰고 버려야 한다.

아인즈는 양측의 공방을 관찰했다.

파멸의 왕이 약간 밀리기는 해도 심한 손상을 입지는 않았다.

일진일퇴의 공방이라고 하면 듣기에는 좋지만, 리쿠의 전투 방식이 단조로운 것이 조금 마음에 걸렸다. 파멸의 왕이 불리한 이유는 안다. 그가 가진 특수능력, 부정 에너지 공격, 정신계 공격 같은 것이 리쿠에게 효과를 발휘하지 못하기 때문이다.

상황이 이렇게 되자, 리쿠는 골렘을 비롯한 인조물Construct과 같은 특성을 가진 종족이거나, 그러한 보너스를 얻는 매직 아이템 혹은 스킬의 소유자 내지는 인조물 그 자체일 거라는 확신이 들었다.

어느 쪽 가능성이 높은가 하면, 리쿠와는 대화가 성립되었으니 전자일 것이다. 하프 골렘 같은 종족이라면 인조물과 비슷한 내성을 일부 가졌으므로 그런 종족일지도 모른다.

그런 종족이 왜 왕국을 도울까 하는 의문은 들었지만, 지금 중요한 것은 리쿠의 입장이 아니라 능력이다. 그런데 왜 리쿠의 공격은 단조로울까. 특수기술을 사용하는 기미도 없고, 무투기 같은 기술을 쓰려 하지도 않는다.

지고의 존재 중에 골렘 크래프트가 있었는데, 리쿠의 모습은 그 사람이 조종하던 골렘과 겹쳐져 보였다.

하프 골렘 같은 종족이라면 상관없지만, 이것이 골렘에게 스피커를 탑재시키는 등의 꼼수였다면 상황이 복잡해진다.

아인즈가 아는 골렘의 강함은 사용된 금속의 가치, 제작자의 스킬, 사용된 데이터 크리스탈 등에 따라 달라진다. 레벨이 높은 골렘을 만들려면 상당한 대가가 필요하다.

그런데 리쿠가 만약 골렘이라면, 그리고 금속으로서 가치가 낮은 백금으로 정말 저만큼 강한 것을 만들어낼 수 있었다면, 최악의 경우 몇 마리, 몇십 마리가 더 있을 가능성이 있다.

좀 더 정보를 모아야 한다.

아인즈는 파멸의 왕에게 지시를 내렸다.

이에 따라 시커먼 안개가 파멸의 왕에게서 한층 강하게 뿜어져 나왔다.

속도와 공격력이 더욱 상승해, 이번에는 리쿠의 갑옷에 흠집이 나기 시작했다. 그러나 가속하듯 생명력을 소비하던 파멸의 왕은 이내 소멸해버렸다.

그 타이밍을 계산해 아인즈는 다시 〈제10위계 불사자 소환〉
을 발동했다.

68레벨 언데드—— 정령해골Elemental Skull이다.

언뜻 보기에는 둥실둥실 뜬 두개골이다. 하지만 주위가 일렁
이는 마법 오라로 에워싸여 그것이 시시각각 네 가지 색——붉
은색, 푸른색, 녹색, 노란색——으로 변화한다.

아인즈는 이를 후퇴시키고 대신 스스로 앞으로 나섰다.

정령해골은 4대 정령 계열의 공격마법을 쓰는 언데드다.

매직 캐스터답게 체력은 파멸의 왕보다 훨씬 낮다. 하지만 마
법공격력은 상당하다. 이 언데드가 발동하는 마법은 모두 마법
최강화가 이루어진 것이기 때문이다.

방어능력은 어떤가 하면, 일단 마법 전반에 저항력이 높으며
불, 번개, 산, 얼음 등의 속성에는 완전내성을 보유했다. 다만
물리공격, 그것도 구타 속성에는 매우 약하다.

그러므로 아인즈가 앞으로 서야 한다.

매직 캐스터가 앞으로 나왔음에도 리쿠는 전혀 경계하는 빛을
보이지 않고 말없이 거리를 좁혀 아인즈에게 공격을 가했다.

당황하는 척이라도 좀 해라.

속으로 투덜거리면서도, 알베도와의 훈련으로 얻은 경험을
토대로 리쿠의 검광을 쳐냈다.

쳐낸다고 해봤자 기껏해야 5번에 1번 정도의 비율이고, 일방
적으로 얻어맞기만 했다. 아인즈의 스태프는 리쿠가 모두 받아
냈으며 대신 대검과 창과 카타나를 날렸다. 한번은 해머가 날아
왔지만 이는 〈광휘록체〉로 무효화했다. 아무리 그래도 세 번이

나 완전무효화당하니 이해를 했는지 그 후로는 해머 공격은 없었다.

알고는 있었지만, 빠르다.

계층수호자 수준은 아닐지 몰라도 상당히 빠르다. 다행인 것은 해머를 그만 쓰게 되었다는 것이다. 저것까지 썼다면 현재의 아인즈에게는 승산이 없다.

파멸의 왕과 싸우는 모습을 보며, 아인즈는 자신이 전열 탱커를 맡기는 무리임을 알고 있었다.

물론 아인즈에게는 〈완벽한 전사Perfect Warrior〉를 사용하는 방법도 있다. 하지만 지금처럼 무장을 제대로 갖추지 못한 상태에서는 틀림없이 질 것이다.

그래도 전열을 맡은 아인즈가 고생한 보람이 있어, 후방으로부터 마법이 날아왔다.

동시에 아인즈도 제9위계 마법 〈붉은 신성Vermilion Nova〉을 발동했다.

개인에게 사용하는 것 중에서는 최강에 속하는 화염계 공격 마법이 리쿠를 태웠다. 그러나 공격의 손길을 늦출 기미도 없이 아인즈에게 대검을 휘둘러댔다.

온몸이 불타는데도 칼놀림이 전혀 흐트러지지 않는다. 그야 전사로서 각오했다면 당연한 노릇일지도 모르지만, 너무나 흔들림이 없었다.

정령해골이 사용한 것은 제9위계 마법 〈극지의 발톱Polar Claw〉이었다. 허공에 뜬, 극한의 냉기를 머금은 발톱이 리쿠를 가른다. 아무런 부가효과도 없이 대미지만을 입히는 대신 대미지의 양으로는 냉기 계열 중에서는 최고라고 하는, 아인즈도 습득하지 않은 마법이다.

아인즈는 이 두 가지 마법을 받았을 때 리쿠의 체력이 얼마나 소모되는지 똑똑히 기억해두었다.

그때 창과 카타나의 2연격이 날아들어, 아인즈는 이를 몸에 맞았다.

제9위계 마법 〈만뢰격멸〉을 발동했다.

정령해골은 제9위계 마법 〈초산안개Mist of Super Acid〉를 썼다. 이것도 아인즈가 습득하지 못한 마법이다. 이런 마법을 쓸 수 있기에 정령해골을 소환한 것이다.

한순간 리쿠의 온몸이 강렬한 산성 증기에 휩싸였다. 주위에 뜬 무기와 함께.

〈초산안개〉에는 대상에게 대미지를 입히는 것과 동시에 대상이 장비한 무장에도 약간 손상을 주는 부가효과가 있다. 리쿠의 손을 떠나 주위에 떠 있는 무기도 리쿠가 든 것으로 간주되는 모양이다.

몸에서 조금 떨어진 무기에도 효과가 미치는데, 반대로 밀착해서 근접전을 펼치는 아인즈에게는 전혀 영향이 없다. 이것도 마법이라는 특수한 법칙이 작용하기 때문이다.

산을 뒤집어쓴 리쿠의 체력이 크게 깎이는 것이 보였다. 네 가지 속성 대미지 중에서는 산이 최대의 대미지를 입히는 것 같았다.

하지만 그렇다 해도 대미지의 양이 적었다.

이제까지의 정보를 분석해보자면, 리쿠는 공격보다도 방어가 높은 탱커 클래스. 그것도 90레벨 수준이라 추측해도 좋지 않을까.

'일단은 산성 공격을 되풀이하는 게 상책—— 아야! 아야!'

"거치적거린다!"

생각 중에 입은 공격에 대한 짜증이 기적을 낳았는지.

날아든 카타나에 스태프가 멋지게 히트했다. 그런데—— 아인즈는 있지도 않은 눈을 껌뻑거렸다.

마치 넉백 효과가 발동한 것처럼, 쳐낸 카타나가 튕겨났던 것이다.

'왜?!'

이 지팡이가 발휘하는 넉백 효과에는 여러 가지 규칙이 있다.

우선 전사의 돌진기를 지팡이로 받아내도 넉백 효과는 발생하지 않는다. 이쪽에서 공격을 해야만 발동하는 것이다.

다음으로는 자신의 공격을 상대가 가진 검이나 방패로 받아내도 효과가 발휘되지 않는다. 상대의 몸에 명중했다는 사실이 있어야만 한다. 검이나 방패는 당연히 상대의 몸으로 간주되지 않는다는 소리다. 그러므로 상대가 건틀릿으로 받아냈을 경우에는 넉백 효과가 발휘된다.

그렇다면 리쿠의 카타나는 어떻게 되는 것인가.

이상의 규칙에 따라 생각해본다면, 부유무기가 몸의 일부로 인정됐다는 뜻이다.

이것은 이상한 이야기다.

예전에 세바스가 왕도에서 회수해온 무기가 있었다.

댄서가 사용했다는, 부유하는 무기였다.

보물전에 넘기면서 자세히 알아보았는데, 그것은 어디까지나 공중에 떠서 명령에 따라 반자동적으로 공격하는 것이었으며 장비의 일부로 취급되었다. 다시 말해 만약 이 지팡이로 댄서의 무기를 친다 해도 넉백 효과는 발생하지 않을 것이다.

장비를 공격해도 넉백 효과를 발생시키려면 '여교사 분노의 철권' 정도의 무기가 필요할 것이다. 그것은 원래 공기를 쳐서 충격파를 발생시키고 싶다는 목적에서 만들어진 무기다. 그 정도로 넉백 효과에 모든 것을 건 무기라면 가능하다.

하지만 그보다도 훨씬 약한 이 지팡이로 그럴 수 있었던 이유는 무엇인가.

팩트만을 누적해 추측할 수 있었던 해답은, 리쿠의 무기가 리쿠 본체로 간주된다는 정도였다.

'과연……'

아인즈는 여기에 쓰인 트릭의 정체를 두 가지 추측해보았다.

하나는 리쿠의 무기가 엔토마의 검도충(劍刀蟲)과 같은 존재라는 것이다. 그것처럼—— 검의 형태를 가진 골렘이라면 넉백 효과가 발생한다.

그리고 또 하나. 이쪽이 가능성이 높을 것 같지만, 리쿠의 무기는 장비가 아니라 몸의 일부라는 것이다. 예를 들어 용의 발톱 공격에 맞춰 넉백 효과를 가진 기술을 꽂는 경우에는 효과가 발휘된다.

주위에서 춤을 추는 무기에도 체력이 느껴졌지만, 그것은 리쿠가 장비한 무기로 간주되어서라고 생각했다. 실제로 리쿠가 대미지를 입으면 마찬가지로 무기의 체력도 줄었으니까. 그러나 착각이었던 모양이다. 저것은 곧 하나의 생명체인 것이다. 그렇다면——.

아인즈는 영겁에 가까운 한순간 동안 망설였다.

온갖 수단을 동원한다면——.

하지만—— 그게 옳은 일일까?

아니—— 아니다. 그것은 오만이다.

아인즈는 정령해골이 신앙계 제10위계 마법 〈일곱 사도Seven Trumpeters〉를 사용하려는 것을 느끼고 즉시 이를 중지시켰다.

자신의 역할을 재확인하기 위해서다.

아인즈가 무영창화한 〈전언〉을 날린 것과 동시에 리쿠가 넉백된 카타나를 따라 뒤로 물러났다. 그리고 카타나가 정위치로 되돌아갔다.

무기와 리쿠의 거리가 벌어지면 무기가 움직이지 않게 되는 걸까, 아니면 그렇게 생각하도록 만들고 싶었던 걸까. 아니면 넉백 효과에 놀랐던 걸까.

"……이제 슬슬 서로의 역량도 알게 되었지. 가능하다면——."

리쿠는 미끄러지는 듯한 움직임으로 접근해 말없이 공격했다. 완전히 대화할 마음이 없는 모양이었다.

한마디도 하지 않고 덤벼드는 리쿠에게 아인즈는 마음속으로 혀를 찼다.

적이 나불나불 떠든다면 시간을 끄는 거라 생각해도 당연하니, 이야기에 넘어가는 것은 어리석은 행위다. 그러므로 리쿠의 전략안에 경의를 표해야겠지만, 전혀 넘어와주지 않으면 그건 그거대로 슬프다.

"잠깐! 잠깐! 할 얘기가——."

아인즈는 베이면서도 스태프를 뒤로 집어던졌다. 리쿠에게 망설임이라고 해도 좋을 만한 움직임이 보였다.

아인즈는 즉시 무릎을 꿇고 고개를 조아렸다.

"잠깐만! 기다려 주세요! 얘기를 좀 들어주세요!"

대검을 크게 쳐들었던 리쿠가 그대로 몸을 멈추었다. 그 바로 아래에는 아인즈의 몸이 있다.

크리티컬 히트가 없으므로 무방비하게 고개를 숙였다 해도 그리 무섭지는 않다. 게다가—— 정령해골에게는 이미 명령을 내려놓았다.

"나도 귀공과 진심으로 싸울 마음은 없다. 원래는 우리가 성왕국을 구하고자 수송하던 지원물자를 왕국이 빼앗은 것이 원인이었지. 우리와 놈들, 어느 쪽이 악인지는 말할 필요도 없을 터. 귀공은 어떻게 생각하나? 우리가 악이라고 보나?!"

"……너희는 도가 지나쳤다. 다른 방법이 있었을 텐데."

아인즈는 고개를 들었다.

아직까지 리쿠는 대검을 들고 있었다. 하지만 당장 내리칠 마음은 없는 듯했다.

"그것은 당사자가 아니기 때문에 할 수 있는 말이다! 그렇다면 묻겠다. 귀공이라면 어떻게 했겠나?! 귀공의 나라가 애써 생산한 식량을 빼앗겼다면?!"

"네가 그만한 힘을 가지지 않았다면 이런 일이 일어나지 않았겠지. 힘을 가진 자는 힘을 사용하는 방법에도 주의를 기울이고 책임을 질 필요가 있다. ——내가 세계를 지킨다. 그렇다. 내가 세계를 지킬 것이다.”

대답을 바라지 않는 듯한 말에 '바보가 드디어 말을 시작해줬네요' 하고 생각하며 아무 말 없이 듣는 자세를 관철했다. 맞장구를 쳐야 기분 좋게 떠드는 패턴과 그렇지 않은 패턴이 있는데, 리쿠의 혼잣말 같은 성량을 고려하면 지금은 잠자코 듣는 편이 좋을 듯했다.

다만 리쿠의 시야를 염두에 두었다.

“ '마더' 를 중심으로 한 그자들이 하려는 짓은 잘못되었다. 아버지가 잘못한 것과 마찬가지로 그들 또한 잘못하고 있다. 결국 이 힘은 지나치게 강하다. 그것이 모든 과오의 시작이다.”

아인즈는 말없이 리쿠를 관찰하며, 최대한 기척을 죽이도록 노력했다.

기분 좋게 이야기를 꺼내지 않았는가. 말을 방해하는 결례는 저지를 수 없다.

솔직히 리쿠가 하는 말의 내용은 전혀 이해가 가지 않았다. 자기만 이해할 게 아니라 남이 이해할 수 있도록 말해주었으면 싶었다.

“모든 것은 우리의 과오지만 용서는 바라지 않는다. 네가 하는 일을 묵인할 수는 없다. 그러므로—— 사라져라.”

바람 가르는 소리를 내며 검이 날아들었다.

그러나 조금 전에 비해 스피드가 실리지 않은 것은 무방비한 아인즈를 공격한다는 죄책감 때문이었을까.

잠깐, 잠깐, 더 신나게 정보를 흘려달라고요.

그렇게 외치고 싶은 마음이 가득했다. 그렇다고는 해도 말할 마음은 더 이상 없어 보였다. 그렇다면 이런 시시한 연기를 계속할 이유도 없을 것이다.

——전투재개다.

명령에 따라 대기했던 정령해골이 대검의 궤도 위로 끼어들어 일격을 받아냈다.

소환한 몬스터는 유용하게 써먹어야 한다. 그렇다기보다 정령해골은 이제 필요가 없었으므로 이렇게 쓰는 것이 정답이다. 이 공격이 만약 샤르티아의 스포이트 랜스였다면 이런 짓은 하지 않았겠지만 리쿠의 무기에는 그런 효과가 없으므로 망설임 없이 써먹을 수 있다.

"히이이이익! 다시 말해 너희 탓이잖아! 전부 너희 잘못이잖아!"

아인즈는 한심한 비명을 질렀다. 너희란 게 누구인지, 뭘 잘못했다는 것인지는 전혀 모른다. 하지만 그렇게 해 리쿠가 조금이라도 정보를 흘려주지 않을까 유도해본 것이다.

죄책감을 품었는지 리쿠의 행동이 한순간 느려져, 아인즈는 그 틈에 옆으로 구르며 뒤로 물러났다.

두 사람 사이에 있는 것은 정령해골뿐.

"——막아라!"

아인즈가 고함을 지르자 정령해골이 마법을 발동시켰다. 리쿠는 이를 무시하듯 앞으로—— 아인즈에게 다가왔다. 정령해골이 방해하려 했지만, 사이즈도 작은 데다 방해할 만한 특수기술은 없다.

"〈해골벽〉!"

아인즈는 마법을 사용해 정령해골과 함께 리쿠를 벽 저편에 남겨놓았다.

"한심하구나, 마도왕!"

리쿠가 노성을 질렀다. 소환한 언데드를 남겨놓고 벽 너머로 도망쳤다는 데 대한 분노일까. 하지만 아인즈에게 그 정도는 아무것도 아니다. 마력계 매직 캐스터가 누구의 뒤에도 숨지 않고 대책 없이 서 있다면 그건 자살지망자일 뿐이다. 그 이상으로——.

벽 따위 간단히 뛰어넘을 수 있을 텐데, 리쿠가 벽과 정령해골에게 동시에 공격을 시작했음을 알 수 있었다.

정령해골과 비교하면 〈해골벽〉은 그리 단단하지 않다. 리쿠의 공격에 간단히 부서졌다.

그러는 동안에도 정령해골의 〈붉은 신성〉을 연발하는 마법공격으로 리쿠의 체력을 깎기는 했다. 하지만 쓰러뜨리지는 못했다. 탱커여서인지 마법에 매우 강했다.

그렇다면.

아인즈는 리쿠에게 마법을 걸었다.

"〈시간정체Temporal Stasis〉."

제9위계 대인용 마법이다. 적의 움직임을 완전히 멈춰버리는 마법이지만, 움직임이 멈춘 적에게는 어떤 대미지도 입힐 수 없다는 단점도 동시에 존재한다. 그렇기에 주로 적이 여러 명 있을 때 사용한다.

하지만 저항 이전의 문제로 마법이 무효화된 것을 깨달았다. 아마 시간 대책을 세워놓았을 것이다. 물론 저만큼 강하다면 그랬어도 이상할 것이 없다.

아인즈에게 대검, 정령해골에게 해머가 날아왔다.

대검의 참격 대미지를 받으면서, 혹시나 하며 날아오는 무기에 〈상위 도구파괴Greater Break Item〉를 걸어보았지만 효과가 없었다. 이것도 저항 이전의 문제인 듯했다.

역시 리쿠의 무기는 본체와 같다고 봐야 한다.

정령해골의 체력이 상당히 많이 줄어들었을 때, 리쿠가 황급히 상공으로 눈을 돌렸다.

머리 위에서 온 힘을 다해 수직으로 날아오는 그림자가 하나 있었다.

알베도였다.

"──!"

리쿠에게서 채 말로 나오지 못한 목소리가 새어 나온 것이 들렸다. 지금, 리쿠를 놀라게 만들 만한 무언가가 일어났다는 뜻이다.

리쿠가 동요하는 사이에 속도를 높인 알베도가 육박했다. 그야말로 아우라가 쏜 화살과도 같은 속도였다. 그리고──.

"너어이짜샤아아아아아아아아아!!!!"

굵직한 위협성과 함께 높은 상단에서 내리친 할버드 '3F'를 막기 위해, 리쿠는 손에 든 대검에 창까지 추가해 교차시켰다.

3F에 담긴 무지막지한 힘에 리쿠의 발이 지면으로 살짝 파고들었다.

다음 순간── 리쿠가 옆으로 날아갔다.

품에 파고들듯이 이동한 알베도가 리쿠의 가슴에 발차기를 꽂았던 것이다. 갑옷이 쩌적 비명을 지를 정도의 강렬한 발차기를.

"버러지 주제에! 아인즈 님에 대한 무례! 용서할 줄 알고오오오오오으아!!"

대기가 쩌렁쩌렁 흔들리는가 싶을 정도의 노호를 터뜨린 알베도가 리쿠를 쫓아가고자 발을 내디뎠다.

벌어졌던 거리는 눈 깜짝할 사이에 사라지고, 충분한 회전력이 실린 일격을 리쿠에게 날린다.

금속성이 낭랑히 울렸다.

리쿠의 주위에 떠 있던 무기 중 두 개가 이를 받아냈다.

리쿠가 후방으로 크게 뛰어 물러났다. 점프가 아니었다. 발은 지면에서 떨어진 비행 상태였다.

"알베도, 멈추어라! 그만!"

다시 육박하려던 알베도를 아인즈가 저지했다.

여기까지 하면 충분하다. 이 이상 알베도를 전투에 참가시킬 수는 없었다.

"——예."

살짝 불만이 어리기는 했지만 알베도가 몸을 우뚝 멈추었다.

더는 싸울 마음이 없음을 이해했는지 리쿠가 공중에 떠올라 거리를 벌리기 시작했다.

알베도가 말없이 아인즈의 앞에 서서 리쿠와의 일직선상에 자신의 몸을 두었다. 원거리 공격으로 전환할지도 모른다고 경계한 듯했다.

"아가네이아 공. 다시 한번 말하지. 어떤가! 나의 부하가 되지 않겠나! 귀공이 원하는 것을 주겠다!"

말을 걸었으나 반응은 없었다. 하지만 그래도 아인즈는 말을 이었다.

"유감이로군! 그러나 귀공에게는 마도국의 문을 열어두겠다. 언제든 찾아와다오!"

그리고 아인즈는 목소리를 낮추어 알베도에게 물었다.

"상대는 아직 싸울 마음이 있는 것 같으냐?"

"그렇지는 않은 것 같아──옵니다. 하지만 여기서 물러나지 않는다면 해치워버리는 편이 좋을지도 모르겠나이다. 둘이서 공격한다면 그렇게까지 진심으로 나서지 않아도 쓰러뜨릴 수 있을 텐데요?"

그 말이 들렸던 것은 아니겠지만, 리쿠의 모습이 사라졌다. 그와 동시에 주위에 전개되었던 결계 같은 것이 녹아 사라졌다.

전이가 먼저인지, 아니면 결계가 풀린 것이 먼저인지, 리쿠가 어디까지 물러났는지.

최후의 최후에 또 알아봐야 할 것을 남겨놓고 갔지만, 아인즈는 무사히 자신의 역할을 다했다.

"……나 원. 이제야 일 하나가 끝났군. 수고했다."

"아니옵니다. 아직 감시의 눈이 있을지도 모르니 일단 조속히 나자릭으로 돌아가시는 것이 좋겠나이다."

"그래. 그리 하지."

정령해골을 귀환시킨 아인즈는 〈상위전이〉를 써서 알베도와 함께 철수했다.

＊

자신을 리쿠 아가네이아라고 했던 백금 갑옷은 약속했던 장소로 세계이동에 의한 전이를 사용해, 이미 와 있던 협력자의 눈 앞에 모습을 나타냈다.

"늦어서 미안하다."

"아니, 마음에 두지 마. 나도 지금 막 왔으니."

대답한 것은 아다만타이트 클래스 모험자 팀 '주홍물방울'의 리더인 아주스였다.

눈에 익은 갑옷을 착용했으므로 이야기할 때는 아무래도 위를 올려다봐야 한다.

참고로 조금 전에 아주스가 한 말은 거짓말이었다. 그는 5분 이상 전에 왔으므로.

어떻게 리쿠가 이를 알고 있는가 하면, 조금 떨어진 곳에서 관찰했기 때문이었다.

이유는 말할 것도 없다. 아주스가 미끼가 되었을 가능성을 우려해서였다.

만약 아주스를 감시하는 마도왕의 부하가 있을 경우 그를 버리고 자기 나라로 귀환할 예정이었다. 그러므로 감시하는 자가 없음을 확인할 때까지 감시했던 것이다.

이렇게 해도 아직 한 가지 위험성은 남지만, 그것은 이야기를 나눠보기 전까지는 알 수 없다. 그렇기에 리쿠는 이제야 겨우 아주스 앞에 나타났던 것이다.

"미안해, 차아. 그 녀석 놓쳐버렸어. 그쪽으로 갔던 것 같은데…… 마도왕은 없었어?"

"유감이지만 무리였다. 네 협조를 청해놓고도 이렇게 돼 미안하군."

마도왕에게 리쿠 아가네이아라는 이름을 댔던 갑옷—— 차인 도르크스 바이시온은 고개를 숙였다.

다른 용왕들이라면 오랜 세월을 살아온. 이 세계의 정점인 용왕의 행동이 아니라고 말할지도 모른다. 하지만 차아에게는 별일도 아니었다. 고개를 숙여 상대의 호의를 얻을 수 있다면 얼마든지 숙일 수 있다.

"사과하지 마. 쓰러뜨리지 못했던 건 내가 그 여자를 붙잡아놓지 못해서—— 시간이 모자라서였지?"

차아는 어떻게 대답하면 자신의 이익이 될지를 계산한 후, 그렇지는 않다고 부드럽게 대답했다.

"아니. 그렇지는 않다. 아주스. 마도국 재상 알베도는 유감이지만 네게는 벅찬 상대였지. 그걸 그만한 시간 동안 멀리 떨어진 곳에 붙잡아놨던 것만으로도 너는 충분히 네 역할을 다했다고 할 수 있다. 마도왕을 없애지 못했던 건 단순히 놈이 내 예상을 웃돌 정도로 강했기 때문이니."

실제로 그랬다.

차아와 아주스의 거래 내용을 보자면, 그의 역할은 알베도를 유인해 결계 밖에 격리하는 데에서 끝났다. 솔직히 말하자면 아주스가 알베도에게 그대로 죽을 거라고도 생각했다. 그렇게 말했다간 협조해주지 않을 것 같아서 비밀로 했던 것이다.

그런 의미에서는 알베도와 싸우고 살아남았던 그는 크게 건투했다고 해도 과언이 아니다.

차아도 사악한 '플레이어'들과의 싸움에 대비해 함부로 전력을 잃고 싶지는 않았다.

다만 의문은 있었다. 아니, 수긍할 수 없는 점이 있었다.

아주스가 살아남은 이유였다.

아주스가 입은 파워드 슈트는 분명 공격력과 방어력이 상승하고 착용자에게 다채로운 기술을 준다. 하지만 체력과 마력은 착용자의 것 그대로라는 약점이 있다. 단단한 갑옷 속에 부드러운 몸이 들어 있는 것과 마찬가지다.

알베도와 펼쳤던 일련의 공방은 순간적이기는 했지만, 그래도 충분히 알 수 있었다.

그녀는 마도왕보다 강하다는 것을.

마도왕은 대군을 상대하는 데에는 뛰어나지만 일대일 전투에서는 그런 강점을 살릴 수 없을 것이다.

하지만 알베도는 무슨 짓을 해도 아주스가 싸워 살아남을 만한 상대가 아니었다.

그렇다면 아주스는 어떻게 해 살아남았을까.

"그 알베도라는 악마는 어땠나? 어떻게든 붙어볼 만한 상대였나?"

"아냐, 도저히 안 되겠던데. 모든 무장을 다 써서 접근하지 못하도록 만들면서 싸워서 겨우 살아났어."

'아하, 그렇게 된 거군.'

차아는 생각했다.

실제로 알베도는 원거리 공격을 하지 않았으며, 그러한 무장을 가진 것 같지도 않았다.

앞뒤는 맞는다. 조금 지나치게 의심했던 모양이다.

차아는 아주스가 자신을 팔아넘기고 알베도와——— 나아가서는 마도왕과 거래를 했을지도 모른다고 생각했던 것을 조금 부끄러워했다. 하지만 여러 가지 가능성을 고려하는 것은 당연하며, 아주스는 어디까지나 협력자이지 동료가 아니다. 게다가 아직 배신하지 않았다는 확증은 없었다.

"아, 그래. 난 마도왕에게 리쿠 아가네이아라는 이름을 댔으니까 기억해주겠나? 마도왕의 귀에 들어갈 법한 상황이 됐을 때 그 이름을 써줬으면 해."

"리쿠 아가네이아? 뭔가 유래라도 있는 이름이야?"

"아니, 없다. 그냥 떠오른 이름을 그대로 썼을 뿐. 만약 이 세계에 그런 이름을 가진 사람이 있었다면 엄청나게 폐가 될지도 모르겠군."

이 말에는 일부 거짓이 있다.

아가네이아라는 성은 들어본 적이 없다. 하지만 리쿠라는 부분은 달랐다.

"마도왕의 원한을, 그것도 엄청난 원한을 샀을 테니."

"그렇겠지. 게다가 마도국 재상 알베도의 원한까지."

두 사람은 조용히 웃었다.

물론, 만약 정말로 리쿠 아가네이아라는 제3자가 있다면 그 인물에게는 절대 웃을 일이 아니겠지만.

차아는 웃으면서 생각했다.

그것은 알베도라는 악마에 관해서였다.

마도왕은 돌파할 수 없었으므로 문제가 되지 않지만, 그 악마는 원시 마법 중 하나인 세계단절방벽을 넘어설 수 있었다.

원시 마법 중에서도 중위 클래스인 그 마법은 세계에서 격리

된 공간을 만들어내 통상수단에 의한 침입과 전이를 완전히 차단한다. 그 속에 침입하려면 원시 마법을 사용하거나, 아니면 세계급 아이템을 보유해야만 한다.

그 악마가 '플레이어' 혹은 '엔피씨' 중 어느 쪽인지는 판별할 수 없지만, 두 사람의 주종관계를 생각해보면 아마 후자일 것이다. 그렇게 되면 아인즈는 왜 세계급 아이템을 자신이 보유하지 않고 알베도에게 주었는가 하는 의문이 남는다.

'설마 알베도라는 자가 '플레이어'고 마도왕이야말로 '엔피씨'?'

황당무계한 생각은 아니다. 자신은 제2인자의 위치에 있는 편이 안전하다는 사고방식도 이해할 수 있다.

'아니면 마도왕도 세계급 아이템을 가지고 있나? 세계단절방벽을 돌파하지 못하는 것 같았으니 그럴 가능성은 낮을까? 아니면 전장에는 가지고 오지 않았나?'

그것도 그럴듯하다. 2개를 보유한 집단도 있다는 이야기를 리쿠에게 들은 적이 있다. 실제로 그들은 2개를 보유했던 것으로 안다.

"그래서 차아, 마도왕은 얼마나 강했어? 네가 쓰러뜨리지 못한 상대니까 엄청나게 강하긴 하겠지만 나 같으면—— 아니, 이거라면 쓰러뜨릴 수 있을까?"

"아주스, 너무 마음 상하지 않으면 좋겠다만 너는 무리다. 그건 나도 쉽게는 이기지 못할 상대였으니."

"그래⋯⋯?"

"하지만 네 도움 덕에 상대의 능력은—— 저력은 어느 정도

볼 수 있었다. 그 정도라면 다음에 싸울 경우, 물론 일대일이라는 형태가 아니면 무리겠지만, 승리를 거둘 수 있을 거다."

말은 이렇게 했지만 아무리 그래도 이 갑옷으로는 이긴다 해도 아슬아슬할 것이다. 게다가 다음에 싸울 때도 적이 소환마법을 사용한다면 어떤 전개가 펼쳐질지 읽을 수 없는 면이 있다. 그렇게 되면 역시 전장을 어떻게 준비할지가 중요할 것이다.

다만 차인도르크스는 조금 안도했다.

그 흡혈귀 정도의 수준이라면 상당히 고전하리라 생각했는데, 마도왕 정도라면 갑옷이 아니라 본체가 나설 경우 절대 질 걱정이 없다. 그 흡혈귀 수준이라 해도 본체로 싸우면 문제는 없겠지만.

다만 너무 시간을 주어 세력을 확대해나가면 위험하다.

"역시 대단한걸. 정말 대단해, 세계최강의 용왕."

"난 세계최강이라고는 생각하지 않는다. 실제로 나보다도 강한 존재가 얼마든지 있을 테지, 분명. ……뭐, 마도왕하고는 상성이 좋으니 이길 수 있겠지만."

언데드라면 차아의 능력 때문에 싸움이 유리해진다. 그 능력이 마도왕에게도 통한다는 것은 확인했다. 그렇기에 크게 경계할 만한 상대는 아니라고 판단한 것이다.

그보다는 알베도라는 악마가 위험하다.

"아주스. 미안하지만 다음 기회가 온다면 또 도와줄 수 있을까?"

"다음이라."

아주스는 무겁게 그 말만을 했다. 여기에 담긴 의미를 알기에 차아는 아무 말도 하지 않았다. 이윽고 아주스가 쥐어짜내듯 말했다.

"왕국은 멸망할까?"

"……그렇게 되겠지. 아무리 그래도 이 이상은 힘을 빌려줄 수 없다."

"그렇군………. 그러면 다음에도 그 여자를 붙잡아놓는 역할이야? 상관은 없지만, 그때는 시간을 끄는 것도 무리일지 몰라."

"그렇겠지. 그때는 분단작전에 넘어오지 않을 테니. 그러니 다음에는 그 여자가 어쩌다 마도왕의 곁에서 떨어졌을 때, 너와 함께 싸워볼까 한다."

아주스에게 소환 몬스터를 상대해달라고 하면 마도왕은 문제없이 이길 수 있다.

이야기를 나누는 동안에도 마도왕의 부하가 나타나 공격하는 일은 없었으며, 이곳에서 이 이상 할 수 있는 일도 남지 않았다. 차아는 멀리 보이는 왕도로 시선을 돌렸다.

차아는 이제까지 몇 개나 되는 나라가 멸망하는 모습을 보았다. 이 나라도 그와 같이 앞으로 멸망할 것이다. 조금 적적한 기분도 들지만, 그보다는 마도국과 국경을 인접했다는 사실에 대한 위기감이 강했다.

그 나라에 별다른 은혜를 입은 적은 없으나 애착은 생기고 말았다.

동료에게는 부탁해두었지만, 다른 용왕들에게도 말해볼 필요가 있을지도 모른다.

"……그러고 보니 말을 안 했는데, 법국 놈들을 만났어. 그래서 너한테 들은 이름을 들려줬고."

"그래? 그렇다면 이제 네 뒤에 나름 커다란 상대가 있을 거라고 생각하겠군."

이로써 아주스의 안전은 다소 확보되었다고 생각해도 될 것이다.

아주스 자신의 가치는 그렇게까지 높지 않지만, 그가 가진 파워드 슈트는 매우 귀중한 물건이라 법국이 노릴 가능성이 높다. 그러므로 아주스에게 손을 댈 경우 불이익으로 이어질지도 모른다는 생각을 심어주는 데 성공했다면, 아주스와 우호관계인 차아에게는 큰 메리트가 생긴다.

"그래서 한 가지 질문이 있는데…… 왜 너한테 직접 들었다고 말하면 안 되는 거였어?"

"간단하지. 정보의 출처를 모르면 그것부터 조사해야 할 게 아닌가? 게다가 어쩌면 법국 상층부가 서로에게 의심을 품을지도 모르는 노릇이고."

그리고 또 한 가지.

여차할 경우 문제없이 아주스를 잘라버릴 수 있도록 한 것이다.

"자, 이런 데서 오랫동안 얘기하는 것도 좀 그러니…… 같이 돌아가지. 네 동료들도 기다리고 있지 않나?"

"그래, 기다리고 있고말고. 그럼 차아, 부탁해."

세계이동을 발동시키려 하다가 차아는 아주스에 대해 생각했다.

그 이유는 단 하나. 앞으로도 그를 도와주는 이점이 있을지 어떨지에 대해서다.

아주스가 입은 갑옷은 매우 가치가 있다. 하지만 그것을 제외하면 그에게는 그만한 매력이 없다. 솔직히 말해 그 갑옷을 더 강한 사람에게 빌려주는 편이 메리트가 크다고 할 수 있다.

게다가 그를 완전히 제어할 수 있으리라는 자신이 없었다.

지금의 차아는 아주스의 협력자라는 입장일 뿐, 윗사람도 아니고, 동료라고 단언할 수도 없는 위치다.

만일 아주스가 그때처럼 제멋대로 행동한다면 이번에는 치명적인 실패로 이어질 수도 있다.

분명 그것은 차아의 실수도 컸다.

마도왕이 쳐들어왔다는 사실을 깨닫지 못한 아주스에게 위기감을 주고자, 어디까지 침공해왔는지를 말해버렸던 것이다.

원래 아주스가 차아를 찾아와 마도왕을 쓰러뜨린다는 이야기를 꺼냈던 것은 왕국을 구할 수단을 원해서였다. 그렇다면 그가 파워드 슈트를 써서 도시를 구하러 가는 정도는 예상했어야 했다.

그것이 없었다면 왕도까지 쳐들어가, 방심한 마도왕을 없앨 수 있었을지도 모른다.

──지금 아주스를 죽이고 파워드 슈트를 빼앗을까?

차아는 그것도 메리트가 있을 거라 생각했다. 자신이 제어할 수 있는 우수한 인물에게 파워드 슈트를 빌려주면 아주스보다도 유효한 카드를 한 장 손에 넣게 된다는 계산이다.

개인적으로는 아주스도 싫지는 않다. 자신의 손으로 죽이기는 싫다. 하지만 개인의 감정보다도 중요한 것이 세상에는 얼마든지 있다.

'…………리쿠.'

이제 와서 무슨 추억을 떠올린단 말인가. 차아는 마음속으로 웃어넘겼다. 이미 손은 더럽혀졌다. 새삼스럽지 않은가.

지금이라면 마도왕 탓으로 돌릴 수 있다.

알베도와의 전투에서 아주스는 죽었고, 파워드 슈트를 차아에게 맡겼다는 것으로 꾸미면 이야기는 통할 것이다.

하지만── 반복한단 말인가?

"이봐! 뭐 해, 차아?"

"……응?"

차아는 자신이 잠시 생각에 잠겼음을 깨달았다.

"왜 그래, 차아. 뭐 마음에 걸리는 거라도 있어?"

"……아니, 아무것도 아니다, 아주스. ……자, 돌아가자."

일단 문제는 뒤로 미뤄두자. 소생 마법이 있는 이상 죽음조차 완벽한 입막음은 될 수 없다. 파워드 슈트는 무사히 회수했으면서 아주스의 시체는 회수하지 못했다는 시나리오에는 너무 무리수가 많고, 그런 단순한 손해득실로 답을 도출할 경우 종종 나중에 대가를 치르게 된다.

나중에 후회하지 않도록 충분히 음미한 다음 결정하면 된다. 아주스를── 주홍물방울을 잘라버릴지 말지를.

오늘의 선택이 치명적인 실수가 아니기를 기도하며, 차아는 세계이동을 발동시켰다. 아직 한 번 정도는 이 갑옷에 남아 있다.

그리고 아무도 남지 않은 공간을 바람이 지나갔다.

*

나자릭 지하대분묘에 〈전이문〉을 써서 돌아온 아인즈는 여느 때처럼 지표에서 반지를 받아 그 힘으로 알베도와 함께 제9계층까지 갔다.

그곳에서 한동안 걸어, 겨우 목적지인 어떤 방에 도착했다.

"알베도, 먼저 들어가시겠습니까?"

"아냐, 신경 쓰지 마. 이번 일은 네 활약이 컸으니까 먼저 들어가."

아인즈는 고맙다고 대답하며 문을 열었다.

가장 정면에 있는 옥좌를 향해 걸어가, 방 한가운데에 도착하자 한쪽 무릎을 꿇고 고개를 숙인다. 뒤에서 알베도도 같은 자세를 취하는 것이 기척으로 전해졌다.

"노고가 많았다, 판도라즈 액터와 알베도."

"예!"

고개를 들자 옥좌에 앉은 주인이 천천히 고개를 끄덕이고 있다. 그 좌우에는 샤르티아, 데미우르고스가 서 있다. 데미우르고스 쪽은 원격시경Mirror of Remote Viewing을 들고 있었다.

저것을 써서 조금 전 리쿠와의 전투를 모두 보았을 것이다.

판도라즈 액터는 이제까지 변신했던 주인의 모습을 해제했다.

"아인즈 님께서 빌려주신 매직 아이템을 즉시 돌려드려야 하겠사오나, 들고 계시도록 하는 것이 더 결례라 판단하여 아직까지 지니고 있는 점을 용서하여 주십시오."

자신이 빌려 장비하고 있다는 것은, 주인이 지금 착용한 아이템이 모두 2등급품이라는 뜻이다. 그런 것을 장비하게 했다는 죄책감이 강했다.

"아니다, 판도라즈 액터. 마음에 둘 것 없다. 나중에 주면 되니. 네가 말했듯 중요한 것은 그게 아니라 네가 싸웠던 상대다. ──자, 우리도 싸움을 지켜보았다만 실제로 싸워본 자의 감상을 듣고 싶구나. 어땠느냐?"

"예. 90레벨은 되는 탱커라고 여겨집니다. 전체적으로 마법이 잘 통하지 않았던 것 같았으니 그 정도는 되지 않을는지요."

"그렇구나. 상당한 강적이로군. ……음? 왜 그러느냐, 알베도? 뭔가 의견이 있는 듯하다만."

"예. 판도라즈 액터와는 달리 소녀는 그만한 힘을 느끼지 못했사옵니다. 물론 소녀는 단 두 번 대미지를 입혔을 뿐이온지라 꼭 그렇다고 단정할 수는 없사오나, 80레벨이 될까 말까 한 정도의 탱커……가 아닐는지요."

그 백금 갑옷이 탱커가 확실하다면, 같은 탱커 클래스인 알베도의 견해는 자신보다도 정확할 가능성이 높다.

"그렇구나. 실제로 오랫동안 전투한 판도라즈 액터의 의견이 신용도가 높다고는 생각한다. 다만 나와 함께 이곳에서 전투를 지켜본 샤르티아에게 의견을 물어본 바, 알베도와 마찬가지로 80레벨대 중반 정도가 아니겠냐고 하였지. 코퀴토스나 세바스도 불렀어야 했건만."

샤르티아도 전투능력은 높지만 순수한 물리전투 클래스는 아니다.

순수한 전투 클래스가 함께 봤더라면 정확한 선까지 측정할 수 있었을지도 모르지만, 유감스럽게도 세바스는 에 란텔에 머물고 있고, 코퀴토스는 현재 왕도 함락작전에 종사하고 있을 터. 그러므로 이곳에 부를 수는 없었을 것이다.

"두 사람, 아니, 세 사람의 의견을 종합해 추측해보면…… 어떠냐, 너희 셋. 마법방어에 특화한 순수 탱커라 가정하면, 감상이 일치하겠느냐?"

세 사람은 얼굴을 마주 보고 생각에 잠겼다.

"……샤르티아. 아무래도 마음에 걸리는 것이 있는 모양이구나. 무언가 있다면 의견을 들려주겠느냐?"

"기분 탓인지도 모르겠사와요……."

"그래도 상관없다. 이것은 상대의 능력을 밝혀내기 위해 여러모로 준비하고 실행했던 전투였다. 놈의 능력을 밝혀낼 힌트가 될지도 모르니 무슨 말을 해도 좋다."

"그렇다면, 아인즈 님. 소녀도 파멸의 왕을 소환할 수 있어서 알았는데, 전투능력이 살짝 낮다고 느껴졌사와요. 그건 판도라즈 액터가 소환했기 때문이사와요?"

"그런 일은 없다. 판도라즈 액터가 변신해 얻는 능력은 원본보다 떨어지지만 소환된 몬스터의 능력까지 떨어지지는 않는다. 게다가 내가 가진 특수능력에 의한 강화는, 이번에는 하지 않는다는 방침이었지. ……아무튼 나중에 둘이서 소환해 비교해다오. 위화감의 정체를 파악할 수 있을지도 모르니."

"네!"

"그러면 다음으로, 판도라즈 액터. 놈과 대화하면서 무슨 이야기를 했는지, 어떤 태도를 보였는지, 그리고 어떤 때에 어떤 감정을 드러냈는지 들려주겠느냐? 이 거울도 음성까지는 전해 주지 않아서 말이다."

"예!"

판도라즈 액터는 리쿠와의 대화를 모두 재현했다. 딱히 긴 이 야기를 나누지는 않았으므로 간단했다. 여기에 개인적 견해가 들어가기도 했지만 자신과의 대화 속에서 리쿠가 보였던 감정 의 동향 같은 것을 설명했다.

도중에 알베도에게서 불쾌한 공기가 뿜어져 나오더니 불평을 강하게 머금은 목소리가 들렸다.

"설령 상대를 방심시키기 위해서라지만, 마도왕이자 나자릭 지하대분묘의 절대지배자이신 아인즈 님의 모습으로 무릎을 꿇 고 고개를 조아리다니. 그게 무슨 짓이지?"

실제로 그것은 자신도 지나쳤다 싶었다. 주인이 그곳에 있었 다면 결코 하지 않았을 행동이었다. 사죄해 마땅하다고 주인 쪽 으로 시선을 돌리니, 만족스럽게 고개를 끄덕이고 있었다.

이것은 알베도의 의견을 긍정해서일까.

판도라즈 액터는 즉시 고개를 숙이고자 했으나, 그때 주인이 말했다.

"아니다. 그것은 훌륭했다."

빈정거리는 것일까 생각했지만 주인은 정말로 기분이 좋아 보 였다. 어느 쪽인지 가늠하기 힘들어 고개를 숙일 타이밍이 늦어 져버렸다.

"무릎을 꿇은 것은 아주 좋았다. 상대의 방심을 유발하기 위 해 무릎을 꿇어야 한다면 얼마든지 해도 좋다. 무릎 좀 꿇는다고 무언가를 잃어버리는 것도 아닐 터. 하지만 상대는 이로써 우리가 별로 대단한 상대가 아니라고 생각할지도 모르겠구나. 후후…… 딱 알맞게 독을 뿌려주었다."

──무시무시하다.

자신을 만들어낸 존재의, 승리에 대한 탐욕스러울 정도의 마음가짐에 판도라즈 액터는 살짝 오한을 느꼈다.

정면으로 싸워서 이길 만한 상대라 해도, 방심을 유발하기 위해서라면 이 정도의 일까지 하는 것이다.

왕이라는 존재가── 절대지배자라는 존재가 긍지 따위 없다는 양 이만한 책모를 짜낼 수 있을까? 남의 숭배를 받는 데 익숙해진 존재가 자신보다 열등한 상대에게 태연히 무릎을 꿇을 수 있을까?

그런 존재 따위 있을 리 없다. 판도라즈 액터의 앞에 있는 분을 제외하고는.

같은 마음을 품었는지, 실내의 수호자들에게서 존경과 복종의 표정이 엿보였다.

그런 가운데 데미우르고스가 물었다.

"아인즈 님과 같이 위대하신 분께서 그런 순간 무릎을 꿇었다는 사실을 알면 상대가 혹시 더욱 경계하지는 않겠습니까? 최적이라 여겨지는 행동을 즉석에서 취할 수 있는 인물이라 판단해서."

"아니다, 보통은 그런 생각은 하지 않을 것이다. 별것 아닌 인물이구나── 가면이 벗겨졌구나, 그렇게 생각하지 않겠느냐? 반대 입장이라면…… 나 같으면 무릎을 꿇은 상대라면 아무리 그래도 방심할 것이다. 아니, 그 자리에서 죽일지도 모르지. 너희는 어떻겠느냐? 알베도."

"흔한 일개 시민이라면 즉시 죽이겠사오나, 왕이라면 정보를 밝혀내기 위해 사로잡을 것 같사옵니다. 방심은…… 할 것이라 생각하옵니다."

"그렇군……. 참고로 샤르티아는 어떻겠느냐?"

"소녀는 지분지분 괴롭히겠사와요."

"……으음. 별로 효과가 없을지도 모르겠는걸. ……무릎을 꿇는 것까진 관두자꾸나. 상대의 공격을 회피하지 못하는 것도 위험하니. 그러면── 다른 이야기로 넘어갈까. 그 결계에 관해서다."

판도라즈 액터는 그 결계가 무엇인지 도통 알 수 없었다. 물리적 마법적 통행을 가로막는 것이라고 생각했는데, 알베도는 지나갈 수 있었던 것이다. 그 수수께끼를 풀었다는 걸까.

"아마 너희 모두 대체로 예상은 했으리라 여겨진다만, 그것은 세계급 아이템을 사용한 것으로 보인다. 다만 판도라즈 액터의 말을 듣고 다소 애매해지기는 했다."

판도라즈 액터는 눈을 크게 떴다.

분명 그거라면 앞뒤가 맞는다. 그때 알베도는 세계급 아이템을 가지고 있었지만 판도라즈 액터는 가지지 않았다. 다만──.

"그것을 어떻게 아셨습니까?"

"당연한 질문이지. ……판도라즈 액터와 리쿠의 전투는 거울을 통해 감시했다만, 그 결계가 발동되어도 아무 문제없이 거울에 비쳤다. 그러므로 허세나 블러프로 친 결계가 아닐까 생각했는데……."

아인즈의 시선이 판도라즈 액터에게 향했다.

"실제로 결계는 효과가 있었다. 그러므로 생각을 바꾸기로 했지. 우리—— 정확하게는 거울을 쓰던 나와 판도라즈 액터의 차이를 생각해본 것이다."

아인즈는 자신의 품에 든 세계급 아이템을 만졌다.

"이것을 떼고 보니 거울에는 아무것도 비치지 않더구나. 그리고 다시 장비하자 비쳤다. 이것은 짐작이다만 리쿠가 가진 것은 아우라에게 맡긴 것과 비슷한 능력을 가지지 않았을까?"

"……잠시만 기다려 주십시오, 아인즈 님. 그때 리쿠는 『세계단절방벽』이라는 말을 외쳤습니다. 게다가 발동했을 때 체력이 소모되었습니다. 아인즈 님께서 보유하신 비장의 카드처럼, 초고위의 존재만이 사용할 수 있는 모종의 특수기술은 아니겠습니까?"

"우리와 같은 능력체계에서 비롯된 특수기술이라면 그럴 리는 없다. 그보다도 그 말이 블러프일 가능성이 더 크지 않겠느냐? 그리고 체력이 소비되었다는 것은 세계급 아이템의 발동에 체력을 소비하는 패턴이 아니었을까? 문제는 그런 세계급 아이템을 들어본 적이 없다는 것이다. 아이템 기동에 대가가 필요한 것이라면 있다만, 체력 감소란 너무나도 하찮은 대가가 아니냐."

"발동 중에 계속 체력을 소비하던 건 아니었어?"

알베도의 질문에 판도라즈 액터는 고개를 좌우로 가로저었다.

"기동한 직후에만 감소되었습니다. 그 이후에는 결계의 유지에 체력을 소비한 흔적은 없었지요."

"그 점이다. 이야기를 들어보면 그 이외에도 힘을 발동할 때마다 체력이 감소되었다고 하지 않더냐. 분명 세계급 아이템 중에 여러 가지 능력을 가지는 것도 있다. 이것처럼 말이다."

주인이 자신의 보주를 쓰다듬었다.

"하지만 능력의 계통이 너무나도 다르구나."

사용된 능력은 아마도 무기의 강화, 아마도 갑옷의 강화, 전이, 결계였을 것이다.

"……조금 전, 나는 같은 능력체계라고 말했지. 만약 이것이 이 세계 특유의 능력이라면 그럴 수도 있다. 최악의 경우 세계급 아이템에 필적하는 이능이 있다는 데까지 생각해두어야 할 것이다. 그렇게 되면 샤르티아를 세뇌한 것도 세계급 아이템이 아닐 가능성까지 고려해야 하겠구나. 귀찮게 되었다."

"아인즈 님, 아직 정보가 부족합니다."

"그 말이 옳다, 데미우르고스. ……역시 리쿠라는 존재에게 다시 한번 패배할 필요가 있겠구나."

옥좌 좌우에 선 두 수호자는 별로 좋은 표정이 아니었다. 아마도 뒤에서 한쪽 무릎을 꿇고 있을 알베도도 그럴 것이다.

주인이 일부러라고는 해도 패배한다는 말을 듣고 기뻐할 이는 어디에도 없다.

"그런 표정들 짓지 말거라. 나도 좋아서 패배하고 싶은 것은 아니다. 그러나 상대의 카드를 완전히 알아내고 절대적인 승리를 얻기 위해서는 어쩔 수 없다. 이것이 훈련이라면 패배한들 죽을 일은 없을 테니 연기를 할 필요도 없지. 하지만 이것은 실전이다."

판도라즈 액터를 포함해 모두가 묵묵히 주인의 말을 들었다.

"너희도 이 세계의 주민들도 되살릴 수 있다는 사실을 확인했다만—— 내가 정말로 되살아날 수 있을지는 아직 확증을 얻지 못했다. 아니, 옛날에 있었다는—— 육대신이나 팔욕왕이 나와 동격의 존재라고 가정한다면, 그들이 죽어서 끝났다는 전설이 있는 이상, 어쩌면 되살아나지 못할 수도 있다. 아니, 그럴 것이라 생각하고 행동해야만 한다. 다시 말해 죽음이라는 최악의 패배를 피하기 위한 패배라면 용인해야 한다."

"——아인즈 님."

"왜 그러느냐, 알베도?"

"아인즈 님께서 조금 전에 하신 말씀은 참으로 지당하옵니다. 그러므로 향후 나자릭 지하대분묘에서 밖으로 나가시는 일은 삼가시는 편이 좋지 않을는지요?"

완벽하게 정론이었다. 주인이 되살아나지 못할 가능성이 있다면 밖으로 한 걸음도 나가지 않고 안전한 장소에 있어주는 편이 낫다.

"……그렇겠구나. 나도 그 생각은 자주 한다. 그러나 말이다. 그것 말이다. 알겠지? 너희라면. 그렇지?"

주인의 말에 머리를 굴려보았지만 얼른 이거다 하고 떠오르는 것은 없었다.

이 얼마나 부끄러운 일인가.

나자릭에서도 톱 레벨의 지성을 가졌을 자신이 주인의 생각을 즉석에서 공유하지 못하다니.

판도라즈 액터는 이상한 즙이 흘러나올 정도로 머리를 굴려보았다. 마찬가지로 데미우르고스, 알베도도 필사적으로 머리를 쓰는 분위기였다. 샤르티아만은 태연했다. 도통 머리를 쓰는 분위기가 아니었다.

남은 남이다. 판도라즈 액터는 그녀에게서 의식을 돌렸다.

한동안 침묵을 지키던 이들을 앞에 두고 주인이 "후우." 하고 실망의 한숨을 쉬었다.

판도라즈 액터는 너무나도 부끄러워 고개를 숙일 수밖에 없었다. 그것은 데미우르고스도 마찬가지인 듯했다. 그리고 뒤에 있어 보이지 않던 알베도도 똑같을 것이다.

"왜들 그러느냐? 고개를 들어라."

참으로 지엄한 말이었다. 하지만 거역이 용납될 리가 없다.

판도라즈 액터는 고개를 들었다.

"……뭐, 아무튼. 다음 이야기로 넘어가자꾸나. 놈의 정체는 무엇일까? 백금이란 데에서 짚이는 바는 없느냐?"

알베도가 입을 열었다.

"……가능성이 있는 한 사람은, 판도라즈 액터가 상대의 전법을 확인하기 위해서도 말했듯 십삼영웅 중 하나이옵니다."

주인이 음음 고개를 끄덕였다.

"또 하나, 평의국의 평의원 중에 백금용왕이라는 자가 있나이다. 백금이라는 말에 짚이는 자는 이 정도이옵니다."

"그걸 염두에 두고, 질문을 하마. 백금용왕이나 십삼영웅으로 착각하도록, 그쪽과 적대관계를 만들기 위한 미스리드일 가능성. 또 하나는 단순히 어느 한쪽이 정답일 가능성. 어느 쪽이라고 보느냐?"

"송구스럽습니다. 아인즈 님. 아직까지는 정보가 부족하여 어느 쪽이라고 단언드리기는 어려우리라 사료됩니다."

데미우르고스가 대답했다.

판도라즈 액터도 동감이었다. 다만 주인은 '어느 쪽이라고 보는가'를 질문했으므로 '어느 한쪽'을 대답하는 것이 옳다. 그러므로 처음에 사죄했을 것이다.

"달리 의견이 있느냐? ……없는 모양이로군. 나도 데미우르고스의 의견에 찬성한다. 지금의 정보만으로는 단언하기 어려울 것이다. 이번의 왕국 건이 끝나는 대로 각 계층수호자에게도 같은 질문을 해보도록 하마. 어쩌면 우리가 놓친 무언가를 알아차리는 자가 있을지도 모르지. 뭐, 아무튼 평의국에는 사자를 보내는 방침으로 가자꾸나. 백금용왕인지 뭔지에게 딴죽을 거는 인사도 함께 말이다. ──문제는 없으렷다, 알베도?"

"분부 받들겠나이다. 문면은 어떻게 하시겠나이까?"

"네게 일임한다."

"예!"

"이것으로 이야기는 다 끝났나? 그렇다면 왕도 방면으로 돌아가야 할 테니, 판도라즈 액터. 미안하다만 옷을──."

"──아."

그런 목소리가 들렸다. 주인이 목소리를 낸 수호자에게 고개를 돌렸다.

"왜 그러느냐, 샤르티아. 무언가 잊은 것이라도 있었느냐?"

"네, 아인즈 님. 한 가지 질문이 있사와요. 정말 그 리쿠라는 자를 동료로 삼으실 생각이사와요?"

"아, 그 이야기가 있었지. ……그럴 리가 있겠느냐. 온다면 정보를 모을 수 있는 대로 모으고 ――놈이 속한 조직과, 그 배후에 무엇이 있는지를 알고 싶으니―― 그 후 확실히 죽일 것이다."

"죽인다고 하면 조금 아깝지 않겠나이까?"

알베도가 질문하자 주인은 쓴웃음을 짓는 듯했다.

"놈을 제어할 자신이 없구나. 미지의 기술, 혹은 세계급 아이템을 가지고 있을지도 모르는 상대를 잘 이용할 수 있을지 어떨지……. 알베도에게는 그럴 자신이 있느냐? 있다고 한다면 네게 일임하겠다만……."

"자세한 정보를 모으지 않고서는 어려우리라 사료되옵니다. 하오나 가능하다면 잘 이용하고 싶사옵니다."

"흐음……."

주인이 가만히 알베도를 바라본다.

알베도의 능력과 리쿠의 반응을 가늠해 음미하는 것이리라. 천 년 후까지 책략의 범위 내에 두시는 창조주인 만큼, 흉중의 계획을 수정할 때 미칠 영향을 분석하고 있는지도 모른다.

이 왕국 내에서의 학살도 그렇다.

왕국과 제국의 취급 차이를 많은 나라에 알리는 것 말고도 수많은 목적이 있기에, 스스로 전에 하셨던 말씀을 뒤집으면서까지 왕국을 친 것이다. 판도라즈 액터도 알베도도 데미우르고스도 그렇게 생각한다.

조금만 생각해봐도, 언데드 발생의 실험 같은 목적이 떠오른다.

하지만 나의 창조주시니, 무시무시한 심도에서 책략이 시동

되고 있으리라는 데에는 의심의 여지가 없다.

자신을 만들어낸 존재가 이렇게나 뛰어난 분이라는 데에 감동했다. 솔직히 다른 자들에게는 미안하지만 자랑하고 싶은 마음을 억누르는 것도 힘들 정도였다.

"그렇구나. 하기야 죽어버리면 이용은 할 수 없지. 일단 데미우르고스의 의견도 들어보고, 경우에 따라서는 알베도에게 맡기마. 다만 리쿠가 스스로 무릎을 꿇는다는 가정하에 말이다. 만약 스스로 복종을 맹세하지 않는다면 확실하게 죽이도록 행동하라."

이의가 있을 리 만무했다. 주인이 그렇게 결정했으면 그것이 옳은 것이므로.

"좋아. 그러면…… 달리 의견은…… 없는 모양이구나. 그러면 슬슬 왕도로 돌아가자꾸나. 그곳에서 최후의 마무리를 해야 할 테니."

"……그러한 촌극에 굳이 아인즈 님께서 나서실 필요는 없지 않겠나이까? 소녀가 있으면 충분하고도 남으리라 생각하옵니다……."

"아니다. 그럴 필요는 없다, 알베도. 내가 가마. 후후, 이래 봬도 악역에는 약간 집착하는 면이 있어서 말이다. 우르베르트 님 같은 분만큼은 아니다만."

"……그렇군요. 그런 뜻이셨나이까."

의견을 간파한 듯 알베도가 대답하자 주인은 잠시 알베도를 응시했다. 행간에 담긴 의미를 어느 정도까지 이해했는가를 헤아리는 것이 분명하다.

이윽고 수긍했는지 주인이 지배자에게 어울리는 태도로 대답했다.

"……바로 그것이다. 알베도. 정말로 바로 그것이다."

2

클라임이 라나, 브레인과 함께 궁전으로 돌아오자 얼마 남지 않은 기사들이 손님이 왔음을 전했다.

'청장미'가 면회를 요청했다는 것이다.

평소 같으면 즉시 방으로 들여보냈겠지만, 지금의 세 사람, 특히 라나는 왕녀라기보다는 허드렛일을 하는 소녀 같은 차림이라 품위 있는 복장이라고는 할 수 없었다. 게다가 땀도 흘렸다. 1시간 후에 방으로 들여보내라고 기사에게 전하고, 세 사람은 몸단장을 시작했다.

마도국의 군세가 왕도 정면에 포진해 언제 쳐들어와도 이상하지 않을 만한 상황이었다. 왕성 및 왕궁 방어를 위해 기사들은 분주히 뛰어다닌다. 그럼에도 이러한 잡무까지 맡고 있는 것은 메이드들이 없기 때문이었다.

궁정에서 일하던 메이드 대부분은 귀족 가문의 영애이므로, 그녀들은 궁전을 탈출해 왕도 내의 자기 저택으로 도망친 후였다. 다만 그렇다고 안전해졌는가 하면 그렇지는 않다.

주인인 라나도 말했지만, 마도국군의 진로에 있던 도시의 참극이 왕도에서도 되풀이될 확률이 높다는 것은 자명했으며, 왕도 어디로 간들 도망쳤다고는 할 수 없는 것이다.

그러면 어떻게 해야 안전할까 하는 질문에, 라나는 이판사판으로 왕도를 벗어나 피신하는 수밖에 없다고 대답했다.

그러므로 클라임은 브레인과 의논해 궁전 밖에 몰래 마차를 마련해두었다. 만약 라나가 도망치겠다고 결심했을 때 이용할 수 있도록.

물론 라나에게 도망칠 마음이 없다는 것은 잘 안다. 그래도 갑자기 마음이 바뀌진 않을 거라고 단언할 수는 없다. 그런 만에 하나의 가능성을 위한 준비였다.

클라임은 라나가 땀을 닦을 수 있도록 물과 손수건을 준비했다. 원래는 따뜻한 목욕물을 준비해야겠지만 1시간 내에는 무리였다.

메이드가 없으므로 클라임은 라나의 몸단장을 거들어주어야만 했으며, 필연적으로 차 준비는 브레인이 맡았다. 브레인처럼 뛰어난 검사가 찻잎을 찾아 찬장을 뒤적거리는 모습을 보니 미안하기도 하고 우습기도 했다.

그 후 라나가 땀을 닦고 향수를 뿌리고 드레스를 고르는 동안 두 남자는 몸을 물로 씻어냈다.

여자의 ──공주의── 준비와는 달리 남자는 간단하다.

옷을 벗고, 물을 머리부터 뒤집어쓰고, 몸을 문지르고, 다시 한번 흘려내면 끝이다. 물론 청결한 옷을 골라 갈아입기는 했지만 시간은 10분도 걸리지 않는다.

1시간이라는 긴 듯 짧은 듯한 시간이 지났을 무렵, 세 사람은 준비를 마쳤다. 다만 라나가 냄새를 약간 신경 쓰는 듯 자신의 머리카락이며 손목 같은 곳의 냄새를 맡았지만 클라임에게는 땀 냄새는 전혀 나지 않았다. 밥을 지을 때의 연기 냄새가 머리카락에 약간 밴 것 같다는 생각이 들기는 해도 향수 냄새에 묻혀 거의 알 수 없었다.

기사에게 안내를 받아 방으로 들어온 사람은 라퀴스만이 아니었다.

청장미 전원이 모두 모였다. 드레스를 입은 것은 라퀴스뿐이었으며 다른 멤버는 모두 무장을 갖추었다. 귀족 영애와 호위병들 같았다.

클라임은 조금 놀랐다.

라퀴스 혼자 오지는 않을 거라 생각했지만, 다 함께 방문하는 경우는 매우 드물었다. 아니, 이제까지는 한 번도 없었을지도 모른다.

"바쁜 와중에 이렇게 왔는데도 기다리게 해서 미안해."

"아냐, 괜찮아. 온다고 말도 안 하고 갑자기 왔는걸. 오히려 우리야말로 시간을 내줘서 고맙다고 해야지. ──아, 차는 괜찮아. 그렇게 시간이 많지 않으니까."

브레인이 준비해온 차를 라나가 우려내려 하자 라퀴스가 만류했다.

"이봐, 라퀴스. 차 한 잔 마실 시간 정도는 있을 텐데."

그렇게 말한 사람은 이블아이였다. 청장미 멤버들이 그 말에 응응 고개를 끄덕여 찬동했다. 라퀴스가 얼굴에 놀라움을 드러냈다.

"너희 차 마시고 싶었어?"

이블아이가 짐짓 한숨을 쉬었다.

"미리 약속도 잡지 않고 쳐들어온 손님에게, 다정하신 왕녀님이 일부러 차를 대접해주신다지 않나. 우리 리더는 그걸 필요 없다고 거절하다니, 정말 쌀쌀맞지. 이봐, 근육."

가가란에게서는 대답이 없었다. 실내에 있는 모두의 시선이 가가란에게 쏠렸으나 아무것도 안 들리고 안 보인다는 양 모른 척했다.

"거기. 자기는 아니라는 표정 짓는, 물에 수직으로 가라앉는 여자."

역시 완전히 무시한다. 그런 그녀에게 이블아이는 더할 나위 없을 정도로 큰 한숨을 쉬었다.

"이봐, 가가란."

"응? 어, 왜? 나한테 뭐 볼일 있냐? 왜 그래, 이블아이?"

"……너도 차 마시고 싶지?"

"그럼, 마시고 싶지. 벌컥벌컥 들이켜고 싶지. 10리터는 마실 수 있을걸."

"나 원…… 그 한마디 들으려고 얼마나 쓸데없는 시간을 허비해야 하나……. 뭐, 됐다. 양은 둘째 치고, 다들 이렇게 말하잖나, 리더. 우리도 마셔도 되겠지?"

"응, 그건 괜찮지만…… 이블아이도 마셔?"

라퀴스는 눈을 크게 뜨고 말했다. 실제로 만약 이블아이도 그렇다고 한다면 클라임에게도 놀랄 일이었다. 홍차를 마신다면 가면을 벗어야 할 텐데, 클라임이 기억하는 이 매직 캐스터는 어떤 상황에서도 가면을 벗은 적이 없다.

그러나 이블아이는 질문에는 대답하지 않고 긍정인지 부정인지 모를 몸짓으로 어깨를 으쓱했다.

"그럼 우리가 끓임. 그동안 보스는 왕녀님과 이야기 나눠. 내가 몸서리쳐질 만큼 진한 차를 대령함."

"네? 보온병에 이미 넣었는걸요?"

라나가 의아하다는 표정으로 말하자 티아가 고개를 가로저었다.

"인원 생각하면 적음. 두고 봐."

티아가 잔에 차를 따랐다. 받침에 조금 흘리기도 할 정도로 서툰 동작이었다. 이 나라에는 차를 받침에 옮겨 마시는 매너는 없으므로 라퀴스가 미간에 살짝 주름을 지었다.

그런 식이었으므로, 정말 보온병의 양으로는 이 방에 있는 여덟 명에게는 양이 부족할 것 같았다.

"난 안 마셔도 되는데?"

"아, 저도 마찬가지입니다."

브레인에 이어 클라임도 사양했다. 그렇게 하면 양이 충분할 거라 생각했던 것은 아니었다. 두 사람이 사양한들 6인분에는 살짝 모자랄 것이다.

"기왕 해주는 거니 마셔. ……너희는 우리의 친절을 이해 못해."

차를 준비해주는 게 친절일까. 조금 위화감이 들었다.

다섯 명이 마실 차를 따랐을 때, 티아가 보온병을 붕붕 휘둘러 비었음을 어필했다.

"아~ 떨어졌네~ 아쉽네~. 10리터 마시겠다는 여자가 있으니 너무 모자라네~."

그렇게 말하며 티나가 라나를 흘끔 보았다.

"이대로는 제3왕녀는 손님한테 대접할 차도 없다는 소문이 돌겠네~."

라퀴스가 관자놀이를 실룩거리는 가운데 라나가 후후 웃었다.

"그건 곤란하죠. 이 상황에서 사치스럽게 살아간다고 여겨지는 것도 매우 좋지 않지만, 왕가에 미래가 있다는 것도 알아주셔야만 할 테니까요. 그러면 차를 새로 끓여주시겠어요?"

"안 그래도 돼, 라나."

"라퀴스. 여러분의 친절을 고맙게 받아들여도 되지 않을까?"

"뭐?"

라퀴스가 의아하다는 표정을 보이자 라나가 쓴웃음을 지었다.

"제가 말해버려도 괜찮을까요, 이블아이 씨?"

"흥. 답은 이미 다 나온 거나 마찬가진데……. 융통성 없는 우리 리더에게 가르쳐주도록 해."

"네. ……마지막 순간을 맞이하기 전에 시간을 내주려 하시는 거야."

"……아, 그런 거였구나."

그제야 클라임도 겨우 이해했다.

기본적으로 모험자가 전쟁에 참가하지 않는 것은 많은 사망자가 나오는 것을 피하기 위해서라고 한다. 하지만 이번의 적은 언데드이며, 대량학살을 반복한다.

따라서 왕도의 모험자 조합은 왕가의 의뢰를 업무로 인정하고, 얄다바오트가 날뛰었을 때와 마찬가지로 모험자들을 동원하기로 찬성했다.

다만, 어떻게 행동할지는 모험자들 자신에게 맡겨졌다.

일주일쯤 전에 출격해 아무도 돌아오지 않았던 군대에 참가한 팀이 있었다. 그렇지 않은 몇몇 팀은 왕도 내에서 최종결전에 대비하고 있다. 그 외에 갑자기 모습이 사라진 고위 팀이 몇 군데 있지만 아마도 법국의 제안을 받아들였거나, 혹은 자신의 판단으로 몰래 왕도를 이탈했을 것이다.

라퀴스를 비롯한 청장미는 왕도에서의 최종결전에 대비하는 쪽이었다.

마도왕의 군대가 왕도 부근에 전개했다는 정보가 들어온 상황에, 라퀴스 일행이 이곳에서 느긋하게 보낼 수 있는 시간은 없을 것이다.

그래도 이처럼 라퀴스와 그녀의 친구인 라나가 만날 수 있는 시간을 만든 것은, 상당히 높은 확률로—— 아니, 100에 한없이 가까운 확률로 두 번 다시 만나지 못하리란 것을 알기 때문이다.

실제로 이미 5인분 차가 준비되었고 이블아이, 가가란, 티아, 티나, 그리고 클라임에게 주어졌지만, 그녀들은 마실 기색을 보이지 않았다.

만약 라퀴스에게 개인적으로 작별을 고할 시간을 만들어주겠다고 했다면 그녀의 성격상 거부했을지도 모른다. 하지만 동료들이 차를 마실 시간을 달라고 요청하면 강하게 거절할 수는 없을 것이다. 이것은 그녀들의 다정함이다.

"……그러면 브레인 앙글라우스. 목이 말라 견딜 수 없는 나머지 사람들을 위해 차를 준비하고 싶음. 물 끓이는 곳까지 안내."

"그래. 이쪽으로 와라."

그래서일 것이다. 라나의 호위병으로는 클라임보다도 뛰어난 브레인을 티나, 티아가 방에서 데리고 나간 이유도.

"저도 나갈까요?"

"음? 신경 쓸 거 없다. 저 남자를 데리고 나간 건 그런 의미가 아니니."

클라임이 이블아이에게 물었지만 그런 대답이 돌아왔다.

어라 하는 생각이 들었다. 라나와 라퀴스. 친한 두 사람의 더욱 농밀한 시간을 만들기 위해 두 사람 이외에는 이 방에서 데리고 나가려는 것 아니었을까?

실제로 가가란과 이블아이는 움직일 기미가 없었다. 그렇다면 정말로 물을 끓일 장소로 안내를 해준 것뿐일까.

"그러면 너희 말대로 차가 나올 때까지 이야기라도 나눌까. 아! 그 전에 한 가지 질문이 있어. 아까는 어디 갔던 거야? 혹시 앞으로 준비할 것 때문에 바빴다면 돌아갈게."

"내가 만든 고아원은 알지? 거기에 밥을 하러 갔었어."

"뭐? 밥? 이런 때에?"

놀랐을 것이다. 클라임도 라나가 밥을 하러 갈 테니 마차를 준비해달라고 말했을 때는 놀랐다.

하지만 막상 가서 보니, 정말로 이런 타이밍이기에 갔어야 했다는 생각이 들었다.

"응. 마도왕의 군대가 왕도를 포위하고 며칠이 지났잖아. 지난번 출병 때 식량을 많이 소비하기도 해서, 식량 사정은 나날이 악화되고 있어. 그래서 내가 확보한 식량을 가져가서 요리를 하고 왔어."

고아원에는 비축된 식량이 적었으므로, 왕도의 식량사정 악화에 따른 가격폭등을 따라가지 못해 식사의 횟수나 양을 줄여 대응하고 있었다. 그래서 식량을 비밀리에 전해주면서, 기왕 왔으니 요리 준비를 거들었던 것이다.

클라임의 가슴에는 그때 라나가 중얼거렸던 말이 아직까지도 깊이 박혀 있었다.

부엌에 서서, 능숙한 손놀림으로 아이들의 음식을 만들어나가며 라나는 이렇게 말했던 것이다.

"사실은 모든 사람들에게 식량을 나눠주고 싶어요. 하지만 그럴 여유가 없으니까요. 위선이죠?"

40만이나 되는 군대를 격퇴한 마도국군에 대항할 방법은 없을 것이다. 왕도 함락은 확실했으며, 왕가의 멸망도 피할 수 없다.

그래도 마음 착한 라나만은 어떻게든 무사히 도망쳤으면 했다. 그러나 그녀는 이를 바라지 않는 기색이었다.

충성심과 자신의 감정. 두 가지 상반된 마음에 짓눌려 괴로움에 몸이 뒤틀릴 것 같다. 하지만 그런 꼴사나운 모습을, 즐겁게 이야기를 나누는 눈앞의 두 사람에게 보일 수는 없다.

클라임은 가슴을 헤집어대는 듯한 마음의 아픔을 꾹 참았다.

"왕족 중에 요리를 할 수 있는 사람은 역사상 너밖에 없을 거야."

"그렇지는 않을걸. 역사서에 나오지 않을 뿐이겠지, 분명. ……그 아이들이 지금쯤 맛있게 먹고 있다면 좋을 텐데."

라나가 지은 음식은 점심시간에 다 같이 먹기로 되어 있었으므로, 서로 먹겠다고 싸움이 나거나 아이들을 위해 직원들이 굶는 일이 없도록 배식까지 마치고 왔다. 지금쯤 다 같이 사이좋게 먹고 있을 것이다.

잔뜩 만들어놓고 왔으니 저녁에도 그 요리를 먹겠지.

그건 그렇고, 라나는 처음에는 감자 껍질 하나 깎지 못했으면서 순식간에 요리 실력이 늘었다. 감자를 하나 깎을 때마다 껍질이 점점 얇아졌으니 놀랄 지경이었다.

이 찬란한 여성은 요리의 재능도 가진 것이리라.

클라임이 존경의 시선을 보내고 있으려니, 이를 알아차린 라나가 미소를 지어주었다.

부드러운 미소였다.

두 사람은 밝은 화제만 골라서 이야기했다. 앞으로 기다리고 있을 운명을 무의식적으로 피하려는 것일까. 아니—— 앞으로 기다리고 있을 운명을 알기에 그러는 것이리라.

이윽고 티아 혼자만 돌아왔다. 그녀의 손에는 보온병이 들려 있었다.

"앙글라우스 씨랑 티나는 어디 갔어?"

"응? 걔들은 지금 차랑 같이 먹을 달콤한 거 찾고 있음. 그래서 나만 먼저 왔고."

"달콤한 거?"

라퀴스가 그녀를 흘겨보았다.

"우리가 가져온 거라면 몰라도——."

"——괜찮아, 라퀴스. 얼마 전에 과자를 잔뜩 구워놨을 테니까. 사실은 보존식 목적으로 만들었겠지만 그건 설탕을 꽤 많이 넣어서 과자 대신 먹어도 괜찮아."

"……왕녀님도 그렇다고 하심. 대마왕…… 악마 보스는 너무 신경과민. 그보다 내가 처음 끓인 차를 맛보면서 마셔봐."

보온병에서 컵에 따른 차는 굉장히 색이 진했다.

"자, 악마 보스. 단숨에 마시면 좋음. 목 넘김도 산뜻."

"고마워."

"맛이 너무 끝내줘서 공주님께는 비추. 내 거 줄게. 뜨거운 거 못 마셔도 괜찮음."

티아는 조금 전에 차를 따라놨던 자기 컵을 라나에게 내밀었다.

실례되는 행위에 라퀴스가 눈꼬리를 치켜세웠다. 하지만 라나가 아무 말도 하지 않았으므로 클라임이 간섭해서는 안 될 것이다.

라퀴스가 컵을 들어 우선은 향을 즐기──지 않았다. 낯을 찡그렸다.

"냄새가 장난 아닌데……."

"신경 쓰지 마."

"……신경이 쓰이지. 이렇게 냄새가 센 차는 처음이야. 찻잎을 얼마나 넣은 거람……."

"흐흥~ 첫 경험에 그렇게 가슴 두근거리지 않아도 괜찮음."

"그래서 입가심으로 달콤한 걸 찾아오라고 했구나. 이해했다……. 라나, 넌 마시지 않는 게 정답이야."

"이런 실례가. 역시 악마 가지고는 안 돼. 대마왕 보스."

"하아. 다음에는 좀 제대로 끓여다줘."

라퀴스가 컵에 입을 대고 한 모금 마셨다. 라퀴스의 얼굴은 말 그대로 떨떠름해졌다. 얼마나 진하게 우려낸 걸까.

미끄러지듯 라퀴스의 옆에 선 티아가 얼굴을 들여다보며 물었다.

"맛있어?"

"응? 엄청 써서 솔직히 맛있다고는 못하——윽!"

라퀴스가 얼굴을 크게 일그러뜨렸다.

라퀴스가 티아를 밀치며 옆구리를 붙들고 일어났다. 그 기세에 테이블 위에 남아있던 것들이 덜컹덜컹 흔들렸다.

혼란에 빠진 클라임의 앞에서 라퀴스의 드레스가 서서히 붉게 물들어갔다. 그곳에는 가느다란 막대 같은 것이 박혀 있었다.

무슨 일이 일어났는지 알 수 없었다. 뇌가 눈앞의 정보를 이해하는 것을 거부했다.

라퀴스가 티아에게 찔렸다니, 그 누가 믿을 수 있겠는가.

라퀴스도 혼란스러울 것이다. 상처를 치유할 마법을 쓰려고도 하지 않은 채 상황의 이해에 모든 힘을 쥐어짜내는 것처럼 보였다.

가가란이 라퀴스에게 달려갔다.

도우러 가는 거라는 클라임의 예상은 금세 배신당했다. 라퀴스의 배를 주먹으로 후려쳤던 것이다.

동료가 구하러 와주었다고 생각했던 라퀴스는 무방비하게, 파성추와도 같은 일격을 배에 고스란히 받았다.

"쿨럭!"

"다음은 이거."

배를 강타당해 숨을 쉬지 못하는 라퀴스에게, 티아가 새로운 바늘을 꺼냈다. 그 끝이 액체로 젖은 것은 눈의 착각이 아니었다. 모종의 독일 것이다.

"공주님!"

클라임은 라나의 손을 잡아당겨 자신의 등 뒤로 숨기며 방 한 구석으로 이동했다. 이를 방해하지도 않은 채 티아와 가가란은 집요하게 라퀴스에게 공격을 되풀이했다.

라퀴스도 피하려고 노력은 하지만 두 사람의 연계공격은 교묘해 피하기는커녕 제대로 방어조차 할 수 없었다. 애초에 완전무장한 티아와 가가란에게 비무장인 라퀴스가 대적할 수 있을 리가 없었다.

유일하게 이를 잠자코 바라보는 이블아이에게 클라임이 고함을 질렀다.

"이게 대체 뭡니까!!"

"가만있어라. 너만이 아니라 공주님에게까지 마법이 튄다."

클라임이 검을 뽑으려 했지만 이블아이가 자신들에게 손을 내미는 모습을 보니 움직이려야 움직일 수 없었다. 구하러 가야 하겠지만 그 이상으로 클라임에게는 라나가 소중했다. 라나만은 반드시 지켜야만 한다.

라나를 데리고 방을 나가려 하자, 발밑에 수정 단검이 날아와 박혔다.

"움직이지 마라. 내 허락 없이는 이 방을 나갈 수 없다. 거역하겠다면 공주님의 한쪽 다리 정도는 날아가버릴걸. ……고분고분 따르면 너희에게는 상처 하나 입히지 않는다."

이블아이의 위협에 클라임은 어떻게도 할 수 없었다.

브레인과 합류하면. 이 상황을 티나에게 알려주면. 그런 생각을 하는 동안에도 청장미의 이상사태는 이어졌다.

티아가 라퀴스에게 중얼중얼 무언가를 말하고 있었다.

"옛날부터 늘 보고 있었음. 어떻게 하면 라퀴스를 죽일 수 있을지. ……평소 같으면 저항할 거고, 마법으로 중화할 거고. 그럼 이렇게 하면 돼. 독을 몇 종류씩 쓰면, 서서히 저항하기도 힘들어지지? 이블아이, 네 차례."

"그래."

혼란과 애원, 그리고 비탄. 왜 이런 짓을 하느냐고, 고통 이외의 온갖 감정으로 얼굴을 일그러뜨린 라퀴스에게 이블아이가 마법을 걸었다.

"나도 안다. 〈저항 약체화Resist Weakening〉. ……안 돼, 저항당했어."

"나 원."

가가란이 거북처럼 몸을 지키려 하는 라퀴스의 배에 다시 일격을 꽂았다. 티아가 새로운 바늘을 라퀴스에게 아무렇게나 꽂았다.

"〈저항 약체화〉. ……됐다. 그렇다면── 〈인간종 매료〉. 좋아. 됐다, 너희. 끝났다."

가가란과 티아가 라퀴스에게서 떨어졌다.

"라퀴스, 얼른 네 상처를 치료해."

"응, 알았어. 티아, 이거 빼줄래?"

마치 아무 일도 없었다는 듯 라퀴스가 말했다. 정신조작의 무시무시함에 클라임은 등줄기가 오싹해졌다.

티아가 움직이려 하자, 이블아이가 냉랭한 목소리로 말했다.

"안 돼. 고통을 주면 적대행위로 간주되어 마법이 풀릴지도 모른다. 라퀴스, 미안하지만 네 손으로 빼라. 그렇게까지 깊이 박히지는 않았을 테니."

"원래 상처 입혀서 독 주입하는 게 목적. 그렇게 큰 바늘도 아님. ……갑옷 입었으면 무리였을 정도."

"알았어. 하지만 내 손으로 빼는 건 좀 무섭네."

라퀴스가 아랫입술을 깨물고 바늘을 뽑았다. 그리고 조금 전까지 바늘이 박혀 있던 곳에 치유마법을 걸기 시작했다.

"가가란, 창문 열고 환기 좀 시켜라. ……바닥의 피는 어떻게 한다."

"드레스에 묻어서 별로 많이 새진 않았으니 상관없어요."

라나가 태연히 대답했다. 자신 이외의 모든 이가 담담하게 대화를 나누고 있어, 클라임은 조금 전까지의 광경이 환영이었는지, 자신이 다른 세계에 흘러들어온 건지 알 수 없었다.

"호오, 당황하지 않는군. 전부터 생각했지만 너는 꽤 대담해."

"그렇지는 않지만요……."

라나가 고개를 살짝 갸웃하더니 말을 이었다.

"여러분이 아무 이유도 없이 동료를 해치는 공격을 할 리가 없다고 생각했을 뿐이에요……. 하지만 정신조작은 무섭다는 생각이 드는걸요. ……클라임은 어땠어요?"

"예. 저도 그렇게 생각했습니다."

"그러면…… 왜 이런 일을 하셨는지 말씀해 주시겠나요?"

"말하고 싶지 않다면?"

"방을 더럽힌 사죄도 없나요?"

이블아이가 가면 안에서 웃은 것 같았다.

"그렇군. 그러면 어쩔 수 없지. 간단하다. 우리는 왕국 따위보다도 동료의 목숨이 소중하다는 거다."

"원래 왕도를 지키는 건 악마 보스의 의견이었고 우리는 속으로는 반대했음."

"하지만 그렇게 말하면 이 녀석은, 그럼 자기 혼자 지키겠다느니 할 게 뻔하니까. 그래서 억지로 끌고 가야겠다는 결론을 내렸어. 하지만 정면대결은 힘들고, 잘 속일 자신도 없었거든. 그래서 공주님에게는 미안하지만 이 상황을 이용한 거야."

티아가 어깨를 으쓱하며 설명하고, 가가란도 고개를 끄덕이며 말했다. 그것이 라퀴스 이외의 청장미 전원이 내린 결론이었으리라. 브레인이 돌아오지 않는 것도 분명 티나가 시간을 끌고 있기 때문일 것이다.

"그렇다고 해서 굳이 이렇게까지 할 필요는 없었잖아요?"

"뭐, 나도 그렇게 말했지만 이 녀석들이──."

"거부해서 경계하기 시작하면 성가심. ⋯⋯악마⋯⋯ 라퀴스를 확실하게 해치우려면 방심한 틈을 노릴 수밖에 없었음. 경험적 법칙."

"법칙이냐고."

"뭐, 5종류의 독에, 매직 아이템을 장비하지 않은 상태에, 약체화 마법. 이렇게까지 해도 매료가 통할지 어떨지는 운이었으니까. 하나라도 없었으면 무리였을지도 모르지. 그건 그렇고──."

이블아이가 손뼉을 짝 쳤다.

"티나가 돌아오는 대로 〈전이〉해 숙소로 돌아간 다음, 라퀴스의 장비를 회수해서 다시 〈전이〉로 이 도시를 떠나겠다."

이블아이가 클라임과 라나를 보았다.

"……이봐. 기왕 이렇게 됐으니 너희도 데리고 가줄 수 있는데? 솔직히 말해 이 나라에 미래는 없어. 멸망한 나라의 왕녀한테 좋은 운명이 기다리겠나? 어쩌면 지금이 도망칠 마지막 기회일 수도 있어."

클라임은 자기도 모르게 라나를 보았다.

이건 좋은 기회가 아닐까.

전이라면 마도국의 포위망 속에서도 도망칠 수 있을 것이다. 게다가 이블아이의 말은 사실이다. 좋은 운명이 기다리고 있을 리가 없다. 그 이외의 길이 있다고도 생각할 수 없다. 상대는 죄도 없는 사람들을 유린하는 언데드의 나라이므로.

"한 가지 여쭤볼게요. 어디로 가실 생각인가요?"

"일단 이 나라를 벗어나는 건 확실하지만, 글쎄……. 여기서 간다면 남동쪽일까? 계속 가면 아주 옛날에 멸망한 나라가 있거든. 그곳의 왕도—— 불꽃에 정화된 폐허에라도 갈 생각이다. 거리가 있으니 몇 번 중계지점을 거치면서 전이를 반복해야겠다만. 뭐, 너희가 모를 만큼 멀고도 먼 곳이지."

"그렇군요……."

라나가 잠시 고개를 숙였다. 망설이는 걸까. 이내 고개를 든 라나는 결심을 한 모양이었다.

"고맙습니다. 하지만 저는 가지 않겠어요."

"그래……."

이블아이는 그 이상 묻지 않았다.

클라임은 조바심에 사로잡혔다. 이로써 라나의 운명이 닫혀 버린 듯한, 그런 마음이 가득했다.

진정한 충성이란, 조금 전의 청장미 멤버들처럼 폭력을 써서라도 라나를 안전한 곳으로 데려가는 것 아닐까.

고뇌로부터의 구원을 청하듯 라나를 보니, 모두 알고 있다는 듯한 웃음을 지어주었다. 클라임에게 옳은 것을 가르쳐주는, 여느 때의 표정이다.

"클라임. 왕족으로서의 책무를 다하겠어요."

호되게 한 대 얻어맞은 기분이었다.

한 명의 인간인 라나도 소중하지만, 그 이상으로 왕족인 라나도 중요하다는 뜻이다.

이런 상황에서 왕족이 수행해야 할 책무가 밝은 것일 리가 없다. 그럼에도 왕족으로 살아오고, 왕족으로서 많은 이들을 생각하며 살아왔던 라나는 마지막까지 왕족으로서 살고자 한다.

삶에 매달리려 하는 자신과 비교해보면, 얼마나 인간의 그릇이 큰 걸까.

클라임은 각오했다.

자신의 마지막 책무는 라나가 1초라도 오래 살도록 하는 것이다. 라나의 방패가 되어 마도국의 군대에게 죽음을 당하는 것이다.

클라임이 굳게 결심한 것과 같은 타이밍에 이블아이가 "귀가 따가운 말이군."이라고 조그맣게 중얼거리는 것이 들렸다. 그와 함께 똑똑 노크 소리가 이어지고 문이 열렸다. 그곳에는 쟁

반을 든 티나와 브레인이 있었다.

"달콤한 것 찾아왔음."

"옆에 있는 녀석이 계속 트집을 잡고 퇴짜를 놔서 늦어졌는데 아직 괜찮── 뭐지? 무슨 일이 있었던 거야?"

창문을 열었음에도 희미하게 풍기는 라퀴스의 피 냄새에 브레인이 반응하고 슬쩍 자세를 낮추며 실내를 살폈다.

"……거기 아가씨. 옷에 피가 묻어 있는데── 적이라도 나타났나?"

"아니──."

"신경 쓰지 마. 우리가 돌아간 다음 왕녀님한테나 물어보든가."

라퀴스의 말을 가로막고 가가란이 말했다. 여기서 위화감을 느꼈는지 브레인은 슬쩍 라나를 보았다. 괜찮으냐고 묻는 눈이다. 만약 여기서 라나가 무슨 말을 한다면 브레인이 검을 뽑을 것이다.

"괜찮아요. 마음에 두시지 않아도 돼요."

브레인의 시선이 이번에는 클라임을 향했다.

클라임도 라나와 같은 말을 할 수밖에 없었다.

"……그래? 그럼 상관없지만."

"아, 그래. 브레인 앙글라우스, 네게 한 가지 질문이 있었지. 이곳에서 도망치고 싶나?"

"……뭐?"

이블아이의 질문에 브레인이 다시 실내를 둘러보았다.

"거기 두 사람은 뭐라고 했는데?"

브레인은 클라임과 라나를 시선으로 가리키며 되물었다. 이블아이가 고개를 가로젓자 브레인은 살짝 입가에 웃음을 짓는 것처럼 보였다.

"그래? 그렇다면—— 아니, 어쨌거나 난 도망칠 마음은—— 더 이상 도망칠 마음은 없어. ……나 원. 그때 '제일 편한 길'이라고 했던 말을 정정해야겠구만."

중간부터는 이블아이에게 하는 말이 아니었다. 브레인이 허리에 찬 검—— 그 너머에 있는 인물에게 하는 말이다.

"……그래? 너는 그렇게 말하지 않을까 생각했다만, 정말 그랬군."

이블아이의 주위에 청장미 멤버들이 모였다. 그리고 작별은 이미 고했다는 양 그녀들의 모습이 휙 사라졌다. 그녀들이 있던 흔적은 살짝 풍기는 피 냄새와 홍차 향기뿐이었다.

영원한 이별일 텐데 너무나도 허무했다. 하지만 작별은 아쉬워하면 아쉬워할수록 괴로워지는 법. 그렇게 생각하면 더할 나위 없는 작별인사인지도 모른다.

다만—— 그것은 클라임의 기분이고, 라나의 기분은 아니다.

상당히 큰 충격을 받았으리라. 어떻게 위로해야 좋을까 하고 라나의 표정을 훔쳐보니, 실제로 상실감 때문인지 평소의 부드러운 웃음을 잃어버리고 있었다. 마치 가면 같았다.

그만큼 충격이었던 걸까.

클라임은 라나의 곁에 섰다.

"공주님, 충격이 크시리라 생각합니다. 하지만……."

그 이상 말이 나오지 않았다. 아니, 아무것도 떠오르지 않았다. 자신은 끝까지 곁에 있겠다고 말할 생각이었지만 아다만타이트 클래스 모험자이자 귀족 영애이자 친구인 그녀와 자신은 비교가 되지 않는다. 하지만 지금은 공주를 위로해야 한다고 열심히 머리를 굴렸다.

그런 마음이 전해졌는지, 라나가 문득 표정을 바꾸었다. 부드러운, 여느 때의 그녀와 같은 표정으로.

"괜찮아요, 클라임. ……그보다 브레인 씨도 뭔가 하실 말씀이 있는 것 같네요."

"그래. ……그럼 왕녀님, 클라임. 타이밍도 딱 좋으니, 슬슬 작별할 시간이야. 미안하지만 나도 가봐야겠어."

갑자기 무슨 소리일까.

클라임은 브레인의 생각을 이해할 수 없었다. 그러므로 당연한 질문을 했다.

"어디로 가시나요?"

"응? 난 이제 마도왕한테 일대일 대결을 청해볼 생각이야. 뭐, 무리일지도 모르지만 그놈의 부하 한 마리 정도는 썰어보려고 해."

브레인은 허리에 찬 검을 떼어내서는, 그것을 클라임에게 던졌다. 그리고 한마디만을 했다.

"돌려줄게."

"무, 무슨 말씀이세요?! 이 검을 가질 수 있는 건, 스트로노프 님이 돌아가신 후에는, 그분의 마음을 이어받은 브레인 씨밖에 없었잖아요!"

"야 야, 그때도 말했지? 난 그 친구의 마음은 이어주지 않겠다고. 무엇보다 그건 국보잖아? 나 같은 놈이 가지기에는 어울리지 않아. 왕녀님, 미안하지만 임금님한테 돌려줘."

"알겠습니다."

"공주님!"

"——클라임. 브레인 씨가 결정하신 일이에요."

"역시 공주님은 대단해. 당신은 좋은 여자야……라고 말해봤자 난 여자에 대해선 전혀 모르지만 말야. 뭐, 아무튼."

브레인이 조금 자세를 바로 했다.

"아마 이로써 작별이 되겠지. 공주님, 그동안 제법 재미있었어. 클라임—— 그때 너와 세바스 씨를 만난 덕에 난 다시 살아난 거다. ……고마워."

브레인이 등을 돌리고 걸어나갔다.

"……너와 가제프. 너희를 만난 것. 그게 내 행복이었어."

그 말을 마지막으로 남기고, 브레인의 모습은 문 너머로 사라졌다.

"……왜 이렇게 된 거야……. 마도왕…… 너만 없었더라면……."

클라임의 주위에 있던 모든 것이 무너졌다. 가장 소중한 존재 이외의 모든 것을 빼앗겼다. 그 가장 소중한 존재조차 언제까지고 있는 것은 아니다. 아마 아주 짧은 시간만이 남아있을 것이다.

"클라임. 우선은 그 검을 아바마마께 가져다 드려야겠어요."

어두운 마음에 지배당했던 클라임은 그 말에 제정신을 차렸다. 그렇다. 그 순간까지는 자신을 구해준 여성—— 자신의 모든 것을 바치겠노라 맹세한 소중한 사람을 위해 일할 뿐이다.

"……그런데, 그, 저기, 말이죠."

라나가 조금 전과는 완전히 다른 분위기로 말했다.

"그 검, 잠깐 들어봐도 될까요?"

"예? 아, 네!"

검을 건네주자 라나가 이를 뽑았다.

"꽤, 무겁네요."

라나가 칼집을 클라임에게 주었다. 체도칼날의 검신은 날카로워 갑옷조차 종잇장처럼 베어버린다. 위험하다고 말하려 했지만 그보다 먼저 라나가 허공을 향해 검을 휘둘렀다.

클라임은 눈을 약간 크게 떴다. 실제로, 무거워서 비틀거리다 보니 칼끝이 바닥에 흠집을 냈다. 단순히 완력이 부족한 탓이기는 하지만, 자세나 칼놀림은 훈련을 받은 사람의 것이었으며 분명한 날카로움이 느껴졌다. 설령 남자라 해도 검을 쥐어본 적이 없는 사람에게는 불가능한 검기였다.

"음~ 나한테는 적성이 없나봐요."

"아, 아니요. 그렇지 않습니다. 조금만 훈련하시면 저를 능가하실 것 같습니다."

"그렇진 않을 거예요. 게다가 앞으로 검을 휘두를 일은 없을 테니까요."

라나는 클라임에게서 받은 칼집에 검을 넣고, 이를 다시 클라임에게 건네주었다.

"그러면 아바마마께 가볼까요? 하지만 그 전에――."

라나는 자신의 차림을 내려다보았다.

"준비해야겠어요."

브레인 앙글라우스는 왕도의 아무도 없는 길 한복판을 나아갔다. 평소에는 인파가 많은 곳에 지금은 아무도 없다. 다들 마도왕을 두려워해 집안에서 숨을 죽이는 것이다. 그러나 브레인은 안다. 이래서는 살아날 수 없다는 것쯤.

브레인도 라나의 뒤에서 보고 들은 것이 있었기에 알 수 있다. 마도왕이 왕도를 파괴하지 않을 이유가 하나도 없다는 것을.

하지만 '그러면 어떻게 해야 살아날 수 있을까?' 하고 묻는다면, 그건 어려운 문제다.

아마 모두 다 함께 의논해 왕도에서 사방팔방으로 도망치면 그중 얼마는 살 수도 있겠지만, 그 정도의 대답 말고는 모른다.

브레인은 길가에 늘어선 건물을 보았다. 문도 덧문도 꼭꼭 닫혀 있다. 아마 안쪽에서 못을 박아 쉽게는 열 수 없게 해놓았을 것이다.

'지금쯤…… 저 문 안에서 집단자살을 한 일가도 있겠지…….'

없을 리가 없다.

소문 수준이라고는 해도, 마도왕이 이끄는 군대의 무서움은 충분히 전해졌다.

이판사판의 역전을 노리고, 온 왕도의 시민이 들고 일어나 한 방을 먹여주는——— 그런 일은 못하더라도, 놀라게 해주는 정도는 가능할지도 모른다. 하지만 이를 실행할 만한 힘이——— 구심력 있는 사람이 없다.

어쩌면 왕녀라면 가능할지도 모르지만, 움직일 기미는 전혀 없었다.

'여기 있는 게 내가 아니라 그 친구였다면 달랐을까? ……그
럴지도 모르지.'

싸워본들 가망이 없다는 것은 잘 안다. 40만 군세가 출진했을
때에도 냉정하게 지켜보았다. 하지만 그들에게 만에 하나——
아니, 억에 하나, 조의 하나의 가능성을 걸어본다는 도박까지
무시하지는 않았다.

그들을 동원한 자낙은 자포자기했던 것도, 꿈을 꾸었던 것도
아니고, 가장 가능성이 높은 도박에 나섰을 뿐이었으므로.

다시 말해—— 지금의 브레인과 같다.

브레인은 쓸쓸하게 웃고, 무언가를 느꼈다.

'공기가…… 변했군.'

무언가가 달라졌다는 것은 아니었다. 평소와 같은 왕도의 냄
새다. 하지만 결정적으로 다른 무언가가 있었다. 전사로서 수많
은 전투를 겪어왔기에 알 수 있는, 코를 자극하는 냄새와는 조
금 다른, 마음에 와닿는 냄새.

그날—— 에 란텔에서 클라임과 단둘이 바라보던 밤의 냄새.

상실과 패배의 냄새다.

'드디어 마도왕의 군대가 움직이기 시작했나?'

갑자기 달라진 공기의 발생원은 몇 가지밖에는 생각할 수 없
었다.

기회가 왔다.

브레인이 아무 대책도 강구하지 않고 마도왕에게 다가갈 경
우, 그의 곁에 도달할 확률은 낮을 것이다. 아니, 낮은 정도가

아니라── 전혀 없다고 할 수 있다.

 하지만 마도왕이 쳐들어오는 혼란 속에서라면 마도왕에게까지 갈 수 있을지도 모른다. 물론 본진의 경계가 그렇게까지 해이할지는 알 수 없다. 그래도 이 광대한 왕도를 유린하려 든다면 진형이 무너지고 느슨해지는 기회는 있을 것이다.

 이제부터 할 행동을 생각하기 위해 발을 멈추었던 브레인은 시벽이 하얗게 변한 것을 깨달았다.

 도료라도 뿌려놓은 것처럼 하얗다.

 멀리서 수많은 비명이 들려왔다.

 공성전이 시작되었다고 치면, 시벽 근처에는 인근 도시에서 피난을 온 시민들의 임시 거처가 있다. 그곳에서 들려왔을 것이다.

 적의 목적지가 왕성임은 자명하다. 그렇다면 브레인의 후방──왕성으로 통하는 길로 도망쳐오는 난민은 거의 없을 것이다.

 '어쩌지? 적의 침공이 시작된 이상 처음 계획은 파기하는 편이 나으려나?'

 처음에는 어떻게든 왕도 밖으로 나가, 적의 부대가 왕도 내로 들어온 틈을 타── 엇갈리듯 이동해 마도왕에게 육박할 생각이었다.

 하지만 적이 왕도 안으로 침입했다면, 적의 침공부대에게 들키지 않고 숨어있다가 상대가 지나간 다음에 왕도 밖으로 나가는 편이 좋지 않을까.

 다만 이 경우에는 마도왕이 본진에서 이동했을 가능성도 충분히 있을 테니, 일단은 위치를 파악해야 하며, 헛걸음을 하는 바람에 시간과 기회를 놓칠지도 모른다.

그렇다면 왕성 부근에서 기다리다가 마도왕이 점령을 위해 들어왔을 때를 기다리면 어떨까.

뭐, 어느 쪽이 됐든——.

'몸을 숨겨야만 하겠군.'

몸을 숨긴다고 해도 도적이나 암살자처럼 멋지게 은신할 필요는 없다. 상대의 눈이 닿지 않는 장소에 있으면 그만이다.

어디가 최적일지를 생각하던 때, 시벽의 문이 산산조각 나 무너지는 것이 보였다. 하얀 파편이 반짝반짝 빛을 반사하며 빛나는 모습은 이런 상황임에도 아름다웠다.

대체 무슨 기술을 쓴 걸까. 하지만 그때 보았던 그런 끔찍한 괴물을 몇 마리씩 소환할 수 있는 마도왕이 상대라면 무슨 일이 일어나도 이상하지 않다.

무너진 문을 넘어오는 조그만 점이 있었다. 너무 멀어서 매우 작게 보였지만 아마 인간보다 클 것이다.

문을 넘어오는데도 병사들이 이를 저지하려는 기색은 없었다. 그 이유는 하나밖에 없으리라.

전멸한 것이다.

브레인은 몸을 떨었다.

저것 또한 가공할 괴물이겠지.

그 존재는 서서히 커지기는 했지만, 아마 걸음은 느릿느릿한 것 같았다.

브레인은 낯을 일그러뜨렸다.

압도적인 육체능력을 자랑하는 상대다. 이동속도도 그에 걸맞게 빠를 터. 그렇다면 사람도 없는 길을 지나오는 데 그리 시간은 필요하지 않을 것이다. 그렇다면 왜 이렇게나 시간이 걸리는가——.

'그래, 그렇겠지. 수비력 따위 전혀 없는 이 왕도의 함락 정도는, 그리고 거기서부터 시작될 학살 정도는 쉽겠지. 다급하게 행동할 이유는 아무것도 없겠지!'

상대의 여유는 당연한 것이었다.

그러나—— 브레인은 눈을 날카롭게 뜨고, 아직도 잘 보이지 않을 정도로 먼 상대를 노려보았다.

이 길은 빗속에서 가제프에게 끌려 비틀거리며 나아갔던 길이다.

클라임과 세바스와 만나, 여덟손가락의 시설을 습격하기 위해 달려갔던 길이다.

차기 전사장으로 만들겠다며 주워온 아이들을 데리고 걸었던 길이다.

그 길을, 괴물들이 자기 것인 양 짓밟고 있다. 브레인이 소중한 사람들과 함께 걸었던 길을 짓밟고 있다.

용서할 수 있겠는가.

브레인은 생각을 뒤집었다. 마도왕 따위 아무것도 아니다. 지금 이 순간, 이 길을 거니는 괴물들을.

——저것들을 없앤다.

브레인이 보호하던 아이들은 피신시켰다.

무사히 도망쳤을까. 그래도 미래로 이어질 씨앗을 뿌려놓아 마음은 가벼워졌다. 어쩌면—— 만에 하나, 아니, 억에 하나 정도의 확률로 마도왕에 필적하는 강자가 되어줄지도 모른다는 꿈같은 마음이 더더욱 마음을 편하게 해주었다.

브레인은 길 한복판에 우뚝 서서 상대가 다가오기를 기다렸다.

어리석은 짓이리라.

브레인이 해야 할 일은 몸을 숨긴 채 마도왕에게 한 방 먹여줄 기회를 노리는 것이다. 진군하는 괴물의 선봉과 대치하는 것이 아니다.

대국을 봐라. 멍청한 짓 관둬. 남들은 그렇게 말할지도 모른다.

하지만 브레인은 검사로서 살기로 인생을 정해놓았다. 그렇다면 원하는 대로 싸울 것이다.

상당한 시간이 걸려, 마침내 전신상을 파악할 만한 거리가 되었다.

적은 인간이 아니었다.

하지만 똑똑히 알 수 있다. 저 청백색의 거구가, 존재로서 상위종에 속한다는 것을.

이윽고――

'……춥군.'

상대의 방향에서 몰아치는 바람이 한겨울과도 같은 추위를 머금고 있어 브레인은 몸을 떨었다. 살기나 패기를 느낀 것이 아니라 실제로 냉기가 존재했다. 브레인의 입에서 흘러나오는 하얀 입김이 이를 설명해주었다.

"뭐지……?"

자신도 모르게 혼잣말이 새 나왔다.

상대는 냉기를 두른 존재인 걸까. 그렇게 생각하면 조금 전의 시벽문—— 그것은 얼음에 덮였다가 깨진 것일까.

'얼마나 괴물인 거야······.'

그 문은 그렇게 작지 않다. 만약 정말로 그런 일을 했다면 그 것은 너무나도 가공할 괴물의 영역이다.

물론—— 알고 있었던 일이다.

브레인은 칼집에서 뺀 카타나를 굳게 쥐고 상대를 기다렸다.

손이 떨린다. 흥분에서 오는 떨림이 아니다. 추위 탓도 아니 다. 어떤 감정 탓이었다.

그 감정의 이름은 공포라고 한다.

몇 번이고 몇 번이고 마음속의 자신이 비명을 지르며, 길을 내주고 구석에서 몸을 웅크리라고 한다. 저것은 괴물이지만 할 버드를 들고 걷는 모습에서는 무인의 분위기가 풍긴다. 수치와 공포를 안고 고개를 조아리면 길가의 돌멩이처럼 무시해줄 것 이다.

실제로, 길 좌우에 늘어선 민가에서도 인기척을 느끼고 있겠 지만 무언가를 할 기색은 보이지 않았다.

그렇기에—— 브레인도 그렇게 하면 된다.

그러면 목숨은 건진다.

하지만—— 발은 움직이지 않았다.

상대에게서 도망치지 않는다.

칼자루를 쥔 손에 힘을 꽉 쥐고, 반대쪽 손으로 뺨을 철썩 때 렸다.

"좋아!"

떨림은 멎었다. 몸의, 그리고 마음의 각오는 되었다.

브레인을 보았으면서도, 청백색 거구는 조금도 서두르거나 지체하지 않은 채 정면에서 다가왔다.

손에는 할버드를 쥐었으며, 다가올 때마다 더해지는 위압감에 브레인은 꼴깍 침을 삼켰다.

다가오는 청백색 거구의 길을 가로막듯 버티고 섰다.

압도적인 위압감에 뒤늦게 깨달았지만, 이형의 괴물 뒤에는 여자들이 따르고 있었다. 하얀 옷을 입은 그녀들의 피부는 청백색이었으며 긴 머리는 검었다. 그쪽에서도 냉기가 피어났다.

모두의 시선이 브레인에게 향하는 것을 아플 정도로 느낄 수 있었다.

길 한복판에 선 브레인에게, 적은 아직까지 아무것도 하지 않았다.

브레인은 허리에 찬 벨트에서 병을 꺼내 들이켰다. 이어서 또 한 병. 그리고 또 한 병. 합계 세 개의 강화마법이 브레인을 에워쌌다.

포션을 마신다는 전투행동을 취했는데도 적이 공격을 가할 기미는 없었다. 다만 전의 같은 것은 느껴졌다.

거리는 5미터까지 줄어들었다.

'이런 이런 이런, 또 절벽이냐고.'

이렇게 다가오니 한층 뚜렷이 이해할 수 있었다. 상대는 절대적인 강자이며, 브레인은 아무리 노력해도 도달할 수 없는 지고의 경지에 선 존재. 손가락 하나가 겨우 닿을 정도의 수준인 브레인은 절대 이길 수 없는 존재다.

그래도——— 그 사실을 알면서도 브레인은 길을 양보하지 않았다.

상대의 발이 멈추었다.

거리는 3미터.

상대가 든 할버드와 팔의 길이를 고려하면 충분히 공격범위일 것이다.

"——브레인 앙글라우스."

그렇게 이름을 댄 후 카타나를 정안 자세로 들고 신경을 곤두세웠다.

"지고의. 존재. 아인즈. 울. 고운. 마도왕. 폐하를. 섬기는. 자. 코퀴토스."

한순간 브레인은 눈을 크게 떴다.

그것이 눈앞에 선 적의 이름일 것이다. 설마 대답을 해주리라고는 생각하지 못했다.

브레인은 놀라움과 동시에 기시감을 느꼈다.

어쩐지 아주 오래전에 그의 이름을 들은 것 같았다. 하지만 생각이 나질 않았다. 어쩌면 기분 탓일지도 모른다.

다음 순간, 브레인은 자신의 얄팍한 행위에 마음속으로 혀를 찼다.

자신의 말에 대답까지 해준 저만한 상대가 눈앞에 있는데도 선명하지 못한 기억이나 더듬고 있다니, 실례가 아닌가.

왜냐하면 상대는 자신의 손이 닿을 수 없는 경지에 이른 몬스터일 테니까. 아마도 세바스나 샤르티아 블러드폴른 정도의 수준일 터. 다시 말해 상대가 보기에 이쪽은 땅바닥을 기는 개미나 같은 존재. 그럼에도 상대가 보여준 것은 그런 하등한 생물에 대한 행동이 아니었다.

서로의 입장이 반대였다면 브레인은 어떻게 했을까. 아마도 상대를 무시한 채 단칼에 베어버리고 나아갔을 것이다. 자신의 앞에 선 상대 따위 기억에도 담아두지 않는다.

브레인은 등을 곧게 펴고 가볍게 고개를 숙였다. 마치 제자가 스승에게 하듯.

"감사하오."

"필요. 없다."

브레인은 칼자루를 꽉 쥐었다. 강하게, 강하게.

책략도 없이 절대강자에게 무기를 겨누는 것은 브레인을 구해 준 이들에 대한 배신일지도 모른다. 자신은 지금부터 자살을 하러 가는 것이나 마찬가지이므로.

무엇보다, 여기서 상대의 발을 묶는다고 무슨 의미가 있는가.

아무 의미도 없다.

그래도——.

'나도 바보구나. 이곳에 쳐들어온 건 이 코퀴토스만이 아닐 텐데. 클라임과 공주님은…… 아니지, 어린애도 아닌걸. 미래를 결정하는 건 자기 자신이니까. 그래…… 자기 자신뿐.'

브레인을 바라보던 코퀴토스가 할버드를 지면에 꽂았다.

"——참신도황."

브레인의 키를 가볍게 넘어서지 않을까 싶을 정도로 거대한 카타나를 공간에서 꺼낸다. 그것을 상단으로 든다.

고마웠다.

말은 필요 없으며, 이제부터는 검으로 결판을 내주겠다고 한 것이다.

후우 숨을 길게 뱉고, 스읍 길게 들이마신다. 마음의 응어리를 모두 토해내듯.

그러는 동안에도 무방비했지만 코퀴토스는 미동도 하지 않았다. 그 모습에 브레인은 강한 경의를 느꼈다.

강한 것만이 아니라 마음까지도 일급이다.

샤르티아라는 괴물과 동등하다고 생각한다면, 아마 가만히 선 상태로도 브레인을 아득히 능가하는 속도로 무기를 휘두를 수 있을 것이다. 그럼에도 코퀴토스는 자세를 잡아주었다.

브레인을 강적이라고 간주해서가 아니다.

브레인의 각오를 이해하고, 전사로서 대치해준 것이다.

그 행위가 기뻤다.

'샤르티아하고는 다른걸.'

아니, 비교하는 것이 실례일지도 모른다.

'응? 샤르티아? 코퀴토스? 역시 어디선가…… 기억이 가물—— 아니, 안 된다! 지금 이 상황에서 쓸데없는 생각에 집중할 여유가 있냐? 이 멍청한 놈.'

브레인은 오직 이기기 위해 온 정신을 기울였다.

저 높은 상단에서 수직으로 꽂히는 카타나를 받아내기란 틀림없이 불가능에 가까울 것이다. 샤르티아 수준의 육체능력이 있는 상대라면, 용케 무기로 받아낸다 해도 힘을 상쇄하지 못하고 그대로 머리부터 두 쪽이 나겠지. 어쩌면 무기와 함께 절단될지도 모른다.

그렇다면 코퀴토스의 첫 일격을 피해야 할까.

아니다. 운이 좋아 첫 공격을 피한다 해도 상대가 거기서 멈출 리 없다. 두 번째, 세 번째 연격이 날아들 것이다. 원래 같으면 첫 공격을 받아 흘리고 자세가 흐트러졌을 때 반격에 나서는 것이 정석이다. 하지만 규격부터 다른 상대의 공격을 받아 흘리려면 여기에만 전심전력을 기울여야 한다. 다시 말해 공격으로 전환할 여유는 없을 것이다. 따라서 이어지는 공격에 언젠가는 베이고, 끝장이 난다.

다시 말해——

'죽음 속에서 활로를 찾으라고 했던가?'

베스처에게 들었던 말을 떠올렸다.

코퀴토스에게 이기려면 0.1초라도 일찍 상대를 벨 수밖에 없다. 하지만 몸이나 머리에 공격을 가한들 내리꽂히는 카타나에 실린 기세는 거의 줄어들지 않을 것이다. 그때는 분명 동시 공격으로 끝날 것이다.

그렇다면 노려야 할 곳은 카타나를 든 상대의 팔이다.

샤르티아 수준의 괴물보다 조금이라도 더 빨리 움직여 상대의 팔을 베어 날려버리다니. 농담도 유분수지.

하지만——.

'그걸 해내야만 해. 그렇다면 쓸 기술은 그것뿐이지…….'

브레인은 천천히 자세를 낮추었다.

샤르티아 블러드폴른의 손톱 끄트머리를 날렸던—— 비검 〈발톱가르기〉의 자세.

——아니.

그것은 이미 비검 발톱가르기가 아니었다.

원래 발톱가르기는 절대필중의 〈영역〉과 신속의 〈신섬〉을 사용하고 공격에는 〈사광연참〉을 쓴다. 이것은 브레인이 가진 최고기술의 결정체다. 그래도 샤르티아의 손톱을 날리는 것이 고작이었다. 물론 샤르티아의 손톱을 절단하는 것이 얼마나 대단한── 인류사에 남을 만한 위업인지는 말할 것도 없다. 그러나 샤르티아라는 정점에 손을 뻗으려 하는 브레인은 그 정도에서 멈출 수는 없었다.

그러기 위해 더욱 강함을 추구했던 브레인은 과거── 가제프 스트로노프의 스승이라고도 할 수 있는 전(前) 아다만타이트 클래스 모험자, 베스처 클로프 디 로판에게 협조를 청해 훈련에 훈련을 거듭했다. 그 결과 〈육광연참〉까지 습득할 수 있었다. 유감스럽게도 가제프가 습득했던 오의에까지는 미치지 못했지만.

그렇게 해서 〈영역〉과 〈신섬〉은 같지만 〈사광연참〉 대신 〈육광연참〉을 사용하는 신기술을 개발하기에 이르렀다.

무투기는 집중력 같은 것을 사용하며, 강대한 무투기일수록 사용량이 커진다. 우수한 전사── 고레벨 전사는 이 용량이 커지지만 그래도 지나치게 강대한 무투기를 여러 개 동시에 사용하기는 매우 힘들다. 브레인의 집중력 용량이 보통 전사보다 큰 것은 사실이다. 그래도 과거 샤르티아 블러드폴른에게 발톱가르기를 펼쳤을 때는 집중력의 한계까지 무투기를 조합했다.

그렇다면 〈사광연참〉보다도 집중력을 많이 사용하는 〈육광연참〉을 조합하기란 불가능하다.

그럼에도 이를 펼칠 수 있는 이유는 단 하나.

지금 이곳에 있는 것이, 가제프 스트로노프를 초월한—— 영웅의 영역에 도달한 브레인 앙글라우스이기에 가능한 것이다.

그리고 그런 브레인의 신기술—— 그것이 바로 진(眞) 발톱가르기.

코퀴토스가 살짝 발을 앞으로 움직여 거리를 좁혔다. 정말로 미미한 거리였다.

육체능력의 차이를 고려하면 아무렇게나 거리를 좁히고 카타나를 휘두르더라도 이상하지 않다.

왜 이런 움직임을 보였을까.

답은 간단하다. 브레인을 전사로서 없애기로 결단했기 때문이다.

전사로서 한층 강하게 경의를 품으며, 진 발톱가르기의 자세에 들어간 브레인은 생각했다.

아직이다.

아직 미치지 못한다.

포션을 마셔 세 개의 마법을 발동시킨 브레인은 샤르티아와 대치했을 때의 브레인보다도 강하다.

그래도.

브레인 앙글라우스라는 인간은 코퀴토스라는 괴물에게는 미치지 못한다.

어쩔 수 없다. 개미는 드래곤을 이기지 못한다. 그것은 받아들일 수밖에 없는 사실이다.

그러나 그래도 지고 싶지 않다. 그렇다면 어떻게 해야 하는

가. 어떻게 하면 이 압도적인 능력의 차이를 조금이라도 좁힐 수 있는가.

'――나는 전사다. 그러면 전사가 할 수 있는 일을 해나가면 되는 거다.'

"――〈능력향상〉."

브레인은 무투기를 발동시켰다.

진 발톱가르기의 구성에 모든 집중력을 소모하고 있다. 그 외의 무투기를 발동시킬 여력은 없다.

하지만―― 브레인의 눈은 서서히 충혈되고 코에서 코피가 흘렀다. 모세혈관이 파열되었다는 증거다.

철컥 소리를 내며 전환하듯 육체능력이 한 단계 상승했다.

무투기는 발동했다.

육체능력은 높아졌다.

그러나―― 아직, 아직이다.

이래도 아직 미치지 못한다.

그렇다면 어떻게 할까.

답은 역시 하나뿐이다.

브레인은 다시 무투기를 발동시켰다.

"――〈능력초향상〉."

브레인 앙글라우스는 다시 있을 수 없는 일을 일으켰다.

브레인 앙글라우스가 모르는 것이 있다.

그가 가진 탤런트의 정체는 집중력의 용량이 늘어난다는 것이었다. 그것이 있었기에 발톱가르기를 위한 무투기를 발동할 수 있었으며, 레벨이 올라감에 따라 진 발톱가르기를 위한 무투기를 발동할 수 있었다.

그러나 그런 브레인이라도 거기가 한계였다. 그 이상의 무투기를 사용할 수는 없다. 그것이 세계의 법칙이다.

하지만 이 순간── 브레인은 다시 세계의 규칙에서 벗어났다.

이것으로 두 번째의 기적을 일으켰다.

첫 번째는 샤르티아의 손톱을 잘랐던 것.

그리고 두 번째는 지금── 이 순간.

코에서 피가 울컥 뿜어져 나왔다.

규칙에서 벗어난 영향으로 육체가 붕괴되려 했다.

이제 1분만 지나면 브레인은 자멸할 것이다.

그러나── 강자들에게 1분이라는 시간은 너무나도 길다.

코퀴토스가 발을 내디딘다──

브레인의 간격으로──

참신도황이 상단에서──

이에 맞서 날아드는 카타나가──

그리고──

────살을 가르는 소리가 났다.

참신도황을 한 차례 휘둘러, 그것만으로 피와 지방을 털어낸 코퀴토스는 카타나를 공간 속에 수납했다. 그리고 할버드를 지면에서 뽑아, 지금 막 베어 죽인 사내의 시체를 내려다보았다.

좋은── 전사였다.

코퀴토스의 몸에는 상처 하나 없었다. 카타나는 닿지 못했다.

그럼에도 칭송을 받아 마땅한 전사였다.

'……이 정도 인간이 있다는 말은 듣지 못했는데……'

죽인 것이 아까웠다.

가능하다면 목숨을 살려주어 주인에게 충성을 맹세케 하고 싶었다. 상대의 카타나만을 부러뜨리는 것도, 일격을 받아 흘리는 것도, 두 팔다리를 부러뜨리는 것도 쉬운 일이었다. 그러나 그것은 전사의 행위가 아니었다.

코퀴토스는 멀리 서 있던 이 사내를 보았을 때 느꼈고, 대면했을 때 강하게 이해했다. 이것은 각오를 한 전사구나, 하고.

그런 사내를 욕보이는 짓을 할 수는 없었다.

이만한 전사를 부하로 두면 큰 이익이 있으리라 이해했음에도 죽였던 것이다. 그것은 나자릭에 대한 배신일지도 모른다.

그래도.

그래도 검으로 싸워, 생사를 건 승부를 내고 싶었다.

만약 여기에 무인 타케미카즈치가 있었더라면 그런 결정을 내린 코퀴토스를 칭찬해주었을 것이다.

'레벨로는 고작해야 40 정도겠지……'

그러나 그 일격 외에는 레벨이 그렇게까지 높지 않다는 느낌도 받았다. 어쩌면 코퀴토스의 명왕격(明王擊)처럼 강한 특수기술을 사용했는지도 모른다.

그는 코퀴토스가 보기에는 약했다. 하지만 이 세계의 기준에서 보면 강자였다.

코퀴토스는 떨어진 브레인의 카타나를 주웠다.

"받아. 가마."

코퀴토스가 가진 무기 중에서는 가장 약한—— 아무 짝에도 쓸모가 없는 카타나다. 그의 곁에 꽂아두는 편이 묘비를 대신하게 되어 좋을 수도 있다. 그러나 코퀴토스는 이를 받아가기로 했다.

그의 시체를 이대로 두는 것은 내키지 않았다.

"너희. 이. 자를. 얼려.놓아라."

설녀들에게 명령을 내리자, 브레인이라는 사내의 몸이 서서히 얼어붙었다.

코퀴토스는 브레인을 지나치려다가 다시 발을 멈추었다.

그리고 브레인의 뒤에 보이는 왕성으로 눈을 돌렸다.

"……."

코퀴토스는 말없이 돌아서서 길을 되돌아갔다.

그리고 오른쪽으로 한 차례 꺾어, 조금 전보다도 좁은 길로 들어가더니 그대로 직진했다. 그리고 다시 넓은 길이 나오자 오른쪽으로 꺾는다. 성이 정면에 있음을 확인하고 걸어, 다시 오른쪽에 좁은 길이 보이자 그곳으로 들어갔다. 직진하자 대로가 나왔다.

코퀴토스는 오른쪽을 보았다.

조금 떨어진 곳에 브레인의 주검이 그대로 남아 있었다.

코퀴토스는 아무 말도 하지 않고 왼쪽—— 왕성을 향해 걸어갔다.

*

"응～ 거기 방해하지 마～."

시벽 위에서 겁을 내고 있는 병사들을 향해 아래에서 큰 소리로 외친 아우라는, 벽의 얇은 요철을 밟으며 단숨에 시벽을 오르기 시작했다.

위에 늘어선 병사들이 창을 내지르려 했지만, 그것을 인간에게는 절대로 불가능한 움직임으로—— 병사를 점프로 뛰어넘어 회피했다. 그리고는 공중에서 크게 회전하더니——.

"얍."

——반대쪽 흉벽에 멋들어지게 착지했다.

"브이!"

V 사인을 병사들에게 보여준다.

아이의 모습인 아우라에게 모여든 시선은 공포에 사로잡혀 있었다. 조금 전의 기이한 몸놀림을 보고도 평범한 아이라고 생각하는 자가 있을 리 만무했다. 게다가 아래에서 아우라를 기다리는, 그녀가 데려온 마수들도 있다.

그런 인간들을 무시하고, 아우라는 허리에 찬 파우치에서 종이를 불쑥 꺼냈다.

병사들이 슬금슬금 아우라를 포위하며 다가와 창을 겨누지만 안중에도 없다.

"자~ 여러분, 한 번 더 말할게~. 나 방해하지 마~."

아우라는 종이를 펼쳤다. 그리고 눈앞의 왕도와 종이에 그려진 지도를 비교했다.

눈에 뜨이는 것이 일치하면 그 다음은 일사천리.

첫 목적지인 마술사 조합의 본부는 간단히 발견했다.

만족한 아우라는 돌아서서 포위망을 형성한 병사들을 보았다. 몇 자루나 되는 창날이 아우라를 겨누고 있다. 몸만 움직여도 찔릴 만한 거리였다.

"이봐아. 나 혼자 올라왔다고 해서 나한테만 신경 써도 괜찮겠어? 같이 왔는데?"

병사들이 얼굴을 마주 보고, 흠칫 놀란 듯 바깥쪽 시벽에 달라붙었다. 하지만 이미 늦었다. 아우라의 마수들이 잇달아 시벽을 기어올랐다.

병사들의 처량한 비명이 메아리쳤다.

전투능력은 아우라가 높지만 역시 외견에서 오는 요인이 가장 컸다.

완전히 전의를 상실한 병사들이 앞 다투어 도망쳤다.

이곳에서 버텨야 한다고 생각한 자들도 있기는 있었지만, 자신 이외의 동료들이 뒤도 돌아보지 않고 도망치는 와중에도 전의를 유지하기는 어려웠다.

보랑(步廊)은 시벽이 두껍기도 해서 나름 폭이 있었음에도, 공포에 사로잡힌 병사들은 그곳에서 엎치락뒤치락하며 도망쳤다. 질서 잡힌 철수였다면 더 빨랐을 텐데, 앞을 다투며 뒤얽힌 병사들의 도주는 너무나도 허술했다.

따라가서 섬멸하기는 쉽지만 거기에 매력을 느끼는 마수는 없었으며, 주인도 명령하지 않았으므로 일부러 무시했다. 어떤 한 마리를 제외하면.

71레벨 마수이며, 이번에 데려온 것들 중에서는 가장 거대한 마수인 '무지개 폭왕Iris Tyrannos Basilius' 이었다. 티라노사우루스 렉스와 흡사하게 생겼다. 다만 등지느러미가 있으며 일곱

색깔로 반짝였다. 그것이 이름의 유래였다.

아우라는 자세히 모르지만 주인들이 '이거 분명 괴수왕 패러 디'라고 하던 것을 들은 기억이 있다.

무지개 폭왕이 포효했다.

쩌렁쩌렁 대지가 진동하는 듯한 커다란 울음소리였다.

그것은 위협도 아니거니와, 자신의 감정을 표현하는 것도 아 니었다.

특수능력 중 하나――― 공포의 포효였다.

레벨이 비슷하거나 정신작용에 내성이 있으면 시끄러운 포효 일 뿐이지만, 여기에 해당하지 않으면 어떻게 되는가는 도망치 던 병사들이 몸으로 증명해주었다.

공포로 크게 낯을 일그러뜨리며 쓰러진 것이다.

공포에 의한 즉사였다.

이리저리 도망치는 인간을 죽이는 것이 즐거워서가 아니라, 눈앞을 얼쩡거려 귀찮다고 생각한 정도일 것이다. 그 정도 생각 때문에 병사들은 모두 죽어나갔다.

그러나 무지개 폭왕도 무사하지는 않다. 이 힘을 해방한 대가 는 컸다.

무지개 폭왕을 에워싼 것은 아우라가 데려온 나머지 여섯 마 리의 마수 중 다섯 마리――― 78레벨 신수랑(神狩狼)Fenrir을 필 두로 77레벨 정령수렵단 사냥개Hound of Wildhunt, 76레벨 기 린(麒麟), 같은 76레벨 쌍두사Amphisbaena, 74레벨 바질릭스 였다.

먼저 기린의 뒷발길질이 꽂혔다. 이어서 정령수렵단 사냥개의 발차기. 그리고 다른 신수들이 무지개 폭왕을 순서대로 걷어 찼다.

'너 시끄러워'라고 하는 걸까.

전투능력은 별개로 치더라도 자신보다 레벨이 높은 마수들에게 얻어맞은 무지개 폭왕은 아우라의 동정을 구하듯 울었다. 그 순간 다른 마수들의 공격이 한층 심해졌다.

조금 전에는 서클 선배들이 후배를 귀여워해주는 수준이었다면 이번에는 얼차려를 주는 수준이었다.

참고로 유일하게 여기에 참가하지 않았던 것은 58레벨 몬스터 탐욕개구리였다.

악몽에 나올 것처럼 일그러진 거대 개구리 모습의 몬스터로, 입에는 지저분하고 누런 어금니가 즐비하게 늘어서 있고, 눈은 욕망에 젖은 장년 사내의 것이었다.

"자~ 얘들아, 나는 화 안 났으니까 그만 괴롭혀."

아우라가 허리에 두 손을 척 얹고 눈을 흘기며 마수들을 쳐다보자 일동은 일제히 불쌍한 목소리를 냈다.

"그래그래. 너희한테도 화 안 났어."

그렇게 말하자 무지개 폭왕을 제외한 나머지 마수들이 일제히 아우라에게 모여들어 아우라보다도 커다란 몸을 비벼댔다.

"우규우!"

아우라가 귀여운 비명을 질렀다. 육체능력으로는 꿀리지 않지만 거대한 것들이 전후좌우위아래에서 밀어붙이면 그런 목소리가 나오고 만다.

"이 녀석들~! 떨어지지 못해~!"

마수들이 일제히 휙 떨어지더니,

"장난 그만!"

탁탁 손을 터는 아우라의 앞에 섰다. 다만 마수들의 몸은 다들 거대해 보랑 위에 정렬하기는 어렵다. 그래서 저마다 위치를 차지하고 빠릿빠릿한 표정을 지었다. 아우라에게 몸을 비벼댈 때의 우스꽝스러운 표정은 이제 어디에도 없었다.

"그럼 이제부터 왕도로 침입해서 건물 몇 개를 함락시키자. 누구한테는 차례가 안 돌아갈지도 모르지만~."

실망에 고개를 축 늘어뜨린 것은 가장 몸집이 큰 무지개 폭왕이었다.

"그런 너한테 특별임무를 줄게! 이 시벽 주위를 돌아다니면서 인간을 뿌직뿌직 밟아버리는 거야!"

"쿠오오오……."

무지개 폭왕은 공기가 쩌렁쩌렁 떨릴 정도의 포효를 질렀지만 그 목소리는 서서히 작아졌다. 그리고 고개를 숙이며 다른 마수나 아우라의 눈치를 보았다.

"……뭐, 좋아. 그럼 각자 행동 개시! 서두르자~."

아우라는 시벽에서 뛰어내려 왕도 내에 침입했다. 착지한 것은 어떤 민가의 지붕이었다. 그대로 지붕을 타고 달려간다.

이에 따라 다른 마수들도 뛰어내렸다. 어느 마수도 중력이 느껴지지 않는 가벼운 움직임으로 아우라를 따른다.

마수들의 모습을 확인하고자 아우라가 뒤를 돌아봤을 때, 무지개 폭왕이 굵은 꼬리를 붕붕 휘둘러 인사하는 것이 보였다. 아우라도 거기에 손을 흔들어주자 꼬리의 움직임은 한층 격렬

해져 흙벽 일부가 날아가버렸다.

──너도 얼른 행동 개시해!

사념으로 명령을 내리자 흠칫 몸을 떤 무지개 폭왕은 시벽 위를 어기적어기적 이동했다.

아우라 일행이 처음으로 향한 곳은 마술사 조합이었다. 수많은 매직 아이템을 지키기 위해 그만한 경비를 해두었을 테니, 왕도에서 가장 저항이 극심하리라 추측되는 장소였다.

적의 전력은 문제가 되지 않지만 그곳에 있는 모든 매직 아이템을 회수하려면 상당한 시간이 걸릴 것이다. 어쩌면 지원을 부탁해야 할지도 모른다.

그런 생각을 하며 아우라는 지붕을 타고 왕도를 일직선으로 가로지르듯 나아갔다.

왕도가 광대하다 해도 아우라가 진심을 발휘해 이동하면 얼마 걸리지 않는다.

시벽에서 뛰어내리고 얼마 지나지 않아 목적지에 도달했다.

아우라에게 뒤처진 마수는 없었다. 아니, 유일하게 탐욕개구리는 이동속도가 느려 바질리스크가 등에 태우고 있었다.

긴 담장에 에워싸인 5층짜리 탑이 셋, 2층짜리 가느다란 건물이 여러 개 있는 마술사 조합 본부의 격자형 문은 굳게 닫혔으며 문 좌우에는 2층짜리 대기소가 있었다.

밖에는 인기척이 없지만 건물 내부에는 드문드문 사람이 보였다. 바깥을 경계하는 자들의 모습이다.

부지 안으로 뛰어내린 아우라는 손에 든 지도를 펼치고 건물의 외견과 비교해보았다.

"흐응~ 저게 저쪽이니까 이쪽인가?"

왕국의 협력자들에게서 얻은 정보로, 대충이기는 하지만 조합 내부의 구조도는 확보했다. 그리고 어디에 매직 아이템이 숨겨져 있는지도.

다만 예측되는 장소가 여러 곳이라 어디에 어떤 매직 아이템이 있는지까지는 확실하지 않았다. 아무리 그래도 고위 매직 캐스터를 포로로 삼아 정보를 알아내는 것까지는 불가능했다나. 그러므로 이것은 아우라가 할 일이었다.

귀찮지만 마술사 조합의 부지 면적을 고려하면 역시 인해전술보다는 그런 방법이 유용할 것이다.

"그럼 갈까?"

아우라가 정면의 문을 향해 걸어나가자, 동시에 대기소에서 여러 사람이 나타났다. 남자가 다섯, 여자가 하나. 선두에 선 남자는 노인이었다.

아우라는 한순간 '오.' 하고 속으로 쾌재를 불렀다.

만약 이들이 마술사 조합에서 상위에 속하는 사람들이라면 귀찮은 수고를 덜 수 있기 때문이다. 하지만 노인의 모습을 관찰한 아우라는 낙담했다.

노인은 아무리 봐도 전사계였다.

아래쪽은 검은색, 위쪽은 연남색 도복을 입고 허리에는 카타나를 두 자루 찼으며 브레스트 플레이트를 착용했다.

머리는 완전히 흰색으로 물들어 검은색은 한 가닥도 없었다. 팔은 노인답게 가늘지만 늘어졌다는 느낌은 전혀 없었다. 가늘어도 강철처럼 단단할 것 같다.

날카로운 눈매는 맹금과도 같이 아우라를 노려보았다.

당당한 자태는 자신의 실력에 자신이 있음을 충분히 드러내주었다.

"일단은 확인하겠다. 꼬마. 너는 마도왕의 부하더냐?"

아우라는 노인의 뒤에 있는 인간들을 둘러보았다. 노인과 비슷한 차림이었지만 카타나를 가진 사람은 없었다. 그렇다면 이 노인이 도장주, 그들은 그의 문하생이라는 뜻일까.

마술사 조합과 도장이라는 조합이 잘 이어지지는 않았지만 무언가 관계가 있어 지키러 와준 것이리라.

어지간한 매직 캐스터보다는 정보를 많이 가지고 있을 듯해도, 정말로 중요한 정보까지는 없을 것이다.

"——왜 대답하지 않느냐? 꼬마라고 해도 봐주지는 않겠다."

이만한 마수를 이끌고 온 아우라에게 이런 태도를 보일 수 있는 것은 아우라 일행 중 그 누구도 적의나 전의, 살의 같은 것을 풍기지 않기 때문이리라. 그리고 상대에게 용기와 각오, 그 이상의 자신감 같은 것이 있기 때문이다.

"음~ 저기 말야, 안내해준다면 내가 죽이지 않을 수도 있는데. 아, 얘들한테도 공격하지 못하게 해줄게."

약속은 지킬 생각이었다. 게다가 어차피 마레에게 죽게 될 테니까.

"말은 잘하는구나, 꼬마. 그러나 이 뒤로 지나가게 할 수는 없다. 악마가 솟아나는 위험한 아이템을 그대들의 손에 넘겨주어서는 안 될 터이니."

아우라는 생긋 웃었다.

그것이 이곳에 아직 남아있다는 사실을 안 것만으로도 충분했다. 잘 회수해서 데미우르고스에게 넘겨줘야만 한다.

"아~ 그렇구나. 그럼 내 질문에 대한 대답은?"

"거절하겠다. 이래 봬도 나 베스——"

노인의 몸이 풀썩 쓰러졌다.

아우라가 화살을 쏘아 꿰뚫은 것이다.

신속의 사격을 받은 노인의 머리는 석류처럼 터져나가 주위에 내용물을 흩뿌렸다.

"얘기나 하고 있을 시간 없어~. 자, 그럼 다음 사람……은 다들 비슷하려나? 그럼 역시 안에 들어가서 높아 보이는 매직 캐스터를 붙잡는 게 제일 빠를까?"

노인의 뒤에 늘어선 인간들은 넋이 나간 표정으로 굳어버렸다. 재기동을 기다리는 것도 귀찮았던 아우라는 마수들에게 지시했다.

"저기 있는 건 다 죽여."

그렇게 말하며 아우라는 문으로 다가가고, 그 옆을 질풍처럼 지나간 마수들이 남은 자들에게 덤벼들었다. 그 후에는 일대에 펼쳐진 피와 살점의 잔해밖에 남지 않았다.

*

마레는 왕성에서 두 번째로 높은 탑에 혼자 앉아 왕도를 내려다보았다.

이 도시에 오기 3일쯤 전에 있던 전투에서 많은 인간을 죽였다. 하지만 그곳에 있던 사람은 남자가 대부분이었으며, 여자와 아이들은 없었다. 그렇다면 이곳에 남은 것은 그런 약자들이다.

마레의 얼굴이 약간 슬픔으로 찡그려졌다.

머릿속에서 필사적으로 몇 번째인지 모를 계산을 되풀이했다.

——어떻게 해도 무리였다.

"어떡하지……."

누군가가 있다면 의논을 해보겠지만 지금 이곳에는 아무도 없다. 아니, 아마 한조는 있겠지만 마레의 앞에는 나오지 않고, 이것은 그들에게 물어봐도 어떻게 할 수 없는 문제였다.

'으응, 어떻게 하면…… 이 넓은 도시를 효율적으로 파괴해서 인간들을 전부 말끔히 죽일 수 있을까……?'

마레는 왕도에 오기 전까지 주인과 함께 수많은 도시를 궤멸시키며 경험을 쌓았다. 그렇기에 잘 안다. 도시의 파괴—— 그리고 주민의 섬멸이란 것이 얼마나 심오하고 어려운 작업인지를.

마법을 몇 번이고 몇 번이고 반복해 사용하면 건축물을 완전히 파괴하고 도시를 폐허로 만들 수는 있다. 그러나 주민을 완전히 몰살시키기란 상당히 어렵다.

예를 들어 지진을 일으키는 마법을 사용한다고 치자. 이것은 지상 구조물 및 지하시설을 파괴하는 데에는 탁월한 적성을 가졌으며, 실내에 있는 자는 무너지는 건물에 깔려 대부분 목숨을 잃는다.

이렇게 마법적인 수단으로 일으킨 지진은 범위 밖에는 아무 영향도 미치지 않으므로 다른 구역의 가옥에 숨은 주민에게는 들킬 염려가 없다. 하지만 가옥이 무너지는 소리, 그리고 주민이 지르는 비명은 예외다.

그런 소리가 들리면 숨었던 사람들도 무슨 일인지 확인하기 위해 밖으로 나오거나 창문으로 살피기 마련이다.

귀와 눈을 막고 겁에 질린 사람은 최고다. 자기 집에서 이불이 라도 뒤집어쓴 채 모든 것이 지나가기를 기다리는 사람은 다시 마법을 써서 없애버리면 되니 편하다.

문제는, 다음은 자신들이 깔릴 차례라고 지레짐작하거나 혹 은 용기가 있는 일부 인간. 그리고 그 이상으로 문제가 되는 것 은 혼란에 빠지거나 자포자기한 약자다. 이런 자들은 예상치 못 한 방향으로 도망친다.

그리고 그런 분위기는 전염되기 쉽다.

도망치는 사람을 본 주민 또한 집을 버리고 도망치는 것이다.

아직 파괴되지 않은 건물이 늘어선 곳으로 도망치면 그나마 다행이다. 하지만 공황에 빠진 자가 정신이 나가 붕괴된 에어리 어를 도주경로로 선택할 때가 있다. 심지어 붕괴된 건물에서 주 민을 구하려 하는 인간도 있으니 영 처치가 곤란하다.

'안 도망치면 좋겠는데…….'

도망치면 그런 자들을 죽이는 데에 다시 한번 광범위에 영향 을 미치는 마법을 써야 한다. 두 번 손이 간다.

시간이 있으면 그래도 상관이 없다. 하지만 주인과 함께 있을 때에 어떻게 그럴 수 있겠는가.

주인의 소중한 시간을 빼앗을 수는 없고, 한 번에 깨끗하게 청 소하지 못했다고 인정하는 것도 부끄럽다.

게다가 지진의 경우 확실하게 죽는다는 보장도 없다. 의외로 살아남는 경우가 많다. 확실하게 처리하기 위해 불을 내서 안에 있는 사람들을 죽이는 것도 가능하지만, 화재는 먼 곳에서도 쉽게 알아볼 수 있는 데다 원초적인 공포심을 자극하는지 도망치는 사람이 더 많아진다.

한쪽을 잘하려고 하면 한쪽이 소홀해지게 된다.

'더 많이 연습해서 잘 해야겠어!'

원래 마레는 부글부글찻주전자에게 많은 상대를 쓰러뜨리기 위한 능력을 받았다. 계층수호자 중에서도 광범위에 영향을 미치는 능력으로는 자신을 따를 사람이 없다고 속으로 자랑스러워할 정도다.

그러므로 도시를 잘 붕괴시켜서 주민을 섬멸시키지 못한다는 상황은 존재의의에 관한 문제다.

만약 부글부글찻주전자가 이런 마레를 보았다면 야단을 칠지도 모른다.

"우, 우우……."

부글부글찻주전자에게 꾸중을 듣는 상상을 하는 바람에 마레는 눈물을 머금었다. 하지만 그 눈물이 흘러 떨어지기 전에 닦아냈다.

"열심히 해야 돼……. 아인즈 님도 그러셨는걸."

마레는 아인즈에게 감사와 경의를 품고 있다.

만약 아인즈가 마레에게 도시를 붕괴시키는 연습을 시켜주지 않았다면, 그리고 그런 경험을 몇 번이나 쌓도록 허락해주지 않았다면 이렇게까지 성장하지는 못했을 것이다.

돌이켜보면, 마레가 처음 작전에 종사해 조그만 마을을 붕괴시켰을 때는 지독히도 서툴렀다.

그것은 부글부글찻주전자의 체면에 먹칠할 만한 결과였다.

그렇게 충격을 받았을 때, 아인즈가 건네준 다정한 말은 눈물이 날 정도로 기뻤다.

경험이 부족하다는 것을 알았다면 그 후로는 노력해서 더 잘하면 된다, 그렇게 말해준 것이다.

같은 수호자의 말이었다면 그렇게까지 마음에 울리지 않았을지도 모른다. 하지만 말해준 사람은 부글부글찻주전자와 같은 지고의 존재다.

마레는 결심했다.

더 많은 마을과 도시를 멸망시켜서, 더 많은 주민을 섬멸해서 부글부글찻주전자가 추구했던 자신이 되겠다고.

"좋아!"

귀여운 아이 목소리이기는 하지만, 조금 전과 마찬가지로 평범한 마레에게서는 믿을 수 없을 만큼 강한 정신력이 느껴지는 목소리를 냈다. 만약 다른 수호자가 봤다면 눈을 크게 떴을지도 모른다. 마레에게 이런 일면이 있었다는 걸 알고.

"열심히 해야지~!"

마레는 몸 앞에서 두 주먹을 꼭 쥐었다.

일단은 이제까지 공부했던 것을 잘 살려서——.

"왕도를 궤멸시켜서, 주민들을 몰살해버릴 거야~. 아자 아자, 가자~."

마레는 주먹을 불끈 쳐들었다.

참고로 뒤에 숨어 지켜보던 한조들도 같이 주먹을 들고 있었다.

＊

클라임은 복도에서 조금 두꺼운 유리창 너머로 바깥 경치를 바라보았다.

라나가 왕을 만나러 가기 전에, 마도국의 군세가 쳐들어와도 부끄러움이 없도록 화장을 하겠다고 해 복도로 나왔던 것이다. 어쩌면 드레스도 갈아입을지 모른다고 하니 조금 시간이 걸릴 수도 있다.

시선을 복도로 돌리면 아무도 없는 것처럼 싸늘한 공기가 있다.

마지막까지 왕궁에 있던 얼마 안 되는 기사들은 원래 위치를 떠나 마도국군과 맞서 싸우기 위해 봉쇄한 왕궁 입구에 모여 있다.

무의미한 저항이라고 비웃는 자가 있을지도 모른다. 가제프 스트로노프가 지휘하던 전사단과는 달리 그들은 대부분이 일반적인 병사보다 약간 나은 정도의 실력밖에 없다. 마도국의 괴물들과 싸워봤자 스치기만 해도 몰살당할 것이다. 그래도 왕가로부터 기사 작위를 받은 자들로서, 충성을 바칠 존재를 위해 최후의 활약을 다하고자 나간 것이다. 이를 비웃는 자야말로 가엾은 존재다.

솔직히 클라임은 그들에게 별별 일을 다 겪었으므로, 극소수의 기사를 제외하면 별로 좋은 감정을 가질 수가 없었다. 그러므로 분명 도망칠 거라고 제멋대로 선입견을 품고 있었다. 그리고 자신의 시야가 좁은 것을 자조했다.

　그들의 충성이 사실이기에 섬기는 왕가와 가까운 곳에 부랑아가 있는 것을 용납하지 못했을 것이다. 클라임은 그들의 충성심이 얼마나 강한지를 잘못 가늠했을 뿐이다.

　클라임은 시선을 왕궁 입구로 돌렸다.

　자신도 기사들과 나란히 서서 싸워야 하지 않을까 생각했다. 하지만 그 생각을 즉시 부정했다.

　그때 클라임의 목숨을 구해준 것은 왕가가 아니다. 라나 개인이었다.

　만약 라나가 가서 싸우라고 명령한다면 즉시 달려갈 생각이기는 하다. 그러나 그렇지 않다면 라나를 곁에서 보필하고 라나보다도 1초라도 먼저 죽는 것이야말로 자신의 책무이며 전부다.

　자신의 영혼은, 자신의 목숨은 라나가 구해준 그 순간부터 라나의 것이었다.

　아무도 없는 조용한 공간은 클라임에게 온갖 생각을 떠오르게 했다.

　자신이 이제까지 해온 일, 라나에 대한 생각, 어쩌면 있었을지도 모르는 미래. 그리고——.

　클라임은 자신의 곁을 보았다. 물론 아무도 없다. 자신의 곁에 있어주었던 브레인 앙글라우스는 왕궁 밖으로 나갔으니까.

　브레인은 대체 어디까지 갔을까.

　마도국의 군세가 왕성까지 쳐들어오고 있다면, 그는 이미 목숨을 잃었는지도 모른다.

　클라임의 마음이 비명을 질렀다.

브레인은 클라임에게 많은 것들을 가르쳐주고 이끌어주었다.

스승처럼, 친구처럼, 형처럼.

가제프보다도 브레인이 훨씬 더 친했다. 그리고 라나밖에 없던 클라임에게는 두 번째로 친한 인물이었다.

"어쩌다 이렇게 됐을까……."

클라임이 중얼거리는 목소리는 아무도 없는 복도에 녹아들어 사라졌다.

정말로 어쩌다 이렇게 됐을까.

평화로운 하루하루가 계속 이어지리라 생각했다. 내일도, 내일모레도. 그것이 이제는——.

그때 문이 난폭하게 열려 쾅 하는 큰 소리가 들렸다.

평소에는 생각할 수 없는 소란스러움에 클라임이 황급히 문을 보니 그곳에는 라나가 있었다. 드레스는 갈아입지 않았고, 화장도 했는지 어떤지 알 수 없을 정도의 홍조만을 가미했을 뿐이었다.

시간을 들였음에도 평소의 라나와 별로 다를 바가 없는 모습이었다.

그녀의 손에는 칼집에 담긴 체도칼날이 있었다.

무슨 일이 있었던 걸까. 클라임이 물어보려 했지만 그보다 먼저 라나가 짧게 말했다.

"클라임, 가요."

"예!"

라나는 그 말만을 하고는 종종걸음으로 복도를 이동했다.

클라임은 그녀의 옆에 나란히 서도록 발을 빠르게 놀리며 물었다.

"무슨 일이 있으셨습니까?"

라나가 시선만을 클라임에게 흘끔 돌리고는 이내 앞을 보았다.

"네, 한 가지 해야 할 일이 떠올라서요. 마도국에 대한 약간의 복수죠. 그러니 이대로 서둘러서 아바마마께 가요. 일단은 개인실로!"

"예!"

중간에 체도칼날을 라나에게서 받아들고, 시키는 대로 왕의 개인실로 향했다.

당연하지만 이쪽에도 기사의 모습은 없었다.

라나는 기세를 멈추지 않고 문을 벌컥 열었다.

그곳에는 어리둥절한 표정을 지은 란포사 3세가 있었다.

"라나, 대체 무슨⋯⋯."

자신의 딸이, 라기보다는 이렇게 요란한 소리를 내며 누군가가 들어오는 경우는 거의 없어서인지 란포사 3세의 말은 도중에 끊어졌다.

그리고 시선이 라나에게서 자신에게 향한 것을 깨달은 클라임은 사죄의 의미도 담아 고개를 크게 숙였다.

"아, 계셨군요, 아바마마! 저, 중요한 생각이 떠올랐어요!"

라나가 얼른 말을 걸었다.

종종걸음으로 이곳까지 왔는데도 숨이 전혀 흐트러지지 않았다. 물론 클라임도 그렇지만 거의 뛰어본 적 없던 라나가 어떻게 이럴 수 있을까 하는 의문도 들었다. 하지만 그렇게까지 빨리 뛰었던 것도 아니니 딱히 마음에 둘 일도 아니라고 이내 생각을 고쳤다.

"왜 그러느냐, 라나. 아니, 그보다 문을 그런 식으로 열다니……."

"그런 이야기는, 지금은 중요하지 않다고 생각해요."

평소보다도 조금 빠른 라나의 어조에 란포사 3세는 쓴웃음을 지었다.

"……뭐, 그것도 그렇구나. 그러면 라나, 무슨 일이냐? 중요한 일이라고 했느냐?"

"네! 그건 말이죠——."

그리고 라나는 귀엽게 고개를 갸웃했다.

"아바마마는 왜 여기 계시나요?"

"그 녀석이 이곳에 가둬놓은 것은 알고 있지?"

"네. 오라버니 말씀이시죠."

"그래. 자낙 그 바보 천치 말이다. 두 놈이나 아비보다 먼저 죽다니, 정말……."

란포사 3세가 괴로운 표정을 지었다. 7일 전에 왕도에서 출발한 군대가 한 명도 돌아오지 못했다는 사실은 모두가 안다. 무슨 일이 있었는지는 상상도 안 가지만 돌아올 수 없었던 이유는 누구나가 상상할 수 있었다.

"……그래서 어제 풀려났는데, 마도왕이 오기 전에 여러모로 준비를 해두어야겠다고 생각해서 말이다. 지금 나 혼자 채비를 하던 참이다. 기사들이 도와주겠다고 했다만 그들에게는 이곳을 떠나라고 말해두었지. 지금쯤 어디까지 도망쳤을지……."

클라임은 기사들이 최후의 저항을 위해 왕궁 입구에 모였다는 사실은 굳이 말하지 않았다. 라나도 마찬가지였다.

"준비라면, 저것 말씀이군요."

"음, 그렇지."

두 사람의 시선 너머에는 왕관을 비롯한 보물, 그리고 몇 권의 책 같은 것이 놓여 있었다.

"······그러면 라나는 왜 여기 남아있느냐? 그 녀석은······ 너를 피신시키려 하지 않았더냐?"

"그건── 아버님도 마찬가지인걸요."

"나는 도망치지 않는다. 그 녀석은 아직 왕자고, 책임을 져야 할 사람은 나였다. 그런데도 그놈은······ 음? 그 검은······."

클라임에 허리에 늘어뜨린 검을 알아본 란포사 3세가 클라임보다도 뒤를 보았다. 그리고 이내 라나에게 시선을 돌렸다.

"네가 고용했던······ 가제프에 필적한다는 전사는 어찌 됐느냐?"

"브레인 씨는 마도왕 폐하를 쓰러뜨리기 위해 이곳을 떠났어요."

"······마도왕을 쓰러뜨릴 수 있으리라고는 생각하지 않는다만, 그렇다면 더더욱, 왜 그 검을 두고 갔지? 그 검이 있다면, 만에 하나라도······."

"무리일 거예요. 전사장님조차 이기지 못했던 상대니까요. 게다가 사태가 이렇게 되면 마도왕 폐하를 쓰러뜨린들 어떻게 될 일도 아니고요."

"그렇구나······ 그렇겠지. 그 말이 옳다. 마도국의 군세를 격퇴하지 않고서는 의미가 없으니까."

란포사 3세는 창문으로 흘끔 시선을 돌린 후 말을 이었다.

"······내가 왜 이곳에 남아있는가를 물었지. 내가 이곳에 남은 이유는 왕가의 역사 같은 것을 정복자에게 맡겨야 한다고 생각했기 때문이다. 최후의 왕으로서 부끄러움이 없는 모습을 보여야지."

란포사 3세가 지친 듯 웃었다. 아니, 실제로 지쳤을 것이다.

"——클라임, 왕명이다. 라나를 데리고 도망치거라. 이제는 어려울지도 모르지만, 이 왕궁 내에는 왕도 밖으로 통하는 비밀통로가 있다. 그것을 이용하고, 마도국의 군세가 왕국에 들어온 순간을 틈타면 엇갈려서 안전하게 밖으로 도망칠 수 있을 게다."

"——그럴 필요는 없어요, 클라임."

이제까지 왕과 라나의 명령이 모순된 적은 없었다. 하지만 지금은 달랐다.

클라임은 잠시 생각했다가, 움직이지 않았다. 그저 주먹을 굳게, 굳게 쥐었다.

분명 클라임은 라나가 죽기를 바라지 않는다. 하지만 그 이상으로 라나의 명령을 따르는 것이 중요했다. 이 명령에 따를 정도였으면 이블아이에게 함께 데려가 달라고 했을 것이다.

"——클라임."

"——클라임."

클라임이 움직이지 않는 것을 본 두 사람이 동시에 자신의 이름을 불렀다. 하지만 여기에 담긴 감정은 정반대였다.

"아바마마. 클라임은 제 거예요. 아바마마의 명령이라도 듣지 않아요."

"그렇구나…… 그런 모양이다……. 하지만 정말로 충성을 다하겠다면 이 아이를 데리고 도망쳐야 하지 않겠느냐…… 클라임. 바이셀프의 핏줄을 잇는 의미에서라도, 이 아이를 데리고 도망친다면 상으로 이 아이를 주마."

클라임은 눈을 크게 떴다.

너무나도 매력적인 제안에 한순간 마음이 크게 흔들렸다. 그런 꿈을 꾼 적이 없다면 거짓말이 될 것이다. 라나를 생각하며 스스로를 달랜 적도 있다.

하지만 자신은 라나의 방패가 되어 죽고자 결심했다.

"너무나도 과분한…… 매력적인 포상이오나…… 감히 사양하겠나이다……."

그야말로 피를 토하는 듯한 심정으로 말했다.

라나를 흘끔 살펴보니, 그녀는 신비한 미소를 짓고 있었다. 분명 충성을 관철했다고 칭찬하는 것이리라.

"……그러면 제가 서둘러 달려온 이유를 말씀드릴 차례네요. ……아바마마. 왕관을 제게 주세요."

"왜지……?"

"마도왕 폐하에게 역사 있는 우리 왕가의—— 왕관을 포함한 유서 있는 재산을 넘겨서는 안 된다고 생각했기 때문이에요."

"……이 나라를 멸망시킨 상대다. 그렇다면 전통 있는 왕관 같은 것도 주어야 하지 않겠느냐. 게다가 이러한 보물이 남아있는 한 왕가의 역사 또한 남는 것이다. 나는 그리 생각했기에 보물창고에서 이곳까지 가져왔던 게야."

"저는 이런 것들을 왕도 어딘가에 숨기는 편이 낫다고 생각해요. 그리고 마도왕에게 말해주는 거예요.『왕의 지위를 상징하는 물건은 모두 도시 내에 숨겨놓았다. 만약 왕도를 파괴한다면 그런 보물은 결코 너의 손에 넘어가지 않을 것이다』 하고요."

"……과연. 그건 정말로…… 좋은 생각 같구나. 왕관을 탐내, 잠깐이라도 왕도를 파괴하는 것을 망설일지도 모르니까. 나의 목숨은 어쩔 수 없다지만 백성들이 조금이라도 살아날 방법은 강구해야겠지."

란포사 3세가 자신의 머리에 있던 왕관을 벗었다.

"아바마마, 그쪽이 아니라 저쪽이에요. 왕위계승식에 쓰이는 왕관을 숨겨야 해요."

"으, 음, 그렇지."

"그리고 아바마마께서 가지신 왕홀, 대관식에 쓰였던 보석, 국새. 왕위나 국가를 상징하는 것들도 모두 제가 맡아도 될까요? 패는 많을수록 좋으니까요."

"……음, 물론이지. 상관없다."

"그러면 클라임. 이런 것들을 숨기는 걸 부탁해도 될까요?"

"물론입니다, 라나 님. 하지만 어디에 숨기면 좋을까요?"

"응, 그것도 오라버니와 함께 생각해뒀어요."

"뭣이?! 자낙하고 말이냐?"

"예, 아바마마. 저에게 이 아이디어를 주셨던 것도 사실은 오라버니셨어요. 이런 것들을 숨길 계획도 모두 갖춰놓으셨고요. 레에 븐 후작님께 들었을지도 모른다는 것이 조금 불안하지만……."

"그렇구나. 그놈이 거기까지……."

꺼져 들어가는 목소리로 중얼거린 란포사 3세는 약간 눈물을 머금은 것처럼 보였다.

"그러면 클라임, 옛날 얄다바오트 습격 때 어지럽혀졌던 창고 거리가 있잖아요? 거기에 작은 창고가 있어요."

라나가 자세히 설명해주었다. 하지만 꽤 복잡해서 조금 자신이 없었다. 그런 클라임의 마음을 눈치챘는지 라나가 란포사 3세의 허락을 받아 책상 위에 있던 종이에 간단한 약도를 그려주었다. 이것이 있으면 길을 잃을 걱정은 없을 듯했다.

"여기에 비밀 지하실이 있다고 해요. 거기에 그걸 숨겨놓고 와주세요."

"예! 분부에 따르겠습니다!"

"그게 끝나면——"

클라임은 라나의 얼굴을 보았다. 돌아오지 말라는 소리는 하지 않기를 바랐다. 마지막 순간은 반드시 곁에서 섬기고 싶었다. 그런 마음이 전해졌는지, 다소 망설인 후 라나가 말했다.

"꼭—— 무사히 돌아와야 해요."

마도국의 군세가 어디까지 침공했는지는 알 수 없지만 이미 왕도 내에 들어와 유린하고 있을 가능성이 높다. 그렇다면 왕성을 나간다는 선택지에는 위험이 따른다. 하지만 클라임에게 망설임이 있을 리 없었다. 주인이 명령하면 따를 뿐이다.

"예!"

"정말로 무사히 돌아와야 해요. 싸우지 말고, 도망치세요."

클라임의 각오는 이해했어도 유감이지만 능력까지는 신뢰하지 않는지 라나는 거듭 다짐을 받았다.

"예!"

클라임은 힘차게 고개를 끄덕였다. 라나도 이제는 알아준 듯했다.

"──응. 그럼 아바마마, 이젠 궁전을 떠나기 어려울 수도 있지만…… 클라임에게 가르쳐주실 수 있겠어요?"

"왕궁에서 왕도로 나가는 비밀통로를 말이지?"

"예."

"알았다. 가르쳐주마."

왕의 설명을 들은 클라임은 순수하게 놀랐다. 몇 번인가 지나간 적이 있는 통로였던 것이다. 그런 데에 비밀통로가 있다는 사실은 전혀 몰랐다.

"클라임, 조금 늦어져도 상관없으니, 보물을 빼앗기지 않도록 조심해서 가세요."

"물론입니다, 라나 님! 제 몸과 맞바꿔서라도!"

"그리고 그게 끝나면, 뭔가 걱정거리나 마음에 걸리는 게 있다 해도 곧바로 돌아오세요. 언제 마도왕의 군세가 올지 모르는 상황이니까요."

말은 달라졌지만, 라나가 몇 번이고 같은 말을 반복하는 것은 그만큼 걱정한다는 뜻이리라. 그러므로 클라임도 그녀의 걱정이 조금이라도 누그러지도록 강한 마음을 담아 대답했다.

"물론입니다! 서둘러 돌아오겠습니다."

"──응. 그러면 잘 부탁해요."

라나가 여느 때의 미소를 지어주었다. 클라임은 방을 나가려 했을 때, 란포사 3세가 라나에게 무언가 약병 같은 것을 건네주는 모습을 보았다.

무엇인지는 대충 상상이 갔다.

클라임은 고개를 숙이고, 방을 나간 후, 왕에게 들은 비밀통로가 있는 곳으로 향했다.

그리고 그곳을 이용해 왕도로 나갔다.

그럴 리 없겠지만, 왕도는 모든 주민이 사라져버린 것처럼 조용했다.

그런 가운데 먼 곳에서 무언가 거대한 짐승의 포효 같은 것이 들렸지만, 이곳에서는 무슨 일이 일어났는지 전혀 알 수 없었다. 게다가 왕도는 넓다. 왕성이나 왕도를 에워싼 시벽에라도 올라가지 않는 한 주위의 상황을 파악하기는 어렵다.

하지만 지금 클라임이 해야 할 일은 그런 것이 아니다. 라나에게 들은 창고까지 전속력으로 달려나갔다.

누구와도 마주치지 않고 목적지인 창고에 도착했다. 서둘러 왔는데도, 역시 거리가 먼 데다 주위도 경계해야 했으므로 상당히 많은 시간이 걸렸다.

창고는 생각보다 크지 않았으며, 문에 다가간 클라임은 그곳이 열려 있음을 알아차렸다.

준비했던 핸드벨을 가방에 다시 넣고 살그머니 안으로 들어갔다.

짐이 전혀 없는, 휑뎅그렁한 창고였다.

먼지 냄새가 클라임을 맞아주었다. 조명은 없었으며 덧문이 닫혀 실내는 어두웠다. 그러나 틈새로 희미한 햇살이 스며들어와 아주 깜깜하지는 않았다.

클라임은 한동안 입구 근처에서 숨을 죽인 채 바깥의 소리에 주의를 기울였다.

창고로 다가오는 소리가 없다는 것을 확인하고, 지시받은 대로 입구와는 반대쪽의 벽으로 다가갔다.

그곳에는 빈 선반이 여러 개 있었으며, 오른쪽에서 세 번째 것을 꾹 눌렀다.

처음에는 꿈쩍도 하지 않았지만 힘을 빼지 않고 서서히 체중을 싣자 딸깍하는 감촉과 함께 갑자기 저항감이 사라졌다. 그리고 선반이 문처럼 천천히 열렸다.

안은 완전한 어둠이었다. 채광창도 없는 작은 방이기 때문이었다.

클라임은 투구를 썼다.

그러자 마법의 힘으로 실내를 살필 수 있게 되었다. 휑뎅그렁한 방의 바닥에는 손잡이가 튀어나와 있었으며, 이를 들자 지하로 이어지는 나선계단이 나타났다.

나선계단을 조금 내려가자 선반이 놓인 작은 방이 있었다.

이쪽도 위와 마찬가지로 휑뎅그렁했으며, 물건은 하나도 없었다. 먼지만이 잔뜩 쌓여 있을 뿐이었다. 라나에게 받은 왕가의 보물을 그곳에 놓았다.

이것으로 임무는 끝났다.

클라임은 지상으로 돌아와 창고를 나섰다.

이제부터는 전속력으로 달려 돌아가야 한다.

저 멀리 솟은 왕성을 보았던 클라임은 "어?" 하고 중얼거리고 말았다.

왕성이 새하얗다. 왕성은 두꺼운 성벽에 보호를 받고 있는데, 그것이 새하얗게 물들어 있었다. 게다가 빛을 띠어 반짝반짝 빛

난다.

아무 관계도 없는 제3자였다면 아름다운 광경이라고 했을지도 모르지만, 그곳에서 살았던 사람에게는 완전한 이상사태라——.

"아! 다, 다행이다. 죽이지 않았어……. 저기…… 거기 있으면 위험해요."

아이 목소리가 들렸다.

쳐다보니 근처의 창고 지붕에서 자신을 내려다보는 여자아이가 있었다. 까만 스태프를 든, 피부가 검은—— 다크엘프라 불리는 종족인 듯했다.

"너는……?"

"……어, 저, 저기, 있죠. 먼저 그 근처부터 파괴할 예정이거든요…… 그러니까…… 저기, 말려들 테니까, 얼른 가는 게 좋을 거예요."

그런 말을 들으면 누구인지 알 수 있었다.

이 소녀는 틀림없이 마도국 사람이다.

검을 뽑으려던 손을 멈추었다.

강해 보이지는 않지만 혼자 있을 리 없고, 여기까지 침입한 자니 평범한 소녀라고 생각해선 위험할 것이다.

싸운다면 이길 수 있을지도 모르지만, 소란을 듣고 마도국의 언데드가 몰려온다면 라나에게 돌아가지 못한다. 자신의 사명은 적을 쓰러뜨리는 것이 아니다. 어디까지나 라나의 곁에 있는 것이다.

무엇보다 라나에게 그렇게나 다짐하지 않았던가.

한순간 자신이 나왔던 창고로 시선을 돌릴 뻔해 꾹 참았다. 상대의 입을 막을 수는 없을 테니 수상쩍은 태도는 피해야만 한다.

클라임은 소녀에게 등을 돌리고 뛰어갔다. 뒤에서 공격이 날아올지도 모른다는 두려움은 있었다. 하지만 그 이상으로 왕궁에 있는 라나에게 1초라도 빨리 돌아가야 한다는 마음이 강했다.

클라임이 달려가고, 마지막 모퉁이를 돌았을 때 가옥이 붕괴되는 듯한 소리가 들려오기 시작했다. 무슨 일인지 확인하고 싶은 마음을 꾹 억눌렀다.

경계했던 추격은 없었으며, 클라임은 비밀통로 근처까지 무사히 도착했다. 미행하는 자가 없는지 돌아본 클라임은 시커먼 연기가 하늘로 솟아나는 것을 보았다.

"……왕도가 불타고 있나?"

건물 때문에 시야가 차단되어 정확히는 알 수 없지만, 연기 줄기는 한둘이 아니라 여기저기서 솟아나는 것 같았다.

조금 전의 소녀는 선행부대가 아니라 이미 상당한 수의 마도국군이 왕도 안까지 쳐들어와 약탈을 자행하는 걸까.

하지만 그런 것치고는 비명이 들려오지 않는데——.

클라임은 자신의 의문에 뚜껑을 덮었다.

지금은 그런 의문에 시간을 낭비할 필요가 없다. 그저 라나에게 돌아가 자신이 임무를 다하고 왔음을 보고하면 그만이다. 그리고 최후의 순간까지 라나의 곁을 지키는 것이다.

클라임은 비밀통로를 달려나가 왕궁으로 돌아갔다.

왕궁 안도 조용했다. 그것을 이해할 수 없었다.

조금 전의 왕성은 얼어붙은 것처럼 보였다. 틀림없이 마도국이 모종의 공격을 펼친 것이다. 그렇다면 소수라고는 해도, 남아있는 기사들이 방어에 나서지 않았을까.

이곳은 기사들이 방어선을 펼친 장소에서 거리가 있기는 하지만 칼 부딪치는 소리 정도는 들려와도 될 법한데. 그런데——.

'아까보다도 조용해진 것 같아.'

조금 전보다도 더 으스스한 정적이었다. 왕궁이 아니라 세상에 자신 혼자만 남은 것처럼 적막했다.

클라임은 약간 일부러 소리를 내며 뛰어 왕의 방으로 돌아갔다. 예의 바르게 문을 열어야 할지도 모르지만 클라임은 이를 무시하고 힘차게 열었다.

없다.

주위를 둘러보았지만 라나도, 란포사 3세도 없었다.

왕의 개인실에는 옆방도 있다. 어쩌면 그곳에 있을지도 모른다 싶어 방을 가로질러 가려던 클라임은 테이블 위에 종이가 한 장 있는 것을 알아차렸다.

조금 전에 라나가 약도를 그릴 때 썼던 종이와 같은 종류였다.

이를 손에 들고 쳐다보았다.

눈에 익은 라나의 글씨로, 옥좌의 방에 간다는 내용이 휘갈겨 쓴 것처럼 적혀 있었다.

그 순간 클라임은 방을 뛰쳐나갔다.

옥좌의 방에 다가간 클라임은 발을 멈추었다. 옥좌의 방으로 이어지는 문 좌우에 몇몇 사람의 모습이 보였다. 그것은 이제까지 왕궁에서 본 적이 있는 사람들이 아니었다.

청백색의—— 인간에게는 있을 수 없는 색을 한 여자들이었다.

틀림없이 마도국의 수하겠지만, 달려온 클라임을 봤으면서도 적의를 드러내지 않았다. 아니, 흥미가 없는 듯한 태도였다.

검을 뽑아야 할까, 뽑지 말아야 할까.

클라임이 망설이고 있으려니 여자 중 하나가 입을 열었다.

"들어가라, 이 궁전의 마지막 인간."

그렇게만 말하고는 시시하다는 듯 입을 다물었다.

그 말의 불길함에 클라임은 모골이 송연해졌다.

클라임은 여자들 사이를 지나 옥좌의 방으로 돌입했다.

다음 순간, 그곳에서 본 광경의 막대한 정보량에 머리가 터져 버릴 것 같았다.

옥좌에 앉은 것은 란포사 3세가 아니었다. 압도적인 죽음을 느끼게 하는 해골 괴물── 마도왕 아인즈 울 고운이었다. 그의 좌우에 선 것은 꼬리가 달린 남자, 마도국 재상 알베도, 그리고 얼음으로 이루어진 듯한 곤충 괴물이었다.

조금 떨어진 곳에는 란포사 3세가 엎드린 채 쓰러져 꼼짝도 하지 않았다. 옷은 검붉게 물들었다. 그리고 바로 곁에는 옷을 피로 물들인 채 바닥에 주저앉은 라나가, 근처에는 체도칼날이 떨어져 있다.

검신에는 피가 묻어 있어, 이것이 란포사 3세를 베어 죽인 무기임을 말해주었다.

"공주님!"

"클라임."

문득 인외존재들이 웃은 듯했다. 조소였을 것이다.

라나의 앞을 가로막고 서 검을 들었다. 여기서 둘 다 죽겠구

나. 그래도 라나를 마지막까지 지키는 것이 클라임의 충성이다.

"아인즈 님 앞에서 머리가 뻣뻣하군. 『꿇어 엎드려라』."

클라임은 즉시 꿇어 엎드렸다. 저항 따위 불가능했다. 정신이 들고 보니 이미 그런 자세를 취하고 있었다고 해야 할 것이다. 동시에 자신의 등 뒤에서도 같은 자세를 취하는 기척이 느껴졌다.

라나다.

정신조작을 받은 라퀴스의 모습이 플래시백해, 클라임의 마음속에서 모든 것이 하나의 실로 이어졌다.

"이걸로—— 이걸로 라나 님을 조종했구나!!"

옥좌의 방에서 일어난 참극이, 조종당해 자신의 아버지를 가차 없이 죽이게 된 라나의 모습이 눈에 선했다. 솟아나는 분노를 모두 담아도 몸은 꼼짝하지 않았다. 마치 자신의 몸이 아닌 것 같았다.

"그래, 이제 생각났다. 그러고 보니 가제프 스트로노프와 일대일 대결 때 보았지. 주언(呪言)을 풀어주거라."

"예! 『자유로이 있어도 좋다』."

속박에서 풀려나자 클라임은 옆으로 뛰어 바닥에 떨어진 체도 칼날을 붙들고는 그대로 기세를 늦추지 않고 재빨리 일어났다. 그리고 호흡을 가다듬으며 검을 정안 자세로 들고 마도왕과 대치했다.

물론 이런 일에 의미 따위 없을 것이다. 전사장을 순식간에, 눈에도 보이지 않는 속도로 죽인 상대다. 하지만 라나의 방패인 자신이 적과 대치하지 않는다면 어떻게 한단 말인가.

마도왕이 일어나 옥좌를 떠나더니 천천히 클라임에게 다가

왔다.

"감사하거라. 왕인 내가 네게 일대일 대결을 청해주지. 그래, 어디보자…… 내가 이긴다면 그 검을 받아가마."

천천히 다가오는 마도왕에게서는 경계심이란 것이 전혀 느껴지지 않았다.

분노가 클라임의 온몸을 지배했다.

모두 이놈의 잘못이다.

이놈이 없었더라면 평화로운 일상은 지금도 이어졌을 것이다. 누구 하나 죽지도 않았을 텐데——.

"——공주님이 슬퍼하시지도 않았을 텐데!"

마도왕이 비웃음을 띤 것처럼 보였다.

검으로 베어도 닿지 않을지 모른다. 무슨 짓을 당했는지도 모르고 죽어버리던 전사장의 모습이 떠오른다.

그렇다면 무엇이 최선일까.

체도칼날을 쥐고——.

마도왕이 한 걸음 클라임에게 발을 내디딘 그 순간, 온 힘을 다해 체도칼날을 던졌다.

아무리 마도왕이라 해도 이것만은 예측하지 못했던 듯하다.

검을 쳐내기는 했지만 크게 균형을 잃었다.

클라임은 간격을 좁히고, 굳게 쥔 주먹으로 후려쳤다.

마도왕의 안면에 주먹이 꽂혔다.

"클라임!"

자신의 이름을 부르는 라나의 비명 같은 목소리가 들렸다.

스켈레튼 계열은 구타 공격에 약하다는 것이 정설이다. 하지만 자신의 주먹에 격통이 내달렸다.

마도왕은 어떤가 하면, 아무런 타격도 입지 않은 듯했다.

"이야기 속에서라면——"

마도왕이 놀라운 속도로 손을 뻗어 클라임의 갑옷 가슴께를 붙들었다. 벗어나려 했지만 손을 뿌리칠 수도 없었다.

"——격정이 잠들어있던 힘을 깨워, 나를 타도하는 계기가 되었겠지."

마도왕이 클라임을 들어 올렸다. 필사적으로 저항했지만 어떤 효과도 주지 못했다. 마치 두꺼운 벽에 보호받는 듯했다.

"그러나—— 이것은 현실이다. 그런 일은 결코 일어나지 않는다."

부웅 던져진 클라임의 몸은 기묘하게 길게 느껴지는 체공시간을 거친 후 바닥에 내팽개쳐졌다. 등부터 부딪친 충격으로 입에서 공기가 터져나왔다.

클라임은 황급히 일어나 마도왕을 보았다. 클라임을 내던진 위치에서 한 걸음도 움직이지 않았다. 추격타를 가할 생각은 조금도 하지 않는 자세는 압도적인 강자이기에 보이는 여유다.

"너는 이곳에서 죽는다. ……너에게는 살려둘 만한 가치가 없다. 특별한 재능도 능력도 가지지 않은 너는 말이다. 그러나 탄식할 것 없다."

마도왕은 클라임을 보는 듯하면서도 보지 않고 있었다. 그의 눈은 어딘가 먼 곳을 향한 것 같았다.

"세상은 불공평하다. 태어난 순간부터 불공평이 시작되지. 재능을 가지고 태어난 자도 있으며, 가지지 못하고 태어나는 자도 있다. 타고난 환경도 그렇다. 유복한 가정과 궁핍한 가정. 그뿐이랴, 부모형제의 성격도 중요하지. 운이 좋은 자에게는 복 받은 인생이, 불운한 자에게는 불행한 인생이 주어진다. 그러나, 되풀이하지만, 그 불공평을 탄식할 필요는 없다. 왜냐하면—— 죽음만은 모든 자에게 주어지는 평등. 다시 말해—— 바로 나다. 죽음의 지배자인 나에 의한 자비만이 이 불공평한 세계의 절대적인 공평이다."

무슨 말을 하는지 이해할 수 없었지만, 아마 안심하고 죽으라는 소리인 모양이다.

압도되었다.

자신이야말로 죽음이라는, 산 자는 저항할 수 없는 존재라는 마도왕의 자부심에 빨려들 것 같았다.

격이 다르다.

물론 한 나라의 왕이자 한 군대를 손쉽게 격멸하는 마법을 사용하는 마도왕과, 재능도 없는 전사에 불과한 클라임 사이에는 큰 벽이 있다. 그러나 그정도의 차이가 아니다.

개미가 하늘을 우러러보는 듯한, 비교의 영역이 다른 것 같은 차이다.

그래도—— 원래 이길 수 없다는 것은 알고 있었다. 게다가 최후의 최후까지, 온 힘을 다해 라나의 방패가 되고자 결의했던 것이다.

조금 용기가 솟아났다.

꺾이려던 마음에 불이 켜졌다.

그렇다.

모든 것은 라나를 위해.

그 비 오던 날, 자신을 구해주었던 여성을 위해.

자신을 사람으로 만들어준 그녀를 위해——.

"……그렇구나. 그 눈이구나."

마도왕이 이상한 소리를 했다.

아직 이쪽에 전의가 있음이 전해진 모양이었다. 마도왕이 무방비한 뒷모습을 보이더니, 떨어진 체도칼날을 주웠다. 그리고 그것을 클라임 쪽으로 던졌다.

"주워라."

마도왕이 손을 뻗자, 그의 손에는 새까만 검이 나타났다. 검신의 길이로 보건대 롱 소드 정도일까.

클라임은 방심하지 않고 마도왕을 노려보며 체도칼날을 주웠다. 빈틈을 보이는 것은 지금은 어쩔 수 없다. 가제프의 싸움을 떠올린 것이다. 정확히 말하자면 그 직전. 마도왕은 자신의 입으로 말했다. 마법의 힘이 약한 무기로는 자신에게 상처를 입힐 수 없다고. 그리고 이 검은 자신을 죽일 수 있는 검이라고.

이 갑옷—— 라나에게 받은, 수많은 마법이 담긴 이 갑옷으로는 그의 방어를 돌파할 수 없다는, 조금 슬픈 사실은 아까 알았다.

"클라임……."

다가와서 걱정스레 바라보는 라나에게 클라임은 미소와 함께 조그만 목소리로 말했다.

"공주님, 시간을 끌겠습니다. 만약…… 그럴 경우에는, 일찌감치."

하고 싶은 말은 전해졌을 것이다. 라나가 고개를 끄덕였다.

클라임은 라나에게서 조금 떨어져 체도칼날을 겨누었다.

"작별 인사는 마쳤나?"

"묻고 싶다. 나를 죽인 다음은 공주님 차례냐?"

마도왕이 침묵했다.

클라임은 의아하게 생각했다. 입을 다물 이유가 없을 텐데. 의문이 해소된 것은 후후, 하는 조그만 웃음소리가 마도왕에게서 들려왔을 때였다.

"어떻게 하는 편이 네가 괴로울까? ……분명 가장 좋은 대답은 그 질문에 대답하지 않는 것이겠지."

"마도왕!!"

체도칼날로 베었지만 마도왕은 이를 검으로 쉽게 막아냈다. 몇 번을 되풀이해 공격했지만 마도왕은 그 자리에서 한 발도 움직이지 않았다.

마도왕이 먼저 공격을 하는 기색이 없던 것은, 장난을 치고 있기 때문이다. 안겨드는 아이를 상대하는 어른처럼.

하지만, 그렇기에 다행이다.

체도칼날을 높이 들었다. 이 일격에 모든 것을 걸겠다는 의지를 담아.

조금 전부터 되풀이되었던 공방에서 보았듯, 마도왕은 칠흑의 검으로 받아내기 위해 움직였다.

지금이다.

지금 여기에 모든 것을 건다.

클라임은 무투기를 발동시켰다. 그것만이 아니었다. 그 반지의 힘도. 이 순간 클라임의 전투능력은 단숨에 높아졌다.

그렇다면—— 이제까지 클라임이 보여준 움직임에 익숙해진 지금, 이 일격은 더할 나위 없는 기습이 될 것이다.

혼신의 힘을 담아 수직으로 내려치는 척하면서 힘을 뺀다. 간단히 검에 가로막힌 순간 온 힘을 다해 되돌리며 단숨에 마도왕의 배에 있는 진홍색 보옥을 향해 내질렀다.

전부터 생각했던 것이다.

어쩌면 이것이야말로 마도왕의 약점이 아닐까 하고.

설령 아니라 해도, 이것을 없앨 수 있다면 한 방 먹여주는 정도는 가능하지 않을까.

"——큭."

"——과연. 좋은 공격이다."

온 힘을 다해 내지른 일격은, 마도왕의 반대쪽 손에 가로막혔다.

작열감이 클라임의 어깨에 내달렸다. 그곳을 중심으로 젖은 듯한 감촉이 퍼져나갔다. 다음 순간 열이라는 감각은 격통으로 바뀌었다.

클라임은 뒤로 뛰어 물러나, 자신이 어깨를 베였음을 깨달았다.

라나가 준 이 갑옷을, 마도왕의 검은 쉽게 갈라버렸던 것이다. 그렇다고는 해도 무기 파괴 계열의 효과는 없는지 갑옷이 파괴되지는 않았다.

팔은 아직 움직인다. 그러나 문제는 더 이상 조금 전과 같은 공격은 통하지 않는다는 것이다.

마도왕에게 한 방 먹여주는 것은 이제 불가능해졌다고 봐야 한다.

"……체도칼날로 세계급 아이템을 파괴할 수 있을까? 매우 흥미로운 실험이군. 만약 이것으로 흠집을 낼 수 있다면 그 검의 가치는 매우 높아지겠지. 그렇다고는 하나——."

마도왕이 검을 내팽개치자 그것은 허공으로 사라졌다.

"——그것도 너를 죽인 다음에 할 일."

마도왕이 마법을 쓰는 듯했다.

클라임은 조금 웃음이 나와버렸다. 마도왕이 자신 따위에게 마법을 쓸 마음이 들었다니.

상대에게 마법을 쓸 시간을 주어봤자 좋을 일은 없다.

클라임은 돌진하고, 〈심장장악〉이라는 말과 함께 자신의 몸속에서 파열되는 듯한 소리와 격통을 느꼈다.

"훌륭했다."

그리고——

시야가——

새까——

정——

——

＊

"그러면 실례하겠습니다, 멍."

들어본 적이 없는 목소리가 들리고, 문이 닫히는 소리가 이어졌다.

그것이 방아쇠가 된 것처럼 눈을 떴다.

무슨 일인가가 있었을 텐데, 그 모든 것이 흘러 떨어진 것만 같았다. 아침에 눈을 떴을 때 꿈을 잊어버린 것과 비슷한 기분이었다.

근육과 뼈가 모두 줄줄 녹아 흘러내린 것처럼 힘이 들어가질 않았다. 고개를 움직이는 것조차 힘겨웠다.

애써 주위를 둘러보았다.

클라임이 보았던 것 중에서 가장 호화로운 방은 라나의 방인데, 이곳은 그 이상이었다. 한 번 보면 잊어버릴 수 없을 것 같았지만 이런 방은 왕궁 내에서도 본 기억이 없다.

자신은 대체 어떻게 된 것일까.

왜, 살아있는 것일까.

그리고—— 자신의 주인은 어떻게 되었을까.

몸은 제대로 움직이지 않았지만 이 방에 누군가가 있는 듯한 기척은 느껴졌다.

"아아……."

부르려 해도 목소리가 잘 나오질 않았다. 하지만 방에 있는 인물에게는 충분히 전해졌는지, 서둘러 달려오는 기척이 느껴졌다.

"클라임! 정신이 들었어요?!"

클라임은 목소리를 내지 못했다. 물론 온몸에서 힘이 사라져 성대도 제대로 움직일 수 없었다. 다만 그 때문만은 아니었다. 수많은 감정의 소용돌이에 지배당해 목소리를 낼 수가 없었던 것이다.

눈물이 넘쳐났다.

그렇구나. 모두 나쁜 꿈이었던 거야.

왕국이 마도국에 습격당하다니, 그리고 라나가 죽음을 각오해야만 했다니. 정말 악몽이다.

"라아, 이이⋯⋯."

"응, 그래요. 라나예요, 클라임."

여느 때의 미소.

아니, 늘 옆에서 보았던 클라임은 알 수 있었다. 지금 라나의 미소는 평소의 것과는 조금 달랐다.

무슨 일이 있었던 걸까.

클라임은 눈만을 이리저리 움직여, 라나의 뒤에서 기묘한 것을 발견했다.

까만 날개다.

그것도 박쥐처럼 생긴.

그것이 파닥파닥 움직인다.

만든 것이라고 생각하고 싶었지만 너무나도 생생했다. 어떻게 해도 자기 자신을 속일 수는 없었다.

클라임의 경악이 무엇 때문인가를 이해했는지, 라나의 얼굴이 흐려졌다.

"이것 말이군요⋯⋯. 마도왕의 힘으로, 변했어요. 저는 이제 인간이 아니라── 악마예요."

클라임은 눈을 크게 떴다.

"라아이이이⋯⋯."

"한심한 이야기죠. 저만 살아남고 말았어요."

그렇지는 않다고 말하고 싶었지만 힘이 나오지 않았다. "아—." 라든가 "우—."하는 신음 소리만 나올 뿐.

눈물이 줄줄 흘러내렸다.

그 눈물을 라나가 부드럽게 닦아주었다.

아아. 클라임은 감동에 몸을 떨었다. 설령 모습은 조금 바뀌었을지라도 마음은 여전히 라나였다.

"그리고…… 분명. 당신이 어떻게 살아있는지 이상하게 생각하겠죠? 대답하기 전에 한 가지만…… 클라임은…… 제 이기적인 바람을 들어줄 수 있을까요? 저는 악마로 바뀌어서, 영원한 시간을 살아가게 됐답니다. 혼자서 영원히 살아가는 건 괴로워요……."

라나가 클라임을 들여다본다.

"클라임. 당신도 악마가 되어주지 않겠어요?"

망설일 시간 따위 없었다. 자신의 모든 것은 라나에게 바쳤으니까.

움직이지 않는 몸을 필사적으로 움직여, 클라임은 고개를 끄덕였다.

"고마워요……. 조금 전의 의문에 대답해 드릴게요. 사실 저는 마도왕 폐하께 복종을 약속했어요. 그 대가로, 당신을 소생시켰던 거예요."

클라임은 눈을 크게 떴다.

"충격 받지 말았으면 해요. 나쁜 거래라고는 생각하지 않으니까요. 혼자 살아가지 않아도 되니까요. ……클라임. 당신도 마도왕 폐하께 복종을 맹세해주시겠어요?"

"네……에."

망설였지만, 라나가 자신을 위해 복종을 맹세했다면 자신도 따를 뿐이다. 아니, 여기서 자신만 복종을 맹세하지 않는다는 선택지는 없었다.

"고마워요, 클라임. 마도왕 폐하는 정말로 복종을 맹세했을지 시험하러 오실 거예요, 틀림없이. 그건 클라임을 힘들게 하겠지요. 제게는 그게 너무 괴로워요……."

"그허, 치, 안, 습, 니다."

"……고마워요. ……클라임, 이야기는 일단 이걸로 마쳐요. 푹 쉬세요. 클라임은 제가 돌봐줄 테니까요."

생긋 웃은 라나가 몸을 떼었다.

"편히 쉬어요."

그리고 시야에서 사라진 라나가 향한 곳에서, 문이 열리고 닫히는 소리만이 들려왔다.

클라임은 몸에서 힘을 뺐다.

그러자 금세 다시 수마가 찾아왔다.

진흙탕으로 잠겨 드는 것처럼, 눈물을 줄줄 흘리며 클라임은 의식을 잃었다. 그 눈물은 너무나도 복잡한 감정에서 비롯된 것이라, 무슨 눈물인지를 설명하기란 클라임 자신에게도 불가능했다.

침실을 나와 두 개의 방을 이동한 라나는 그곳에 놓인 소파에 앉은 인물을 보고 얼른 한쪽 무릎을 꿇었다.

"알베도 님."

라나는 깊이 고개를 조아렸다.

"감사 말씀이 늦어져 진심으로 송구스럽사옵니다. 독의 수배는 물론 옥좌의 방에서 보여주신 연기에 이르기까지, 마도왕 폐하께도 도움을 청해주셔서 진심으로 감사드리옵니다."

"후후, 괜찮아. 마음에 둘 거 없어. 우리는 우수한 인재를 위해서라면 수고를 아끼지 않으니까."

"고맙습니다, 알베도 님."

'위해서라면'이라는 부분에 살짝 강세가 들어간 말에 라나는 조금 몸을 떨었다. 상대는 그런 감정변화까지 꿰뚫어 보았겠지만 아무 말도 하지 않았다. 그저 그녀의 시선이 뒷머리에 느껴질 뿐.

"…………후후. 그렇게 긴장하지 않아도 돼. 네 실력은 나도, 데미우르고스도 이번 왕국 건으로 충분히 알았는걸."

그때, 데미우르고스라는 악마와 만난 후로 왕국이 멸망할 때까지 일어났던 일은 9할이 라나의 발안에서 비롯되었으며, 잘 유도했다고 자부했다. 다만 왕국 백성을 거의 대부분 죽인다는 방향으로 전환되었을 때만은 버림받은 것이 아닐까 걱정했으나, 그 이외에는 거의 오차 범위 내였다.

"그 우수한 능력을 이 나자릭── 내 밑에서 확실하게 발휘해줬으면 해."

"물론이옵니다, 알베도 님."

"아인즈 님께 그처럼 높은 평가를 받았으니 실망시키면 안 돼."

희미하게, 라나라 해도 정말 희미하게밖에 느끼지 못할 정도로 알베도의 어조가 변했다.

라나는 그저 묵묵히 신하의 예를 취하고만 있었다. 그것이 지금은 가장 현명한 행위라고 판단했다.

"앞으로 수천 년에 걸친 너의 노력에 어울리는 상을 먼저 주도록 할게."

테이블 위에 무언가가 톡 놓이는 소리가 들렸다.

"너에게도 주었던 타락의 종자. 이게 나머지 하나야. 그리고 제물도 준비됐어. 그의 체력이 회복되는 대로 거행하자. 마법으로 회복시키는 편이 훨씬 빠르겠지만, 네 희망대로 그건 하지 않기로 했어."

"고맙습니다, 알베도 님. 마도왕 폐하께도 감사의 말씀을 전해주시옵소서."

"라나, 반복하겠지만…… 나를 실망시키지 마. 그게 인질로서 가치가 있다고 생각해서가 아니라, 네 활약을 신뢰하기 때문이니까."

친근함마저 느껴지는 부드러운 목소리에 라나는 한층 깊이 고개를 숙였다.

"……예, 알베도 님. 호의에 보답할 만한, 아니, 그 이상의 활약을 보여드리겠나이다."

희미한 웃음소리를 남기고, 자신의 직속 상사가 떠나가는 것이 느껴졌다.

그동안에도 계속 고개를 숙이고 있던 라나는 문이 닫히는 소리에 겨우 얼굴을 들고 크게 숨을 토해냈지만, 마음속에는 미미한 공포가 섞여 있었다.

마지막 관문을 돌파했다.

상대는 악마다. 라나의 희망을 빼앗기 위해 띄워주고 있었던 거라는 소리를 듣지 않아 이제야 겨우 안심할 수 있었다. 하지만 자신이 절대적으로 안전한 위치에 있다고 착각해서는 안 된다.

자신이 이곳에서 신뢰를 받고 있을——리가 없다. 어디까지나 이용가치가 높기에 자신은 이만한 은혜를 입은 것이다. 그렇기에 라나는 이곳에서 열심히 일해, 입은 은혜 이상의 가치가 있음을 증명해야 한다. 그렇지 않으면, 위험하다.

이곳은 그야말로 괴물의 소굴이며, 자신 따위가 무슨 짓을 해도 무력하다는 것은 상대도 잘 알고 있다. 그러나 그것만으로는 불충분하다.

그러기 위해서라도 라나는 약점을 만들어야만 했다. 그것도 많으면 많을수록 좋다. 자신의 목에 감긴 밧줄을 상대에게 넘겨주어, 자신은 개이며 당신이 주인이라는 절대적인 상하관계를 눈에 보이는 형태로 제시해야 했다. 그것이 없었다면 가식적인 신뢰조차 얻지 못했을 것이다.

그렇기에 옥좌의 방에서 한바탕 연극을 했다.

라나의 가장 큰 약점인 클라임——그렇기에 알베도를 처음 만났을 때부터 클라임이 자신에게 얼마나 소중한지를 들려주었다——에게, 그 자리에서 있었던 진실을 보여주지 않는다는 목줄을 채우기 위해.

그리고 클라임에게 인질로서 얼마나 큰 가치가 있는지를 알려주기 위해. 그렇다고는 하지만 자신에게는 또 한 가지 노림수가 있었는데, 역시 간파당하고 말았다. 하지만 좋은 방향으로 넘어갔으니 문제는 없을 것이다.

단 한 가지, 라나에게도 계산하지 못했던 부분이 있었다.

설마 마도왕이 직접 그 역할을 자청할 줄은 몰랐다.

'무서운 분…….'

라나는 아인즈 울 고운이라는 인물을 떠올릴 때마다 자신도 모르게 전율했다.

재상인 알베도가 연기하는 것만으로도 충분할 텐데, 그런 광대 노릇을 마도왕이 직접 연기해주다니. 그만큼 라나를 높이 평가해주었다는 뜻이리라. 다시 말해 '일국의 지배자가 너의 시시한 연기 무대에서 일부러 춤을 추어드렸으니, 그 대신, 잘 알고 있겠지?' 하는 메시지다.

그리고 알베도는 이를 좋게 생각하지 않는다.

자신이 숭배하는 인물이 그런 촌극의 장에 섰다는 사실이 불쾌한 것이다. 다시 말해 이를 시킨 라나에게도 별로 좋은 감정을 품지 않는다는 뜻이다.

'마도왕 폐하께서, 반대하는 알베도 님을 일부러 설득하면서까지 연극을 하셨다는 게 더욱 위험해. 조금이라도 무능한 면을 보였다간 즉시 처분당할 거야…….'

당초 예정으로는 일정 수준의 재능을 보일 뿐 진심으로 활약하진 않으려 했건만, 마도왕이 스스로 무대에 올라주면서 그랬다간 위험해지는 처지에 몰려버렸다.

'……마도왕 폐하는 거기까지 계산하셨을 거야. 남의 위에 서는 자가 지나치게 우수하면 아랫사람에게는 좋지 않은 점도 있구나…….'

그래도 라나는 살짝 웃음을 짓고 말았다.

옛날 꿈은 더 작았다. 그것이 그들을 알면서 이렇게까지 기적 같은 꿈이 될 수 있었다.

그 꿈이 왕국 하나를 팔아넘기는 정도의 대가로 이루어진 것은 행운이다.

춤을 추고 싶다.

노래하고 싶다.

마음속에서 우러나오는, 이 끊임없는 환희를 목소리로 바꾸고 싶다.

너무나도, 너무나도 행복해 머리가 이상해질 것만 같았다.

악마는 영원한 생명을 가진다. 그리고 이곳에 갇혀 있으면 그 누구에게서도 안전할 것이다.

그렇다면——.

라나는 자신이 나왔던 문을 보았다. 아니, 그 너머의 침대에서 잠든 소년을.

"클라임. 여기서 나와 함께 영원히 사랑을 나눠요. 우선 오늘 안으로 서로의 처음을 교환하는 거예요."

라나는 녹아드는 듯한 목소리로 말했다.

"아니면 더 소중히 아껴놓고—— 오늘은 그 전 단계까지만 해두는 게 좋을까? 우후후. 이렇게 고민한 건 처음일지도 모르겠어—— 아아, 나는 어쩜 이렇게 행복할까."

마차에서 내린 엘리아스 브랜트 데일 레에븐은 간담이 서늘해
지는 그 광경을 보고 침묵한 채 뻣뻣이 서 있을 수밖에 없었다.

눈앞에 펼쳐진 것은 잔해의 산이었다.

이곳이 왕도였다니 믿을 수 없었다. 환술에 걸렸다는 편이 그
나마 수긍이 갔다. 하지만 그럴 리가 없다. 눈앞의 광경은 진실
이며, 전장의 결말이다.

레에븐 후작은 비통하게 얼굴을 일그러뜨렸다.

그 거대한 왕도를 이렇게까지 철저하게 파괴하기 위해 얼마만
한 노력이 필요했으며, 얼마만한 걸렸을까.

어느 쪽도 상상이 가지 않았다. 이를 해낸 마도왕의 힘은 그야
말로 '괴물'이라는 말로 표현할 수밖에 없었다.

뒤에서 발소리가 들리고, 누군가가 그에게 말을 걸었다.

"후작님……."

이곳까지 함께 먼 길을 온, 자신의 파벌에 속한 귀족의 목소리다. 지위는 남작이지만 레에븐은 그의 재능을 높이 평가해 곳곳에 손을 써서 작위를 올려주려 했을 정도였다.

그렇기에, 마도왕의 부하에게 '구할 가치가 있는 우수한 귀족'의 이름을 올릴 때 두 번째로 열거한 이름이기도 했다. 그런 그의 목소리에는 힘이 없었으며, 숨길 수 없는 공포로 가늘게 떨렸다. 눈앞의 광경에 레에븐 후작과 같은 감정을 품은 것이 분명했다.

레에븐 후작은 돌아서서, 열 대의 마차에서 합계 12명의 귀족, 다시 말해 모두가 내린 것을 확인했다.

"배알하러 가세."

이의는 없었다. 당연하다. 마도왕에게 불려 여기까지 온 것이다. 이제 와서 역시 안 만나겠다고 말할 수는 없었으며, 그럴 용기도—— 아니, 만용조차 없었다.

하지만, 왕도에 오라는 말은 들었는데 장소까지는 알지 못했다.

레에븐 후작은 주위를 둘러보고, 아주 멀리 건물 하나가 남은 것을 발견했다. 왕궁이다. 그 주위를 에워싸고 있던 왕성은 돌무더기가 되었다.

레에븐 후작 일행이 있는 장소에서 그곳까지 시야가 닿았던 것은 일부러 잔해를 치워놓았기 때문이리라.

폐허 한복판에 혼자 덩그러니 멀쩡하게 남은 건물이 있다. 그것이 희망이 아니라 뭐라 형용할 수 없는 위화감과 혐오감으로 다가오리라고는 레에븐도 생각하지 못했다.

가능하다면 그런 건물에는 다가가고 싶지 않았으나, 마도왕은 저곳에 있을 것이다.

"가세."

레에븐 후작 일행이 있는 곳은 왕도의 시벽이 있던 자리다. 왕궁까지는 상당히 멀다. 마차로 가면 금방이겠지만 상대의 눈앞까지 마차로 가면 불경하다고 여겨질지 모른다. 그런 일은 피해야만 한다. 게다가 지정된 시간까지는 아직 여유가 있다. 걸어가도 시간은 남을 것이다.

레에븐 후작 일행은 터덜터덜 걸었다.

"여기가 그 중앙대로라니……."

누군가가 불쑥 중얼거리는 것이 뒤에서 들렸다.

왕궁으로 이어지는 대로에도 잔해는 전혀 없었다. 싹 쓸어낸 것처럼 말끔했다.

반대로 말하자면 무사한 것은 길뿐. 길 가장자리의 집도 시벽도, 모든 것을 철저하게 파괴하고, 불사른 흔적마저 있었다. 왕도로 향하던 도중 비슷하게 멸망된 도시와 마을은 수없이 보았다. 다만 이렇게까지 철저하게 파괴당한 곳은 보지 못했다.

"후작님. 왕도 주민의……."

"──말하지 말게."

왕도 주민의 안부를 신경 쓴 것이리라. 하지만 레에븐 후작은 어딘가로 수송됐다는 이야기를 듣지 못했으며, 왕도의 폐허 주위에서 난민의 모습도 보지 못했다. 그렇다면 생각할 수 있는 결론은 하나뿐이다.

레에븐 후작은 좌우의 잔해를 보았다. 이러한 잔해 밑에 얼마나 많은 사람이 묻혀 있을까. 거대한 묘지를 걷는 기분마저 들었다.

레에븐 후작은 더 이상 코로 숨을 쉬지 않았다. 죽음의 냄새까지 맡고 싶지는 않았다. 아니, 그런 냄새가 전혀 나지 않는 것이 이상했다. 다만 타는 듯한 냄새와 먼지 냄새는 강했다.

한동안 걸었으나 아직 왕궁까지는 거리가 멀었다.

끔찍한 광경에 마음이 약해졌는지 불쑥 중얼거리는 소리가 들렸다.

"——광왕(狂王)."

레에븐 후작이 즉시 돌아보며 고함을 질렀다.

"어느 놈이!"

날카로운 눈초리로 파벌 귀족들을 둘러보았다. 그중 하나, 새파랗게 질린 얼굴을 굳힌 귀족이 있었다.

귀족으로서 오래 살다 보면 자신의 감정을 죽여야 할 때가 있다는 것도, 표정을 꾸미는 방법도 배우게 된다. 그래도 이 광경에는 마음이 꺾여버린 것이리라.

그 마음은 뼈아플 정도로 이해한다. 레에븐 후작도 그 생각에 찬성한다. 그러나 이 장소에서는, 그 상대에게는 매우 위험하다. 그렇기에 질타했다.

"자네들은 우수한 인재일세. 그렇기에 나는 자네들을 구하고자 뛰어다녔네. ……시시한 실언으로 그 노력을 헛되이 만들지 말게. ……사죄도 감사도 필요 없네. 그 사실을 알아주게."

대답은 없었다. 하지만 충분히 전해졌으리라 믿고 싶었다.

"후작님. 뭐랄까, 아무 말도 하지 않고 걸으니 어두운 상상만 해서 마음이 짜부라질 것 같습니다. 지금은 밝은 이야기를 하면서 가는 게 어떻겠습니까?"

"……하긴, 그게 좋겠군. 그러면…… 나에게 둘째 아이가 생겼다는 이야기는 어떻겠나?"

"축하드립니다."

귀족들이 입을 모아 말했다. 괴로웠던 지난 몇 달 동안 레에븐 후작에게는 유일하다고 해도 좋을 만한 밝은 화제였다. 그렇기에 이 화제는 그들에게 몇 번이나 들려주었다.

자식 자랑을 시작하면 길어지지만 건설적이지 않은 것은 사실이다.

그래도 조금이라도 이야기해 분위기를 누그러뜨려야 한다고 생각한 레에븐 후작은 자식 이야기를 시작했다. 그리고 정신이 들고 보니, 길다고만 생각했던 왕궁까지의 여정도 절반이 지났다.

조금 ──아주 조금── 말을 많이 한 듯하다.

하고 싶은 말은 아직도 잔뜩 남았지만 이쯤에서 접어야 할 것이다. 레에븐 후작은 짐짓 헛기침을 했다.

어째서인지 한 귀로 듣고 한 귀로 흘려듣는 듯하던 자들의 표정이 돌아왔다.

"자식 이야기는 돌아가는 길에 마저 하고, 앞으로 우리의 아이들이 행복하게 살 수 있도록 어떻게 마도왕 폐하께 제안을 하는가가 문제로군."

이곳으로 오는 동안 몇 번이나 토론했다. 그 결론을 여기서 꺼내려는 것이다.

레에븐 후작은 주위를 둘러보고, 마도국의 병사가 없음을 확인했다.

"첫날 제기되었던 문제이기도 합니다만, 마도왕 폐하는 언데드입니다. 산 자인 우리와는 달리 그분의 치세는 영원히 이어집니다. 장래에 우리의 손주 증손주가 이 광경을 잊고 폐하의 진노를 사는 일이 있지는 않겠습니까?"

"그건 충분히 있을 법하군. 손주 대까지는 괜찮을 수도 있네만, 그 이후가 되면 조금 불안한걸."

"어리석은 자가 가문을 이어받을 수도 있으니."

"……솔직히 거기까지는 책임을 질 수 없지만 말입니다. 그때는 깔끔하게 멸망하면 되지 않겠습니까."

귀족처럼 혈통을 긍지로 여기는 자들에게는 놀랄 만한 발언을 했던 것은 아버지 대에 귀족이 된 여성 영주였다. 병이 든 아버지의 대리로 이곳에 왔다.

귀족으로서 역사가 얼마 되지 않기에 할 수 있는 발언에 몇몇이 불쾌한 표정을 지었다.

"이 광경을 보면 가문이 멸망하는 것만으로 끝나리라는 생각은 안 드네."

레에븐 후작의 발언에 여성 영주는 눈을 내리깔았다.

"……그러니 이리 할 수밖에 없네. 이 참극을 온갖 그림으로 남겨, 이를 아이들에게 들려주세. 그리고 마도왕 폐하께 간청해 이곳을 그대로 남겨두세."

"이곳에 새 도시를 건설하는 것이 아닙니까?"

그런 이야기가 오른쪽에서 들려오고, 왼쪽에서는 이를 부정하는 발언이 나왔다.

"이렇게까지 철저하게 파괴해놓고? 그건 조금 생각하기 힘들지 않겠습니까?"

레에븐 후작도 후자의 의견에 찬성했다. 하지만 마도왕은 자신들 인간은 미치지 못할 만한 힘을 가졌다. 도시를 처음부터 다시 만드는 편이 이상적인 도시를 지을 수 있다고 판단해 행동한 것인지도 모른다.

하지만 이를 생각하기 시작하면 아무것도 해결되지 않을 것이다.

"그리고, 인질은 어떻게 하시겠습니까, 후작님?"

가장 언짢은 화제였다.

레에븐 후작은 아랫입술을 깨물었다.

마도왕이 인질을 요구할지 어떨지는 알 수 없다. 하지만 상대가 제안하는 것보다는 이쪽에서 제안하는 편이 상대가 좋게 여길 것이다.

레에븐 후작은 한동안 고뇌하다가 결론을 내렸다.

"내가 마도왕 폐하께 제안하겠네."

다시 말해 인질을 바치겠다는 소리다. 아마도 귀족들 몇 명은 생각하는 바가 있었을 것이다. 하지만 말로 꺼내지도, 표정으로 드러내지도 않았다.

그 후에도 여러 가지 최종결정을 내리는 가운데, 이윽고 왕궁이 또렷이 보이기 시작했다.

입구의 문을 봉쇄하듯 쌓인 잔해의 산이 레에븐 후작 일행의 눈에 들어왔다. 그리고 그곳에 걸터앉은 언데드가 있었다.

언데드는 곁에 있는 마도국 재상 알베도와 이야기를 나누는 듯했으나, 이쪽을 알아보았는지 얼굴이 움직였다. 아직 거리는 있다. 하지만 레에븐 후작 일행은 뛰어나갔다.

다가감에 따라 마도왕이 앉은 무더기의 정체를 알 수 있었다. 아니, 정체라고 하는 것은 올바른 표현이 아니다. 저것이 잔해의 무더기임에는 틀림이 없다. 하지만 그런 한편, 저것은 잔해의 무더기가 아니다.

그 정점에 놓여 빛을 반사하는 덩어리. 그것은 왕관.

그것은 잔해로 만들어진 왕좌. 왕국의 종언을 의미하는 창작물이다.

이 도시 어디의 잔해를 옮겨왔는지까지는 도저히 알 수 없었다. 하지만 아마도 모두가 눈을 크게 뜰 만한 장소에서 옮겨왔을 것이다.

두렵다.

그런 생각을 하고 실행에 옮기는 괴물이 두렵다.

필사적으로 뛰어, 구르듯이 그의 앞에 한쪽 무릎을 꿇었다. 헉헉 차오르는 숨을 필사적으로 억누르며 목소리를 냈다.

"마도왕 폐하를 뵙나이다."

레에븐 후작은 아주 잠깐, 마도왕이 이쪽을 관찰하는 것을 조아린 머리의 뒤통수로 느꼈다.

"레에븐이었지. 잘 왔다. 그건 그렇고 그…… 뭐냐, 숨을 가다듬어도 좋다. ……땀도 흘리고 있으니."

"휴, 흉한 모습을 보여드려서, 송구스럽사옵니다."

놀랄 정도로 친절한 목소리였다. 그렇기에 두려웠다.

함정이라는 말이 뇌리를 가로질렀으나, 흉한 모습을 보이는 편이 더 위험하다고 생각하고 레에븐 후작은 손수건을 꺼내 이마의 땀을 닦았다.

"……어려운 걸음을 해주었으니 원래 같으면 노고를 치하해야겠다만, 나는 쓸데없는 이야기를 그리 좋아하지 않는다. 그렇기에 냉큼 이야기를 끝내겠다."

"예!"

레에븐 후작 일행이 그 말 외에 무슨 대답을 할 수 있었을까.

"우리—— 마도국군은 이곳으로부터 서쪽, 남쪽에 있는 왕국 귀족의 영지를 멸한 후 귀환할 것이다. 너희는 자신의 영지를 그대로 관리하라. 장래에 전봉(轉封, 귀족의 영지를 옮김)할 수도 있겠다만, 아직은 생각이 없다—— 그렇지, 알베도?"

"예, 아인즈 님의 말씀이 옳사옵니다."

"그런 것이다. 앞으로 너희의 영지에 관한 자세한 요건 등은 알베도를 통해 알릴 생각이다. 그때까지는 이전의 법령에 따르도록 하라."

"예!"

레에븐 후작만이 아니라 다른 귀족들도 목소리를 한데 모았다.

"무언가 질문이나, 그 외의 문제점 같은 것이 있느냐?"

"아무것도 없사옵니다! 그저 소인들의 충성심에 대한 증거로, 몇 가지 제안을 드리고자 할 따름이옵니다."

장이 끊어지는 듯한 심정으로 피를 토하듯 말하자 마도왕은 천천히 고개를 돌려 먼 곳으로 시선을 보냈다. 인간 주제에 알았다는 대답 이외의 말을 한 것이 마음에 들지 않았는지도 모른다.

레에븐 후작은 역정을 사버렸을까 하는 마음에 위장에 납덩어리가 들어찬 듯한 기분을 느꼈다. 힘든 일을 막 마치려던 부하에게 추가 서류를 잔뜩 쌓아줬을 때의 모습이 지금의 마도왕과 비슷했지…… 그런 현실도피를 하고 말았다.

영겁처럼 여겨질 정도의 긴 한순간을 거쳐.

"음, 그렇군. 그 점은 차후 알베도에게 전달하도록."

마도왕이 내키지 않는 듯한 어조로 말했다.

"그러면 이야기는 끝났다. ……아, 그래. 나나 우리 나라를 적대하는 어리석은 자가 어떻게 되었는지를 보여주기 위해 이 장소는 이대로 놓아두어라. 다만 전염병이 발생하면 성가시지. 불태우기 위해 마법을 몇 가지 사용하겠다. 말려드는 일이 없도록, 이곳에 사람을 들이지 마라."

"예!"

"——알베도. 홍련을 이곳으로 불러와 철저히 태우도록 해라. 다만 왕궁의 외견만은 멀쩡한 상태로 남겨야 한다. 가구 같은 것은 에 란텔로 옮기도록."

"분부에 따르겠나이다."

홍련이 누구일까 생각했으나 물어봤자 좋은 일은 없을 것이다. 알아두는 것이 좋은 일과 알면 위험한 일이 있다면, 마도왕에 관한 것은 모두 후자에 속한다.

"그러면 이로써 왕국은 완전히 멸망한 셈이다만—— 레에븐. 한 가지만 묻고 싶구나. 이로써 나에게 거역하는 일이 얼마나 어리석은지, 많은 이들에게 전해졌겠느냐?"

"예…… 위대하신 마도왕 폐하께 거역하는 행위의 어리석음을 영원토록, 수많은 이가 깨우칠 것이 틀림없사옵니다."

고개를 숙이고 있어 마도왕이 어떤 표정을 지었는지는 알 수 없었다. 물론 얼굴 피부가 없는 마도왕에게는 표정이 전혀 없지만. 그래도 대답에는 희열과도 같은 기색이 느껴졌다.

"그렇군. 그렇다면 보람이 있는 일이었다. 나는 상당히 만족한다."

왕국 800만 백성을 몰살한 마왕의 감상을 듣고 레에븐 후작은 심한 구역질이 났다. 그리고 속으로 빌었다.

이 마왕이 부디 용사에게 토벌되기를.

*

"나는 하나도 잘못하지 않았어."

필립은 지난 몇 주 동안 수없이 되풀이했던 말을 다시 한번 반복했다.

그렇다. 자신의 행위가 전쟁의 계기가 된 것이 아니다. 이것은 마도국의 음모였다. 그렇게 생각하면 모든 모순이 사라진다.

자신은 이용당한 것이다.

어쩌면 영지가 부유하지 않은 것도, 자신의 안이 채택되지 않은 것도 마도국의 음모일지 모른다.

'그놈들에게 돈을 바쳤거나 내 험담을 했거나, 뭔가를 했을 거야. 그래, 그게 분명해!'

필립은 침대에서 몸을 일으켜 협탁에 손을 뻗었다. 그곳에 놓인 병을 들어 살짝 흔들었다. 들었을 때의 무게로 이미 알았지만 희미한 물소리조차 나지 않았다.

"쳇."

혀를 찬 필립은 실내를 둘러보았다.

바닥에는 다 마신 술병이 어지러이 널려 있었다. 아마 실내에는 술냄새가 지독하게 풍기겠지만 필립의 코는 이미 마비되어 전혀 알 수 없다.

굴러다니던 적당한 병을 들어 입에 가져갔지만 목으로 들어오는 것은 한 방울도 없었다.

"젠장!"

술병을 집어던진다.

쨍그랑 깨지는 소리가 나 짜증이 더욱 강해졌다.

"야! 술이 없잖아!"

고함을 질러도 술을 가져오는 자는 없었다. 평소 방에 대기하던 메이드——힐마의 선물——가 있을 텐데, 생각해보니 한동안 모습을 본 적이 없었다.

"술 가져와!"

다시 고함을 지르고 일어났다.

몸이 비틀 흔들렸다.

"어이쿠."

침대에 손을 짚었다. 술에 취해서라기보다는 지난 며칠 내내 방에서 나가지 않고 생활한 탓에 몸이 조금 둔해졌는지도 모른다.

필립은 천천히 걸어 문까지 왔다.

"이봐!! 아무도 없나!!"

고함을 지르고 문을 힘껏 걸어찼다. 아프고 싶지 않았으므로 주먹질은 하지 않는다.

대답이 없었다. 혀를 찬 필립은 문을 열고 다시 소리쳤다.

"내 말이 안 들려!! 술이 없다고 하잖아!! 가져와!!"

역시 대답은 없었다.

격노한 필립은 방을 나왔다.

집안은 조용했다.

아버지도, 형의 가족도, 필립이 이 저택을 사용하게 된 후로는 별채로 옮겨갔기 때문이다. 이곳에 있는 것은 사용인들뿐이다.

귀족의 저택이라 해도 조그만 영지를 가진 남작의 것이다. 자신의 방에서 식당까지는 금방이다.

식당 문을 연 필립은 눈을 동그랗게 떴다.

의자에 앉은 하얀 여자를 보았기 때문이다.

"어머, 일어났네. 너무 늦어져서 슬슬 찾아갈까 생각하던 참이었는데."

마도국 재상 알베도였다. 처음 만났을 때와 다를 바 없는 미소를 짓고 있다. 필립이 저지른 일에 대한 원한 같은 것은 없어 보였다. 필립은 문득 생각했다. 마도국은 필립이 저지른 짓에 별생각이 없는 건 아닐까 하고.

그렇다.

만약 정말로 불쾌하게 여겼다면 필립의 영지가 처음으로 공격을 받아도 이상하지 않다. 하지만 그런 일은 없었다. 다시 말해 그런 것이다. 오히려, 마도국은 필립 덕에 왕국과의 전쟁을 시작할 수 있었다. 어쩌면 감사하고 있는지도 모른다.

아니, 아니, 혹시 그녀는 모르는 게 아닐까. 필립이 저지른 일을.

알베도의 미소에 이끌려 필립도 웃음을 지었다.

"이, 이런 누추한 곳에 찾아와주셔서 고맙습니다, 알베도 님. 당신을 이런 장소에서 기다리게 하다니! 신하들을 꾸짖어야겠군요."

알베도가 한순간 어이없다는 표정을 짓고는 이내 쓴웃음을 머금었다.

"이 정도였다니, 이젠 오히려 대단하다 싶네. 좀 감탄했어……. 후후, 여기 온 건 볼일을 마치기 위해서였지만, 그 전에 선물을 하나 가져왔거든. 열어보겠어?"

테이블 위에 놓인 것은 하얀 상자였다. 가로 폭이 50센티미터도 넘었다.

필립은 이제까지 침대 위에서 겁낼 필요가 없었던 거냐고 후회하며 상자 뚜껑을 들었다. 꽃처럼 좋은 냄새가 코를 간질였다. 얼마나 대단한 것이 들었을까 두근두근하는 마음으로 안을 들여다본 필립은 내용물과 눈이 마주쳤다.

델비 남작과 로킬렌 남작. 그 두 사람의 머리였다.

얼마나 큰 고통을 받았는지, 얼굴은 끔찍할 정도로 일그러져 있었다.

"──히익!"

몸이 굳어버린 필립에게 알베도가 조용히 말했다.

"어쩜 그렇게 내 체면을 구겨버릴 수 있을까. 바보를 준비할 생각이긴 했지만, 이 정도로 바보일 줄은 상상도 못했어."

덜컹 소리가 났다. 알베도가 일어난 것이다.

미소를 짓고 있다. 그러나 사태가 이 지경이 되면 필립도 알수 있다.

그녀는 격노하고 있다.

도망치지 않으면 위험하다.

필립은 몸을 돌려 뛰어가려 했지만 당황한 탓에 다리가 꼬이고 말았다. 그대로 큰 소리를 내며 바닥에 나뒹굴었다.

또각또각 발소리가 다가온다. 바로 옆까지.

"그러면—— 갈까."

"싫어! 싫어! 싫어! 난 안 가!"

최후의 저항으로 몸을 둥글게 말고 엎드렸다.

"그렇게 떼쟁이 애 같은 짓은 그만두면 좋겠는데?"

알베도가 귀를 쥐고 잡아당기자 귀가 찢겨나가는 것 아닌가 싶은 고통이 내달렸다.

"아파! 아파! 하지 마!"

"그럼 걸어야지? 자, 일어나."

필립은 귀를 잡아당기는 알베도의 두 손을 떼어내려 했지만, 여자의 가느다란 팔인데도 알베도의 완력이 더 강했다.

"아파! 아파!"

잡아당기는 대로 일어났다.

눈물로 뿌옇게 흐려진 시야 속에서 필립은 알베도의 얼굴에 주먹을 휘둘렀다. 그러나 그 주먹은 허공에서 쉽게 붙들렸다. 그리고——.

"으꺄아아악!!"

그대로 두면 짓이겨지는 것이 아닐까 싶을 만한 힘이 가해지며 주먹이 우두둑 소리를 냈다.

"……고분고분 걸으면 짓이겨버리진 않을 텐데, 어떡할래?"

"알겠습니다! 알겠어요! 걸을 테니까 하지 마세요!"

주먹에서 힘이 빠져나갔다.

"뭐냐고 진짜……. 내가 뭘 했다고 이래."

필립은 너무나 슬퍼 눈물이 멈추질 않았다.

자신은 최선을 다해 노력했다. 하지만 그것이 전부 잘 풀리지 않았을 뿐이고, 이런 짓을 당할 만한 이유가 없었다.

왜 이런 폭력에 시달려야 한단 말인가.

왜 아무도 자신을 구하러 오지 않는가. 자신을 마도국에 팔아넘기고 자기들만 살아난 걸까.

비겁자들뿐이다.

전부 비겁자다.

알베도는 주먹과 귀의 아픔에 눈물을 줄줄 흘리는 필립에게 아무런 감정도 없는 것처럼 태연한 표정으로 걸어나갔다. 귀를 붙들린 채였으므로 필립은 저항하지 않고 따라갔다.

현관을 통해 밖으로 나간다.

"——히익."

바깥의 광경을 본 필립은 비명을 질렀다.

저택 앞이 숲으로 변했다.

평범한 숲과 다른 점은, 이를 이루는 것이 나무나 풀이 아니라는 점이다.

이형의 나무. 그것도 어마어마한 숫자.

팔다리가 달린 말뚝이라고 해야 할까.

말뚝이 달린 인간이라고 해야 할까.

인간이 말뚝에 꿰여 있었다.

마을 사람 전원이 말뚝에 꿰여 있었다.

남녀노소. 한 명도 살려두지 않은 것 아닐까 싶어질 정도로 많은 말뚝이 꽂혀 있었다.

모두가 지면에서 돋아난 말뚝에 사타구니부터 꿰뚫렸으며, 끄트머리는 입을 통해 튀어나왔다.

예외 없이 고통스러운 표정이었으며, 온몸의 구멍이란 구멍에서 피를 뿜으며 말뚝 뿌리께에 피웅덩이를 만들고 있다.

어느새 이런 짓을 했단 말인가. 아무리 그래도 필립이 이 사실을 알아차리지 못하도록 저질렀을 수는 없다.

"꿈은 아니야. 네 방 주위의 소리를 마법으로 차단했거든. 그래서 조용했지? 뭐, 네가 좀 더 똑똑했다면 이변을 알아차렸을지도 모르지만…… 이제까지의 분위기를 보니 하나도 몰랐나 보네."

필립은 다시 알베도의 팔을 붙잡고 자신의 귀를 풀도록 온 힘을 다했다. 그런 필립에게 알베도가 얼굴을 가까이 들이대고 말했다.

"사실은 마을 사람들에게 너를 린치시킬까도 생각했는데, 그러면 재미가 없잖아. 내가 존경하는―― 아인즈 님은 연습이나 훈련 같은 걸 중시하는 분이셔. 그래서 나도 너를 가지고 특별한 정보수집 연습을 해볼까 해. 조금이라도―― 내게 도움이 되어봐."

얼굴이 찢어지는 듯한 웃음을 짓는 알베도의 표정을 보고 필립은 의식을 놓아버렸다.

"어머나…… 이놈은 정말……. 뭐, 됐어. 네 아버지한테서도 부탁을 받았거든. '그 바보에게 모두의 고통을 가르쳐달라'고 말이야. 약속은 제대로 지킬게."

그 말은 이미 필립의 귀에는 닿지 않았다.

*

알베도는 뒷마무리를 하러 가겠다고 했으므로 중간에 헤어지고, 혼자 자기 방으로 돌아온 아인즈는 오늘의 아인즈 당번 메이드에게 무겁게 말했다.

"침실에서 향후 마도국이 취해야 할 전략을 검토하겠다. 너는 이곳에 남아, 침실로는 아무도 들어오지 못하도록 하라."

아인즈 당번 메이드가 방문 옆에 있는 오늘의 방 직속 메이드에게 시선을 돌리는 것을 알 수 있었다. 그녀가 하고 싶은 말은 "그건 쟤한테 맡기고 저는 아인즈 님 옆에 있을게요."일 것이다. 늘 있는 패턴이다.

이를 알기에 아인즈는 선수를 쳤다.

"몇 년 단위로 향후의 전개를 예측해야만 한다. 누군가의 기척이 있기만 해도 생각이 흐트러진다. 알겠느냐?"

"예! 앞으로는 기척을 지우도록 노력하겠사옵니다!"

그런 소리가 아닌데.

생각은 그렇게 했지만 됐다고 넘어가기로 했다. 솔직히 여러모로 생각하는 것이 피곤했다.

"좋아. 그러면 기척을 지우지 못하는 지금은 여기 남아라."

"분부 받들겠나이다, 아인즈 님."

아인즈 당번 메이드를 집무실에 남기고 아인즈는 침실로 직행했다.

육체적으로가 아니라 정신적으로 지쳐버린 아인즈는 침대에 다이빙.

푹신푹신한 침대가 아인즈를 부드럽게 받아주었다.

멋진 다이빙이었다.

체공시간, 도약거리, 낙하 장소, 착지자세 등 온갖 요소를 고려해봤을 때 눈썰미가 있는 자라면 절찬하지 않을 수 없는, 괄목할 만한 다이빙이었다.

이것도 아인즈가 정신적으로 지칠 때마다 다이빙을 해왔기에 —— 반복해 경험을 쌓았기에 가능한 숙달된 기술이었다.

"하아."

아저씨처럼 지쳐버린 한숨을 쉬었다. 이것 또한 멋들어진 한숨이었다. 천 명 중의 천 명이 아저씨 같다고 말할 만한 한숨이었다. 이것도 마찬가지로 아인즈가 수없이 되풀이해 한숨을 쉬었기에 가능했다.

그리고 아인즈는 침대 위에서 데굴데굴, 좌로 굴렀다가 우로 굴렀다.

조금 전까지 폐허가 된 왕도에 있었으니 흙먼지 같은 것으로 몸이 지저분했다. 먼저 슬라임 탕에 들어가는 편이 나았을지도 모르지만 그럴 기력은 도저히 없었다.

'지쳤어……'

악역 노릇을 잘해냈는지, 백금 갑옷과 싸울 때의 전술이라든가, 여러모로 생각할 것이나 반성할 점은 많았지만 일단은 이것으로 커다란 안건 하나가 정리되었다.

　　──아니지.

커다란 프로젝트의 첫 한 걸음을 성공했을 뿐이다. 이제부터가 더 귀찮다고 할 수 있다. 왜냐하면 간단했던 큰 파괴는 끝나고, 이제부터는 세심한 작업이 필요한 조그만 파괴, 그 후의 귀찮은 창조가 있으니까.

지금까지의 마도국은 작은 영토──카체 평야를 제외하고──에 큰 속국을 가진 상황이었다. 그러나 앞으로는 다르다. 큰 영토를 얻었다. 그렇다면 다양한 문제가 발생할 것은 자명하다.

물론 바쁜 것은 내정을 전부 보고 있는 알베도가 되겠지만 그곳에서 일어날 수 있는 큰 문제는 아인즈에게까지 올라올 것이다. 아마도 이제까지보다도 중요하고도 어려운 문제가. 그것을 스스로 처리해나갈 수 있을 거라는 생각은 도저히 들지 않았다.

게다가 무엇을 착각했는지 모르겠지만 알베도와 데미우르고스만이 아니라, 지략가로 라나인지 뭔지 하는 머리 이상한 여자까지 나자릭에 들어왔다. 위그드라실과는 전혀 상관도 없는, 타고난 외부인이다. 설정 어쩌고저쩌고가 전혀 가미되지 않은 완전한 객관시점에서 아인즈를 볼 수 있는 데다, 나자릭의 두뇌담당 양대 거두와 비슷한 정도의 천재라고 한다.

그런 사람 앞에서 이제까지의 지배자 아인즈 울 고운을 연기할 수 있을까?

"────도망치고 싶다아."

전심전력—— 모든 것이 담긴 영혼의 말이었다.

　내일 회사에서 자신의 실수가 발각될 것을 아는 샐러리맨 같은 심정으로 중얼거렸다.

　'전부터 한계였어. 이제는 내가 무능하단 걸 모두가 알아줄 기회 아닐까? 옛날부터 각오는 했잖아.'

　그러나——.

　'그 순간이 임박했다고 생각하면…… 다들 어떤 반응을 보일지가 무서워……. 젠장. 이 정도로는 정신이 안정되질 않네…….'

　아인즈의 능력은 이 정도의 동요가 별것 아니라고 말하는 듯했다.

　아인즈는 생각하고 또 생각한 끝에 결론을 내렸다.

　"————좋아, 도망치자."

　아무리 그래도 지금 당장 도망치기는 힘들 것이다. 모든 것을 내팽개치고 도망치다니, 그런 일이 용납되겠는가. 인수인계 자료도 뭣도 만들지 않고 퇴직 1개월 전에 유급휴가를 몽땅 써버리고 그대로 사표를 던지는 행위는 결코 용서받을 수 없다.

　게다가 도망친다고 해도 그냥 '저 도망치겠습니다' 했다간 경멸의 대상이 된다.

　도망치려면 나름대로 이유가 필요하다.

　뭔가 없을까.

　아인즈는 들어있지도 않은 뇌를 필사적으로 굴렸다.

　'그거다!'

아이디어가 번뜩였다.

유급휴가 같은 계획은 몇 번이나 생각하고 파기했다. 그렇기에—— 아인즈가 솔선해 휴가를 낸다는 명목을 취하면 어떨까.

잠시만이라도 나자릭을 떠나 느긋하게 쉰다. 그러는 동안 일은 모두 알베도에게 맡겨버리면 아인즈가 채택하는 것보다 훨씬 안전할 것이다.

알베도라면 최상위에 있는 아인즈의 계획과 결정이 필요하다고 말할지도 모른다. 그러면 이렇게 말하면 된다.

"내가 죽었다고 가정한 훈련은 이미 했다. 이번 일은 그 연장선이다. 나와 연락을 취하지 못하게 되었다는 가정 하에 알베도가 모든 것을 결정하라—— 이거다."

아인즈는 주먹을 부르쥐었다.

다만——.

'어디로 가지?'

제국에서 지르크니프와 교우를 다지고 제국 곳곳을 돌아본다. 드워프 나라를 중심으로 그 산맥을 조사한다.

성왕국은——.

'——매력이 없으니까 기각.'

여러 가지로 꿈이 부풀었다.

그때 문득 떠오르는 것이 있었다.

'그 아이들에게 엘프 친구를 만들어주는 건 어떨까?'

아우라와 마레. 두 아이를 상당히 혹사하지 않나 하는 생각은 전부터 있었다. 저쪽 세계에서는 당연한 일이었지만 야마이코 님은 항상 그런 세상이 이상하다고 말했다. 그렇다면 이쪽에서는 조금이라도 아이들을 다정하게 대해주자.

그러면 어떻게 해야 할까. 그 둘을 데리고 여행을 하는 건 어떨까.

'나쁘지 않은 것 같아……. 아니, 꽤 괜찮지 않을까? 그러면 계층수호자가 유급휴가를 낸다는 실적도 만들 수 있고, 걔들이 빠져서 생긴 구멍을 어떻게 메울까 하는 실험도 되니까.'

계층수호자들의 일이 나날이 늘어나는 것은 문제라 느끼고 있었다. 그 문제를 해결하는 방법으로도 이어지지 않을까.

"좋았어!"

어느 정도 일이 정리되면 엘프 나라로 가서 그 아이들에게 친구를 만들어주자.

그렇게 굳게 결심한 아인즈는 몸을 일으켜 침실을 나가고자 걸어나갔다.

캐
릭
터

소
개

라나 티엘
샬드론 라일 바이셀프

이형종

renner theiere chardelon ryle vaiself

황금공주

역직 —— ●●. (장래)

주거 —— 나자릭 제9계층의 어떤 방.

종족 레벨— 임프(Imp) —————————1ᴸᵛ

클래스 레벨- 액트리스:일반(Actress) ———— 4ᴸᵛ

            지니어스(Genius) ————— 5ᴸᵛ

생일 —— 상화월 7일

취미 —— 클라임과 ●●●하는 것.

왕국에 사는 수많은 이의 행복을 짓밟고 자신의 꿈을 최고의 형태로 이룬,
이 세상에서 가장 행복한 여자. 왕국 백성에게 죄책감 따위 품지 않지만
적어도 감사의 마음은 가진 듯. 식재료에 대한 감사와 비슷한 정도지만.
지니어스는 온갖 기본 클래스, 일반 클래스로 레벨을 전환시킬 수 있는
특별한 직업. 단, 한 번에 바꿀 수 있는 직업은(현재는) 하나로 되어 있으며,
이를 사용해 평소에는 프린세스로 바꿔놓고 있었다. 희귀한 클래스이며
보유한 자는 헤아릴 정도밖에 없다.

자낙 바를레온 이가나 라일 바이셀프

인간종

zanac valleon igana ryle vaiself

바이셀프 왕가 최후의 왕

역직 —— 바이셀프 왕가 왕자.

주거 —— 로 렌테 성.

클래스 레벨 킹: 일반(King) —————— 1 lv

프린스: 일반(Prince) —————— 4 lv

카리스마: 일반(Charisma) —————— 2 lv

파이터(Fighter) —————— 1 lv

생일 —— 하수월 14일

취미 —— 먹는 것, 자는 것, 명때리는 것.

| personal character |

형이 왕이 되는 것이 확실한 상황이었으므로 그의 입장은 별로 좋지 못했다. 후원해주는 귀족도, 왕궁 내에 친한 자도 없었다. 그래도 결코 굴하지 않고 왕가의 장래를 생각해 구준히 자신이 할 수 있는 일을 하고자 노력했던 수재. 자낙, 라나, 레에븐 후작, 가제프. 이 네 사람이 진심으로 힘을 합쳤다면 제국의 침공을 막아내고 강한 왕국을 되찾을 수 있었을 것이다. 불가능하다고 여겨질 수도 있겠지만, 나자릭이 오지 않은 상태에서 바르블로가 왕이 되지 못하고 죽었다면 그렇게 된다.

아주스 아인드라 | 인간종

azuth aindra

연기파 모험자

역직 —— 주홍물방울 리더.

주거 —— 아그란드 평의국 수도
드래곤즈 브레스의 고급 여관.

클래스 레벨 — 파이터(Fighter) ——————— ? lv

스나이퍼(Sniper) ——————— ? lv

애슬레틱 마스터(Athletic Master) — ? lv

기타

생일 —— 하수월 15일

취미 —— 맛있는 술을 마시는 것. (별로 세진 않음)

| personal character |

정식으로 이름을 대면 더 길지만(기사 작위 같은 것이 있으므로), 이번에는
그가 가장 선호하는 이름으로 소개. 아주스 개인의 전투능력은 아마
아다만타이트 클래스 모험자 중에서는 낮은 편일 것이며 팀 내에서도
최하급이다. 게다가 파워드 슈트를 운용하기 위한 클래스 구성이라 평소의
그는 시원찮은 인물일 뿐. 파워드 슈트에 의존하는 면은 있지만 그래도
오리할콘 클래스까지 실력으로 올라갈 만한 재능은 있었으므로 결코
약하다고는 할 수 없다.

차인도르크스 바이시온

이형종

tsaindorcus vaision

백금용왕

역직 —— 여러 가지가 있으므로 특정불가.

주거 —— 여러 곳이 있으므로 특정불가.

클래스 레벨　프리미티브 캐스터(Primitive Caster)　?|v

　　　　　월드 커넥터(World Connector) —— ?|v

　　　　　오버드 드래곤(Overed Dragon) —— ?|v

　　　　　소울 어도러(Soul Adorer) ———— ?|v

　　　　　기타

생일 —— 별이 쏟아지는 밤

취미 ——세계의 관찰.

| personal character |

　용왕 중에서는 최강 클래스. 플레이어를 죽인 적도 있다. 온후하고 자비로운 성격이지만 대국을 내다보고 유혈도 불사하는 각오를 가졌다. 어떤 용왕의 그룹과는 대체로 목적이 일치해 서로 힘을 합치기도 하지만 최종목표가 달라 사이는 별로 좋지 않다. 여러 개의 거점을 만들고 각 장소에서 조직을 세우는 실험을 하고 있다. 평의국 자체도 실험의 일환이다. 가장 힘을 가진 지역은 동방에 있으며 심복 용왕이 운영한다. 차아와의 결전이 벌어진다면 동방이 될 것이다.

OVERLORD
Characters

지고의 41인

캐릭터 소개

편

루시★퍼

이형종

luci★fer

천사인형, 나자릭의 골칫덩이

personal character

커뮤니케이션 능력이 부족한 면이 있어 상대와의 거리감을 잘 파악하지 못하는 인물. 잘 모르는 상대 앞에서는 입도 뻥긋하지 않지만 자신의 취미를 말할 때는 매우 말수가 많아지며 지론을 굽히지 않는 완고함이 있다. 친해졌다고 생각한 상대에게는 팍팍 들이대며, 이 정도쯤은 화를 내지 않을 거라 생각해 웃으면서 사고를 친다. 그에게 악의는 없지만 그런 면이 길드 내에서도 좋게 여겨지지 않았다. 모몬가조차 눈살을 찌푸릴 수준이었다고 한다.

후기

여러분 오랜만입니다. 마루야마 쿠가네입니다. 여기서부터는 본편의 내용을 조금 건드리고 있으니 아직 읽지 않으신 분은 주의해주세요.

자, 13권 발매일을 보니 2018년 4월 27일. 이번 권이 3월······ 이걸 쓰는 단계에서는 아직 해가 넘어가지 않았지만 2020년 3월에 발매될 예정이니 거의 2년이 지났다는 뜻이 되네요. 그렇다면 역시 여기서는 오랜만이라고 해야 할 것 같습니다.

아슬아슬하게 2년을 채우지 않은 데에서 마루야마의 노력이······ 느껴지지 않나요? 느껴지지 않나요······. 아쉽습니다.

하지만 약 2년이란 긴 시간이죠. 여러분께도 많은 일이 있었겠지만 저도 많은 일이 있었습니다. 게다가 연호도 헤이세이에서 레이와로 바뀌었고요.

개인적으로는 여러 가지 일을 해서 지난 권으로부터 시간이 별로 지나지 않은 것 같습니다만, 여러분께서 '오래 기다렸다'고 생각해주신다면 어떤 의미에서는 이보다 더 기쁜 일이 없을 것 같습니다.

그만큼 오버로드를 기대해주신 분이 계신다는 뜻이니까요.

각설하고, 그렇게 되어 14권. 1권부터 이따금 무대가 되었던 왕국. 그곳에 있는 많은 캐릭터들에게 종지부가 찍혔습니다. 살아남은 캐릭터, 사망한 캐릭터. 많은 분이 예견하셨던 대로인 것 같습니다. 하지만 실제로 이번 권을 쓰면서 어떤 멤버들만이 죽음을 벗어났죠.

그 사람들 말이에요. 쓰면서 '이 캐릭터들이 이렇게 바보처럼 죽을까?' 하고 의문을 품어 그런 식이 되었습니다. 원래는 붙잡혀서 전멸할 예정이었는데요.

정말 유감이에요.

그런 마루야마의 의도는 접어두고, 좋은 캐릭터들이 퇴장했구나 생각해주신다면 기쁘겠습니다. 역시 그러기 위해 지면을 꽤 많이 할애했으니까요!

그런고로 저는 이제 라스트 스퍼트에 돌입하겠습니다.

독자 여러분, 많은 신세를 진 분들, 고맙습니다!

남은 3권 함께 해주시면 기쁘겠습니다. 앞으로 남은 나라는 하나니까요!

그러면 제일 길어진 이야기를 여기까지 읽어주시느라 수고하셨습니다!

푹 쉬세요!

2019년 12월 마루야마 쿠가네

Postscript by So·bin

이 후기를 그리는 시점에서는
아직 1월이라 신년 인사를
드리는 느낌이 드네요 기분상,,
올해도 오버로드
잘 부탁드립니다!!
so-bin

구

상

중.

제

15

권

Volume
Fifteen

오버로드 15

하프엘프 신인(神人)

OVERLORD *Kugane Maruyama* illustration by so-bin

마루야마 쿠가네————— 지음

일러스트 ◉so-bin

오버로드

OVERLORD

원작: 마루야마 쿠가네   만화: 미야마 후긴

캐릭터 원안: so-bin 만화판 각본: 오오시오 사토시

코믹스 1~10권
절찬 발매 중!!

오버로드 **14** 멸국의 마녀

2020년 07월 20일 제1판 인쇄
2021년 05월 25일 제3쇄 발행

지음 마루야마 쿠가네 | **일러스트** so-bin

옮김 김완

발행 영상출판미디어(주)
등록번호 제 2002-000003호
주소 21311 인천광역시 부평구 평천로 132 (청천동)
전화 032-505-2973(代) | FAX 032-505-2982

ISBN 979-11-6524-756-0
ISBN 978-89-6730-140-8 (세트)

구매 시 파손된 도서는 구매처에서 교환하실 수 있습니다.
기타 불편사항, 문의사항이 있으신 독자님께서는 노블엔진 홈페이지
[http://novelengine.com] 에서 Q&A 게시판을 이용해 주시기 바랍니다.